CAMILO CASTELO BRANCO

S0-BOF-003

MYSTÈRES DE LISBONNE

Traduit du portugais
par Carlos Saboga et Eva Bacelar

Michel **LAFON**
POCHE

Titre original : *Mistérios de Lisboa* (1854)
© Éditions Michel Lafon, 2011, pour la traduction française.
© Éditions Michel Lafon Poche, 2018, pour la présente édition.
118, avenue Achille-Peretti CS 70024
92521 Neuilly-sur-Seine Cedex
www.michel-lafon.com

Avertissement

Essayer d'écrire un roman est un désir innocent. Le baptiser d'un titre pompeux serait un prétexte ridicule. Prendre une nomenclature, éculée et vieillie, la graver au frontispice d'un livre et s'enorgueillir d'avoir un parrain original, cela, chers lecteurs, est une supercherie dont je ne suis pas capable.

Ce roman n'est ni mon fils ni mon filleul.

Quand bien même serais-je assailli par la tentation d'écrire la vie occulte de Lisbonne, j'aurais été bien incapable d'en bricoler deux chapitres adroits. Ce que je connais de Lisbonne, ce sont les reliefs qui se détachent sur les tableaux de n'importe quel peuplement, ayant statut de ville ou de bourg. Cela ne vaut guère l'honneur du roman. Les ressources de l'imagination, si j'en avais eu, je ne les aurais pas gaspillées ici dans une tâche sans gloire. À défaut de ces ressources, il m'a toujours semblé impossible d'écrire les mystères d'une terre qui n'en a point et auxquels, si on en avait inventé, personne n'aurait cru. Je me trompais. C'est que je ne connaissais pas Lisbonne, ou bien n'étais-je pas capable d'appréhender la puissance d'imagination d'un homme. Je pensais que les horizons du monde fantastique s'arrêtaient aux Pyrénées, et que l'on ne pouvait être ibérique et romancier ; que l'on ne pouvait être romancier si l'on n'était pas né Cooper ou Sue. Cette conviction ne m'a jamais affligé. Je préférais, de loin, être né dans le pays des hommes véritables, car, je vous prie de me croire, les romans sont une enfilade de mensonges, depuis le célèbre *L'Astrée* d'Urfé jusqu'au larmoyant *Jocelyn* de Lamartine.

En conséquence, se dira le lecteur circonspect, je dois m'attendre à être entraîné dans un tourbillon de mensonges.

Il n'en est rien. Ce roman n'est pas un roman : c'est un journal de souffrances, véridique, authentique et justifié.

Je vous prie de lire la lettre ci-dessous, que j'ai reçue le 24 août 1852 :

Rio de Janeiro, 29 juin 1852

Ami,

Tu seras certainement étonné de trouver entre tes mains une liasse de papiers aussi volumineuse ! J'espère, cependant, que cet étonnement se convertira en intérêt, quand tu sauras quel trésor tu détiens.

Sans détour :

Il y a un an de cela, débarqua ici un homme, qui ne pouvait passer inaperçu à mes yeux. Tu sais quel grand idéaliste j'ai toujours été. Aujourd'hui encore je ne puis renier cet attribut divin, et il ne t'échappera pas combien il doit m'être pénible de concilier les fonctions du comptable avec les intuitions éthérées du poète ! Mais grâce à la violence que je m'impose, j'ai la fierté de te dire que, si j'ai sans doute bien des vers erronés dans ma collection, je vis dans l'heureuse certitude de ne pas afficher une seule erreur dans mes livres de comptes. Il s'ensuit que je suis un piètre poète, mais un honorable commis.

Venons-en à ce qui m'intéresse. Sachant combien je suis idéaliste, tu ne douteras pas que je vis cet homme-là avec les yeux de mon imagination. J'avais des raisons pour cela, et je veux te les faire partager.

C'était une figure singulière parmi tous les gaillards que notre pays déverse ici. Il n'était ni grand ni petit. Il n'était pas non plus beau comme un héros de roman : son visage était maigre ; et davantage encore, creusé et osseux. Ses yeux dardaient le feu, ce feu qui révèle tantôt de la méchanceté, tantôt des passions incandescentes et extrêmes. Une moustache noire et drue noircissait le bronze de sa peau. Ses habits sombres cachaient jusqu'à la blancheur de sa chemise. Le pied et la main étaient extrêmement petits, et la maigreur ou la délicatesse de sa silhouette étaient en adéquation avec le décharnement de ses traits.

Sautant à terre, cet homme gravit les premières marches du quai, s'arrêta, croisa les bras et fixa son regard dans l'immensité de la mer.

Dans cette posture, il me fascina ! Les âmes de boue me demanderont pourquoi. Réponds-leur, toi qui as eu des heures de spiritualité dans ta longue vie de matière.

Le voyant ainsi, absorbé dans sa profonde méditation, je crus pouvoir m'approcher de lui et le contempler de près.

Je le pus : il ne remarqua même pas ma présence. Un Nègre, chargé de fardeaux, le bouscula, le déplaçant de quelques pas sur le côté, sans toutefois que son regard se détachât de l'horizon. Je regardai dans la même direction, mais ne vis rien. Je compris que les visions de cet homme se trouvaient dans son âme, les yeux de son visage, à cet instant, ne voyant guère plus que les miens.

Tu n'imagines pas combien cet homme me fascina ! J'aurais été capable de rester là de longues heures, suspendu à ce silence, à ce mystère, sans même me rappeler que j'étais commis ! Me revint alors en mémoire le bref panorama d'un monde où je vécus avant de devenir un forçat comptable. Je me souvins de certaines femmes qui se perdirent spontané-ment, fascinées par le simple regard de certains hommes. Je leur pardonnai au tribunal de ma conscience, car moi-même, si j'avais été femme en présence de cet homme, je l'aurais adoré, je me serais perdue sans entendre de lui la moindre parole flatteuse.

Ça te semble idiot ? À ta guise, mais c'est la pure vérité.

Cette situation dura de longues minutes. Le somnambule se réveilla ; mais, même éveillé, il semblait encore endormi. Il tourna le dos à la mer et monta lentement le long du quai, les yeux rivés au sol.

Je le suivis.

Puis il s'arrêta, comme suspendu par une idée inopinée. Il rebroussa chemin, héla un marin du navire qui l'avait amené et lui demanda ses bagages. Le marin lui indiqua les gabelous de la douane, qui devaient les fouiller. Le passager s'adressa avec urbanité à l'un de ces hommes ; il ouvrit les cadenas d'une malle en cuir ; souleva des deux mains quelques-uns de ses habits, puis se retira, après avoir montré son passeport.

Je le suivis, comme si ç'avait été toi, comme si ç'avait été un frère que je voulais héberger.

Il avança d'une centaine de pas et se tourna vers le côté, comme cherchant quelqu'un. Il devait immanquablement croiser mon regard.

Il me salua d'abord, puis me demanda :

— Auriez-vous la bonté de m'indiquer une auberge à l'écart de la ville ?

— Ce sera difficile à trouver, répondis-je. Les auberges ici, comme partout ailleurs, sont fréquentées par des hommes d'affaires. Ils préfèrent être logés près du centre.

Il ne me répondit pas aussi prestement que je l'aurais souhaité, car tu ne peux pas imaginer le désir que j'avais de ne plus lâcher cet homme ! Sacrée fascination !

— Alors, reprit-il, auriez-vous la patience de m'indiquer l'auberge la plus proche ?

— La plus proche, la voilà, dis-je en désignant ma maison.

Et mon hôte, acquiesçant, s'inclina pour me remercier, et m'offrit sa chambre pour m'y reposer.

Nous montâmes à l'étage, et ce ne fut pas sans sourire que je le vis frapper à l'une des portes, avec la plus grande

désinvolture. Mon domestique semblait attendre mes ordres,
mais mon hôte prit les devants, en demandant vite une
chambre.

Nous entrâmes dans le salon et j'acceptai la chaise que mon
hôte m'offrait. Je lui indiquai le canapé pour qu'il s'assoie.
Il s'y assit tout d'abord, puis s'y adossa, avant de s'y allonger
avec l'élégance d'un Oriental.

— Vous fumez ? demanda-t-il en ouvrant son étui à cigares.

— Oui, et je m'apprêtais à demander du feu à mon domestique, quand l'inconnu alluma une mèche cirée et reprit sa
position authentiquement turque.

— Les auberges, ici, dit-il, respirent une élégance qui ne
ressemble en rien au clinquant des hôtels portugais. Voici un
salon qui ressemble à un boudoir de vicomtesse bourgeoise.

Ce trait d'esprit, que n'importe lequel d'entre nous aurait
accompagné d'un sourire vaniteux, il le prononça le cigare au
coin de la bouche, sans le moindre signe d'autocongratulation.

Je souris, quant à moi, ne trouvant dans l'immédiat
aucune réponse qui lui donnerait de moi la haute opinion
qu'il m'avait donnée de lui.

— C'est la première fois que vous venez au Brésil ?
demandai-je.

— La première.

— Vous venez en voyage ?

— Non, Monsieur. Je m'y suis retrouvé.

Ces paroles me firent l'effet du beau final d'un acte d'un
drame de Victor Hugo. Je trouvai beaucoup de philosophie,
de cette philosophie intime du malheur, dans ces cinq mots.
Ils m'évoquaient Chatterton répondant à qui lui demandait
pourquoi il écrivait, puisque ses écrits ne lui rapportaient ni
pain ni consolation. Tu t'en souviens ? Je crois que sa réponse
était : « J'écris parce qu'il le faut. »

— Vous comptez rester longtemps ? demandai-je.

— Je regrette de ne pouvoir satisfaire votre curiosité.

Cette réponse me fit rougir. J'observai sa physionomie,

toujours égale : sévère et froide, triste avec un je-ne-sais-quoi de méprisant. Et je continuai à me sentir captif de cet homme toujours plus mystérieux.

Je me levai. J'ouvris la porte d'une chambre, la plus proche, et, la lui indiquant, je lui dis avec une certaine gêne :

— Que votre séjour soit court ou long, vous avez ici un salon, là une chambre, à côté une bibliothèque, et en toute cette maison, une résidence que, je l'espère, vous considérerez vôtre, comme si c'était celle d'un frère.

Le gentilhomme me serra la main et dit avec une étrange froideur :

— J'espère que vous me concéderez de ne pas accepter cette faveur. Je suis un hôte incommode. Je n'ai pas de conversation, je ne distrais pas, et je suis importun comme un vieillard. Je prends congé, très touché de vos attentions…

… Et il s'apprêtait à sortir. Il dut faire un léger effort, et je l'obligeai presque à se rasseoir.

— Avant de partir, lui dis-je, j'espère que vous écouterez sous quelles conditions je vous offre mon hospitalité. Je suis un homme seul, avec deux domestiques. Je me sers de cette maison pour manger et dormir. Vous aussi, vous vivrez ici comme un homme seul avec deux domestiques. Si, au bout de quelques jours, votre séjour vous devenait pénible, partez. Je ne veux pas de votre conversation en paiement de mon hospitalité. Moi aussi, je parle peu, je pense beaucoup, et je peux à peine parler et penser en dehors de mes obligations de comptable. Vous acceptez ?

— J'accepte.

Et, avec le même laconisme, il me serra à nouveau la main, puis reprit la posture familière qu'il avait depuis le début.

Je quittai le salon, laissai des consignes aux domestiques et je retournai au bureau.

À l'heure du dîner, je rentrai. Suivant mes consignes, l'hôte avait déjà dîné, si l'on peut appeler ainsi une tasse de café, deux cuillerées de marmelade et quatre verres de cognac.

Je me bornai à le saluer. Je le vis profondément triste et j'appris qu'il avait passé la matinée dans la bibliothèque.

J'attendis qu'il me proposât de me tenir compagnie à table. Il ne le fit pas, je ne voulus pas le lui proposer moi non plus. Je lui offris de l'introduire, après quelques jours de repos, dans certaines maisons. Il me répondit de le dispenser de ce sacrifice.

Je reconnus toute la délicatesse de la situation. Je respectai sa douleur comme un mystère sacré. Je ne prononçai jamais plus un mot qui eût dévoilé ma curiosité ; aussi, je n'eus pas à rougir une seconde fois.

Quelques jours plus tard, il me dit qu'il voulait se retirer dans les faubourgs. Mon patron possède une belle propriété à Botafogo. Je la lui proposai : il accepta.

Je le visitai quelques fois. Son vieillissement faisait peine à voir ! Il me dit qu'il souffrait beaucoup de la poitrine. Je lui conseillai de rentrer au Portugal. Il sourit et m'indiqua les croix du cimetière dont la blancheur miroitait au travers d'un bosquet.

Tu me demanderas : qui était cet homme ?

Je n'en savais rien.

Sept mois plus tard, quand les feuilles commencent à tomber, brûlées par le soleil estival, là-bas, dans notre beau Portugal, je lui trouvai tous les symptômes du phtisique.

Je le vis alors sourire pour la première fois. Il me prit par le bras et nous nous promenâmes dans le jardin.

Voici ce que, alors, je l'entendis dire :

— J'ai été bien ingrat de ne pas vous dire qui je suis.

— Ingrat ? Jamais… répliquai-je.

— Si, ingrat ! La main de l'amitié aurait dû lever le voile du mystère. Mais c'est la main d'un cadavre qui le lèvera pour racheter une grande dette. La fièvre jaune semble vouloir s'unir à ma fièvre noire. Si de cette collision découlait bientôt ma mort, venez dans ma chambre, donnez-vous la peine de lire, à vos heures perdues, les cahiers qui s'y trouvent, et vous

pourrez alors dire que votre hôte, silencieux de son vivant, s'est beaucoup entretenu avec vous depuis sa tombe.

Puis il prit congé. Il avait commencé ce maigre discours en souriant et l'avait fini en sanglotant. Le tronc géant gémit, alors qu'il allait tomber.

Il tomba.

La fièvre jaune souffla cette flamme presque éteinte. Je le vis à l'agonie. Je ne pus entendre son dernier adieu, car je posai moi aussi ma tête sur un lit, que je supposai être celui de la mort.

La clef de la chambre me fut remise par un prêtre, sur ordre du mourant.

C'est ce legs que je te remets. Au dernier chapitre, tu comprendras la raison qui m'y pousse. Adieu. Ne te tiens pas pour malheureux. Personne ne peut se prétendre malheureux sans provoquer, de la main de Dieu ou de Satan, le malheur de cet homme.

Ton cordial ami, F.

Maintenant je dirai presque, m'adressant au lecteur, comme mon ami : au dernier chapitre, vous comprendrez pourquoi cette biographie est publiée.

Livre premier

I

J'étais un garçon de quatorze ans, et je ne savais pas qui j'étais.

Je vivais en compagnie d'un prêtre, d'une dame que l'on disait sa sœur et de vingt garçons, mes condisciples.

Parmi eux, certains, plus instruits des choses du monde, me demandaient parfois si j'étais le fils du prêtre. Je ne savais pas quoi répondre.

Bien que ce prêtre semblât un homme fort vertueux, il n'aurait pas été extraordinaire que je fusse son fils.

Jamais je ne l'avais entendu psalmodier à la harpe des chants de contrition. Mais serait-il rigoureusement logique qu'il n'y eût de David sans harpe ?! Bien des fois j'éprouvai l'impertinente envie de lui dire : « Maître ! On me demande si vous êtes mon père. Dois-je répondre non pour qu'on me laisse en paix ? » Jamais, pourtant, je ne le fis, car je comprenais que savoir de qui j'étais l'enfant n'était pas de première nécessité dans ma vie.

Enclin à d'élevées cogitations, levant les yeux au ciel, il m'arrivait souvent de contempler le vol d'un petit oiseau. Et je me disais à moi-même : « Allez-vous demander à cette créature de Dieu qui est son père ? Comme elle fend si haut un espace qui est tout à elle ! Quelle liberté et quelle indépendance ! Mon esprit est comme cette hirondelle ! Comme elle, je possède un vaste monde pour voler ! Si je parvenais à

13

monter, monter, monter jusqu'à Dieu, ne trouverais-je pas mon père ? Cette terre me paraît une chose si petite !… » Peut-être n'étaient-ce là que des niaiseries d'enfant, mais telles étaient mes pensées, et je n'aimais pas que l'on me réveillât dans ce berceau où je me berçais moi-même, comme si je voulais ainsi me dédommager des câlins que je n'avais jamais reçus au pied du lit de mon enfance.

C'était l'abbé lui-même qui, souvent, m'arrachait à ces illusions oisives. J'abhorrais le latin et la logique et les livres et la science. L'hirondelle était mon modèle, et l'hirondelle ignorait le latin. « À quoi sert tout ça ? », me disais-je en feuilletant, ennuyé, Tite-Live. « Est-il besoin d'engloutir la moitié d'une existence, de la consumer dans un luxe de grands mots stériles, pour, en fin de compte, rester le même homme, sans même avoir découvert le sixième sens du corps humain ? » Je n'affirmerais pas que ce fut la formulation exacte de mon raisonnement ; mais, mis à part les mots que la société m'a appris, et dont je ne la remercie pas, l'idée était celle-là.

L'idée de l'abbé était tout autre. Il me contraignait à étudier et me distinguait parmi mes condisciples. Si la tendresse est un symptôme de paternité, personne n'aurait pu soupçonner que je fusse le fils du maître. Pour moi, ni vacances, ni promenades, ni récompenses, ni éloges. J'étais un paria, un bâtard de père, de maître, de tous.

Et pourtant, la pauvre sœur de l'abbé me disait que j'étais le disciple bien-aimé de son frère. Elle m'expliquait, à sa façon, sa théorie de l'amour, et parvenait à la conclusion triomphale que, la science étant mon patrimoine, plus j'en recevrais des mains du maître, plus j'aurais de raisons sacrées de me montrer reconnaissant.

J'avais du mal à comprendre cela, mais en revanche, sans grands efforts d'intelligence, je comprenais que j'étais pauvre.

La question ne me passionnait pas. L'hirondelle se promenait nue dans les plaines du ciel, et s'endormait le soir sans avoir gagné sa pitance du lendemain.

Mes raisons, exposées ainsi à la bonne Dona Antónia, la faisaient pleurer. Cette femme sensible pleurait à la moindre petite chose, et encore, elle ne connaissait pas le monde… ou semblait ne pas le connaître.

Mais l'hirondelle n'étanchait pas ma soif de curiosité.

Je voulais savoir qui j'étais. Mon esprit n'était pas traversé de rêves de grandeur, dont j'étais d'ailleurs incapable d'avoir la fantaisie. Sans subsides, sans flagorneur autour de moi, sans don mystérieux qui me fasse songer à un secret de famille, qu'avais-je à voir avec une grandeur si éloquemment démentie par ma veste ordinaire ?

Une basse naissance, avec tous les attributs de l'indigence, cela oui, m'évoquait bien des choses. J'allais jusqu'à l'habiller d'une poésie, certes triste, mais fidèle à mon caractère.

Serais-je le fils d'un cordonnier ? Serais-je une chose que ce prêtre avait trouvée au coin d'une rue, comme il aurait trouvé un chat ? Serais-je le fils d'un voleur exécuté que l'abbé aurait accompagné à la potence ? Ces questions commencèrent à ronger mon cœur. J'aurais aimé que l'on me réponde : tu es le fils d'un cordonnier ; tu es un enfant abandonné, sorti de la boue par la main de la charité ; tu es le fils d'un voleur, mais… tais-toi, car il est toujours vivant, le bourreau qui a pendu ton père, et tu ne peux porter un nom que murmurent encore ceux qui traversent la place où se dresse toujours la potence.

Il me semblait que le fils d'un cordonnier pourrait devenir Premier ministre ; que l'enfant abandonné pourrait devenir un père aimant ; que le fils d'un voleur pourrait devenir un juge implacable pour tous les voleurs.

Épuisé par ce pénible combat entre ces conjectures, je m'endormais, réconforté par l'idée bienfaisante qu'un fils de père inconnu pouvait devenir un homme connu de tout le monde.

De ces méditations élevées, je descendais souvent pour m'attarder sur des détails insignifiants. Mes camarades, par exemple, portaient chacun quatre, cinq, six noms de famille, voire plus. Je n'étais que João. Et mes camarades donnaient à mon nom des intonations moqueuses. Ils le disaient plat, attribuant à chacune de ses syllabes une explication ridicule, décrétant même que ce nom, en plus de sa forme, avait une couleur terne.

Ces enfantillages me faisaient rire, mais c'était un rire que l'on aurait aussi bien pu appeler un sanglot.

Une fois, en secret, je me plaignis à l'abbé. Je fus récompensé d'une sévère réprimande. Il me traita de vaniteux, d'orgueilleux, m'accusant de superbe. Il me rappela le peu d'étoffe que j'avais à sacrifier aux ciseaux de l'amour-propre, y ajoutant d'autres métaphores tout aussi sentencieuses et concluant par des textes bibliques qui ne me parurent guère à propos.

Sa doctrine était, j'en conviens, la meilleure, mais cette fois-là mon esprit ne cueillit pas la graine bénie parmi les ronces que le mépris de mes condisciples et de l'abbé y avait fait naître.

La sœur de l'abbé recevait parfois la visite de deux dames âgées, accompagnées d'une dame plus jeune à qui je consacre ici quelques lignes, car c'est elle qui, la première, décela dans mon corps les indices d'une haute naissance.

J'étais seul, caché à l'ombre des hêtres au fond du jardin.

Les vieilles dames et la plus jeune m'y rejoignirent. Cette dernière me dévisagea avec curiosité et dit à Dona Antónia :

– Ce garçon me semble bien triste !

Je trouvai étrange cette marque d'attention. Je me levai de mon banc de pierre, me tins droit comme un jeune soldat et lui fis une révérence très provinciale.

– Et il est si bien élevé ! dit une des vieilles femmes, posant sa main sur ma tête.

L'autre ajouta :

– Vous n'allez pas visiter votre famille, le dimanche ?

– Je n'ai pas de famille, répondis-je, avec une désinvolture qui ne me ressemblait guère.

C'est que leurs mots s'accordaient à la pensée qui me dominait alors, et qui, pour ainsi dire, avait cultivé en moi, à force d'amertume, l'éloquence de la sensibilité.

– C'est bien vrai, vous n'avez pas de famille ? reprit la jeune.

Je me tus. Et je sentis mes yeux se remplir de larmes. Mais à ce moment même, un passereau gazouilla entre les hêtres et je fus consolé. Il me rappela l'hirondelle.

La vieille poursuivit :

– Vous ne nous aviez pas dit ça, Dona Antónia.

– C'est vrai ! dirent les autres en chœur.

– Je n'aurais pas pu en dire plus que lui… Pour moi comme pour lui, sa naissance est un secret.

Dona Antónia, bafouillant, satisfit ainsi les premiers signes de curiosité de ses hôtes, mais évita les seconds, qu'elle devait redouter.

La jeune femme, elle, me jaugeait, attentionnée et songeuse, observant mes pieds et mes mains, comme si elle voulait déchiffrer l'énigme de ma naissance dans les règles de l'art de la chiromancie.

Se retournant vers ses parentes, elle dit avec vivacité :

– Regardez cette main et ce pied si petits !

– C'est vrai ! s'écrièrent les vieilles femmes, à l'exception de Dona Antónia, qui cherchait à détourner ses amies de leur examen minutieux.

– Non ! reprit la cabalistique jeune fille. Je parie que ce garçon n'est pas de classe inférieure !

– Pourquoi donc ? l'interpella la sœur de l'abbé, une expression de stupéfaction sur le visage.

– Ne voyez-vous pas ce pied et cette main ? Les enfants de la racaille ne viennent pas ainsi au monde.

– Tu parles toujours contre la racaille, ma petite Isabel !

rétorqua sa mère ou sa tante. Nous sommes tous des fils de Dieu ; nous avons tous des pieds et des mains.

— Je ne nie pas cela, reprit la gentille aristocrate avec moins d'aigreur, mais je sais reconnaître une personne de bien à ses pieds, et je peux jurer que le passager d'un carrosse tiré par quatre chevaux est le fils d'un tailleur, pour peu qu'il montre sa main à la portière.

— Tu exagères ! rétorqua la tante avec la meilleure bonne foi.

Et moi, je ne sais pourquoi, je sympathisais avec l'orgueil de cette petite Isabel. J'aimais l'entendre, et j'aurais voulu qu'elle décelât en moi encore quelques indices de ma noblesse.

Si c'est de la vanité, pardonnez-la à un enfant qui, avant d'aspirer à être né derrière des draperies héraldiques, se serait contenté d'un père cordonnier ou d'un voleur mené à la potence.

La famille se retira, et je restai là, absorbé dans la contemplation de mon pied et de ma main.

II

Depuis ce jour, je fus indifférent au vol des hirondelles. J'abaissai mon regard du ciel vers les choses de ce monde. La vanité me rendait matériel. La comparaison entre un homme et un oiseau me semblait répugnante et vile.

Tant que l'on ne m'avait pas dit que la délicatesse du pied et de la main était le signe d'une naissance illustre, je m'imaginais fils de cordonnier, de simple soldat ou de porteur d'eau. Après cela, jamais plus. Cette petite Isabel dora mon imagination, elle me grandit l'esprit et me gonfla d'une vanité que je ne pouvais plus cacher à mes condisciples.

Ils vinrent railler mon nom au pire moment, le qualifiant de plat et de terne ! Ce jour-là, alors que je regrettais la bassesse de mon nom et que j'étais parvenu à me convaincre que João était un nom ignoble, un nom de charretier ou de gamin des rues, ils vinrent m'insulter dans ma solitude.

Le plus effronté, le plus décoré aussi de noms héroïques, croisa les bras dans une posture théâtrale, face à moi, et dit avec un sourire sardonique :

— João ! João ! João ! Trois fois João ! Pourquoi ne te fais-tu pas rebaptiser, malheureux ?! Tes condisciples regrettent l'infortune d'avoir dans leur société un camarade nommé João ! Lave-les de cet affront, si tu le peux !

Je dévisageai d'abord cet orateur avec mépris, puis je répondis avec sang-froid et aigreur :

— Je ne m'étonnerais pas que des garçons de mon âge viennent moquer mon nom, mais vous, Monsieur, avez vingt-deux ans, et cela m'inspire plus de compassion que de colère ! Pourquoi ne pas faire meilleur usage de votre temps, en étudiant le sens des mots et en vous réconciliant avec Virgile, votre cruel ennemi ? Vous oubliez que vous avez été recalé en latin l'année dernière, et que vous le serez à coup sûr cette année si vous gaspillez votre temps à composer des discours pour faire rire vos condisciples à mes dépens ?

Cette réponse irrita mon adulte compagnon, d'autant plus que, venus rire de moi, nos condisciples se mirent à rire de lui. Les yeux dardant la haine, il s'approcha de moi et me tira l'oreille sans pitié. J'en ressentis une forte douleur, mais la douleur morale, la honte ne me cuisaient pas moins.

Je connus alors, pour la première fois, le désir de vengeance. La première chose qui se trouvait à portée de main était un petit pot contenant un cactus hérissé et épineux comme un chardon. Je le lui jetai au visage. La douleur qu'il ressentit devait être insupportable, car le corpulent plaisantin porta les mains à son visage et n'ébaucha contre moi le moindre geste.

Nos condisciples restèrent ahuris et silencieux. Je passai

parmi eux avec l'orgueil puéril d'un acte légitimement noble, et me retirai dans ma chambre, pour réviser le premier chapitre de *L'Iliade*.

On ne me laissa que quelques minutes. Dona Antónia, furieuse et bouleversée, entra soudain.

Ce que je déduisis de son croassement, ce fut qu'une justice terrible allait s'abattre sur moi, dès que l'abbé rentrerait.

Une fois refroidie l'ardeur de mon noble effort, je sentis grandir en moi la peur du maître. Mon cœur semblait se détacher quand j'entendais résonner des pas aux abords de ma chambre. J'invoquai toutes mes ressources de résignation pour adoucir la punition dont la perspective me tourmentait. Je m'imaginai avec un bras cassé, un carcan autour du cou, huit jours au pain et à l'eau, et en proie à la haine de l'abbé, à jamais fâché contre moi. Je voulus transiger évangéliquement avec toutes ces tortures, mais rien ne put apaiser la brûlure de la peur.

Je sentis monter la fièvre ! La peur semblait me briser les os et macérer mes chairs. C'était une maladie indéfinissable que la mienne ! Ce que je sais, c'est que je m'écroulai sur mon lit, brisé et vidé, comme si une catapulte m'avait jeté là.

Je ne sais pas combien de temps s'écoula entre le moment où je me couchai et celui où j'ouvris les yeux de l'entendement, pour reconnaître l'abbé, sa sœur et le médecin de la maison.

Je croyais rêver.

Le médecin posa sa main sur mon front et tâta mon pouls.

L'abbé me regardait avec bonté, et Dona Antónia, anxieuse, ne quittait pas des yeux le visage du médecin.

— Alors, qu'as-tu, João ? demanda le maître sur un ton amical.

— Je ne sais pas, mon Père, répondis-je, mentant comme il convenait.

— On t'a frappé ? demanda-t-il.

Je me tus, car je ne savais s'il était convenable de dire la vérité.

– On t'a frappé, João ? reprit-il, faisant descendre sa voix jusqu'au ton grave de la sévérité.

– Presque pas, répondis-je, craignant sans doute un nouvel accès de fièvre.

Et le médecin, qui sentait sous ses doigts les pulsations de mon sang, s'aperçut de l'influence pathologique qu'avaient sur moi les questions de l'abbé. Aussi, il lui fit signe de garder le silence, et l'abbé obéit.

Tous deux se retirèrent, me laissant seul avec Dona Antónia. La pauvre femme avait le cœur d'un ange. Dévote et charitable avec les pauvres de pain, elle ne l'était pas moins avec les mendiants de consolation. Elle était presque toujours bonne avec moi. Même quand l'abbé me condamnait à ne manger que du pain, elle venait, telle la colombe des ermites du désert, m'apporter de la viande. Mais elle ne voulait pas que je parle de père ou de mère, car la providence du Seigneur n'abandonne pas ses enfants, adoptant comme siens ceux qu'on nomme sur terre enfants trouvés : c'était sa doctrine.

Le peu de temps qu'elle resta avec moi dans la chambre, elle le passa à prier à genoux une image de saint Jean-Baptiste, patron des infirmités de la tête. De temps en temps, elle me demandait si ma tête me faisait mal. En fait, c'était plus que de la douleur, c'était un Vésuve qui y bouillonnait et faisait s'agiter dans mes yeux les entrailles d'une explosion.

Dona Antónia priait encore, quand l'abbé et le médecin entrèrent. L'abbé était triste et me regardait avec une extraordinaire tendresse. Le médecin apportait je ne sais quel cataplasme dans lequel il m'enveloppa les pieds. Il me semble que tous deux étudiaient soigneusement le moindre mouvement de mes yeux, et je remarquai que le médecin observait constamment mes oreilles.

Jusqu'à ce que, bien plus tard, j'apprisse que les mouvements d'oreille étaient un symptôme d'inflammation du cerveau, je crus qu'ils étaient en train d'évaluer les dommages causés à mon oreille lors de ma querelle avec mon condisciple.

Je ne pus m'appesantir sur ces suppositions, car je retombai dans un sommeil profond.

Je souffrais d'une congestion cérébrale, à en croire le médecin, qui l'expliqua scientifiquement comme une conséquence de la peur.

Il y eut quelques jours dont je ne garde aucun souvenir. Je les passai, je crois, en proie aux délires et aux spasmes qui caractérisent cette maladie.

Passé cet intervalle de vie, que j'ai peut-être oublié parce qu'il se confondait avec l'insensibilité du moribond, je me rappelle avoir vu, près de mon lit, une dame.

C'était la nuit, car dans la chambre il y avait des lampes allumées. Elle se tenait là, toute seule. On aurait dit une image de mes visions de fièvre. Je doutai longtemps que cette apparition fût réelle ; et je doutais alors même que mes yeux fixaient les siens, que je vois aujourd'hui encore, immenses et noirs.

Elle était grande et ne me parut ni jeune ni belle. Elle portait une cape sombre et un foulard noir sur la tête, attaché avec la négligence d'une servante. Sous son foulard, on distinguait les courbes de ses nattes détachées. Je ne peux en vérité dire grand-chose de plus de cette image.

Je me souviens de l'avoir entendue prononcer certains mots, qui ne devraient pas trop diverger de ce maigre échange que nous eûmes :

— Mon petit João, comment vous sentez-vous ?

— J'ai mal à la tête, et aux yeux, et au corps tout entier. Qui êtes-vous, Madame ?

— Je suis une amie… une amie de la sœur de votre maître.

— Et comment vous appelez-vous ? Je ne vous ai jamais vue dans cette maison !

— C'est parce que j'ai été absente de Lisbonne pendant longtemps.

– J'ai soif, lui dis-je comme implorant une goutte d'eau.

– Soyez patient… vous avez de la fièvre, mon enfant, et ne pouvez boire.

– Donnez-moi une goutte d'eau, sinon je mourrai.

– Je ne vous en donnerai pas, car vous mourrez si vous en buvez.

La soif me dévorait. Je vis au pied du lit un vase avec des fleurs. Je me rappelai qu'il y avait de l'eau dans ce vase. Je fis un effort désespéré. Je bondis hors du lit, mais je m'étalai de tout mon long sur le plancher.

La dame poussa un cri. Elle s'élança, anxieuse, les bras tendus vers moi pour me relever, et n'y parvint pas. Elle courut à la porte, tambourina affolée et, quand la porte s'ouvrit, je la vis se draper dans sa cape, ne laissant que la moitié de son visage visible à l'abbé et à sa sœur, qui entraient.

Relevé par les bras robustes du maître, je restai prostré dans mon lit. Je demandai péniblement de l'eau, et l'on me donna quelque chose qui trompa ma soif.

L'abbé et sa sœur se retirèrent ensuite, me laissant seul avec la mystérieuse dame. Je remarquai qu'elle et l'abbé n'avaient pas échangé un mot. Dona Antónia lui dit seulement, en se retirant :

– Il reste cinq minutes.

Et mon infirmière inconnue vint s'asseoir au chevet de mon lit.

– Vous êtes bien impatient, mon enfant, me dit-elle avec une affection toute maternelle. Et si vous mourriez ?

– Je ne demande que ça.

– Pourquoi ?

– Je ne vois pas à quoi ça sert de vivre, quand on souffre autant !

– Et vous souffrez beaucoup ?

– Beaucoup.

– Parce que vous êtes malade, n'est-ce pas ?

– Et aussi quand je suis en bonne santé.

– Que vous manque-t-il, alors ? N'avez-vous pas ce qu'il vous faut pour vous nourrir et vous habiller ?

– Jamais je ne me suis promené nu, ni n'ai été affamé, mais cela ne m'aurait pas fait souffrir.

– Alors que vous manque-t-il, mon enfant ?

– Un père.

Il y eut un silence de quelques minutes.

– L'abbé n'a-t-il pas été un père pour vous ?

– Mais il n'est pas mon père, je crois.

– Certes non.

– Certes non ! m'écriai-je aussitôt. Alors, vous savez qui est mon père ?

– Je ne le sais pas, mon enfant, mais je sais, en revanche, que ce bon prêtre et Dona António sont de vrais amis pour vous. N'est-elle pas affectueuse ?

– Ce n'est pas ma mère...

Le même silence se répéta, mais cette fois je remarquai que cette dame portait un mouchoir à ses yeux.

Elle me prit la main et je sentis un baiser, puis une larme.

Tout cela me paraissait extraordinaire ! Ma tête était trop faible pour ces émotions : elle se troubla et je tombai dans un sommeil qui était toujours mon salut dans les affres de l'évanouissement.

J'entendis frapper à la porte. Je sentis encore un baiser, beaucoup de baisers et beaucoup de larmes. Puis cette femme s'enfuit comme la belle image d'un songe. Et avec elle s'enfuit mon souffle, car je m'évanouis.

Tard dans la nuit, Dona António écarta de mes yeux mes cheveux trempés de sueur. La bonne dame me veillait avec la tendresse frémissante d'une mère, car ainsi doit être, comme elle l'était, une mère auprès de son fils perclus de douleurs.

– Et la dame ? demandai-je.

– Elle est rentrée chez elle.

– Qui était-elle ?

– Une de mes amies.

– Et la mienne aussi, n'est-il pas vrai ?

– C'est vrai, mon fils… il semble qu'elle soit vraiment votre amie.

– Comment s'appelle-t-elle ?

– Maria.

– Seulement Maria ?

– N'est-ce pas un bien joli nom ? N'est-ce pas ainsi que se nomme la mère de Dieu ?

– Le précurseur de Jésus-Christ aussi s'appelait João, et son disciple bien-aimé était aussi João, et pourtant ils disent que mon nom est laid !

– Il ne l'est pas, mon enfant. Ne vous en faites pas, vos condisciples ne vous taquineront plus sur votre nom.

– Alors cette dame s'appelait vraiment Dona Maria ?

L'hésitation de Dona Antónia était une sorte de blâme à son mensonge ; mais cette remarque que je fais aujourd'hui, je ne me la fis pas alors, car même en songe je n'imaginais pas le prestige du nom de cette femme.

– Si seulement je pouvais la revoir !… dis-je avec déjà une profonde nostalgie d'elle.

– Et vous la reverrez, mais demandez plutôt à Dieu Notre-Seigneur de vous rendre la santé.

L'abbé entra à ce moment et dit à sa sœur :

– Vous ne savez pas qu'on a interdit au petit de parler ?

Tous, nous tombâmes dans un profond silence.

III

Ma congestion avait dépassé sa phase critique, mais la convalescence fut morose et risquée.

Père Dinis m'encourageait à sa façon. Ses égards ressemblaient à l'indifférence de bien des gens. J'avoue pourtant que les soigneuses attentions qu'il portait à mon rétablissement étaient convaincantes et déposaient en faveur de la bonté de son âme.

De temps en temps, je demandais après la soi-disant Dona Maria. Dona Antónia, dans ses réponses, était toujours mystérieuse à son sujet.

Parfois, elle prétendait qu'elle était très occupée et ne pouvait pas lui rendre visite plus souvent. D'autres fois, se contredisant, elle disait qu'elle était venue s'enquérir de moi, mais que la fièvre m'avait empêché de la voir.

Dona Antónia était toujours sincère, et seul un grand embarras pouvait la pousser à un innocent mensonge. C'était le cas concernant ce secret, que j'aurais deviné si, à mes quatorze ans d'alors, on avait ajouté quinze jours de la société d'aujourd'hui.

Je me levai de mon lit, où j'avais souffert trois mois, et où, plus d'une fois, le médecin avait proféré ma sentence de mort. Malheureusement, les prédictions de la médecine ne pouvaient concurrencer les desseins de la Providence. Je vécus quand j'aurais dû mourir.

Et pourtant, ma position était déjà autre dans la petite société que je connaissais. On me donna un nouveau costume, une nouvelle liberté, une nouvelle considération, et même une nouvelle chambre. Qu'était-ce cela ? Dona Antónia, à qui je le demandai avec une infantile sottise, ne me le dit pas. L'abbé non plus, qui ne permettait même pas l'audace de le lui demander.

Mes condisciples, eux, semblaient avoir oublié mon nom malheureux, et celui qui m'avait tiré l'oreille avait été expulsé du collège, quelques jours après notre lutte funeste.

Je commençai à trouver de la saveur aux livres, qui m'avaient été jusqu'alors si amers. J'acquis l'habitude spontanée et scrupuleuse d'étudier. Je me sentis heureux d'une joie que je ne savais pas décrire. Et je commençai à voir dans le monde quelque chose qui me persuadait du grand bienfait qu'était la vie.

Cette transformation n'échappa pas au prêtre, qui s'évertuait à perfectionner mon goût pour la science. Je le vis se réjouir de ma joie, mais je n'entendis pas un mot de lui qui expliquât la cause profonde de ma transformation.

Enfermé dans ma chambre, j'étudiais, en pleine nuit, quand on frappa à la porte. J'ouvris.

Une femme enveloppée dans une cape entra. À peine entrée, elle referma aussitôt la porte, son manteau tomba de ses épaules et je me sentis pressé contre son sein en une impétueuse étreinte.

C'était la femme de ma nuit de fièvre. Je la reconnaissais parfaitement. Ces yeux noirs et lumineux étaient les siens. C'étaient les siens, ces traits pâles et amaigris. Elles ne pouvaient appartenir à personne d'autre, ces formes délicates et robustes à la fois, d'une vigueur nerveuse qui évoque, dans certaines constitutions, le galvanisme d'un cadavre.

Elle me serra dans ses bras, son langage était fait de larmes. Les paroles, si elle en proférait, expiraient sur ses lèvres en soupirs. Le mystère s'éclaircissait. Mon cœur battit d'une pulsation nouvelle.

Un nuage noir se déchira dans mon esprit. Je sentis un frisson étrange, une secousse d'inspiration, une impulsion intime qui me faisait m'agenouiller devant cette femme. Et je ne pus me contenir.

Mes genoux se plièrent, et dans cet élan d'adoration extatique j'entendis un mot : « Mon… » Et quand je collai instinctivement mes lèvres contre la main de cette femme, la phrase sortit entière de sa bouche : « Mon fils ! » Ne me demandez pas d'expliquer ce que je ressentis alors. Les paroles d'aujourd'hui ne peuvent traduire le silence de cet instant. Ce fut un ravissement qui tue la parole et récompense le sentiment avec des larmes. L'apparition imprévue d'une mère à son fils, qui sent pulser dans le sien un cœur dont il ignorait l'existence ; une telle surprise apporte avec elle une terreur sainte, celle de la préexistence de l'homme en présence de Dieu.

Je voulus balbutier le mot « mère », et me sentis embarrassé : je ne sais si c'était de la pudeur, du trouble ou de la joie ! Je ne pus.

— Tu ne me dis rien, mon fils ? murmura ma mère, comme si elle craignait d'être entendue. Et se redressant de la pénible position dans laquelle elle m'avait enlacé, elle s'assit sur une chaise, me serra contre son sein et appuya contre mon épaule son visage qui brûlait.

— Te souviens-tu de m'avoir vue ? demanda-t-elle, souriant et pleurant à la fois.

— Je me souviens de chaque instant, je n'ai jamais pu oublier vos paroles ni vos traits.

— Et tu ne m'as vue qu'une fois ?

— Une seule, mais je sais que vous êtes restée à mes côtés.

— Que ressens-tu maintenant dans ton cœur, mon fils ?

— Je ne sais pas ce que je sens, je me souviens que j'avais des rêves comme cela quand j'étais malade.

— Peux-tu être l'ami de… peux-tu être mon ami ?

— L'ami de…

— De ta mère ?

Il me semblait que je délirais dans l'avidité de ses baisers. Je me souviens d'avoir vu un mouvement dans son visage, une vibration de ses gestes qui ressemblait à un accès de démence. Je sentais couler dans son corps une tendresse qui m'effrayait, parce que j'ignorais ce qu'est la femme quand, enlacée à un être qu'elle croyait perdu, elle peut crier : « C'est mon fils ! »

— J'ai besoin de t'entendre ! dit-elle avec une énergie passionnée. J'ai besoin que tu parles, que tu prononces mon nom à foison… Tu sembles douter que je sois ta mère ? Ton cœur ne te dit pas que je le suis ? Réponds, mon fils !

Je balbutiai des sons inarticulés. J'éprouvais un embarras invincible, une pudeur qui m'incendiait le visage, une contrainte indéfinie, semblable à une autre, unique, ressentie dans ma vie ! Mon cœur me disait que c'était ma mère, mais mes lèvres convulsées et indécises paraissaient se refuser à proférer un nom qui n'y avait pas été gravé dans l'enfance par des lèvres maternelles.

Avec mes yeux rivés sur le giron de ma mère, et la sorte de ressentiment que mon silence pouvait laisser croire, on aurait dit que j'étais un fils reprochant son désamour à cette mère qui l'avait abandonné tout petit et venait le rechercher adulte en disant : « J'ai droit à ton amour, à ta tendresse et à ton respect, parce que je t'ai donné la vie. » Mais une telle pensée, une telle vengeance n'étaient pas de mon âge, et quand bien même l'eussent-elles été, résonnerait plus haut le cri filial, l'exclamation trop longtemps réprimée dans mon cœur obscurci par mon statut d'orphelin.

Et cependant, ma mère prit mon silence pour une plainte. Elle vit dans mon apparente inertie une accusation de la Providence, un châtiment du Ciel dont l'instrument était mon innocence.

Elle pleura de désespoir. Le tourment de son esprit se lisait sur son visage décomposé. Je me rappelle combien cette femme était sublime dans son angoisse, résistant au remords et me faisant face, épouvantée, comme si j'étais une larve !

Ses yeux scintillaient de cet éclat sinistre propre à la démence. Son visage semblait labouré par un souffle de feu qui le desséchait. Des crispations nerveuses faisaient tressauter ses lèvres, et elle repoussait derrière ses oreilles ses cheveux trempés par la sueur de son front, dans un désordre désespéré.

Je n'ai jamais vu la haine s'exprimer avec autant de rancune que chez ma mère alors s'exprima l'amour ! Mais ce n'était pas cette émotion qui, dans cette transe, donnait à son apparence une couleur effrayante.

Tandis que ses lèvres m'embrassaient fiévreusement, la vipère de la haine mordait son sein, déversant un venin diabolique dans ses artères. Cette haine était une fièvre, une syncope, un accès de rage qui faisait de cette malheureuse une possédée ! Ne me demandez pas maintenant l'histoire de cette haine, le tableau lugubre de ce type exceptionnel d'amertume.

Il est trop tôt encore, car les larmes sont le quotidien de certaines vies, et si elles n'étaient pas relevées une à une, la biographie de ces existences serait monotone et froide.

Même pour les larmes il faut de la méthode…

Je tentai de réveiller ma mère de cette sorte de somnambulisme déchirant, mais l'attaque ne cédait plus à mes timides efforts, elle devait traverser des crises, se débattre en convulsions impétueuses, s'affaiblir en tremblements spasmodiques avant de s'achever par la mortelle atonie des muscles.

Heureusement, la chaise où elle se trouvait assise était proche de mon lit. Ma mère, évanouie, y laissa tomber sa tête. J'épongeai une sueur froide sur son visage. Je la crus morte.

Et, quand ce soupçon déchirant entra dans mon cœur, je courus à la porte, l'ouvris et appelai Dona António, lui demandant, les mains jointes, d'appeler un médecin pour ma mère.

La pauvre femme, abasourdie par l'état de sa visiteuse, courut appeler son frère. L'abbé, moins agité mais les traits marqués d'une terreur visible, prit le pouls de l'évanouie et frémit. Il saisit un miroir, le plaça devant ses lèvres, l'observa et, le voyant embué, s'écria avec soulagement :

— Elle est vivante !

On entendit alors frapper à la porte, et une voix à l'extérieur qui disait :

— Un quart d'heure est déjà passé.

À ce moment-là, ma mère ouvrit les yeux. Elle s'assit. Elle nous contempla. Elle fit signe à Dona António, qui la tenait dans ses bras, de se retirer, et celle-ci allait s'exécuter, quand l'abbé répéta les mots qui semblaient l'avoir réveillée :

— Un quart d'heure est déjà passé.

— Déjà ! s'exclama ma mère. Puis, prenant sa cape tombée

au sol, sans même prendre congé de moi, elle disparut, comme si elle fuyait le déshonneur de cette chambre.

Ensuite, j'entendis le roulement rapide d'une voiture.

IV

Le secret de ma naissance me semblait s'épaissir toujours plus. Malgré cela, il m'était facile de conjecturer à quelle classe j'appartenais.

En revanche, ma mère restait pour moi un secret insondable. Cette frénésie, ce désespoir, cette agitation me paraissaient inexplicables ! Durant notre rapide entrevue, j'avais assisté à de telles scènes qu'en me les remémorant, seul, j'en vins à me demander si je n'avais pas été témoin d'une crise de folie ! Dona Antónia, à qui je révélai mes soupçons puérils, ne m'ôta pas mes doutes.

Son langage était toujours retenu et hésitant : on aurait dit qu'elle tremblait à l'idée de prononcer le mot « mère », et pour plus insistantes que fussent les supplices que je lui adressai, elle n'ajouta rien à ce que je savais.

L'abbé ne me parlait de rien. Il m'écoutait avec plus d'affabilité, mais il affichait toujours le même visage froid et la même austérité du maître. Ces pensées accaparaient mes heures d'étude, et l'abbé ne voulait pas que je m'y livre.

Il augmenta mes cours, m'obligea à réfléchir scientifiquement, essayant par là de me soustraire aux pensées stériles sur mon histoire énigmatique.

Des mois s'écoulèrent, et je ne vis pas ma mère, dont personne ne me parla.

J'en vins à éprouver une douloureuse nostalgie de cette femme. Dans mon cœur, se reflétait l'image que j'avais toujours vue ; dans mes rêves, résonnait l'écho de ses paroles ;

je sentais sur mon visage la chaleur de ses baisers, et l'impression étrange de ses larmes sur moi.

Cet idéalisme se convertit en amour profond. Je sentis que j'étais le fils de cette femme, comme me le disait la voix prophétique de l'âme, cette conviction intime d'une faculté du cœur qui dispense les sens extérieurs de fonctionner.

Et si je n'en étais pas le fils, je devrais, de cet idéal, passer à la violente passion de l'amant. Ne pouvant pas l'appeler *mère*, je devrais l'appeler *épouse*. Je ne savais pas alors que ces deux sentiments remplissent les plus impérieuses conditions de l'amour, mais je les devinais comme je les sais aujourd'hui, après que vingt ans d'expérience me l'ont appris. Il y a des vérités dans le monde que l'on ne voit dans toute leur lumière qu'à travers les yeux purs de la candeur, ou ceux de l'expérience.

Un jour, le maître m'ordonna de m'habiller pour aller me promener avec lui. Cet ordre m'étonna, car c'était jour de classe, et que même le dimanche il n'avait jamais fait preuve d'une pareille attention à mon égard.

Nous sortîmes et marchâmes longtemps. L'abbé ne m'adressa pas un mot durant notre traversée d'une grande partie de la ville. Je remarquai la pancarte d'une rue presque déserte, et lus CAMPOLIDE. Nous marchâmes encore longtemps, traversâmes un sentier, et perdîmes Lisbonne de vue pendant un certain temps, tandis que nous longions le mur d'une propriété. Au bout de ce mur, se trouvait un palais sombre, triste, et presque caché entre les cimes des hêtres, des saules pleureurs et des cyprès.

Devant ce palais, l'esplanade s'incurvait autour d'un banc de pierre. L'abbé s'y assit et me fit asseoir à ses côtés.

— Vous aimez cet endroit, João ? demanda l'abbé.

— Beaucoup, j'aimerais bien y vivre.

— Pourquoi ?

— Je ne sais pas : je le trouve si triste…

L'abbé sourit.

À l'exception d'une seule, toutes les fenêtres étaient fermées, comme si la maison était inhabitée. Et même celle qui ne l'était pas n'avait qu'un des deux battants ouvert.

Je remarquai que l'abbé regardait souvent cette fenêtre. J'imitai sa curiosité à plusieurs reprises.

Cela faisait plus d'une heure que nous étions là quand, à travers la vitre, je distinguai une silhouette. L'abbé lui adressa un léger salut et me dit de me tenir debout avec mon bonnet à la main.

Je vis que la personne à la fenêtre faisait un signe. L'abbé me fit rasseoir et m'ordonna de me couvrir.

La silhouette laissa tomber le pli de la cape qui lui cachait la moitié du visage et je reconnus ma mère.

À peine remis de ma surprise, je ne pus me contenir et je dis dans un sursaut : « C'est ma mère ! » Le maître m'ordonna de me taire.

Je ne pouvais détacher mon regard de son visage. Elle me faisait des signes, me souriait, essuyait ses yeux, puis adressait je ne sais quelles mimiques à l'abbé, qui y répondait affirmativement.

Ma mère, de temps en temps, disparaissait, comme cherchant à se prémunir d'une quelconque surprise. Elle me parut plus spectrale. Elle avait autour des yeux les marques noires de la souffrance, comme si ses chairs avaient été mortifiées.

Je demandai à l'abbé de me laisser y aller. En souriant, il lui mima ma demande. Je la vis sourire aussi, mais quelle mortelle amertume dans ce sourire, dans cette expression ironique du malheur ! Plusieurs minutes s'écoulèrent. Ma mère s'éloigna et revint précipitamment, nous adressant un signe d'adieu.

Le maître ôta son chapeau, feignit d'éponger la sueur de son front et me dit de ne plus regarder dans cette direction.

Mais je ne pus lui obéir. La vitre, que ma mère n'avait pas osé entrebâiller, s'ouvrit soudain avec fracas.

Je regardai, me faisant violence, et vis un homme au visage effrayant, qui nous dévisageait d'un œil colérique. L'abbé le regarda aussi un instant, maintenant sa posture, simulant la plus parfaite indifférence et ne m'interdisant pas de le regarder de mon côté, croyant peut-être ainsi que nous paraîtrions moins suspects.

Cependant son intérêt envers le prêtre semblait redoubler. Je ne sais pas ce qui chez cet homme m'inspirait une telle terreur ! J'avais hâte de m'en aller, quand, d'une voix impérieuse et le front plissé, il nous dit :

— Vous voulez quelque chose ?

— Non, Monsieur, dit l'abbé. Nous voulions seulement nous reposer un instant, mais si nous sommes importuns, nous partons.

Le maître se leva, l'homme referma la fenêtre et nous reprîmes le chemin par lequel nous étions arrivés.

Au soir de ce jour, j'eus avec l'abbé l'échange suivant :

— Je ne peux guère, pour l'instant, vous éclairer sur votre naissance.

— Mais… même un petit peu…

— Vous savez que cette dame est votre mère.

— Oui, mais qui est cette dame ?

— Vous n'avez nul besoin de le savoir ni de le demander. C'est une personne qui vous a donné la vie et l'éducation.

— Et mon père était cet homme qui a paru à la fenêtre ?

— Non. Votre père n'est plus en vie.

— Alors cet homme est un parent ?

— Ce n'est pas votre parent, c'est le mari de votre mère.

— Le mari de ma mère !… Mais c'est mon ennemi, n'est-ce pas ?

— Pourquoi demandez-vous s'il est votre ennemi ?

— Parce qu'il ne sait pas que j'existe.

— Il sait que vous existez… mais… ne me posez plus de questions, je n'y répondrai pas. Vous saurez tout plus tôt que vous et moi ne le souhaiterions.

Dona Antónia interrompit ce dialogue en entrant dans ma chambre pour remettre une lettre à son frère.

L'abbé lut, réfléchit, parut lutter entre des désirs opposés, puis finalement, en s'en allant, il me dit :

— Je veux vous donner quelques idées sur la vie d'amertume de votre mère. Elles sont ici écrites de sa main… Lisez cette lettre, et priez Dieu de compatir avec celle qui l'a rédigée.

La lettre, écrite au crayon, disait ceci :

Le comte a eu des doutes. Il m'a parlé de votre trouble quand vous l'avez vu. Il a voulu m'arracher le secret sur ces deux personnes, m'a posé des questions, un poignard sur le cœur. J'ai vu ses yeux injectés de sang, et j'ai cru qu'il allait me tuer. Comme toujours, je me suis offerte au sacrifice, lui demandant la mort à genoux. Il m'a craché au visage quand j'étais dans cette humble posture. Il est sorti comme un fou à votre recherche. Il était trop tard, heureusement, pour vous retrouver. Il a donné des ordres aux domestiques pour enquêter à votre sujet. Ce sera une démarche vaine. Ne sortez plus avec le petit. C'était imprudent de ma part. Je crois que je serai privée de lumière huit années de plus ! Que Dieu me fasse quitter ce monde, par pitié ! J'ai la tentation de tuer ce bourreau. Aidez-moi à mourir avec résignation. Deux lignes de votre part, ou de mon fils, me seraient douces à l'heure de la mort, elles seraient ma récompense, la couronne de ce long martyre. Adieu. Embrassez mon fils, voulez-vous ? Adieu.

A.

Il me sembla que la douleur élevait mon esprit vers l'ultime refuge des malheureux ! Je tombai à genoux et, les mains jointes, je priai Dieu d'avoir de la compassion pour ma mère.

V

Mon âme se couvrit d'un voile de tristesse perpétuelle dès l'instant où je lus la lettre de ma mère. Je ne veux plus, comme Job, faire remonter mon malheur au ventre maternel.

Le malheur véritable, je sais que je l'ai connu à dater du jour où j'ai rencontré une femme qui m'a appelé son fils, une femme dont l'infortune avait tiré à l'abbé des larmes que la lettre que je venais de lire ne justifiait que trop.

Tous les matins, sous le prétexte de saluer le maître, je demandais après ma mère et, trois mois durant, je n'obtins aucune nouvelle, ni bonne ni mauvaise. L'abbé n'avait plus eu d'échanges avec la malheureuse, et il disait ne pas s'en étonner, car ce n'était pas la première fois en huit ans qu'il cessait d'en avoir.

Je me rappelai ce qu'avait écrit ma mère au sujet de ces huit années où elle n'avait pas vu la lumière. Ce supplice me paraissait impossible, et pour que je ne demande plus à l'abbé la cause de cette punition barbare, il me répondait toujours ne pas pouvoir outrepasser les ordres de ma mère concernant les secrets de sa vie.

Dona Antónia feignait de n'en savoir guère plus que moi. Le secret semblait appartenir au prêtre seul, et le prêtre était un livre cadenassé à sept sceaux que seule la main d'un cadavre pourrait ouvrir, comme il le disait, croyant soigner par le venin une plaie qui réclamait du baume. Pourquoi cet ange était-il venu essuyer mes larmes d'orphelin ? Pour leur substituer celles, plus amères, d'un fils conscient des tortures mystérieuses infligées à sa mère, sans pouvoir lui venir en aide, sans pouvoir les adoucir avec l'espoir d'un futur meilleur !

Très tôt, j'occupai mon esprit en douloureuses méditations, impropres à mon âge. Je ne connus pas la sève de l'enfance, ni l'idéal des bonheurs rêvés dans cette saison de désirs innocents. La réalité en moi naquit avec moi, car il n'y a pas de poésie dans les chagrins, ni d'élévations extatiques vers le ciel quand on marche sur des ronces là où devraient éclore des fleurs.

Et cependant je ne pouvais ne pas me soucier de la détresse dans laquelle vivait ma mère. La tristesse devint une maladie qui, je le sentais, innervait ma vie et épuisait l'énergie d'en attendre un remède. Il y a des douleurs silencieuses qui inculquent le respect, quand celui qui les subit n'en attend pas de compassion. Ma douleur était de celles-là.

Au bout de trois mois, je sus que ma mère vivait toujours, mais seules quelques lignes me révélèrent quelle vie était la sienne. L'abbé me lut ce billet, car je ne devais pas avoir connaissance de tous les mots qu'il contenait :

Cet homme a eu des soupçons sur Bernardo, mon domestique, et l'a renvoyé. J'ai été privée de ce bon serviteur, qui était mon espoir, et qu'il m'a tant coûté de gagner à ma cause. Je n'ai pu trouver le moyen de vous écrire. Ces lignes elles-mêmes, je les écris en tremblant, car je ne sais si elles ne tomberont pas entre les mains du comte. Ce barbare invente des raffinements de cruauté pour me torturer. Je sens chez lui le désir diabolique de ma mort. Il ne se décide pourtant pas à me tuer ! Serait-ce par lâcheté ? Serait-ce le plaisir de me voir souffrir ? Et mon fils ? Vous parle-t-il de moi ? Il est si profondément gravé dans mon imagination ! Si je ne ressentais cet amour de mère, qui m'enflamme le cœur, je me contenterais du reflet de l'amour, de la nostalgie… Ô mon Dieu ! la nostalgie d'un ange qui fut de ce monde, me léguant un héritage de larmes, que bientôt je léguerai à notre malheureux enfant ! Monsieur le Père Dinis, par charité, ne soyez pas avare de tendresse envers cet enfant ! Soyez pour lui un père par l'amour, la religion, la piété et par le bon cœur que Dieu vous a donné.

Le prêtre, terminant la lecture incomplète de ce message, me prit dans ses bras avec une extraordinaire effusion et pleura avec moi.

Le lendemain, Dona Antónia me dit qu'un domestique en livrée me cherchait, mais que sans l'autorisation de son frère elle ne pouvait pas consentir que je lui parle. Le domestique insistait, disant qu'il n'était pas une personne suspecte, mais la timide dame ne pouvait transgresser les recommandations de son frère. Or l'abbé s'était absenté, et l'heure à laquelle il rentrerait était incertaine.

Quand je vis Dona Antónia occupée, je courus rejoindre le domestique, que je ne connaissais pas. Ne me connaissant pas non plus, il voulut connaître mon nom et, pour s'assurer que j'étais bien celui que je prétendais être, me demanda si j'avais reçu la visite d'une dame disant être ma mère.

J'hésitais à répondre car, je ne sais pourquoi, j'imaginai que cet homme aurait pu être envoyé par le bourreau de ma mère.

Le domestique, me voyant dans un embarras qui contredisait mon initiative de venir lui parler, me dit de ne pas craindre de lui avouer la vérité, car il était le confident de ma mère du temps où elle était venue me voir.

Soudain, je me rappelai la lettre que l'on m'avait lue la veille et le nom du domestique qu'elle regrettait d'avoir perdu.

— Comment vous appelez-vous ? lui demandai-je.

— Bernardo.

— Ah ! Alors vous êtes sûrement mon ami !

Me prenant dans ses bras, dans lesquels je m'étais jeté avec joie, le pauvre homme me serra, sanglotant je ne sais quels propos qui, on le voyait bien, venaient du cœur.

— Le fils de ma chère maîtresse ! s'écria-t-il. Le fils de cette sainte, qui s'en ira de ce monde écrasée de douleurs !

— Vous connaissez donc la vie de ma mère ? lui demandai-je avec anxiété. Dites-moi, dites-moi tout ce que vous savez !

Je l'ai beaucoup pleurée… je sais qu'elle est très malheureuse, mais ni elle, ni l'abbé, ni Dona Antónia ne consentent à me dire la cause de ses souffrances.

— La cause de ses souffrances… reprit-il, essuyant son visage où les larmes coulaient copieusement. Alors le jeune Monsieur ne connaît pas la cause des souffrances de madame la comtesse ?

— Comtesse ! m'écriais-je. Ma mère est donc comtesse ! Ah, oui, oui… je sais pourquoi elle est comtesse.

Et je me souvins du début de la première lettre écrite à l'abbé. On y parlait d'un comte, mais mon éducation, si étrangère aux usages les plus triviaux de la société, ne m'avait pas permis de comprendre alors que ma mère était forcément comtesse car elle était la victime, la femme ou l'esclave de ce comte.

— Votre mère est sans aucun doute la comtesse de Santa Bárbara, vu qu'elle est mariée à cet homme que nul n'égale, dans le monde, en méchanceté. C'est un tigre, mon petit Monsieur ! Cet homme est le pire qu'on puisse imaginer ! Dieu préserve Votre Excellence de voir ses yeux quand le sang y monte !

— Je les ai déjà vus et ils m'ont fait peur !

— Je vous le disais ! Dieu a envoyé cet homme sur cette terre comme un châtiment pour l'humanité. Je l'ai subi deux ans parce que, sans moi, votre pauvre mère serait morte de soif à plusieurs reprises.

— Morte de soif ! m'écriai-je, voyant repoussées encore plus loin les limites d'une véritable infortune. Mais pourquoi ? Quel mal a-t-elle fait à cet homme ?

— Aucun… bien au contraire, on aurait dit qu'elle se tenait toujours à genoux, prévenant ses moindres désirs.

— Mais lui, sans raison…

— À dire vrai, mon petit Monsieur, je ne saurais pas vous raconter l'histoire telle quelle, car là-bas personne ne savait pourquoi votre pauvre mère était ainsi martyrisée, mais à vue de nez la cause principale de tout cela, c'était… vous.

— Moi ! Mais quel mal ai-je fait à cet homme ?

— Ça, c'est une autre affaire, et même si je la connais, je ne veux pas vous en parler, parce que vous êtes trop jeune et ne pouvez pas comprendre. Le temps viendra où tout se saura.

— Mais dites-moi, Bernardo, vous avez connu mon père ?

— Non, je ne l'ai pas connu.

— Mais vous savez qui il était ?

— Non plus, et je ne l'ai jamais demandé, parce que ce ne sont pas mes affaires.

— Je sais qu'il est mort…

— Peut-être, mais pas que je sache. Celui qui peut tout vous dire, c'est monsieur l'abbé, qui connaît madame la comtesse depuis que Votre Excellence est née.

— Depuis que je suis né ?

— Et comment donc ! Je crois bien que vous êtes ici depuis votre naissance ; du moins, c'est monsieur l'abbé qui s'est toujours chargé de votre éducation.

— Mais je ne sais que depuis peu que j'ai une mère !

— Ça ne m'étonne pas, vu que votre pauvre mère est restée enfermée huit années durant sans voir ni soleil ni lune.

— Pourquoi ?

— À mon avis, c'est parce qu'on a dit à monsieur le comte que madame la comtesse avait un fils. Enfin, je ne peux pas l'affirmer, mais il me semble qu'un jour votre pauvre mère, en délirant, a laissé échapper cela, ou quelque chose qui y ressemblait.

C'est alors qu'à mon grand regret parut l'abbé. Je demandai à Bernardo de ne pas lui répéter ce qu'il m'avait dit.

L'abbé le traita avec affabilité et loua son attention d'être venu me voir. De mon côté, je le pressai de revenir tous les jours, s'il le pouvait.

VI

J'étais véritablement devenu ami avec ce Bernardo, qui venait me parler de ma mère une fois par semaine, mais c'était en vain que je mettais sa prudence à l'épreuve, lui demandant des éclaircissements sur le passé de sa maîtresse, de sa sainte, comme il la nommait.

Père Dinis l'avait peut-être mis en garde, lui imposant le silence comme condition sans laquelle il ne lui permettrait pas de me parler.

Une fois, c'était en août 1832, justement le jour de mon anniversaire, Bernardo apparut, suant par tous les pores, riant de tout son visage et m'embrassant avec toute la véhémence d'une joie communicative.

Ce qu'il voulait me dire semblait ne pas pouvoir dépasser sa gorge. L'homme riait et pleurait, et il était tout entier une vibration de contentement.

– Que se passe-t-il, Bernardo ? Dites-moi pourquoi vous êtes si joyeux ?

– Laissez-moi vous serrer dans mes bras, votre mère m'a prié de le faire à sa place.

– Vous avez donc parlé avec elle ? Elle veut me voir ? Elle n'est plus enfermée dans sa chambre ?

– Elle est dans sa chambre, mais c'est parce qu'elle est encore malade, elle ne veut pas risquer de sortir à l'air libre, car maintenant elle désire vivre.

– Mais alors ? Dites-moi, Bernardo… cet homme a eu pitié d'elle ?

– Cet homme… quelle pitié, même pas l'ombre ! Ce n'est pas le genre du bestiau… C'est parce que le roi Dom Miguel est parti vers le nord, vers le Minho, et a voulu que le comte l'accompagne.

– Quel bonheur ! Et il ne reviendra pas de sitôt ?

— Qui sait ! Il y a là-bas la guerre entre les libéraux et les absolutistes, et si une balle… Dieu me pardonne… le frappait… ce ne serait pas une grosse perte.

— Mais alors, je peux aller chez ma mère sans crainte, maintenant ? Elle m'a demandé de venir ? Je vais dire à l'abbé que j'y vais, d'accord ?

— Doucement, mon petit Monsieur, nous n'en sommes pas encore là. Votre pauvre mère m'a fait chercher là où j'habite, et à peine m'a-t-on dit qu'elle m'appelait de nouveau pour la servir, je n'ai fait ni une ni deux, j'ai couru comme un fou chez ma sainte comtesse. Il s'en est fallu de peu que je ne me mette à genoux pour la remercier de se rappeler ce pauvre vieux, car je parie qu'il n'y a pas un père qui aime sa fille plus que moi, je l'aime ; et après elle, vous, mon cher petit Monsieur, qui serez sûrement encore très heureux, et très ami de votre Bernardo, n'est-ce pas ?

— Bien sûr, bien sûr… mais… ma mère… je voudrais la voir… Si l'homme qui terrorise les gens avec ses yeux n'est pas là…

— Et vous irez, rassurez-vous ; mais laissez-moi parler d'abord avec votre mère, parce que le comte n'est parti qu'hier et, sait-on jamais, peut-être va-t-il nous attraper la variole et rebrousser chemin. Mieux vaut être prudent… Au revoir, mon enfant, transmettez ce message au Père Dinis de ma part et dites-lui que les choses se passent à merveille. Espérons que le Diable ne prenne pas sous sa protection le bourreau de votre pauvre mère et de moi-même, parce que je ne vous ai jamais dit que ce bougre me rouait de baffes et de coups de pied, seulement parce que j'étais toujours prêt à secourir madame la comtesse ! Que la peste l'emporte, Dieu me pardonne… Allez, au revoir. Je reviendrai bientôt. Réjouissons-nous, et vive Dom Pedro, qui a eu l'habileté de faire partir d'ici le roi Dom Miguel et monsieur le comte ! Car sans cela, le Diable en personne n'aurait pu lui faire quitter la maison.

Bernardo s'en alla en égrenant un chapelet d'injures à l'encontre du comte.

Aussi joyeux que Bernardo, je courus jusqu'à la chambre de l'abbé, mais quand je lui donnai la bonne nouvelle qui aurait dû, selon moi, le réjouir, il n'eut presque aucune réaction.

Père Dinis me dit qu'il attendrait les ordres de ma mère, et ajouta que je ne devais pas me laisser éblouir aveuglément par un espoir qui n'avait d'autre réalité que nos propres désirs. Sur cette sentence, il me demanda de me retirer, car il avait à faire et à penser.

Et je me retirai triste.

L'homme malheureux se méfie tellement des louanges de l'espoir que, s'il ne rencontre pas des amis qui l'aident à imaginer d'harmonieuses réalités, il perd foi dans ses projets, doute de lui et retombe dans son habituel découragement.

Je cherchai Dona Antónia et la trouvai en train de pleurer. Je lui demandai la raison de son chagrin, et la bonne dame redoubla de pleurs, proférant, entre deux sanglots, je ne sais quelle prédiction sur l'accablement où elle vivrait la religion, si Dieu, dans sa miséricorde infinie, ne l'appelait pas à lui.

Le lendemain, Bernardo remit une lettre au Père Dinis, et, l'après-midi de ce même jour, je reçus la bonne nouvelle que je verrais ma mère cette nuit, dans sa propre maison.

J'étais fou de joie, mais je n'aurais pu faire comprendre à autrui la nature de mon contentement ! Il semblait que mon sourire était violent. Il manquait en moi une certaine effusion intime et lumineuse dont parlent les heureux de la terre, que je n'ai pas encore éprouvée et que je n'ai plus la folle prétention d'espérer éprouver.

À neuf heures du soir, nous étions, le maître et moi, assis sur le banc de pierre devant la demeure du comte de Santa Bárbara.

Peu après, Bernardo nous ouvrit le portail du domaine, et nous fit entrer par une porte cochère, où je vis des voitures démantelées, des harnais et un je-ne-sais-quoi de ruines qui évoquaient une grandeur passée.

De là, nous montâmes jusqu'à un couloir, qui nous mena à un salon. Dans cette vaste pièce, il y avait une lanterne qui projetait des ombres fantastiques sur les murs grisâtres, comme des silhouettes revêtues de capes, qui donnaient à ce lieu une solennité mystérieuse.

Bernardo nous fit asseoir et sortit. Le Père Dinis, à peine installé, poursuivit son recueillement spirituel intime.

Des tableaux ornaient les murs. Je m'approchai et parvins à peine à distinguer des traits de visages humains.

Je ne pus taire ma curiosité, et je demandai à l'abbé quels étaient ces tableaux.

— Ce sont des portraits, répondit-il sans relever sa tête de la posture méditative dans laquelle il la tenait.

Je comptai les portraits et vis qu'il y en avait six. Je les examinai de nouveau un à un, mais ne pus discerner plus que des silhouettes.

L'un d'eux, pourtant, retint mon attention plus que les autres, parce que le vacillement de la lampe projetait parfois un éclair fugitif par-dessus le sombre encadrement. Cet éclair instantané faisait ressortir des traits, ces traits semblaient ceux d'une femme, et cette femme, je m'entêtai à vouloir que ce fût ma mère.

Donnant à ma voix toute l'inflexion de la tendresse, je demandai à l'abbé si ce portrait était celui de ma mère.

— Oui, répondit-il, puis il reprit le fil de sa méditation, un instant interrompue.

J'allais retourner à ma délicieuse recherche, quand Bernardo nous appela.

Me prenant par la main, l'abbé le suivit jusqu'à la chambre de ma mère.

Elle était allongée sur un canapé, le coude gauche appuyé sur un trumeau.

La lumière qui éclairait son visage était si faible que j'eus du mal à la distinguer quand j'entrai.

Ma mère serra la main de l'abbé et s'y accrocha, cherchant à s'asseoir. N'y parvenant pas seule, elle me demanda de lui soutenir la taille pour l'aider à se redresser.

Puis, après s'être assise, elle me tint enlacé, la joue posée sur mon épaule.

Je sentis les battements rapides de son cœur, et le feu qui semblait lui embraser le visage. De temps en temps, elle trempait ses lèvres dans un verre d'eau, que je tenais dans ma main droite.

Soudain, des larmes jaillirent de mes yeux.

— Qu'as-tu, mon cher fils ? murmura ma mère, m'essuyant le visage avec son mouchoir. Qu'as-tu ? Ne peux-tu être heureux ici, auprès de ta mère ? Pauvre de toi ! Tu dois goûter si vite la nourriture de toute ta vie ! C'est ce qu'annoncent tes larmes...

Ces derniers mots étaient adressés au Père Dinis, qui nous observait les mains croisées sur sa poitrine, cherchant peut-être, dans l'ombre, à cacher ses larmes.

— Joãozinho, dit l'abbé, parlez à votre mère... Dites-lui combien vous avez souffert pour elle... N'ayez pas l'éloquence du fils seulement quand vous parlez avec moi... Montrez à votre mère que vous êtes un homme parfait en souffrance.

— Nul besoin qu'il me le dise, je le sais bien... interrompit ma mère. Je le sais parce que c'est mon fils, et qu'il a déjà reçu l'héritage... d'une âme qui, s'élevant au ciel, devait léguer à celle de cet enfant les douleurs terrestres... Joãozinho... tu as quinze ans... tu ne dois pas pleurer comme un enfant... Parle avec moi, veux-tu ?

Je lui souris, me faisant violence, mais je ne sais quel ascendant moral eurent sur moi, en cet instant, mes quinze ans ! Je me regardai avec fierté, et il me semble avoir blâmé en moi l'enfant qui aurait dû être un homme auprès d'une femme qui demandait protection !

— Je ne pleure plus, ma mère... J'ai pleuré, mais qui peut dire au cœur que pleurer est une honte, n'est-ce pas ?

Ma mère me répondit par un baiser, et se retournant vers l'abbé lui sourit avec une joie spontanée que je ne lui avais jamais vue.

– N'est-ce pas là une réponse romantique, Père Dinis ? dit-elle.

– Je ne m'en étonne plus, répondit l'abbé.

– N'avez-vous pas cru l'entendre… dites… ses réponses n'étaient-elles comme ça ?

– Les réponses de qui ? demandai-je.

– Je le lui dis ? s'enquit ma mère, les yeux rivés sur l'abbé.

– Pourquoi pas ! répondit-il.

– Tu veux savoir, reprit ma mère, à qui tu ressembles dans tes réponses, mon fils ? Tu ne le devines pas sans qu'on te le dise ? Ne te manque-t-il pas, dans la vie, un être qui, te laissant au monde, a bien dû te laisser de lui un souvenir quelconque ?

– Mon père ! m'écriai-je avec énergie et émotion.

– Oui, oui, oui, ton père ! s'exclama ma mère, me serrant frénétiquement contre son sein et tremblant tout entière, prise d'une convulsion de fièvre.

Cette situation, s'étant trop prolongée eu égard à son état de faiblesse, la laissa prostrée, l'obligeant à s'allonger sans lâcher mon visage.

L'abbé, pensant qu'ainsi penché sur elle je devais la gêner, voulut m'en séparer mais n'y parvint pas.

Ma mère ne pleurait pas. Le visage sec et les lèvres en feu, il semblait qu'un volcan intime lui brûlait cette partie du cœur où l'ange du soulagement doit avoir déposé les pleurs.

Cette situation pénible pour nous tous dura ainsi quelques minutes.

L'abattement de ma mère m'alarma beaucoup. L'abbé, parce qu'il connaissait la maladie qui était la sienne, ne montra aucun signe de trouble, et aida à soutenir le cou de la pauvre dame à une hauteur où la respiration lui serait moins pénible.

Ses joues passèrent d'une pâleur cadavérique au rose vif d'une santé vigoureuse, mais cet écarlate, se détachant sur ses joues comme deux grenades, faisait ressortir le bleu foncé des ombres qui cerclaient ses orbites. Puis ma mère, tressaillant et portant la main à son sein, comme si son cœur tressaillait avec elle, indiqua par des gestes qu'elle sentait là une grande douleur.

Elle s'assit, sans avoir besoin de notre aide, posa son front dans sa main gauche, comprima son cœur de la droite et resta quelques minutes dans cette posture, que nous observâmes, l'abbé et moi, sans dire un mot.

Soudain, ma mère fut prise d'une quinte de toux que ses forces épuisées semblaient ne plus pouvoir contenir.

Elle était si violente que son corps se tordait de douleur et que le sang jaillissait à flots, tachant un mouchoir qu'elle posait contre sa bouche comme si elle voulait nous cacher les traces d'une vie qui s'éteignait.

Remarquant mon inquiétude, la malheureuse, éclairée par les derniers rayons de la lumière vacillante, me souriait avec la grâce d'un ange et l'allégresse d'un martyr.

– Ce n'est rien, mon fils ! me dit-elle. On peut vivre ainsi bien des années quand on a une grande disposition à la souffrance. Laisse mourir le corps, mon fils, car l'âme est immortelle, comme l'amour d'une mère. Tu devras vivre loin de moi par la vie, mais tu entreras en mon sein par la mort. Les gens malheureux doivent s'arrêter ici… À l'intérieur du tombeau, il n'y a pas la moindre cendre froide ; c'est là que commence la vie de ceux qui ont vécu un enfer agrémenté de mille tourments… dans cet enfer du monde, où l'espoir de la mort est le paradis des malheureux… N'est-ce pas ainsi, Père Dinis ?

– Vous parlez comme inspirée, Madame la Comtesse, répondit l'abbé, et l'on ne peut parler ainsi sans pressentir la récompense que Dieu promet à ceux qui pleurent.

– Ah ! murmura ma mère. À ceux qui pleurent !… Et quelles

larmes, Père Dinis ! Et avec quelle résignation… La femme est toujours forte lorsqu'elle lutte contre les tourments ! Ce que j'ai souffert depuis douze ans, dans cette chambre, derrière cette porte fermée, cette fenêtre clouée, cette lampe allumée nuit et jour !… Combien de fois ne me suis-je agenouillée, demandant au Seigneur de mettre fin à mes peines ! Mais mes prières n'étaient pas vaines… ce que Dieu me donnait, c'était le courage pour affronter de futurs martyres, c'était la résignation pour oublier les martyres passés… mais de l'espoir… en ce monde… jamais, mon fils, jamais le Seigneur ne m'en a donné, même pas celui de te retrouver un jour… Et pourtant, te voilà dans mes bras ! N'es-tu pas mon fils ?…

— Oui, oui ma chère mère.

— Que demander de plus ? J'ai été entendue, Dieu m'a exaucée ! À l'heure de l'agonie suprême, avant de baisser les paupières à jamais, Dieu a voulu que je te voie ! Maintenant… que mes yeux se ferment, car je n'ai plus rien à voir, et mon cœur n'a plus d'autres rêves à réaliser ici-bas… J'en ai un pourtant, dans la veille et le sommeil… un rêve, plus qu'un rêve, un désir d'infini, au sein duquel je rencontrerai l'ange de ma jeunesse, de mes joies et de mes tourments… Veux-tu le voir aussi, mon cher fils ? Veux-tu un jour voir mon ange, le trésor de ta mère, l'étoile qui lui a donné la lumière dans l'enfance, qui lui a montré le Ciel sur Terre et qui, un jour, s'est caché à mes yeux, parce qu'il est allé éclairer le tabernacle du Très-Haut ?

— Qui est-il, ma mère ?… Qui est-il ?

— Qui est-il ? me demandes-tu… C'est une nostalgie, c'est une image impalpable, que je sens vibrer dans tout mon corps comme je sens tes lèvres sur les miennes… C'est une image qui ne me parle pas le langage des hommes, et que j'entends nuit et jour… je l'entends chanter un hymne de bonheur quand je pleure… et je cesse de pleurer, parce que la joie de mon ange est un cri de courage à mon esprit qui défaille. N'as-tu pas encore compris qui est l'ange de ta mère ?

J'entendis ces paroles presque inintelligibles tant par l'expression que par l'idée. Elles étaient nouvelles pour moi, ces images que je n'avais pas eu le temps de découvrir dans les livres où sont racontées les histoires des passions, dans les romans où l'on vit toutes les situations de la société sans être passé par aucune. Ma mère, en outre, semblait parler d'un monde qui n'était pas celui-ci. Son visage irradiait une candeur angélique et une électricité indicibles, qui paraissaient la rendre supérieure à elle-même. C'est seulement aujourd'hui que je comprends la moindre transfiguration de ce visage, où la mort se montrait si belle, comme si la proximité du tombeau, le dernier quatrain de la vie était aussi le premier d'une innocence nouvelle, avec toutes ses joies !

Et ma mère répéta sa question :

— N'as-tu pas compris qui est l'ange de ta mère ?

Et, se tournant vers l'abbé, elle poursuivit :

— Le cœur devrait le lui faire deviner, ne pensez-vous pas, mon Père ?

L'abbé me regarda en souriant et haussa les épaules, comme s'il demandait à ma mère de pardonner mon peu d'acuité. Mais, par une intuition que je ne saurais expliquer, je me rappelai soudain que l'ange des bonheurs et des regrets de ma mère était mon père. Machinalement, je prononçai ce mot sur le ton impérieux de celui qui, n'étant guère assuré de deviner une question énigmatique, balbutie une réponse incertaine. Et ma mère, transportée par un élan de jubilation, m'étreignit impétueusement. Elle semblait me remercier du soulagement que je lui procurai en prononçant un mot que la pudeur étouffait dans son cœur.

Père Dinis, de constitution nerveuse et enthousiaste pour le sublime, trouva dans cette étreinte l'aiguillon d'une de ces émotions qui électrisent le sang et font jaillir les larmes.

— C'est la nature, me disait ma mère, qui t'a appris ce nom ?… Qui t'a dit à toi, mon fils, que l'ange de mes regrets était ton père ?

— Personne ne m'a dit qu'il était un ange, répondis-je, mais je savais déjà que ma mère...

— Parle, parle, Joãozinho.

— Que ma mère souffrait beaucoup par ma faute et que la personne qui la faisait souffrir n'était pas mon père.

— Non, non ! s'exclama-t-elle avec véhémence. Grâce au Ciel, mon bourreau n'est pas ton père... Il ne pourrait pas l'être... Et je te maudirais si tu étais le fils d'un monstre... Ne me rappelez pas cet homme, car j'entrevois son ombre, et l'ombre de ce tigre a des griffes qui lacèrent le cœur !... Je ne peux pas me réveiller du cauchemar funèbre où ce barbare a plongé mon existence ! J'ai peine à croire qu'il n'est pas là, épiant mes mots, mon geste le plus innocent et ma pensée la plus secrète ! Je ne pouvais prononcer un mot qui ne fût une provocation à la haine sanguinaire de mon geôlier ! Mon silence le scandalisait quand je priais Dieu qu'il me donne du courage. Mes paroles le scandalisaient quand je lui demandais de me pardonner les crimes que je n'ai pas commis ! Quel enfer, mon cher fils, quel enfer a été la lente agonie de ta pauvre mère !... Je t'en supplie, par Dieu, oublie qu'entre toi et moi il y a cet homme, qui est parti loin mais a laissé son fantôme terrifiant pour nous surveiller.

Ma mère avait gravi un degré dans l'excitation, suscitant en nous peine et inquiétude. Père Dinis l'interrompit, attirant son attention sur un sujet qu'il supposait pouvoir la distraire.

Il parla du départ imprévu de Dom Miguel, du débarquement de Dom Pedro, des conséquences de ces deux événements et de l'avenir du Portugal. Je pense qu'il s'agissait de cela, car je n'écoutai pas l'exposé de l'abbé, et je crois que même ma mère hochait la tête en signe d'intelligence, par simple politesse.

Toutefois, la fièvre de ma mère s'apaisait visiblement, comme si la conversation de l'abbé suscitait chez elle un doux espoir.

Bernardo apparut, répondant à l'appel d'une sonnette. Ma mère lui demanda s'il avait entendu dire quelque chose. Bernardo répondit négativement et sortit.

Elle nous exposa timidement les raisons de ses craintes de la manière suivante :

— Dans cette maison que l'on dit mienne, c'est moi qui rends des comptes sur ma vie aux domestiques, alors qu'eux ont reçu du comte de Santa Bárbara le droit non seulement d'épier sa femme, mais encore de lui demander des explications sur ses actes. Parmi les servantes, il y en a une, en particulier, qui vit ici comme la maîtresse absolue, car mon mari n'a pas eu besoin de la bénédiction matrimoniale pour lui conférer la souveraineté d'une reine. J'ai cru un temps qu'il me conviendrait d'être l'amie adulatrice, et même l'esclave de cette femme. Je pensais qu'en m'attirant son amour ou sa pitié, je désarmerais les colères de mon mari.

» Je me trompais. Le sacrifice que je fis de ma dignité m'a valu dès lors d'être plus outragée par elle, et plus raillée par lui. Monsieur le comte est parti et sa favorite s'est retirée dans ses quartiers…

— Ah ! interrompit l'abbé, elle est partie d'ici ?

— Elle s'est retirée dans ses quartiers… je veux dire… elle s'est enfermée dans la moitié de cette maison, servie par ses domestiques, que bien des gens diraient être les miens, et je crois même qu'elle reçoit des visites et demande parfois ce que fait Dona Ângela de Lima, comme elle m'appelle, pour ne pas m'attribuer une partie du titre de son comte de Santa Bárbara. C'est la crainte de cette femme qui m'a fait appeler Bernardo, parce que, s'il me disait que "ma maîtresse" soupçonnait votre présence ici, je devrais aller me courber humblement à ses pieds, lui demandant de ne pas me dénoncer à son amant, qui a sur moi les droits d'un mari.

Même si je ne saisissais pas alors pleinement l'idée sousentendue dans l'humilité ironique de ma mère, j'en compris suffisamment pour nourrir une haine, non pas d'enfant, mais une haine profonde envers la femme dont on parlait. Sans anticiper la valeur de mon idée, je dis à ma mère :

— Cette femme possède-t-elle quelque chose ici ?

— Elle possède tout, mon fils ; elle a un pouvoir de maîtresse.

— Et vous, ma mère ?

— Moi, je possède l'humilité d'une servante… Ne vois-tu pas la peur que j'ai qu'elle apprenne que je suis ici avec toi et ton maître ?

— Mais cette femme doit être punie.

— Qui la punira ? Dieu… n'est-ce pas ?

— Dieu punit, je pense, dans l'autre monde, mais il y a aussi des punitions dans ce monde-ci.

— Que veux-tu, mon fils… je ne peux pas la punir, car elle est plus forte que moi et a un homme à sa disposition.

— Quel homme ?

— Le comte de Santa Bárbara.

— Mais pour lui, dis-je énergiquement, pour lui, ma mère, vous avez un fils.

— Tu veux donc défendre ta mère, mon ange ?

Elle souriait et pleurait en me posant cette question, et Père Dinis observait ma désinvolture avec ahurissement.

Je ne pus répondre à la question qu'elle me posa avec la même détermination. Je me dis que mes brios d'homme lui déplaisaient, peut-être parce qu'ils étaient déplacés chez un garçon de quinze ans ! Je répondis à ma mère par un sourire et un geste. Tous deux me comprirent, et je remarquai que Père Dinis, à mi-voix, lui rappela l'inconvenance de me provoquer à un âge insouciant. J'en déduisis cela de la réponse de ma mère :

— Dieu me préserve de cette tentation ; mais ne voyez-vous pas ici le fils d'un homme aussi noble que fier ? Et ne serait-ce pas une consolation de mourir résignée entre les mains d'un bourreau, quand on ne meurt pas abandonnée de tous, quand on ne meurt pas sans un fils qui accorde de la valeur au sang innocent de sa mère ?

VII

La comtesse passait de l'abattement à l'exaltation avec une rapidité étonnante. La rougeur fébrile de son visage se muait en pâleur soudaine, à peine le silence succédait-il à l'énergie de la parole. On voyait alors la fatigue dans la palpitation de son sein et dans la lassitude de ses paupières qui descendaient lentement sur ses pupilles vitreuses de larmes.

Je pensais que l'appeler *mère*, c'était lui rendre sa vigueur perdue. Parfois, cette parole la faisait tressaillir et ouvrir soudain ses beaux yeux, où la lumière de la joie était un éclair que je ne pouvais, avec mes attentions, faire durer que quelques minutes. Dans le sourire qu'elle m'adressait, ainsi qu'à mes stériles paroles de réconfort, se lisaient la violence et l'effort courageux du bonheur simulé.

C'est dans le monde que j'ai appris à déchiffrer l'amertume dans les sourires. Je ne savais pas, alors, que ma mère était plus heureuse dans les larmes que dans les rires.

Le Père Dinis parlait peu, mais chacune de ses paroles était une consolation, qui portait en elle un précepte évangélique et un conseil d'ami affectueux.

Dans les syncopes plus durables de ma mère, je demandais au Père qu'il la console et la soulage de ce poids. Il ne me répondait pas, et son silence d'alors m'est aujourd'hui bien éloquent. Cet homme avait largement eu le temps de comprendre que le cœur, dévoré au plus profond par des ulcères incurables, est comme un sépulcre insensible aux larmes d'une mère, que lui réclame son fils ; il est comme la douleur qui tue, supérieur dans la lutte inégale avec les faibles forces de la parole réconfortante.

Ma mère, après m'avoir regardé avec une attention pénétrante, et avoir vacillé dans une hésitation qui semblait la tourmenter, dit au Père Dinis, d'une voix suffocante :

— Mon fils ne pourrait-il pas vivre avec moi quelque temps, quelques jours, ici ?

Mon cœur bondit dans ma poitrine. Je regardai l'abbé, avec un geste non moins suppliant que la voix de ma mère. La joie qui transpirait de mes mouvements anxieux fit sourire l'abbé et irradia le visage de ma mère.

— Que votre fils vive avec vous, dit le maître, ne me semble guère raisonnable... Ne venez-vous pas de dépeindre l'espionnage méticuleux dont vos actes sont la cible ?

— Vous avez raison... murmura ma mère.

Elle laissa tomber sa tête sur son sein et pleura.

— Mais Bernardo, avançai-je, ne suffit-il pas à me cacher de nos ennemis ? Je le lui demanderai, oui, mère ?

— Comment le lui demanderas-tu, mon cher fils ?

— Je lui dirai de me laisser rester ici la nuit, quand les servantes se seront retirées, et le jour, vous me cacherez sous votre lit.

L'abbé et ma mère souriaient, mais le trouble dans lequel la réflexion du Père l'avait jetée faisait peine à voir. La malheureuse avait été blessée dans son orgueil. La confidence de la peur qu'elle avait de sa domestique ne lui avait visiblement pas été aussi poignante que la remarque par laquelle l'abbé avait répondu à son doux espoir de me posséder. Ce fut comme lui dire : « Tu ne peux rien chez toi, car il y a là une femme, que tu as prise pour servante et que ton mari a investie des pleins pouvoirs sur les désirs les plus saints de ton cœur. Étouffe donc les épanchements de ton âme, car l'amour que tu portes à ton fils ne vaincra pas la peur que tu as de ta servante. » Et il n'y a d'affront plus avilissant pour une âme noble ! Le Père Dinis, reconnaissant sa cruelle sincérité, chercha à soigner sa plaie, que seule la mort pouvait cicatriser.

— Votre garçon l'a bien rappelé, dit-il, avec l'aide de Bernardo, il est peut-être plus facile de passer inaperçu ici, mais vous connaissez bien mieux que moi les graves malheurs qui peuvent découler d'une accusation de cet ordre rapportée à votre mari.

— Je le sais, je le sais, balbutia-t-elle.

— Et avec une servante de cet acabit, il ne serait pas étonnant qu'au prochain courrier le comte de Santa Bárbara reçoive une lettre de sa... servante, où son épouse serait accusée d'avoir laissé entrer...

— N'en dites pas plus, interrompit ma mère, alarmée. Je connais toutes les conséquences... et la plus funeste est, de toutes, celle que j'appelle le plus... Par Dieu, mon Père, je désire la mort comme une assoiffée désire une goutte d'eau... Je désire oublier mes bourreaux, parce que j'espère, en Jésus-Christ, que mon âme ne quittera pas ce monde chargée de la haine qu'y ont déversée, à force, les diables que mon mari a chargés de mon supplice... Je laisse mon fils, c'est vrai, je laisse mon fils ; mais j'espère aussi, en Dieu, que l'amour, le saint amour de mère vienne avec moi pour l'éternité se prolonger dans l'amour de Dieu... Je suis si convaincue de ces vérités que ma foi me dicte que je commence à sentir la douceur des souffrances dans la certitude qu'il en viendra une, que je vaincrai, et qui sera la dernière... Après, mon cher fils, tu resteras au monde avec cet héritage de foi que ta mère te laisse. Si tu souffres innocent, tu pourras baiser la main qui te blessera à mort, car... si ce n'était la mort... quelle tristesse ce serait d'avoir connu ta mère pour la perdre aussitôt !

— Madame la Comtesse ! interrompit l'abbé. Ces idées sont justes et saintes, mais vous ne pouvez cheminer volontairement vers le terme final de votre vie tant que Dieu vous donnera le moyen de vous sauver de la mort. De là au suicide, il n'y a guère de différence... Il est certain que votre mari est d'un naturel mauvais, et que la cruauté de vous assassiner à petit feu ne l'effraie pas, mais Votre Excellence a la liberté de fuir de cette maison de martyre, comme qui fuirait la persécution d'un poignard.

– Quelle idée ! s'exclama ma mère, hallucinée. Quelle idée ! Et puis-je fuir d'ici sans que le monde me calomnie, sans avoir à rougir d'un quelconque outrage qui rabaisse ma vie de femme mariée ?!

– Vous le pouvez, répondit sereinement l'abbé. Vous le pouvez, car la justice de Dieu est supérieure au jugement des hommes. Que pourra dire le monde ? La comtesse de Santa Bárbara a quitté son mari. Pourquoi ? Si une bouche perverse crachait l'infamie sur la vertu de la comtesse de Santa Bárbara, la voix de la vérité ferait taire le calomniateur. Et moi, dont les lèvres ne se sont jamais encore déshonorées par le mensonge, et qui remercie Dieu de la considération que le monde me porte, je m'adresserais à tous, j'entrerais dans les salons, je parlerais sur les places, et, si besoin, si le comte de Santa Bárbara osait acquiescer aux calomniateurs de sa femme, je crierais haut et fort : "Cet homme ment comme un infâme !"

Ma mère, exaltée par l'envolée majestueuse du prêtre, bondit du canapé, prit ses mains dans les siennes et tomba à genoux, sanglotant des paroles inintelligibles. Ni alors ni aujourd'hui, je ne pourrais expliquer la force qui me fit m'agenouiller aussi ! Ma mère, me voyant à ses côtés, ceignit mon cou de son bras gauche et me dit, d'une voix tremblante :

– Pleure avec moi mon enfant, aux pieds d'un homme qui veut sauver ta mère !

L'abbé nous fit nous relever et la conduisit jusqu'au canapé. À des émotions de cette triste grandeur n'aurait pu résister un caractère ignoble, à plus forte raison un homme dont le mensonge n'avait jamais déshonoré les lèvres ! Père Dinis avait le visage inondé de larmes, qui semblaient paralyser son don de parole. D'après ses gestes, on comprenait que le digne ministre d'un Dieu miséricordieux voulait nous dire que c'était là sa mission, et que le sublime de ce tableau se trouvait dans l'Évangile et non dans son interprète. Il était en Dieu qui ordonne et non dans l'homme qui obéit.

— Je peux encore être très heureuse en ce monde, n'est-ce pas, Père Dinis ? demanda ma mère, avec une joie étrange.

— Quel est le chrétien qui ne peut être heureux en ce monde ? demanda l'abbé. Que sont les persécutions ici-bas, en ces trois jours de pérégrination ? Votre Excellence peut être heureuse en changeant de situation, car, en vérité, je ne sais pas ce qui pourrait aggraver ses souffrances.

— Eh bien… je quitte cette maison… mais…

L'hésitation de ma mère fut comprise de l'abbé.

— Mais… la secourut-il, vous voudriez un toit accueillant sous lequel vivre avec votre fils, n'est-ce pas ?

— Oui, oui ! s'exclama-t-elle comme délirante, avec mon fils… Je ne peux aspirer à tant de bonheur… c'est trop pour moi, qui ai été si malheureuse… c'est une illusion que je veux nourrir sans que Dieu me dise que je peux la réaliser.

— Vous le pouvez ! rétorqua l'abbé avec confiance.

— Je peux ? Vivre avec mon fils ? En paix ? Sans remords ? Sans craintes ? Je peux ?

— Vous le pouvez, Madame la Comtesse. Le maître de votre fils ne sera pas indigne d'avoir la mère pour hôte, pour fille et pour sœur.

— Oh, mon Dieu !

Ma mère, dans cette exclamation, les mains au ciel, exprima un sentiment que je ne saurais décrire. Je crois que cette élévation vers le ciel était un transport de reconnaissance, parce que j'ai senti, dans ma longue vie de douleurs, le besoin de remercier Dieu d'une bonne fortune que je n'osais plus espérer. Cette reconnaissance du malheureux est, peut-être, un grand témoignage en faveur de cette main invisible que la Providence tend aux infortunés au bord de l'abîme.

Le silence en était le complément le plus sublime. Père Dinis contemplait ma mère avec une sainte joie, et dans la vive satisfaction de son visage semblait briller la gloire de l'homme qui peut, auprès d'une malheureuse innocente, s'écrier : « Je l'ai sauvée ! »

VIII

Ma mère, encore animée par l'espoir de jours meilleurs sur terre, semblait retrouver l'éclat de ses joues, ce rose de la santé, qui n'est pas l'écarlate enflammé de la fièvre ou la sombre pâleur du moribond. Jusqu'alors, je ne lui avais vu d'autres couleurs sur le visage.

C'était, bien sûr, la perspective d'abandonner cette maison qui la sauvait. Il n'y a pas d'explication naturelle à la robustesse et à l'aisance qu'avait retrouvées, si vite, son corps affaibli ! Son front, éclairé par le soleil de l'espoir, reprit la noble hauteur de sa majesté courbée par l'avilissement. Droite comme la tige d'une fleur qu'une goutte d'eau a ramenée à la vie, ma mère sentait revivre les effusions délirantes de l'esprit. Elle était comme une enfant qui folâtre, m'enlaçant avec frénésie, baisant avec tendresse les mains de l'abbé et nous communiquant cette joie par un excès de vie trop grand pour son cœur.

— Si cet espoir était un mensonge, dit-elle, je serais plus malheureuse encore.

— Je ne mens pas, Madame la Comtesse, répliqua l'abbé, appuyant ses paroles d'un geste dont la sévérité révélait la fermeté de ses intentions. Aujourd'hui même, continua-t-il, si Votre Excellence le veut, elle entrera avec son fils dans ma maison, avec la même liberté que s'il s'agissait de la maison de son père, s'il était encore en vie.

— Aujourd'hui même ! répéta ma mère. Aujourd'hui même ! Oui… et pourquoi pas aujourd'hui même ? Votre invitation, mon Père, pourrait bien être un avertissement de Dieu… Peut-être devrais-je fuir aujourd'hui même… Vous êtes l'ange protecteur de mon fils, Père Dinis, et peut-être même le mien… Mais… aujourd'hui même… Que diront… Oh ! ma chère mère, inspire-moi de là-haut !

Une force supérieure à ma volonté me fit alors plier les genoux aux pieds de ma mère, la suppliant de quitter cette maison cette nuit même. Père Dinis appuya mes supplices, lui demandant d'accéder à la ferveur de mes prières. Ma mère, un instant irrésolue, tira une sonnette. Bernardo apparut.

— Bernardo, dit-elle, puis-je sortir sans être vue ?

— Quand vous le voudrez, Madame.

— Puis-je prendre une malle avec moi ?

— Je me charge de la porter, répondit Bernardo.

— C'est celle-là, dit ma mère, indiquant une malle en cuir marqueté de jaune.

Ma joie était comme un émoi intime qui m'empêchait de croire à la réalité de ce beau rêve.

Bernardo était sorti avec la malle, ma mère avait revêtu la même cape que je lui avais vue les deux fois où je lui avais parlé. Elle s'avança vers la porte d'un pas ferme et résolu, mais, tandis qu'elle tournait machinalement la tête vers l'intérieur de la chambre qu'elle quittait, ses pas ralentirent, son courage faiblit et l'éclat de son visage s'assombrit, comme si, entre les rideaux du lit, un fantôme terrifiant lui faisait signe. Adossée au chambranle de la porte, elle posa la tête sur sa main gauche et se tint de la droite au bras de l'abbé.

— Quelle faiblesse est-ce là, Madame la Comtesse ? l'interpella-t-il.

— Je suis une faible femme… le malheur détruit le corps et l'esprit… il ne laisse à la malheureuse même pas le courage de quérir le bonheur !

— Que ressentez-vous, ma mère ? demandai-je, embrassant tendrement sa main glacée.

– Ce que je ressens, mon fils ? Moi-même je ne saurais te le dire… C'est le poids de mon destin… C'est ma conscience qui me dit de ne pas tenter le bonheur, car je n'ai droit à la moindre miette.

– Ne parlez pas de destin, Madame, interrompit l'abbé. Laissez ces mots au peuple et aux impies, plus ignorants encore que le peuple. Le destin est un vain mot, il nie les paroles de Jésus-Christ sur les souffrances de ce monde et les contentements de l'autre.

Tandis que l'abbé poursuivait son discours religieux, que je n'ai pu garder en mémoire, j'enlaçai la taille de ma mère et la sentis trembler d'une fièvre intermittente.

La frayeur m'obligea à interrompre l'abbé. Je demandai à ma mère de s'asseoir, et je parvins, avec l'aide du maître, à l'installer sur le canapé d'où, peu de temps auparavant, je l'avais vue se lever avec tant d'énergie.

Là, la malheureuse cacha son visage entre ses mains, sanglotant d'anxiété.

Bernardo revint, après avoir porté la malle dehors. Ma mère tressaillit au bruit de ses pas dans la chambre. La terreur, devenue habituelle dans sa vie, avait façonné son système nerveux, au point de lui faire percevoir dans chaque bruit les pas de son démon domestique, s'approchant avec le fléau de la mort lente.

– Ah c'est toi ! s'exclama-t-elle.

– Oui, Madame. Maintenant, il ne reste plus qu'à savoir où va la malle.

– Chez moi, répondit l'abbé.

– Oui, oui, chez nous, ajoutai-je.

– Chez nous ! dit ma mère, souriant tendrement de ma spontanéité.

– C'est ce qui aurait dû être fait depuis longtemps… dit Bernardo, avec cette franche sincérité qui sied à un ami.

Ma mère sourit encore à l'approbation décidée de Bernardo, et, libérant un élan que réprimait son cœur, elle se redressa de nouveau, courageuse et enthousiaste comme auparavant.

Cette fois-ci, elle ne se retourna pas en passant la porte de la chambre. Père Dinis, prévenant la répétition de l'acte, la prit par le bras et l'entraîna comme s'il la portait dehors.

Puis nous traversâmes, en silence, le salon par lequel nous étions arrivés : le salon des portraits.

Là, ma mère lâcha le bras de l'abbé et alla s'agenouiller devant l'un des six portraits, dont je n'avais pu distinguer les traits.

Elle ne murmurait même pas sa prière, si ce qu'elle faisait avec le langage mystique de l'esprit était bien une prière.

Je m'approchai de l'abbé sur la pointe des pieds et lui demandai tout bas si ce panneau représentait l'image de Notre-Dame. Il me répondit que c'était l'image d'une sainte. Je demandai le nom de la sainte. Il me répondit que c'était ma grand-mère, la mère de cette autre martyre qui se tenait agenouillée.

– Pourquoi ne prierais-je pas, moi aussi ? lui demandai-je.

– Personne ne vous en empêche, mon garçon, priez aussi, demandez-lui de porter à la présence de Dieu les larmes de votre mère.

Je m'agenouillai à côté d'elle. J'ignore quelles furent alors les pensées ardentes que mon innocence adressa à l'image de celle qui vivait en ma mère par l'esprit du martyre. Je sais qu'il y avait de l'éloquence dans ma foi et de l'espoir dans ma prière, mais si l'on me demandait aujourd'hui une de mes paroles d'alors, une des larmes que j'ai pleurées dans cette ferveur véhémente, je devrais d'abord demander aux hommes de me rendre mon innocence, ma foi et le trésor de vertu qu'ils m'ont volés.

Ma mère se leva et avança, décidée, mais en silence et recueillie, comme si elle poursuivait sa conversation avec des esprits invisibles.

Pendant le trajet du manoir à la maison du Père Dinis, elle eut souvent besoin de notre soutien pour ne pas défaillir.

Nous pûmes à peine lui arracher quelques mots, malgré tous les efforts que nous faisions pour la distraire.

Quand nous parvînmes à ma chambre, Bernardo en sortait, après y avoir déposé la malle. Ma mère lui fit signe de l'accompagner et lui dit :

– Rentre à la maison, et reviens demain me rendre compte du moindre incident. Fais bien attention à ce qu'on ne te suive ni ne te voie entrer dans cette maison. J'aimerais pouvoir rémunérer tes services, mon loyal ami, mais je suis pauvre, comme tu le sais, et quand bien même je serais riche, j'aurais bien des scrupules à te récompenser, car ton cœur est trop noble pour être payé en argent.

Les pleurs de Bernardo l'empêchèrent d'articuler des mots pour prendre congé de nous.

Ma mère, entourée des tendres attentions de Dona Antónia, manifesta dès lors une tranquillité et un contentement d'esprit qui firent notre bonheur à tous.

IX

Nous n'eûmes à déplorer aucun incident désagréable. Ma mère semblait heureuse, et nous cherchions, par nos conversations joyeuses, à la maintenir dans cet état d'esprit.

Jusqu'à une heure du matin, nous restâmes ensemble dans ma chambre. Puis ma mère se retira dans celle de Dona Antónia, où un lit lui avait été préparé.

Le lendemain matin, quand je me levai, je regardai par la fenêtre et vis ma mère se promener dans le jardin.

Je courus, plein de joie, baiser sa main, la réprimandant doucement de ne pas m'avoir fait appeler. Elle me répondit que le sommeil du matin était la seule heure heureuse du jour pour les gens peu fortunés et, pour cela, elle n'avait pas voulu me réveiller. Elle ajouta qu'elle s'était levée très tôt, car elle avait dormi quatre heures d'un sommeil tranquille, ce qui ne lui était guère arrivé depuis de nombreuses années. Et comme elle ne pouvait ni n'avait besoin de dormir plus, elle était venue, avec la permission de Dona Antónia, se remémorer, seule, le bonheur que Dieu lui avait concédé durant quelques heures, sans qu'aucune nouvelle épreuve vînt le perturber.

Ma mère me fit asseoir à ses côtés et pencher ma tête sur son épaule. Nous restâmes quelques instants dans cette posture, silencieux.

La joie de mon âme dans ces fugaces instants est inexprimable.

Ma mère et moi avions besoin de ce recueillement, de ce mutisme où le cœur semble se peupler d'esprits célestes, qui parlent un langage que la langue humaine ne peut articuler.

Tant et si bien que si, à ce moment, on m'avait demandé ce que je ressentais, il m'aurait été impossible de définir avec des mots les vagues images qui me disaient tant de choses.

M'apercevant alors de l'insuffisance de mes idées pour exprimer l'effusion d'immense bonheur qui me ravissait, je me demandai si la faute m'en revenait, à moi et à mon manque de mots. J'implorai donc ma mère de me dire ce qu'elle ressentait.

Elle me répondit qu'elle ne le pouvait pas.

— Tu vois, mon fils, je pense que Dieu n'accorde pas aux paroles la souveraineté qu'il accorde à l'esprit. Les grandes douleurs sont muettes, tout comme les grandes joies. Dans des moments d'infinie amertume, il m'est arrivé de ne pas pouvoir gémir. Je m'agenouillai bien des fois, sans pouvoir articuler une parole de plainte au Dieu de justice, car je n'en avais pas. Aujourd'hui déjà, je me suis agenouillée au pied de mon lit, le cœur débordant de joie, sans trouver aucune parole pour remercier le Dieu de la compassion des moments de bonheur qu'il me donne. Ce que je ressens à l'instant, mon cher fils, c'est un soulagement de l'âme, un printemps dans la vie, un je-ne-sais-quoi de bonheur, comparable seulement au transport du convalescent qui se lève de sa couche, après une longue souffrance, pour humer l'arôme des fleurs d'avril. Tu m'as comprise, mon fils ?

— Oui, ma mère, répondis-je. J'ai compris, car si je pouvais parler comme vous le faites, je ne saurais répondre avec d'autres mots. Mais ne sommes-nous pas si heureux ? Ne semble-t-il pas que Dieu nous regarde en cet instant avec tant d'amour ? Personne ne doit jamais se croire entièrement malheureux.

— Pourquoi, mon fils ?

— Parce que hier encore nous étions très malheureux, nous pleurions beaucoup, et nous voilà maintenant enlacés et tellement heureux que nous ne sommes même pas capables de dire la raison de ce bonheur.

— Et si demain il n'en était pas ainsi ?

— Pourquoi n'en serait-il pas ainsi ?! Ne voulez-vous pas vous réveiller demain comme aujourd'hui ; venir, comme aujourd'hui, au jardin, embrasser votre fils… lui dire que vous ferez de même le jour suivant…

— Ah ! oui, mon fils, je le voudrais comme on ne peut espérer plus de la vie, de l'amour et du salut. Mais les desseins du Seigneur sont si impénétrables… et le monde s'acharne tant à ne pas laisser s'endormir l'infortune dans le cœur d'une malheureuse.

— Qu'y aurait-il à craindre, désormais ?

— Mon passé, mon fils… mon passé…

À cet instant, nous vîmes Bernardo descendre vers le jardin. Ma mère tressaillit quand elle le vit et murmura d'une voix tremblante :

— Quel malheur vient-il nous annoncer ?

Bernardo justifiait le sombre pressentiment de ma mère, avançant, pâle et effrayé, comme s'il était poursuivi.

— Qu'y a-t-il, Bernardo ? demanda ma mère dans un sursaut, allant à sa rencontre.

– Rien qui vaille, Madame la Comtesse... Le démon est du côté des méchants, toujours à tramer contre les bons.

– Mais quoi donc ?

– Que voulez-vous que ce soit, Madame... Monsieur le comte est venu frapper à la porte à minuit.

– Monsieur le comte ! s'exclama douloureusement ma pauvre mère.

– Lui-même. Mon sang n'a fait qu'un tour quand j'ai entendu sa voix.

Le visage de ma mère se transfigura subitement, perdant la vivacité qui depuis peu commençait à animer ses traits, auparavant paralysés par la souffrance. Craignant d'être vue dans le jardin où elle ne pouvait pourtant pas l'être, elle se leva précipitamment, me prit par la main et courut se cacher dans ma chambre.

Bernardo y entra avec nous, suivi de l'abbé et de Dona Antónia.

– Il y a du nouveau ? demanda l'abbé.

– Il était impossible qu'il n'y en eût pas... répondit ma mère, et elle poursuivit avec un triste sourire, comme ironisant sur ses propres malheurs. Ne t'ai-je pas dit, mon fils, que demain ne serait pas pareil à aujourd'hui !... Le malheur était toujours à mes côtés, alors que je supposais qu'il me donnerait quelques heures de répit. Je me trompais.

– Que s'est-il donc passé ? interrompit l'abbé, se tournant vers Bernardo.

– Monsieur le comte est revenu quand personne ne l'attendait, voilà ce qui s'est passé, répondit le domestique.

– Dans ce cas, reprit l'abbé avec une étrange satisfaction, dans ce cas, Madame la Comtesse, levez les mains vers Dieu et remerciez-le de ne pas être là-bas pour l'accueillir.

Ma mère dévisagea le prêtre avec une expression de profonde réflexion, comme si ces paroles réconfortantes avaient produit sur son âme un effet salutaire.

Bernardo poursuivit :

— Monsieur le comte est allé tout droit à la chambre d'Eugénia et, me croisant dans un couloir où je venais le saluer, il me dit qu'il n'était pas nécessaire que madame la comtesse soit informée de sa venue. Je n'ai pas dit mot, mais dedans j'avais une de ces peurs ! Au lieu d'aller me coucher, j'ai fait le guet pour voir ce qui se passait, parce que je ne voyais pas à quoi rimait cette recommandation de ne pas dire à madame la comtesse que son mari était rentré si tôt, étant parti pour si longtemps. Tout d'abord, je suis descendu à l'écurie et j'ai demandé à l'écuyer si le roi Dom Miguel était revenu. Il m'a répondu que non. Je lui ai demandé pourquoi monsieur le comte était revenu seul, alors qu'il était parti avec le roi. Il m'a répondu qu'il ne le savait pas non plus et que ça ne l'intéressait pas. Je n'étais pas plus avancé. Je me suis déchaussé et suis monté sur la pointe des pieds jusqu'à la porte du salon, où donne la porte de la chambre de la servante. La porte était ouverte et j'ai pu entendre tout ce qui s'y disait. J'ai entendu certaines choses que je n'ai pas oubliées, car je les ai écrites pour les rapporter à madame la comtesse.

— Non, non, Bernardo, interrompit ma mère. Je ne veux rien savoir des conversations de mon mari avec sa servante.

— Mais peut-être serait-il utile et nécessaire que vous les sachiez, répliqua Bernardo. Vous permettez que je les dise ?

— Oui, d'accord, dis tout, même si cela me fera du mal.

— Au contraire, reprit Bernardo, peut-être que cela vous fera du bien. Alors voilà : monsieur le comte disait à sa servante qu'en arrivant à Santarém elle lui avait beaucoup manqué et qu'il s'était rendu compte qu'il ne pouvait plus vivre sans elle. Il avait donc feint d'être malade et était allé se coucher disant qu'il avait la fièvre. Le roi Dom Miguel, croyant que sa maladie était vraie, lui avait permis de rentrer chez lui se soigner, et de le rejoindre ensuite à Braga, une fois rétabli. Le comte avait l'intention de rester quelques jours à Lisbonne avant de repartir, emmenant la servante, parce qu'il ne pouvait plus vivre sans elle. Voilà ce qui s'est passé jusqu'à deux heures, quand je suis allé me coucher, parce que la porte de la chambre a été fermée.

Je regardai ma mère et vis que son visage était prodigieusement serein. J'attendais d'entendre un mot de sa bouche, mais ses lèvres ne s'ouvrirent pas, closes par un sourire indicible.

Dona Antónia s'était signée deux fois durant le récit de Bernardo. J'étais heureux en concluant de tout cela que ma mère continuait à être ma mère et ma compagne.

– Voilà... dit Bernardo. Le comte se lève entre dix et onze heures et je vais voir ce qui va se passer maintenant.

À ces mots, nous comprîmes tous que le véritable événement se produirait quand le comte ne trouverait pas sa femme chez lui. Nous n'échangeâmes pas un mot, mais le silence où nous laissait Bernardo venait de la crainte que tous nous éprouvions.

X

Celui qui souffre beaucoup, avec de rares moments de répit, se familiarise avec la douleur. Chez les personnes très malheureuses, il y a un renoncement volontaire au quignon de plaisir qui leur revient, quand elles parviennent à se convaincre de la stérilité de leurs efforts pour un sort meilleur.

La pratique douloureuse de ces pensées, je la découvris dans la présence d'esprit avec laquelle ma mère avait écouté Bernardo, en attendant de l'écouter encore, une fois que le comte se serait aperçu de son absence.

Je l'ai beaucoup apprécié alors, et j'accorde aujourd'hui bien plus de valeur encore à son sourire indéchiffrable quand le domestique lui raconta les attentions de son mari envers sa servante.

L'amour-propre blessé, l'orgueil noble avili, le mépris absolu que son mari éprouvait pour elle, sacrifiant leur honneur à la nostalgie d'une servante, ces vexations insultantes au cœur de ma pauvre mère ne lui arrachèrent qu'un sourire d'apparente indifférence.

Était-ce de l'indifférence ? Non, ce n'en était pas. C'était la réponse la plus noble qu'une dame pouvait donner. C'était l'expression la plus loyale d'un esprit digne qui, même dans le malheur, reçoit avec majesté la plus extrême des vilenies.

La femme triviale déverserait une tempête d'épithètes à l'encontre de son mari et de son ignoble rivale. Elle vomirait des flots de malédictions sur son bourreau et promettrait de se venger de lui, l'obligeant à rougir quand il verrait sa femme payée avec usure de ses infidélités conjugales.

J'ai eu maintes fois, au cours de ma vie tourmentée, l'occasion de comparer ma mère. J'ai même été « peuple », croyant en la superstition du sang noble. Mais ce furent les femmes nobles les plus promptes à dissiper l'illusion de ce prestige, s'abaissant à de sordides et plébéiennes colères, dès que la jalousie faisait tourner leur sang… bleu.

Ma conclusion, au fond, au sujet de ces inconstances, c'est que cette planète, organisée par Dieu et livrée à l'administration des hommes, ne pouvait tomber entre de pires mains.

Mais je ne voudrais pas me perdre en abstractions fastidieuses pour moi, comme pour ceux qui liront ces poignantes réminiscences.

C'était l'après-midi quand Bernardo revint. Nous l'attendions avec anxiété, l'abbé et moi.

Ma mère semblait indifférente, ou du moins résignée à je ne sais quels nouveaux tourments qui viendraient de son mari.

Bernardo nous rapporta les faits :

– Monsieur le comte s'est réveillé à onze heures. Peu de temps avant, la servante est venue à la cuisine donner des ordres pour le déjeuner. C'est moi qui ai porté le plateau dans l'antichambre de la bonne. Monsieur le comte est sorti de la chambre, la tenant à ses côtés. Il semblait très content de sa vie. Ils se sont assis et m'ont fait sortir. À midi, ils ont sonné et je suis allé chercher le plateau. Au moment où je me retirais, le gentilhomme m'a appelé et m'a demandé si madame la comtesse était déjà levée. Je lui ai dit que je ne savais pas. Il m'a ordonné d'aller voir. Elle était bien bonne ! Comment j'allais me dépêtrer de cette affaire ? J'ai traîné un moment dans le coin, pour tuer le temps, et quand ça m'a paru assez, je suis allé lui dire que madame la comtesse n'était pas dans sa chambre.

» Il m'a demandé où elle était, je lui ai répondu que je ne savais pas et il m'a dit d'aller me renseigner. Et me voilà en train de demander aux autres domestiques s'ils savaient où était madame la comtesse. Ils m'ont tous répondu que non. En voilà une surprise ! J'aurais bien aimé voir qu'ils me répondent que oui… Je suis retourné voir monsieur le comte pour lui dire que personne ne savait où était madame. Et là, il a fixé sur moi des yeux stupéfaits et s'est mis à hurler comme un possédé :

» – Qui t'a dit de revenir dans cette maison ? Ne t'avais-je pas mis dehors ?

» Je suis resté abasourdi par ces cris, j'ai même manqué de m'étrangler !

» – Réponds-moi, a-t-il crié encore, qui t'a dit de revenir dans cette maison ?

» – C'est madame la comtesse, j'ai répondu, avec sincérité.

» – Et où est cette femme ?

» – Je n'en sais rien, Votre Excellence.

» – Je vais te faire attacher, gredin, et te fouetter comme un Nègre jusqu'à ce que tu me dises où elle est ! m'a-t-il dit.

» Il m'est monté une de ces moutardes au nez. J'ai toujours été un homme prudent, craignant Dieu, mais quand on me cherche, je ne réponds plus de rien. Je n'ai pas pu contenir ma rage et je lui ai dit que ce ne serait pas facile de m'attacher contre ma volonté, que si j'étais dans cette maison, c'était parce que la maîtresse des lieux m'avait fait appeler. Le plus que monsieur le comte pouvait faire, c'était me mettre dehors, mais en me payant d'abord. Le comte s'est mis à regarder autour de lui comme s'il cherchait quelque chose à me lancer à la tête. L'objet le plus proche était une chaise, qui m'aurait sûrement atterri dessus si Eugénia ne lui avait pas attrapé le bras en lui disant des mots tendres. C'est ce qui m'a sauvé, moi, et je ne sais pas si je dois vous le dire, Madame la Comtesse, mais ce n'était pas plus mal pour lui non plus, parce que, c'était tout vu, s'il m'avait jeté cette chaise à la tête, pour sûr, je lui aurais planté un couteau dans le ventre, que Dieu me pardonne ! La servante l'a emmené par le bras vers la chambre et m'a fait signe de m'échapper. Pas la peine de me le répéter. J'ai fait mon baluchon et j'ai déménagé, sans regret. Voilà ce que je sais.

Ma mère garda son admirable impassibilité morale pendant le récit de Bernardo. Nous avons ri, parfois, l'abbé et moi, de la franchise de Bernardo, qui, sans son argot plébéien, ne porterait pas à rire. Père Dinis offrit d'accueillir chez lui le fidèle serviteur, mais ni lui ni ma mère ne purent le lui faire accepter, vu qu'ils n'avaient pas besoin de ses services. Cet ami loyal pleura en prenant congé de nous, se consolant avec l'espoir qu'un jour il serait témoin de notre bonheur.

Nous étions, par conséquent, privés dorénavant d'informations sur ce qui se passait dans la maison du comte de Santa Bárbara. Ma mère ne s'y montrait guère intéressée et semblait s'efforcer d'éloigner ce sujet de nos conversations. J'encourageais beaucoup cette feinte sérénité d'esprit, mais Père Dinis connaissait mieux que moi le cœur humain. Il dit à ma mère :

— Je vais faire sonder par de tierces personnes ce qui se passe chez vous, Madame la Comtesse. Je pense que je n'apprendrai rien qui aggravera votre infortune. Au contraire, il est probable que tout ce qui s'y est passé sera favorable à votre tranquillité.

— Favorable à ma tranquillité ! interrompit ma mère.

– Certainement… Vous ne pouvez pas espérer que le comte de Santa Bárbara se convertisse en bon mari. J'en suis persuadé, si toutefois la Providence ne me dément pas par un miracle. Tant que Dieu n'interviendra pas directement dans les affaires des hommes, je pense que la nature de votre mari sera toujours celle de votre bourreau, pardonnez-moi ma façon d'appeler les choses par leur nom. Ce qu'il nous faut d'abord demander à Dieu, c'est l'amendement de cet homme, et si nos prières ne suffisent pas pour obtenir une telle merveille, nous devons implorer qu'Il l'éloigne d'une dame malheureuse, qui ne doit pas se laisser mourir en demandant que la justice divine la venge. Un crime mineur épargnera à cet homme un crime plus grand. Votre mari, en quittant Lisbonne pour savourer plus librement les amours de sa servante, accorde à Votre Excellence une respiration plus libre, un air plus pur et une ombre de moins pour vous harceler nuit et jour. Ce qu'il ne peut vous voler, c'est le bonheur suprême pour lequel vous devez rendre grâce à Dieu, car il est indéniable que le mal est une plante de la Terre, et le bien une rosée du Ciel. Bien que cette rosée ne transforme pas toujours les épines de la mortification en fleurs de patience, nous devons rendre grâce au Très-Haut pour les moindres bienfaits, qui nous suffisent à compenser les grandes amertumes. Votre Excellence a un fils et a un père. Cette appellation, je la fais mienne, et si une amie malheureuse ne dédaigne pas que je l'appelle ma fille chérie, elle suivra les conseils d'un homme aux cheveux blancs. Une femme qui aime son fils peut affirmer fièrement que son cœur est rempli d'amour. Je ne crois pas que l'on puisse désirer plus grand bonheur sur terre. L'amour d'une mère, cet amour si saint, ce reflet de la tendresse de la très sainte Marie, est le lien qui unit les délices des anges aux rares joies de la terre. Que voulez-vous de plus, Madame la Comtesse ? N'avez-vous pas votre fils ici ?

– Je l'ai, je l'ai ! s'exclama ma mère, m'enlaçant avec une

véhémence exaltée. J'ai mon fils ici et j'ai peur qu'on me le vole, j'ai peur que Dieu l'appelle auprès de son père… Oh ! Père Dinis ! Je suis si malheureuse que je tremble de demander même un bien aussi simple, comme si j'avais la certitude de ne pas avoir droit aux miettes de bonheur qui reviennent même aux plus pauvres des mères, à ces pauvres femmes qui étanchent avec des larmes la soif de leurs enfants. Ne voyez-vous pas ? Vous pensez que cet homme ne fera pas valoir toute son autorité à Lisbonne pour venir m'arracher aux bras de cet enfant ? Ne savez-vous pas, mon cher père, que cet enfant est la cause innocente de mes souffrances depuis tant d'années ?

— Je le sais, je ne le sais que trop ! répondit l'abbé, mais Lisbonne n'est pas un village. Vous vivrez dans ma maison aussi secrètement que si, au lieu d'entrer ici, vous vous étiez noyée dans le Tage, ou si la dalle d'une sépulture s'était refermée sur vous. Si votre existence chez un pauvre maître d'école risquait d'être découverte, vous trouveriez dans cette pauvre maison les ressources nécessaires pour vous installer avec votre fils à deux mille lieues de Lisbonne. La bénédiction de Dieu n'a pas abandonné Agar dans le désert. La victime fuyant un sacrifice mortel qui ne lui est pas nécessaire pour sauver son honneur trouvera partout la main invisible de la Providence qui soutient ceux qui souffrent par amour de la justice.

Ma mère, s'agenouillant aux pieds du prêtre, baigna ses mains de larmes.

XI

Père Dinis se consacrait exclusivement à consoler sa fille adoptive. Sa conversation avait presque toujours trait à mon avenir. Personne aussi bien que lui n'aurait su dessiner de si belles perspectives. Je ne sais quelles touches de certitude renfermaient ses tableaux ! Ma mère écoutait ces superbes illusions, et jurait de leur réalité, comme si l'abbé avait été prophète.

Ce n'était pas un prophète, mais il avait un don plus sublime encore, celui de l'ange du réconfort. Dans l'abattement sombre où je me trouve aujourd'hui, dans cet abandon mortel auquel j'ai voué les mensonges de la vie, je suivrais partout un homme dont le langage audacieux de ses étranges visions ravirait mon oreille, dès lors que l'esprit ne peut puiser dans ses propres ressources une illusion momentanée. Je voudrais trouver cet homme, pour vivre quelques années les belles chimères de ses rêves, pour me projeter hors de ce globe où je me vois harassé par un tourbillon d'infortune et pour finir de me convaincre que le fantastique est l'unique bonne chose de ce monde.

Père Dinis était un homme d'une intelligence suprême, car il avait reçu du Ciel l'imagination créatrice. Un après-midi, assis sous l'ombre des hêtres du jardin, lui, ma mère et moi étions tombés dans un silence profond. Père Dinis était absorbé dans la contemplation des beautés de l'horizon, où le soleil, comme la lave d'un volcan, semblait éclabousser des langues de feu à la surface des eaux.

Attiré par la méditation extatique de l'abbé, je cherchais à comprendre les mystères qu'il percevait dans la majesté du soleil qui plongeait dans les vagues.

Ma mère ne regardait ni le Ciel ni la Terre : ses visions étaient tournées vers l'intérieur de son esprit, là où nos yeux ne pouvaient pénétrer. La tête penchée sur ses mains jointes, elle aurait pu pleurer en secret, si une larme coulant jusqu'à ses lèvres ne nous avait rappelé qu'un grand poids d'infortune ne laisse pas le regard s'élever pour admirer les augustes tableaux de la création.

C'est ainsi : le malheur m'est d'autant plus intolérable quand je vois, en dehors de moi, une belle nature, sereine comme la paix, rieuse comme la joie, embaumant comme un jardin cultivé par les anges. Et je sens, dans mon monde intime, et je vois, dans mon paysage d'agonie, la désolation du passé, les trêves du présent et la terreur du futur. J'ignore quelles joies insultantes à mon malheur je perçois dans les beautés insensibles d'une nature limpide, qui m'amènent à me considérer injurié comme une rature, un proscrit du bonheur ! Peut-être ma mère pensait-elle ainsi, en cet instant où nous contemplions le ciel et où elle pleurait. Peut-être cette âme forte descendait-elle alors aux abîmes d'une souffrance qui devrait être une malédiction réservée aux hommes de fer, qui n'auraient pas le droit de s'écrier, dans un élan de désespoir : « Aie pitié de moi, oh ! Dieu, car je suis ton enfant ! » Parce que ce cri, s'il n'est pas entendu aux cieux, est précurseur d'un blasphème qui sera entendu aux enfers. Parce que les larmes d'une créature qui souffre en ce monde, où une force invisible l'a mise et abandonnée… ces larmes, à mesure qu'elles tombent sur un sol stérile, effacent de ce sol les vestiges de la Providence.

Nous étions donc dans la situation que j'ai décrite, quand Père Dinis, baissant les yeux du Ciel pour les porter sur le visage à moitié caché de ma mère, dit :

— Cette heure appelle le souvenir, et le souvenir est la vie plus douce des malheureux.

— Certainement ! dit ma mère, levant soudain la tête et soupirant avec soulagement.

— Souvenons-nous donc, poursuivit l'abbé, posant ses mains jointes sur sa poitrine, il y a de cela quinze ans… par un après-midi d'été serein, comme maintenant… je me souviens d'un ciel bleu et d'un crépuscule nostalgique semblable à celui-ci, qui nous fait nous recueillir, sentir et souffrir.

» Là-bas, par cet escalier, j'ai vu descendre un homme qui ne me connaissait pas… et que j'avais croisé fugacement dans le "grand monde". Je suis allé à sa rencontre, le recevoir et le saluer.

» Il me dit que, me sachant seul dans ce jardin, il préférait être reçu ici, car il avait à me parler de choses secrètes au plus haut point.

» Je le fis asseoir sur le banc où vous vous trouvez maintenant, Madame la Comtesse, et je m'assis sur ce même banc.

» Je dois ici céder au désir que je ressens de rassembler les traits du visage de cet homme, si la mémoire me les restitue fidèlement.

» Il n'était pas grand ; il était étonnamment maigre. Il avait des yeux grands et noirs, et dans ces yeux scintillait une lumière inquiète qui trahissait une grande agitation de l'esprit. Ce n'était pas dans ses yeux seuls que je remarquai cette effervescence. Dans l'agencement de ses traits, on aurait dit que la bouche était l'organe qui parlait le moins. Par un contraste surprenant, la physionomie de cet homme était à la fois sévère, songeuse et d'une tristesse absolue. La pâleur et le décharnement de ce visage auraient parfaitement pu évoquer la paralysie d'un cadavre, si l'énergie exubérante de ses yeux n'y avait déversé comme un éclair de vie.

» Il était vêtu de noir comme pour un deuil rigoureux, et l'on notait une certaine négligence dans sa tenue, bien que l'on remarquât au premier coup d'œil que c'était le mépris et non le mauvais goût qui présidait à ce désordre dans sa cravate, sa chemise et jusqu'à l'asymétrie du boutonnement de sa veste.

» Je n'ai pas oublié le détail frivole que je mentionne, car je suis toujours fort curieux de la façon dont certains hommes s'habillent, qui prétendent se distinguer en société à n'importe quel prix.

» J'ai toujours considéré que la caractéristique première d'un homme banal et authentiquement sot est le soin qu'il met dans l'ajustement du col de sa veste, de façon que pas une ligne ne dévie de la coupe que le tailleur lui a donnée. Il y a bien de la frivolité dans l'esprit qui se considère d'autant plus sublime qu'il peut se tenir droit dans son col de chemise et verticalement équilibré entre les deux boucles du nœud de sa cravate.

Ma mère, par condescendance peut-être, sourit légèrement. Moi, je n'étais pas en mesure de saisir la critique facétieuse de mon maître. Il poursuivit :

— Aussi, si l'on m'avait demandé quel jugement je portais sur mon visiteur avant de l'entendre parler, j'aurais dit à l'avance, comme un prophète, ce qui s'est révélé si juste avec ma méthode de juger le moine par l'habit.

» Passé les salutations d'usage, le gentilhomme me dit qui il était. Madame la Comtesse l'aura déjà deviné. Ce garçon n'a nul besoin de connaître son nom : qu'il fasse comme s'il écoutait une légende fantastique, où le nom du héros serait l'élément le moins intéressant de l'intrigue.

Je vis que ma mère redoublait d'attention, tandis que l'abbé continuait :

— Après avoir dit son nom… inutile à mes yeux… le gentilhomme resta silencieux pendant un moment, passant ses doigts dans ses cheveux, qu'il repoussa négligemment derrière ses oreilles. Il me demanda un verre d'eau, la permission de fumer et de lui accorder quelques minutes de repos, avant de révéler la raison pour laquelle il était venu me voir.

» — Je dois vous sembler un homme extraordinaire, dit-il.

» — Pour l'instant, répondis-je, je ne vois en Votre Excellence rien de plus qu'un homme.

» — Très malheureux, ajouta-t-il, prenant son verre d'eau et demandant au serviteur de le lui laisser.

» Après quelques minutes de repos, le gentilhomme, d'une voix peu assurée mais avec un timbre persuasif et agréablement mélancolique, m'expliqua sa venue de la manière suivante :

» — Avant de commencer mon récit, je pourrais susciter votre compassion, si je pouvais pleurer. Je ne le peux pas… ni ne le pourrai jamais plus. Si, au moins, je parviens à dépeindre correctement ma situation et celle d'une malheureuse jeune fille que je ne peux racheter par mon sang… j'aurai obtenu de votre charité ce que les larmes n'obtiendraient pas.

» — Parlez sans réserve. Soyez assuré que vous parlez avec un homme disposé à vous servir, comme si nous étions amis de longue date, comme si Votre Excellence venait demander à son plus cher frère un grand sacrifice.

» Ces paroles l'encouragèrent sensiblement, donnant à son expression une assurance de confiance et d'intimité.

» — Je n'ai pas cherché, dit-il, une personne susceptible de m'introduire auprès de Votre Excellence. Il n'y a guère de difficulté insurmontable pour une douleur qui ne fait pas rougir celui qui en souffre. Je suis venu seul et je ne regrette pas de l'avoir fait, car sur votre bienveillant visage, je lis la tolérance. Je suis fils cadet, je suis donc un homme pauvre. La loi des caprices humains a déshérité dans mon cœur, depuis l'enfance, certaines inclinations qu'un homme pauvre, un fils cadet, peine à réprimer une fois adulte d'esprit et fort de volonté. Et puisque le fils d'un pauvre, qui ne doit pas sa place d'aîné à un heureux hasard, est légalement pauvre, la loi, pour maintenir l'équilibre, devrait prendre soin du sort du bâtard d'un mariage légitime. Il ne lui serait guère coûteux de décréter que le cadet de tout détenteur de majorat, dont les biens ne suffiraient pas à la subsistance des enfants puînés, soit conduit des bras de la sage-femme à l'orphelinat. L'enfant grandirait, ignorant et ignoré de sa naissance. Arrivé en âge de garder les cochons, de raccommoder des bottes ou de frotter un plancher, le fils cadet de l'illustre détenteur de majorat serait un cordonnier, un domestique, un gamin des rues, et pourrait allègrement satisfaire les besoins de sa condition. Alors oui, la loi serait généreuse autant pour les fils cadets que pour leurs pères.

"Que Votre Seigneurie veuille me pardonner ces digressions, dont moi seul mesure la valeur, car je ne peux détourner mes pensées de ces puérilités depuis que l'on m'a jeté ma qualité de cadet au visage, pour me convaincre que je ne pouvais aspirer aux nobles élans du cœur d'un aîné.

"Il était déjà trop tard quand on me le dit, Père Dinis.

"J'ai quitté le collège à quatorze ans. Puis j'ai connu huit années d'un amour singulier, de cette singularité qui ne fait pas de bruit dans le monde, mais qui dévore un an d'existence à chaque jour qui passe... un tel amour a été mon enfance, mon adolescence et ma vieillesse... Voyez comme j'ai l'apparence d'un homme qui erre aux abords de la tombe, semblable à ces vers écrasés qui ne trouvent pas, à l'air libre que respirent les vivants, l'aliment et le repos dont ils sont assurés chez les cadavres.

"J'ai croisé, à quatorze ans, une de ces femmes fatidiques qui portent dans leur premier regard d'amour la pleine félicité ou le malheur absolu d'un homme.

"C'était une enfant comme moi, fille cadette comme moi, prédestinée, comme moi, à l'infortune.

"Je ne saurais vous dire comment j'ai vécu pour l'amour de cet ange. Ce fut d'abord un rêve sans soubresaut, une douce ivresse du cœur sans le délire des sens, un ardent désir de bonheur, sans mesurer ce que le bonheur devait être pour nous. Ce fut, ensuite, cette gaucherie dans nos relations, ce rougir sans raison quand nous baissions les yeux en présence de l'autre, quand nous les levions ensemble vers le ciel, comme appelant tous deux le courage de prononcer la parole redoutée, l'expression étouffée qui devait sceller la promesse que nous nous faisions mutuellement d'être tous deux malheureux pour toujours. Ce fut, enfin, une lutte sans merci entre le cœur et la tête, entre l'innocence et le calcul, entre la sainteté des affections et le démon des convenances sociales. Voilà la trame de ma tragédie, Père Dinis. Je tais ce qui ne peut être raconté, car je ne sais comment se racontent les angoisses secrètes ni comment Votre Seigneurie pourrait les comprendre. La sérénité de votre physionomie m'assure que je suis un étranger, dont le langage est incompréhensible pour le prêtre qui répand le miel de la religion dans le calice des agonies, dont il n'a jamais goûté l'âpreté.

» – Je vous comprends, Monsieur.

» Ce furent mes seuls mots. Puis il poursuivit :

» — Au bout de six années, cet amour étouffé par la main de l'indigence… *indigence*… Ne vous semble-t-il pas bien avilissant, bien ignoble, ce mot ?

» — Ni ignoble ni avilissant… Je le trouve exagéré. Peut-être serait-ce plus juste de dire : la force des circonstances.

» — Le mot le plus juste, Monsieur, est : *indigence*. La femme que j'aimais était fille du marquis de Montezelos, et j'étais fils du comte d'Alvações. Vous voudriez donc être convaincu de l'indigence de ces deux enfants de deux des plus grandes familles du Portugal ? J'espère pouvoir vous satisfaire.

"Au bout de six ans, je dis à genoux à cette femme qu'il existait en ce monde un lien sanctifié par Dieu et accordé aux âmes que la société ne pouvait défaire. Je lui demandai d'être mon épouse, de me laisser cueillir les fleurs arrosées par nos larmes, de me laisser trouver dans sa vie une protection que, seul, je ne pouvais nous procurer dans le combat contre une mort prématurée.

"Elle m'écouta avec des larmes de joie. Elle me dit qu'elle avait déjà juré devant Dieu de m'appartenir corps et âme, dans la vie comme dans la mort. Elle parla comme jamais je ne l'avais entendue parler, contre la toute-puissance d'une société qui osait lui murmurer en secret les inconvenances de son affection pour un homme, fils cadet comme elle. Elle me demanda, cependant, d'être son ami et de respecter cette même société qui la condamnait. Je la compris.

"Le lendemain, je demandai quelques minutes d'audience au marquis de Montezelos. Il me répondit par ces mots, qui restèrent gravés au fer rouge dans mon cœur : 'Afin de vous éviter l'embarras de me demander ma fille, je vous prie de ne pas m'obliger à vous écouter. Je ne donnerai ma fille qu'à l'homme qui me prouvera être aussi noble qu'elle. À cette condition, vous satisferiez pleinement. Cependant, je ne donnerai ma fille qu'à un homme qui, en plus de sa noblesse, pourra me prouver qu'il est assez riche pour faire qu'elle ne regrette jamais l'opulence dans laquelle elle a grandi. Ma fille est pauvre ; vous êtes pauvre ; et ni moi ni le comte d'Alvaçóes ne pouvons offrir à nos cadets une situation qui humilie nos aînés.'

"Je ne sais si je balbutiai alors une quelconque réponse qui aurait pu froisser la susceptibilité du marquis ; ce qui est sûr, c'est qu'il me tourna le dos, me demandant d'espacer autant que faire se pouvait mes visites à sa maison, pour que nous évitions tous deux le désagrément d'une interdiction totale.

"Je me sentis vexé et éconduit. J'eus honte de moi-même, et je parvins presque à me persuader de mon effronterie à m'adresser au père d'une femme aux yeux de laquelle je voulais prouver ma valeur… alors que ce père venait de me rappeler que j'étais un homme pauvre et méprisable comme un manant !

"L'orgueil, chez un homme pauvre, est une passion terrible. Chez le riche, elle se répand en fastes qui éblouissent ses ennemis. Chez le pauvre, elle aspire à une vengeance sourde, quand elle ne le consume pas lentement.

"Je songeais à une vengeance sordide, une vengeance, je ne dirais pas d'un plébéien, parce que les nobles ne se vengent pas avec plus de dignité, mais d'un homme corrompu, qui satisfait les bas instincts de son âme, faisant monter la rougeur de la honte au visage d'un père qui lui avait fait honte le premier.

"Cette lutte de l'orgueil contre le déshonneur ne dura pas. L'orgueil vainquit, mais l'orgueil de la probité et de la vertu, mon seul patrimoine.

"Je pleurai beaucoup, mon Père, tant pour moi que pour elle. Pour cette pauvre jeune fille qui comptait les heures et entendait sonner la dernière heure du jour sans que je puisse la consoler par un espoir mensonger, de ceux qu'un homme invente à foison pour consoler une femme que les déceptions n'ont pas encore complètement usée.

"Depuis le berceau, j'avais une santé fragile, et plus d'une fois, pendant mes années de collège, je tombai dangereusement malade. Personne ne pouvait dire quelle serait ma mort, mais moi si, car je connaissais sa progression à la minute près. Mourir de tristesse à dix ou à douze ans peut paraître une fantaisie de roman, mais je ne pouvais diagnostiquer autrement mes maladies. La consomption rapide et sombre, qui, dans mon enfance, fut le prélude de cette mort que je sens aujourd'hui me tuer, a été accélérée par le coup que j'ai reçu de la seule main qui pouvait me le porter. Le père de cet ange s'est converti pour moi en un spectre menaçant, que même le reflet de l'amour de sa fille ne pouvait faire disparaître. Mais cette rancœur était inoffensive. Je n'avais ni âme à faire le mal ni cœur à demander le sang de celui qui me faisait verser des larmes si amères de désespoir…

"De l'espoir… j'en avais, mais c'était encore un mensonge fugace… Je songeai à l'Amérique, où il y a beaucoup d'or, où l'on conquiert de grandes positions à faire valoir en Europe, où l'on trafique avec le genre humain et d'où l'on repart ensuite pour passer un diplôme d'homme honnête au Portugal. J'ai pensé échapper à mon père, en effet, toujours avec l'idée de ma pauvreté gravée à jamais dans ma conscience, car il n'y avait pas de travail grossier et vil qui me répugnât ni de scrupule d'honneur qui résistât à ma soif de richesse. La société devait m'indemniser du patrimoine qu'elle m'avait volé avec son droit d'aînesse, et vu que je n'avais pas de loi à opposer à la loi, je préméditai de partir à la conquête de ma propriété usurpée avec les armes, plus ou moins astucieuses, du déshonneur.

"Je compris que cette entrave à ma passion généreuse avait fait de grands dommages dans mon esprit. Je me sentis rongé par le cancer de l'ambition et j'excusais bien des immoraux dont j'ignorais la cause de la perversion. Je vis qu'il en faut bien peu pour démoraliser l'esprit le mieux formé. L'image de cette innocente demoiselle se détachait, lumineuse, dans l'obscurité de mes projets assoiffés d'or. Comme un ange de sérénité, il me semblait l'entendre me reprocher ce projet de me battre pour une ambition où mon espérance m'engageait.

Le souvenir de mon indépendance passée et de l'indifférence avec laquelle j'assistais au faste des riches me servait de patron pour évaluer la richesse des vertus que mon âme avait perdues.

"L'heure de mon départ était venue, trois mois après avoir été poliment congédié de la maison du marquis de Montezelos.

"Les préparatifs du voyage ne me causaient pas de souci, je ne pouvais d'ailleurs pas m'en occuper sans que mon plan fût découvert.

"Jusqu'à la veille de mon départ, je n'avais eu, ni n'avais cherché à avoir, des nouvelles de ma malheureuse compagne d'infortune. Je passai la plupart de mon temps dans une propriété de mon frère, à sept lieues de Lisbonne. En cherchant ce refuge, j'aspirais à mourir à l'endroit même où j'avais connu Ângela, dans cette même propriété où ce malheureux amour, beau et paisible, était né, comme les fleurs que nous y avions cueillies et qui parlaient de nos amours mieux encore que nous-mêmes.

"En outre, tout petit déjà, j'avais eu un pressentiment, alors que je priais agenouillé devant le caveau de mes grands-parents, dans la chapelle de la propriété. Ce pressentiment me disait que, très tôt, je poserais mon visage encore frais d'enfant sur les ossements de ceux qui avaient traversé ce monde avec plus de bonheur que moi. Je n'ai jamais oublié ce trouble prophétique. Quand, dans la maladie, je me sentais décliner, je demandais qu'on m'emmenât à la propriété, où bien des fois j'ai guéri avec un réel regret de n'avoir pas succombé.

"Ce fut là que j'écrivis quelques lignes à la fille du marquis de Montezelos. Mon propre frère, qui ne connaissait pas mes intentions, se chargea de lui porter ma missive. Je lui disais bien peu. Je lui demandai courage et espoir. Je lui demandai compassion et loyauté. Je lui demandai secret et bienveillance pour mon départ.

"Mon frère fut le porteur de la réponse, elle était tout aussi simple.

"Elle consentait à mon départ, mais y mettait une condition, qu'elle s'imposait d'accomplir au moment où je partirais : son suicide.

"En lisant ces lignes, je me troublai et cherchai le réconfort dans les bras de mon frère, qui me demanda de lui en révéler le contenu.

"Je ne le lui confiai pas. Je lui demandai s'il l'avait vue. Il me répondit que oui, et que dans l'état dans lequel il l'avait vue, il craignait de ne plus la revoir, car on ne pouvait vivre longtemps ainsi.

"Mes ambitions moururent à cet instant. La douleur généreuse du cœur vainquit les calculs égoïstes de la tête. Je compris rapidement que mon plan était un crime, et le silence de cette malheureuse, trois mois durant, une violence que son père lui faisait. Mon cœur me fit mal, et j'eus honte de moi-même quand je comparai nos situations. Elle mourait dans le silence de ses regrets, violentée par son père ; moi, je l'abandonnais, cherchant à me distraire librement des peines de mon amour malheureux dans la conquête de l'or. J'éprouvai alors le besoin de lui demander pardon à genoux ; je voulais lui expliquer avec des arguments convaincants la noble motivation qui me poussait à abandonner ma patrie, pour pouvoir, plus tard, exaucer les espoirs sacrés de mon amour. Entendrait-elle mes raisons, si je les lui donnais ? Ne serait-ce pas pour elle le nouveau langage d'un homme qui s'apprête à stériliser son cœur dans l'amour de l'argent, pour le lui offrir ensuite, défait par l'ulcère d'ambitieux trafics ? Et si elle me comprenait, ne lui paraîtrait-il pas avilissant, cet or que j'allais chercher, pour pouvoir ensuite la racheter dans des enchères honteuses ?

"Ces questions que je posais à ma conscience, les aurais-je posées à un de mes amis, parmi ceux qui prononcent tous les jours l'épitaphe de la vertu morte sur terre, elles l'auraient immanquablement fait rire. 'Qu'importe à la femme le procédé dont tu as usé pour enrichir le trône dans lequel tu t'es assis', dit une certaine philosophie sordide qui s'acharne à rabaisser l'humanité au plus vil bourbier du sensualisme. Je crois qu'il importe beaucoup. Il importe beaucoup quand la femme, au moment d'être quittée par l'homme qui veut la mériter en gagnant une position que seul l'argent peut lui accorder, consent au départ de cet homme, s'imposant courageusement en contrepartie la condition du suicide. Cette femme, au lieu du trône, veut un tombeau.

» — Et serait-elle capable d'accomplir cet acte ? demandai-je.

» — Je n'en suis pas sûr ; vous savez bien que je ne peux vous répondre.

» — Cette demoiselle n'a pas eu d'éducation religieuse ?

» — Je crois qu'elle en a eu une. Sa mère s'est tenue, jusqu'à la fin du long martyre de sa vie, agenouillée au pied de la croix. Il est impossible qu'elle n'ait pas tenu sa fille chérie dans ses bras. Vous me posez cette question parce que vous ne pouvez pas accorder religion et suicide ?

» — En effet.

» — J'ai la même difficulté à accorder l'extrême malheur avec la résignation religieuse. Il est très douloureux de ne pas faire croître une espérance que le Créateur a plantée dans le cœur et qui s'y est épanouie spontanément. Une inclination vertueuse est contrariée, les plus innocents penchants de l'esprit sont punis par la main de la société, qui les étouffe ; on peut être malheureux sans être criminel. Et vous voudriez que l'esprit, ainsi piétiné et amputé de ses généreuses aspirations, s'élève vers Dieu et transige amicalement avec la douleur ?

» — Non, je ne veux pas, Monsieur, mais je conseille aux malheureux de chercher en Dieu la consolation qu'ils ne trouvent pas chez les hommes.

» — Ne développons pas cette question qui s'écarte par trop de notre sujet, Père Dinis. Pardonnez-moi, mais le malheur me pousse à fuir les argumentations religieuses. Si j'étais heureux, peut-être ne les éviterais-je pas… je serais même un fervent croyant, car il n'y a rien de plus beau que la gratitude, et je voudrais alors être reconnu par l'Esprit suprême, gardien de mon bonheur. Mais convaincu que le mal est de la terre et que Dieu ne peut être mauvais, je ne saurais demander à Dieu les consolations des maux que les hommes m'infligent… ce serait trop les rapprocher… peut-être serait-ce même une prière blasphématoire.

» — Je respecte votre douleur, répliquai-je, mais je ne respecterai votre opinion que lorsque je verrai chez vous plus de sérénité d'esprit.

» Le gentilhomme, après quelques minutes de réflexion sur ce qu'il venait d'entendre, poursuivit :

» — J'écrivis sur-le-champ à Ângela et je donnai la lettre à mon frère, lui demandant de ne pas me forcer à faire de lui mon confident intime de mes amours avec cette jeune fille.

"J'assurai à la pauvre innocente que je ne ferais pas un pas contre sa volonté. Je lui demandai de diriger mes actions et mes pensées, de marquer mon destin, d'adoucir ma souffrance, m'imposant la douce obligation de souffrir avec elle.

"Ces paroles furent comme une rosée du ciel sur la petite fleur que les larmes d'une mère ne pouvaient plus reverdir. Ângela était l'instrument de l'égoïsme de son père. Le marquis de Montezelos connaissait les souffrances de sa fille mais les regardait avec amusement, les tenant pour une fièvre passagère, une crise qui devait la sauver de cet amour inconvenant.

"Mon frère, sans que je l'y autorise, rappela au marquis qu'il ne serait pas prudent de rompre si violemment les liens innocents que la main de l'enfance avait noués dans ces deux cœurs. Il lui dépeignit mon état, non moins inquiétant que celui de sa fille, et finit par le supplier de nous laisser nous rencontrer de temps en temps, jusqu'à ce que la raison opère lentement sur nos esprits.

"Le marquis prit mal les réflexions de mon frère, qui irritaient sa dignité, lui lançant au visage que le comte d'Alvaçóes jouait là un triste rôle, prenant à son compte une commission qui ne l'honorait en rien… Je continuais cependant à recevoir des lettres d'Ângela. Mon frère, par l'entremise d'une tierce personne, me procurait le moyen sûr de les recevoir, ajoutant qu'il ne voulait pas mener plus avant sa vengeance."

Ângela, revivant par l'espoir, justifia les présomptions de son père. Il escomptait que sa fille, découragée, oublierait et, oubliant, flatterait ses orgueilleux calculs.

"Effectivement, l'apparence jubilatoire d'Ângela ne pouvait se traduire autrement. Rendue, donc, à sa totale liberté, la pauvre enfant ne percevait pas en son cœur les dangers qu'elle devrait vaincre si la passion lui demandait des sacrifices, qu'elle ne tenait pas comme tels. Ce mot n'a pas la même signification d'une femme à une autre : l'une considérera l'amour comme un contrat établissant des réserves qui confèrent au corps un prix infiniment supérieur à l'âme ; l'autre, concentrée sur la spiritualité de ses affections, ne sait pas que les élans de l'âme doivent être réprimés par les lois de la bienséance, qui portent toutes sur la matière et n'ont rien à voir avec l'esprit. Cette femme est innocente, l'autre n'a rien à perdre, mais invente quotidiennement de nouveaux sacrifices.

"Ângela, sans que je l'y incite, me permit l'accès à sa maison. Dès l'instant où, seul avec elle, je pus sécher ses larmes, quatre mois durant réprimées, je l'appelai ma sœur.

"Je lui racontai mes anciens projets de richesse, nous inventant un bel avenir, acheté à prix d'or, puisqu'on voulait traiter notre amour comme un contrat. Elle ne me pardonna pas cette pensée, que je lui présentai pourtant enluminée aux couleurs du bonheur. Elle me parla de la délicieuse existence que nous mènerions dans le désert, sans autre nourriture que notre amour. Elle voleta dans ces mondes enfantins où je ne pouvais plus la suivre, car personne ne pouvait plus me dissuader de l'importance majeure de l'argent dans les idéaux les plus subtils du cœur.

"Ce qui redoublait mon bonheur à ses côtés, c'était l'espoir d'atteindre un jour, au Portugal, une position qui me donnerait en noblesse *réelle* ce que je possédais à foison en noblesse *imaginaire*. Le fils cadet du comte d'Alvações valait moins que le fils de l'épicier, qui entre chez le noble, dote une de ses filles pour qu'il lui accorde l'autre, et bâtit un palais où demain il fera sculpter des armoiries, si la folie lui en prend.

"Quatre mois ininterrompus et certaines nuits, je visitai Ângela, sans éveiller de soupçons. Cette romance de bonheur inexprimable, après bien des souffrances, ne fut pas perturbée tant qu'une conduite fraternelle sanctifiait nos pures entrevues.

"L'ange de l'innocence nous abandonna, quand la voix impétueuse de la passion parla plus fort que le timide balbutiement de ce désir serein d'un ciel, que la terre ne consent pas à deux âmes idéalement amoureuses qui le lui demandent.

"L'ange de l'innocence nous abandonna, et j'appris alors que le mal est toujours puni par ses propres conséquences, même tardives.

"Une de ces nuits, sur le coup des deux heures, j'attendais, caché contre le mur d'enceinte du jardin d'Ângela, le signal qui, par un rituel immuable, m'invitait à monter sans crainte.

"Le signal n'arriva pas. J'attendis quelques minutes, me demandant ce qui avait pu se passer, les yeux rivés sur l'endroit où, à chaque instant, j'espérais voir apparaître la silhouette d'Ângela.

"Je vis, en effet, une tête pointer à un autre endroit du mur. Je tressautai. À côté de celle-ci, se dressaient deux silhouettes jusqu'à mi-corps. Je voulus me cacher. Il était trop tard.

"J'entendis des détonations d'armes à feu. L'éclair de la salve m'aveugla et un dense nuage de vapeurs de poudre troubla mes sens autant que mon entendement.

"Je sentis deux légères douleurs, qui augmentaient progressivement : l'une au bras droit et l'autre à l'épaule. Je sus que j'étais blessé. Je fis machinalement quelques pas.

Des patrouilles de police m'entourèrent. Ils me demandèrent ce que signifiaient ces coups de feu dans cette voie sans issue.

"Je bredouillai une réponse et ils m'arrêtèrent comme suspect.

"Emmené au poste de garde, je fus interrogé, mais je ne pouvais déjà plus répondre ; j'avais perdu trop de sang. Je sentis mon visage baigné d'une sueur froide, et je perdis connaissance.

"Cet évanouissement fut momentané. Le commandant de police était un homme courtois et, par coïncidence, le fils d'un brigadier qui fréquentait notre maison. Je n'eus nulle explication à lui donner sur mon aventure : il comprit la situation délicate où je m'étais trouvé et m'accompagna à la pharmacie pour m'y faire soigner.

"La blessure au bras, causée par quatre plombs, était facile à soigner, mais la balle qui m'avait atteint à l'épaule et provoqué des dommages à la poitrine était mortelle.

"Mon premier réflexe, quand j'arrivai chez moi, fut de me prosterner aux pieds de mon père et de mes frères, leur demandant de garder le secret absolu sur cet événement. De mon côté, je ne dis pas un mot susceptible de trahir le lieu où j'avais été blessé ni la raison pour laquelle je l'avais été.

"Les premiers jours, aucun médecin ne garantit que je vivrais. J'eus le courage de demander si mes blessures étaient mortelles. Pour toute réponse, je n'obtins de ma famille que des larmes.

"Le secret de cet événement devait mourir avec moi. Je résistai aux tendres questions de mon père, et j'en arrivai même à nier à mon frère la vérité, qu'il devait soupçonner sans grand effort. Ni l'un ni l'autre, à la demande du médecin, ne me pressaient de demandes ni ne permettaient que quelqu'un de la maison me questionnât.

"Je souffrais au degré le plus horrible sur l'échelle du martyre. Mais ce n'étaient pas les douleurs physiques ni la peur de la mort.

"Le sort d'Ângela était un secret qui me brisait en mille morceaux. Il m'était difficile de refouler ce nom sur mes lèvres, j'avais besoin de le prononcer comme un cri d'angoisse, comme la supplique d'un moribond qui réclame une goutte d'eau, comme un appel au secours à la Providence, quand nulle force humaine ne peut sauver le malheureux d'un abîme dans lequel il se sent glisser.

"Je ne pus me retenir. J'appelai mon frère à mon chevet, lui demandai de la compassion pour un agonisant et lui racontai l'épisode des coups de feu. Je réfrénai les accès de colère qui l'enflammaient, le suppliant d'être prudent pour sauver la malheureuse s'il était encore temps. Je lui ouvris mon cœur : je sanglotai en lui avouant les fautes que même une passion violente ne pouvait absoudre…

"Il m'écouta avec indulgence et me réconforta avec des mots empreints d'un sincère amour de frère. Il me demanda ce que j'attendais de son amitié. Je lui demandai de s'enquérir d'Ângela et de la prendre sous sa protection, s'il la trouvait désemparée.

"Mon frère m'apprit que, deux jours après que je fus blessé, se doutant de quelque chose, il s'était rendu chez le marquis de Montezelos. Il fut admis sans encombre dans la chambre du marquis, qui était adossé à une table sur laquelle se trouvaient deux pistolets posés là comme pour assurer sa défense. Il me dit qu'il l'avait vu pâlir à son entrée et l'avait reçu froidement. Il ajouta qu'il avait raconté au marquis l'épisode des coups de feu et que cela n'avait éveillé chez lui aucune curiosité sur les détails de l'événement. De tout cela, mon frère avait conclu que j'avais été blessé chez le marquis.

» – Et Ângela ? demandai-je.

» – Ângela, je ne l'ai pas vue ni n'ai demandé après elle à son père. Je ne suis resté que quelques minutes et, en m'en allant, j'ai demandé au portier si mademoiselle était sortie. Il me répondit que oui, il y avait deux jours de cela. Elle n'était pas rentrée depuis, et probablement ne rentrerait plus.

Je voulus avoir des détails, mais je n'appris plus rien. Je lui parlai des coups de feu qu'on avait entendus dans les parages, il me répondit qu'il n'en avait pas connaissance.

"J'appris donc qu'Ângela n'était pas chez elle. Je me sentis brûler de fièvre.

"La conversation avec mon frère fut interrompue par une lettre, adressée au comte d'Alvaçôes. Le cachet portait les armes du marquis de Montezelos. Mon frère, bien qu'il portât ce titre, comprit que la lettre était adressée à notre père, qui était absent, et non à lui.

"– Mais, dit-il, cette lettre raconte peut-être toute cette histoire…

"– Père ne doit pas la lire, coupai-je, sursautant.

"– Cependant, répliqua mon frère, ce serait lui manquer de respect que de l'ouvrir.

"– Je le sais bien. Je n'ai jamais manqué de respect à mon père : ce sera la première et la dernière fois. Je le lui dirai, s'il venait à savoir que le marquis lui a écrit.

"Et je saisis frénétiquement la lettre. Je l'ouvris et voulus la lire, mais ne le pus pas, car mes yeux s'embuèrent soudain d'un voile qui semblait tendu entre moi et la vie.

"Ce fut mon frère qui lut cette lettre… la voici. Ayez la patience de l'écouter :

Monsieur le Comte.

Les temps ont changé, et les réparations chevaleresques s'en sont allées avec le temps de l'honneur. Mon grand-père, s'il avait eu une fille, et si le père de Votre Excellence venait dans sa maison la courtiser contre sa volonté, le sommerait de ne plus passer la porte de son palais. Et si votre père s'entêtait effrontément dans son dessein, il trouverait sur son chemin une des épées dont les marquis de Montezelos se servaient sur les champs de bataille. Les temps, cependant, ont changé. La trahison d'un noble dégénéré d'aujourd'hui se punit d'une balle, si celui qui est trahi ne veut pas charger son laquais du châtiment. De surcroît, le fouet ne suffit pas pour châtier un homme sans brio : il faut le punir avec un instrument qui lui fasse mal. Voici la raison pour laquelle j'ai fait tirer quelques coups de feu sur votre fils, à la manière de celui qui veut se débarrasser du voleur qui escalade les murs de son jardin.

Votre fils a été plus heureux que mes tireurs. Ne croyez pas que, si je l'avais tué, j'aurais fait mystère de cet attentat. Non, Monsieur le Comte. J'avais l'intention de faire porter le cadavre de votre fils chez son père, sur un brancard. Et dans les mains de ce cadavre, vous auriez trouvé l'histoire posthume de ce fils, dont les lèvres mortes ne pourraient plus vous la raconter.

J'ai une fille que personne n'a le droit de posséder sans mon consentement. Or votre fils a voulu me cracher au visage, me montrant que les droits d'un père ne peuvent rivaliser avec l'audace d'un amant. Il s'est trompé et, s'il vit, il pourra tirer grand profit de la leçon que je lui ai donnée.

Je suis sûr, également, que ma fille est pure de toute tache dont auraient pu la souiller les amours de votre fils. Si ce n'était cette certitude, ni le séducteur ne m'échapperait dans son lit de malade ni ma fille ne survivrait à son déshonneur. J'ai pour habitude de laver les taches sur mon honneur avec mon propre sang, et le corps maculé de ma fille serait à cette heure recouvert d'un linceul.

La finalité première de cette lettre est remplie. Je n'ai nul besoin de vous dire qu'elle en a une autre. Toutefois, par souci de clarté et pour nous éviter des conséquences funestes, ne consentez pas qu'une quelconque personne de votre famille foule les pavés de ma cour.

Marquis de Montezelos

"J'eus du mal à comprendre le contenu de cette lettre injurieuse quand je l'entendis lire. Mon frère éliminait la moitié des mots et détournait le sens de certaines de ces phrases insolentes qui dénoncent l'impudeur de celui qui les a écrites. Je pressai mon frère de dissimuler une pareille insulte à mon père et d'invoquer un prétexte quelconque pour l'empêcher de se rendre un jour chez le marquis.

"Toutes ces précautions étaient puériles. Le marquis de Montezelos se glorifiait de son fait, se faisant crieur de sa propre gloire. Il racontait du drame la scène qui lui convenait le mieux, affirmant qu'il avait suivi de très près les amours de sa fille et qu'avisé de notre première entrevue dans le jardin, à deux heures du matin, il avait lui-même voulu m'accueillir à coups de feu, selon le protocole en usage chez la noblesse.

"Le marquis concluait son récit par un cynique éclat de rire, recevant l'aval de ses amis, qui s'en moquaient ensuite avec les miens.

"Et donc, mon père, quand il rentra à la maison, était déjà au courant de tous les faits, selon la version du marquis.

"En tête à tête avec moi, l'honorable vieillard aborda l'affaire avec mille précautions.

"Il me demanda si je souhaitais réparation devant les tribunaux de cette tentative d'assassinat.

"Je lui répondis énergiquement que non et mon père accueillit mon impérieuse négative en me serrant dans ses bras.

"– Tu veux donc, dit-il, un règlement d'homme à homme ?

"Je me tus. Il me semblait sentir la main d'Ângela serrer mes lèvres et calmer les soubresauts de mon cœur.

"– Et Ângela ? demandai-je, alors qu'il attendait une réponse à sa question, et je compris immédiatement l'indiscrétion dans laquelle je m'étais précipité. Le silence de mon père confirma mon inquiétude.

"– Pardonnez-moi, dis-je, j'oubliais que je parlais à mon père... Je ne voyais que l'ami en vous... Je ne me trompais pas... C'est ce que vous êtes.

"L'arrivée de mon frère vint apaiser le violent état où mon père m'avait mis involontairement. J'étais gêné de le mêler à une situation où l'intervention d'un père est toujours ridicule.

"Mon frère me dit à voix basse que mon père savait tout, excepté le contenu de la lettre. Je lui demandai des nouvelles d'Ângela, il me répondit par un simple mot : *couvent*.

"Ce mot seul, Père Dinis, eut sur moi l'effet de la foudre. Le pire des tourments distilla dans mon cœur des angoisses qui m'auraient tué si je n'avais été promis à de plus grandes épreuves.

» – Mais pourquoi ? demandai-je. Votre Excellence devrait s'estimer soulagée que cette demoiselle soit entrée au couvent. Où pourrait-elle se réfugier avec plus de sécurité et ayant, au moins, la liberté de pleurer ?

» – La liberté de pleurer, Père Dinis, mais de pleurer des larmes de honte, quand elle sera expulsée du couvent où elle se trouve, pour revêtir le linceul auquel son père la voue, dans la lettre que je viens de vous lire.

» – Cette demoiselle y est entrée comme novice ou bien comme séculière ?

» – Séculière.

» – Il y a donc un malheureux secret entre Votre Excellence et elle.

» – Un malheureux secret, qui sera bientôt notre infamie et notre déshonneur. Dieu n'a pas voulu que ces balles me tuent, pour que je sois puni par le fléau de mes passions, si nobles à leur début et si aviles ensuite par la société.

» – Que puis-je pour vous, Monsieur ?

» – Beaucoup… une grande aumône… vous pouvez la sauver.

» – Comment ? Ne craignez rien, parlez avec l'assurance que vous serez exaucé.

» – Ângela est au couvent de Nazaré.

» – Nazaré ?

» – Où vous avez une sœur séculière, qui est l'ange d'amour de ma chère Ângela.

» – En effet, oui, en effet. Nous allons donc sauver cette jeune fille.

» La joie radieuse avec laquelle j'adressai ces paroles consolatrices au noble garçon le jeta dans mes bras avec la véhémence de son soulagement. Les larmes qui accompagnaient ses mots reconnaissants étaient sublimes de gratitude ! Je ne le laissai pas s'agenouiller, mais je ne pus empêcher qu'il embrassât mes mains, où ses lèvres sanglotaient ces paroles, qui me firent pleurer : "Ângela, la malheureuse arrachée au déshonneur, baisera un jour aussi cette main !"

Soudain, ma mère, les yeux exorbités, les cheveux en désordre, la rougeur de la fièvre incendiant son visage, se dressa sur son banc, courut aux pieds de l'abbé, s'agenouilla, lui baisa frénétiquement la main, tint d'une main la ceinture de l'abbé qui voulait se lever, s'exclamant d'une voix forte et vibrante d'enthousiasme :

— Oui, la malheureuse Ângela, arrachée au déshonneur, a accompli la prophétie de l'ange qui avait prédit ces baisers avant de quitter ce monde !

Et, se tournant vers moi :

— Mon fils, agenouille-toi aussi, car tu as entendu de la bouche de ton sauveur, du sauveur de ta mère, ton histoire, l'histoire des transes amères qui ont précédé ton entrée dans ce monde !

Je m'agenouillai, la tête perdue dans les visions de ce songe. J'avais entendu l'histoire de deux personnes qui s'aimaient d'un amour heureux. Je ne comprenais pas certaines paroles que l'abbé prononçait, parlant du déshonneur de ma mère, de ses larmes de honte, de l'ange de son innocence enfuie… Le secret de ma naissance se cachait-il dans ces paroles que je n'avais pas comprises ? Il s'y cachait : je n'eus besoin de personne pour le comprendre. Ma raison s'éclaira soudain, et je compris dans l'éclair d'une vision intime le reste de l'histoire de ma mère. Ceux qui me liront auront, cependant, besoin que je la leur raconte, car le cœur d'un étranger n'est pas le cœur d'un fils.

L'abbé, ému et fatigué, prit ma mère par le bras et la conduisit à sa chambre.

Nous longions un couloir, quand Dona Antónia vint à notre rencontre.

— Il était temps, dit-elle, l'air de la nuit n'est pas bon pour les gens en pleine santé, alors pour les malades… Qu'avez-vous, ma fille ? Vous êtes si pâle !

Et ma mère, l'enlaçant avec tendresse, murmura :

— Je viens d'entendre l'histoire de Nazaré.

— Pourquoi parler de ces choses ? bougonna Dona Antónia.

— Pour que mon fils puisse baiser les mains de la séculière qui fut, à Nazaré, l'ange d'amour de sa mère.

Dona Antónia ne consentit pas à ce que j'accomplisse la volonté de ma mère et les élans de mon cœur. Elle m'embrassa, en pleurant, et nous fit tous sourire, car elle s'évertuait à vouloir me porter dans ses bras alors que je faisais presque sa taille.

XII

Après ces révélations, je ressentis le besoin d'en avoir d'autres. Ma naissance, la mort de mon père, le mariage de ma mère avec le comte de Santa Bárbara étaient des faits que je ne pouvais m'expliquer et sur lesquels je n'osais pas poser de questions. La pudeur a un instinct qui devine non les secrets, mais l'embarras des personnes susceptibles de les raconter. Nonobstant le développement prématuré de mon esprit, quand je me regardais, je voyais un garçon de quinze ans. À cet âge, interroger l'abbé au sujet des secrets de ma mère me semblait téméraire et irrespectueux, particulièrement ceux que son langage avait su colorer d'une touche mystérieuse pour moi.

Des circonstances de ma naissance, je me passais volontiers. Ce que je voulais, c'était l'histoire de mon père, dont j'avais gravé dans mon imagination, comme si je les avais embrassés mille fois, les traits du visage, dessinés par l'abbé, profonds et saillants.

Le lendemain, tandis que le maître cherchait à accomplir la mission qu'il s'était imposée de surveiller les faits et gestes du comte de Santa Bárbara, j'entrai dans la chambre de ma mère, après l'avoir vainement attendue au jardin.

L'émotion de la veille avait réveillé ses souffrances, endormies par la torpeur d'un bonheur apparent. Elle me reçut avec joie, si l'on peut nommer ainsi le sourire passager qui éclaira son pâle visage d'une lueur tout aussi pâle.

Dirais-je que cette lumière était le crépuscule de l'éternité qui se faisait jour pour ma mère ? Elle l'était, en effet, elle l'était.

— Vous vous sentez moins bien aujourd'hui, ma chère mère ? demandai-je en embrassant ses joues brûlantes.

— Moins bien, non, mon fils ; pareil, toujours pareil. Il y a quinze ans que je ne sens pas d'altération dans mes souffrances... Et toi ? Tu as bien dormi ?

— Je n'ai pas dormi, j'ai réfléchi toute la nuit... Comment aurais-je pu dormir ? Cette histoire m'a rendu si triste.

— Triste ? Pourquoi ?...

— Ma mère a beaucoup souffert, et mon père...

— A été heureux.

— Heureux ?! Je pensais qu'il ne pouvait pas l'être.

— Eh bien, si, mon fils. Ne sais-tu pas que ton père est mort ?

— Je le sais, ma mère.

— Quel plus grand bonheur lui souhaites-tu ? Tu n'imagines pas comme il est bon de mourir quand on est malheureux et vertueux ! N'as-tu pas entendu ton maître dire que notre pèlerinage tourmenté en ce monde est le doux chemin qui mène au Ciel ? Ton père est mort comme il a vécu, mon fils... C'était un juste, qui demande en ce moment même au Seigneur l'esprit de ta mère.

— Est-ce vrai que je le verrai un jour ?

— Oui, mon fils… Si ça ne l'était pas, quelle serait la béatitude de ceux qui atteignent le salut ? Dieu permet qu'en ce monde deux âmes s'unissent pour ne jamais plus se désunir… Ah ! Mon fils ! Si tu me comprenais… Si je pouvais te faire entendre les jolis rêves de mon cœur… Qui sait ? Peut-être suis-je comprise ! Écoute, mon cher ange, notre âme est immortelle, et les sentiments divins qu'elle recèle sont tout aussi immortels. Tout ce que nous ressentons de sublime et de sacré appartient à Dieu ; tout ce que nous ressentons de méprisable et de vil appartient à la terre. Ce qui vient de la terre dans la terre se consume, mais ce qui vient de Dieu appartient à la gloire et entre dans le sein de l'éternité, car Dieu est infini. Cet amour saint dont j'ai aimé ton père, cette sainte nostalgie avec laquelle je le cherche depuis quinze ans dans un monde meilleur, est la respiration de mon âme, la vie de mon cœur, la flamme immortelle de mon esprit qui jamais ne peut s'éteindre ni satisfaire son désir sans entrer dans le sein de Dieu pour s'unir à la part d'existence qu'Il m'a prise… Attends, mon fils…

Ma mère prit un mouchoir dans lequel elle saliva du sang et essuya ses larmes. En répétant aujourd'hui ce que je l'entendis dire alors, je vois confirmée l'opinion de ceux qui tiennent pour extraordinairement subtile l'intelligence du phtisique. Ma mère, en parlant avec moi, levait ses yeux immobiles au ciel, comme cherchant, au-dessus de l'humanité, des esprits aériens qui la comprendraient. La lueur d'inspiration qui auréolait son visage était tragiquement sublime, comme cette touche de lumière que nous admirons dans les portraits des martyrs, expirant sous le cimeterre et saluant la myriade d'anges qui leur font signe du Ciel.

Quand elle me dit : « Attends, mon fils », peut-être une vision inexprimable en langage humain ravissait-elle son esprit ! Peut-être l'ange de ses regrets, le front orné des fleurs du Ciel, lui montrait-il la couronne triomphale de son martyre ! Ma mère, absorbée dans une de ces adorations que le sculpteur grave dans le marbre des vierges chrétiennes, tendait le bras gauche vers ma bouche, comme m'imposant le silence. De mes deux mains, je portai la sienne à mes lèvres, et je l'appelai par deux fois, sans qu'elle me réponde.

Quelques minutes s'écoulèrent. Je m'attendais à ce que ma mère s'évanouît lorsqu'elle redescendrait de ce douloureux ravissement de l'esprit. Ce ne fut pas le cas. Je m'étonnai de la voir passer de ce transport à la vivacité avec laquelle, il y avait peu, elle m'avait révélé ses convictions sur l'immortalité de l'esprit. Il n'y eut pas la moindre transition, excepté le changement de ses traits, qui semblaient pétrifiés. On aurait dit que le souffle créateur avait insufflé à l'improviste, sur les lèvres de la statue, l'esprit de la vie, l'harmonie de la parole affinée par la musique des anges que ses oreilles recueillaient.

Ce furent là ses paroles :

– Peu importe, mon fils, à la fleur sans sève un vase de cristal… La pauvrette ne respire pas l'air des rideaux et des festons dorés. On lui a pris son ciel, sa rosée matinale, le baiser de la brise et la clarté morbide de la lune qui la courtisait dans le silence de la nuit. À moi, on m'a dérobé le sein sur lequel je posais mon visage… C'était mon unique soutien… je suis restée désemparée… je suis tombée dans la sépulture où je me traîne depuis quinze ans, attendant que l'ange de la mort me dise : "Entre dans le sein de ton époux…" Mon fils, tu ne peux pas demander au mort de se relever, tu ne peux pas demander aux pétales éparpillés d'une rose de refleurir, tu ne peux pas emplir de vie le cœur de ta mère… Tu me perdras bientôt. Tu verras alors ce qu'est le deuil de tous les espoirs en ce monde. Tu désireras la mort… tu la demanderas à Dieu, comme les heureux de ce monde Lui demandent la vie… Tu es un enfant, tu vivras ta saison d'enfant, alors que l'homme t'appellera homme. Gare à toi, quand tes affects ne seront plus modelés par les illusions innocentes de l'enfant… Gare à toi, car alors, quand tu croiras succomber à des passions de jeune homme, tu consulteras ton cœur et tu le sentiras fatigué. Le premier amour malheureux vieillit le cœur, mon tendre fils… Je suis folle… je te parle… et tu ne me comprends pas… Qu'importe ! Garde ces paroles en mémoire… c'est une page prophétique de ta vie… Lis-la tous les jours, le jour viendra où tu comprendras… et à compter de ce jour, tu languiras la mort. Si tu es croyant, tout ce que le monde a de bon et de mauvais te rendra heureux à mesure que tu te sentiras approcher de la tombe. Si tu n'es pas croyant, le même malheur te rendra tel, non dans les hommes ni dans les superstitions des hommes, mais en Dieu… Puis, à l'ombre de ce grand principe, tu créeras un autre monde et tu souriras à l'infini, là où tu te rendras, franchissant ta sépulture, comme le petit oiseau qui chante sur l'arbre au pied duquel se précipite un torrent effrayant, et d'un battement d'ailes franchit l'abîme, pour chanter ensuite de nouveau sur l'arbre de l'autre rive… Tu te souviendras des mots de ta mère, n'est-ce pas, mon fils ?

— Je ne les oublierai jamais, mais je veux que ma mère me les répète dans vingt ans… Ne me dites pas que bientôt je n'aurai plus de mère… Je sais bien que je ne peux vous rendre heureuse comme le pourrait mon père, mais je suis le fils de votre ami, de votre ange de nostalgie, comme vous l'appelez si souvent.

Elle ne me laissa pas continuer : elle se jeta à mon cou, m'embrassant, avide et ardente.

Père Dinis fut témoin de cet élan.

Ma mère redescendit de son fervent mysticisme à la réalité de sa vie sur Terre. L'abbé venait lui parler du comte de Santa Bárbara et de sa servante idolâtrée. La répugnance que ma mère avait à l'entendre, elle l'exprima avec ces mots, qu'elle accompagna d'un geste éloquent d'ennui :

— J'aurais plutôt voulu, Monsieur le Père Dinis, que vous ne me disiez rien.

— Je ne pourrai vous en dire grand-chose, Madame la Comtesse.

Je n'ai guère eu le temps de m'informer. Je me suis adressé à la maison de votre frère.

— Le marquis de Montezelos ? interrompit ma mère avec effroi.

— Le marquis de Montezelos. Et, s'il était vivant, j'aurais cherché directement votre père.

— À quelles fins ?

— Aux fins d'accomplir une mission de justice : je le punirais, éveillant le remords dans son cœur. Je lui dirais que sa fille, attachée par lui-même à un poteau d'or, en était réduite à devoir quémander un morceau de pain. Je lui dirais que le comte de Santa Bárbara, en bourreau zélé de sa fille, exerçait parfaitement la tyrannie que lui avait accordée le marquis de Montezelos avec les droits légitimes du mari... Votre père, cependant, n'a pas attendu la punition en ce monde.

— Et que vous a dit mon frère ?... Il vous connaissait ?

— Nul besoin de me connaître.

— Mais qu'a mon frère à voir avec moi ? Monsieur le Père Dinis... Dieu veuille que votre initiative n'aggrave pas mes malheurs. Qu'êtes-vous allé dire à mon frère ?

— Fort peu. Je lui ai rappelé que Votre Excellence était la sœur du marquis de Montezelos ; qu'elle avait été forcée de se marier avec un homme riche pour maintenir le rang de sa naissance ; que cet homme riche l'avait martyrisée pendant des années, dans le but de se défaire lentement d'elle ; que cette malheureuse dame, conseillée par un homme compatissant, avait fui son mari, cherchant une mort moins tourmentée.

— Et qu'importe-t-il à mon frère, que j'ai banni de ma présence il y a quinze ans ?

— Ce qu'il lui importe ? Je vais vous le dire, et je l'aurais d'ailleurs déjà fait si vous m'écoutiez avec plus de sérénité. Je lui ai dit que la comtesse de Santa Bárbara devait se séparer juridiquement de son mari.

— Pourquoi ?

— Pour récupérer des biens de son mari les quarante mille réaux de sa dot.

— À quoi me serviraient ces ignobles quarante mille réaux ? On m'a vendue, mais moi, je ne me suis pas vendue…

— À quoi vous serviraient ces quarante mille réaux ? À délivrer ce garçon de la misère à laquelle le condamne forcément son âge, qui ne lui permet pas d'assurer sa subsistance à la sueur de son front, comme tout homme qui ne possède rien à lui.

— Et pourquoi mon fils ne serait-il pas pauvre ?

— Pour ne pas mourir, comme son père, étouffé par la main décharnée de la misère… Madame la Comtesse, ce monde est organisé tristement : celui qui refuse d'entrer dans le moule que la société lui tend se débattra en vain contre un destin invincible. Les larmes les plus amères que vous verserez seront les dernières si, en prenant congé de votre fils, vous ne pouvez lui léguer le pain de l'indépendance, un laissez-passer l'autorisant à traverser cette société sans être conspué par les huées qui rabaissent l'homme pauvre. L'honneur n'est pas un legs, c'est un beau souvenir qu'un fils garde de ses parents, tant que la misère ne raye pas de son cœur ces sept lettres que personne n'escompte… Mais poursuivons… En parlant avec votre frère, je lui ai dit que Votre Excellence n'était pas chez son mari. Quand il m'a demandé où vous étiez, je lui ai répondu que je ne le lui dirais pas. Il a accueilli ce refus avec noblesse et n'a pas insisté. Il m'a dit qu'il partirait en direction de Braga, pour aller à la rencontre du comte de Santa Bárbara, qui accompagnait le roi Dom Miguel. Je lui ai indiqué que le comte était revenu de Santarém, sous prétexte de se soigner d'une maladie qui l'avait subitement terrassé. Il s'est habillé et a pris congé de moi, me demandant de venir le quérir dans l'après-midi pour m'informer de ce qui se serait passé avec son beau-frère.

— Il va arriver malheur, Monsieur le Père Dinis ! s'exclama ma mère, touchée par un sombre pressentiment.

— Quel malheur prédit Votre Excellence ?

— Un conflit de vie et de mort entre mon frère et mon mari.

— Peut-être pas. Le comte de Santa Bárbara vous donnera vos quarante mille réaux, parce que la vie vaut plus cher que quarante mille réaux.

— Et, s'il ne les donne pas, mon frère…

— Le punira ? C'est son devoir… C'est un péché, certes, mais que j'absous, car dans une société sans morale, où les préceptes de Dieu ne valent rien, Dieu accorde une certaine valeur aux préceptes des hommes. Nous ne devons pas permettre au criminel de se pavaner, la tête haute, devant la victime qui verse des larmes stériles. Il faut la lui faire courber jusqu'à terre, il faut éviter ce scandale. Or, un mauvais homme impuni est horriblement scandaleux, car il encourage beaucoup d'autres à le suivre sur le chemin de l'impunité. Votre mari partirait donc demain avec sa servante, savourant sans remords les fruits de son ouvrage. Il serait parfois assailli par le souvenir de sa femme qui l'a fui, mais un tel souvenir, dans un cœur gâté, ne serait pas aussi cruel que le manque de sa servante, qui le fit revenir de Santarém, la tête serrée dans un foulard. Supposons que le comte de Santa Bárbara attribue la fuite de sa femme à une infidélité…

— Pour l'amour de Dieu ! Monsieur le Père Dinis ! Ayez de la compassion pour moi ! Ne faites pas de semblables conjectures.

— Laissez-moi les faire, car c'est moi qui les fais… S'il imaginait que la fuite de Votre Excellence était due à une infidélité, il se tiendrait pour vengé en sa conscience. Et qui sait s'il ne dirait pas lui-même : "Ma femme m'a quitté pour un autre", de peur qu'on lui dise : "Tu as tué ta femme, car personne ne sait où elle est." Le monde le croirait. Et pour que le monde ne se mêle pas de la périlleuse résolution du problème de votre fuite, il me revenait de déclarer que Votre Excellence a fui, que Votre Excellence est vivante et, si cela s'avère nécessaire à votre honneur, j'ajouterai que vous vivez chez un prêtre dont le nom, en ce monde, pèse plus dans la balance de l'honneur que tout l'or du comte de Santa Bárbara… À tout à l'heure, ma fille. Je vais dire la messe, car il est déjà bien tard pour celui qui jeûne.

Père Dinis ne laissa pas à ma mère le temps de formuler une pensée, que l'on voyait poindre dans ses gestes inquiets et dans l'anxiété avec laquelle elle avait écouté ses dernières paroles.

Elle me dit de la laisser seule et de lui envoyer Dona Antónia.

L'abbé, comme il avait été convenu, alla, à l'heure prévue, quérir le marquis de Montezelos.

À son retour, il rapporta à ma mère les informations qu'il avait recueillies :

– Le marquis m'a reçu avec des manières extrêmement rudes. "Je suis allé parler au comte, m'a-t-il dit, et l'ai trouvé fort inquiet. Je lui ai demandé des nouvelles de ma sœur, il m'a répondu qu'elle avait fui la maison pendant son absence. Je l'ai interrogé sur les raisons de sa fugue, il m'a répondu que ma sœur vivait depuis longtemps pour un homme qu'il ne connaissait pas."

Remarquant ma présence, Père Dinis s'interrompit sur ce dernier mot et me fit sortir de la chambre de ma mère. Je restai dans l'antichambre, ressassant le sens de chacune de ses paroles. Au bout de quelques minutes, j'entendis un cri aigu. Je compris que c'était ma mère : la porte de la chambre s'ouvrit et je vis l'abbé appeler Dona Antónia pour prendre ma mère dans ses bras.

Je dois rapporter ici l'événement à l'origine de ce cri, même si l'explication ne m'en fut donnée que bien des années plus tard, lorsque m'a été révélé ce secret, que jamais auparavant je n'avais pu arracher à l'abbé, à Dona Antónia ou à ma mère.

Le comte de Santa Bárbara avait ajouté que sa femme était restée après le mariage ce qu'elle avait été célibataire : absolument libre. La preuve en était la lettre que le comte montra au frère de ma mère. C'était la lettre de mon père, écrite dans les derniers jours de sa vie, lui demandant protection pour le petit orphelin que j'étais. Le marquis de Montezelos reconnut l'écriture du fils du comte d'Alvaçōes, sur qui il avait tiré avec son père. Convaincu du déshonneur de sa sœur durant son célibat, il ne pouvait réfuter les accusations qui lui étaient faites après son mariage. Le comte de Santa Bárbara dit encore que l'entremetteur des affaires adultères de sa femme était un prêtre, dont il ignorait le nom, à son grand regret, car il aurait beaucoup aimé l'attraper pour lui arracher le secret de cette infamie et le faire fouetter ensuite par son valet.

Père Dinis était donc le prêtre de ces affaires adultères, et se trouvait en présence du frère de l'adultère, qui proclamait vouloir venger son honneur et l'honneur de son beau-frère, tant que faire se pouvait.

L'abbé, après avoir entendu le discours infamant du marquis, prit dans son portefeuille, avec une admirable tranquillité, une carte où était écrit : « Père Dinis Ramalho e Sousa, praça da Junqueira, 44. »

— Je laisse à Monsieur le Marquis l'adresse de ma résidence, lui dit-il sereinement, pour que Votre Excellence, ne voulant recueillir les dernières larmes de sa sœur, aille au moins lui verser une obole puisée dans sa fortune, pour les frais de ses funérailles, car étant pauvre comme elle je ne peux y pourvoir.

Le marquis, impressionné par ces paroles, hésita à y répondre. Père Dinis allait se retirer, quand le frère de ma mère lui fit signe de ne pas sortir. L'inaltérable entremetteur des affaires adultères de la comtesse de Santa Bárbara se rassit. Le marquis le fixait attentivement, comme cherchant à lire sa grande innocence dans la sérénité de son visage.

— Alors, dit-il, vous m'invitez, Monsieur le Père Dinis, à aller voir ma sœur ?

— Je prends la liberté de vous inviter, bien que je n'aie pas été autorisé à le faire. La malheureuse dame voudra certainement un parent au chevet de son lit d'agonie... Ce coup de poignard la tuera... Mais je vous jure qu'elle ne voudra pas mourir avant de laver l'outrage avilissant que son mari lui a craché au visage. Il s'agit de laver son honneur... Quant à moi, je saurai racheter moi-même mon honneur outragé par un homme qui me fera oublier que je suis prêtre.

– Quand puis-je aller voir ma sœur ?

– Tout de suite, si Votre Excellence le souhaite.

– Ce soir.

– À ce soir, Monsieur le Marquis.

Le cri de ma mère lui avait été arraché par ces déchirantes émotions.

XIII

Ces quelques pages que vous allez lire ne m'appartiennent pas : je les ai copiées du *Livre noir,* comme l'intitulait Père Dinis. Je n'ai pas été témoin des scènes ici décrites. Mes quinze ans ne purent retenir les impressions alors reçues, car mon esprit encore faible ne pouvait les digérer. Ma présence n'était pas souhaitable lors de la rencontre du marquis de Montezelos avec ma mère, je ne savais d'ailleurs pas qu'un tel homme viendrait chez nous. Regardons donc le tableau vigoureusement dessiné par l'homme qui employa le reste de sa vie à perpétuer le souvenir amer du drame douloureux de ma mère :

Le marquis de Montezelos attendait sa sœur au salon à neuf heures du soir. Quand je l'annonçai, la comtesse perdit d'un seul coup le courage feint qu'elle avait affiché. Je la soutins difficilement, lui rappelant, pour l'encourager, la nécessité de se montrer forte de son innocence.

La rencontre entre frère et sœur, qui ne se voyaient plus depuis quinze ans, ne peut se décrire. Le marquis regardait sa sœur avec une perplexité stupéfaite, semblant douter que la personne qui se présentait à lui était bien la comtesse de Santa Bárbara. Celle-ci, surmontant le douloureux ressentiment que devait réveiller en elle la présence d'un homme qui avait aidé à planter les épines dans sa couronne de martyre, s'avança vers son frère en lui tendant la main, affectueusement.

– Ângela !... murmura le marquis, lui offrant dans ses bras ouverts le soutien dont elle avait besoin pour ne pas succomber à la commotion.

Ângela avait le visage baigné de larmes. Quittant les bras de son frère où ses jambes ne pouvaient la soutenir, elle s'assit sur une chaise. On voyait qu'elle luttait contre la violence des nombreux soubresauts qui l'agitaient. Chaque parole, étouffée par un sanglot, montait à ses lèvres comme affaiblie par l'angoisse, difficilement articulée.

Il m'appartenait de briser ce silence pénible pour la malheureuse dame, et probablement aussi angoissant pour son frère.

– Monsieur le Marquis, dis-je, vous êtes personnellement venu entendre votre sœur, après avoir écouté le comte de Santa Bárbara. Entre Monsieur le Marquis et sa sœur se trouve un prêtre, qui doit paraître un mystère aux yeux de Votre Excellence. L'histoire de ce prêtre... mon histoire... il me revient de la raconter moi-même. Je le ferai, car il ne me faudra que quelques minutes pour ne plus être tenu pour l'entremetteur des affaires adultères de madame la comtesse, et pour épargner à Votre Excellence d'avoir à entendre, de la bouche de sa sœur, des confessions qui ne se font jamais sans une grande violence. Il y a de cela quinze ans, Dona Ângela de Lima a été enfermée au couvent de Nazaré, sur ordre de votre père. La veille de ce jour, l'amant de cette dame fut blessé par deux coups de feu. Votre Excellence sait que ses blessures ne tuèrent pas immédiatement Dom Pedro da Silva. Cependant, dès cet instant, le malheureux ne fit qu'une trêve de quelques mois avec la mort ; car le Très-Haut ne voulut pas l'enlever de ce monde sans qu'il eût expié, avec les larmes d'une action noble, les errements d'une passion généreuse dans ses principes, mais lamentable dans ses conséquences.

» C'est alors que je connus Dom Pedro da Silva, et je l'aimai comme un fils dès que je le rencontrai. Je l'aimai comme un fils, car jamais je ne me sentis plus ému par un jeune homme, qui voulait sauver l'honneur d'une jeune fille que sa famille aurait volontiers sacrifiée sur l'autel du déshonneur, pour ensuite faire son apothéose sur l'autel de l'or.

» Cette dame, Monsieur le Marquis, quand elle entra au couvent de Nazaré, laissa dans le monde un homme que la société n'avait pas légitimé comme son mari, mais que son cœur avait embrassé aveuglément, sans réserve, sans conditions, et sans redouter l'opinion publique.

» Votre sœur, Monsieur, entra à Nazaré, quand elle aurait dû entrer à l'église pour que le ministre de Dieu absolve une faute que la société appellerait... un déshonneur.

» Est-il nécessaire de creuser cette phrase pour être compris ?

» Le fils du comte d'Alvações avait un cœur d'une prodigieuse honnêteté.

» Amoureux jusqu'au délire, il ne vint pas me consulter pour que je lui indique la façon décente d'apprendre au marquis de Montezelos que sa fille serait bientôt mère, obligeant les religieuses de Nazaré à être, par compassion, ses accoucheuses. Non : ce que me demandait ce noble jeune homme, c'était ma protection, pour que sa malheureuse amante n'offre pas un spectacle déshonorant aux religieuses, qui l'avaient reçue comme une vierge venant chercher dans la ferveur religieuse un complément à son éducation.

» J'avais, dans ce couvent, une sœur... une amie...

» Je m'adressai à elle. Le secret que je dus lui révéler la plongea dans une terreur naïve, qui devait donner lieu à une fervente compassion. Je lui demandai que, sous prétexte d'une grande amitié, elle recueillît dans sa cellule, à partir d'un certain moment, la pauvre jeune fille, évitant autant qu'elle le pourrait, avec un subterfuge quelconque, les visites à sa chambre. Mais ce n'était pas tout, Monsieur le Marquis. Il restait encore à organiser les secours de dernière minute, pour que cette dame, par manque d'assistance, ne devînt pas un cadavre à l'instant d'être mère. Ces secours, qui y pourvoirait ? Mon zèle, la charité de ma sœur et la conscience d'une bonne action. Je cherchai une de ces femmes dont le silence s'achète avec de l'argent.

» Je remarque sur votre visage, Monsieur le Marquis, des signes d'indignation.

— C'est une surprise insultante, dit-il.

— Non, pas insultante, Monsieur le Marquis… appelez-la plutôt une scène de sourde détresse, à laquelle votre père assistait avec la plus grande sérénité d'esprit.

— Mon père ?! s'indigna-t-il, s'emportant, les yeux injectés de sang.

— Votre père, répondis-je placidement.

— Mensonge !… Mon père, s'il avait su, aurait poignardé ma sœur et mis en pièces l'infâme qui l'avait séduite.

— Non, ce n'est pas un mensonge, Monsieur le Marquis : jamais votre père n'aurait poignardé sa fille, car il aurait eu à exposer en public les raisons de son geste, et cette justi-fication publique l'aurait blessé dans son orgueil. Le père de Votre Excellence n'aurait pas mis en pièces l'amant de sa fille, car il n'y a ni père, ni frère, ni mari qui ne souffre un outrage en silence, pour peu que ses amis ignorent qu'il a été outragé.

— Mensonge ! Je le répète, et je regrette que vous ne soyez en mesure de m'en donner pleine satisfaction.

— Je vous la donnerai pleinement, Monsieur le Marquis,

car ma condition sacerdotale n'exclut pas le point d'honneur. Je vous la donnerai tout de suite, à ma façon, et si elle n'est pas conforme aux lois de la chevalerie, du moins l'est-elle à la logique rigoureuse des documents. Si Votre Excellence veut bien m'écouter, je vais lui lire la copie d'une lettre que j'ai écrite à monsieur le marquis de Montezelos. Je vous en montrerai une autre, ensuite, que monsieur le marquis a daigné m'écrire.

— Je n'arrive pas à me convaincre que vous ayez eu des relations avec mon père.

— Vous voulez dire par là que je mens… Je vois que Votre Excellence est têtue par nature et non par éducation… Connaissez-vous l'écriture de votre père ?

Le marquis prit la lettre que je lui tendais et ne répondit pas. Ângela affichait ostensiblement la répulsion que lui inspirait la grossièreté de son frère. Je la voyais se contorsionner sur sa chaise, froncer les sourcils, regardant le marquis avec impatience, et moi avec honte.

Peiné de sa pénible position, je cherchai un prétexte pour lui faire quitter la pièce. Je redoutais un de ces évanouissements dont elle était souvent victime devant une forte émotion.

Lui offrant mon bras, je lui dis :

— Il est préférable que vous vous retiriez. Il n'est pas souhaitable que vous ayez connaissance de tout ce qui a trait à votre vie… De plus, votre santé est très fragile… Vous verrez votre frère plus tard.

La comtesse se leva et se retira, adressant une légère révérence à son frère.

Le marquis la regarda de travers, avec le coup d'œil caractéristique d'une malice raffinée ou d'une stupidité grossière.

Je refermai la porte derrière la comtesse et vins m'asseoir à côté du marquis.

— Écoutez donc cette lettre, lui dis-je, je vous dirai ensuite ce qui a motivé mon acte.

Et je lus :

Son Excellence Monsieur le Marquis,

Votre Excellence trouvera dans le signataire de cette lettre un nom qui lui est inconnu. Je dois lui exposer qui je suis, car le simple mot « père », qui précède mon nom, ne décrit pas mon importance en ce monde.

Un prêtre, Monsieur le Marquis, peut exercer sur le cœur de votre fille l'autorité que vous n'y exercez point : ministre de Dieu, scrutant les moindres recoins de l'âme, il sonde les plaies profondes de la conscience pour y appliquer le baume divin, lorsque les consolations humaines y sont impuissantes. Bien des sanglots, Monsieur, qui étoufferaient une malheureuse avant qu'aux pieds de son père elle puisse balbutier « Pardon ! », résonnent dans le confessionnal, et demandent au cœur du prêtre le réconfort de l'espoir que Jésus-Christ a légué aux représentants de sa charité envers la samaritaine.

Je suis, donc, le plus indigne de ceux qui vont sur cette terre, séchant les larmes et insufflant l'espoir à celui qui pleure, désespérant d'un meilleur sort.

Votre Excellence a une fille qui pleure ainsi ; et je suis, moi, le prêtre qui, il y a peu, a recueilli entre deux sanglots la confession de ses erreurs, dont je l'ai absoute, au nom de Dieu. Mais la miséricorde de Dieu ne suffit pas à son bonheur sur Terre. Il faut aussi que son père soit miséricordieux, il est nécessaire que son père lui dise : « Lève-toi, ma fille, de l'abîme de perdition où je t'ai jetée, croyant te sauver ! »

Votre fille, Monsieur, est entrée au couvent de Nazaré pour y exposer le tableau lamentable d'une passion aveugle, aux personnes les moins aptes à comprendre une passion et le plus à même de s'horrifier de ses fatales conséquences.

Monsieur le Marquis, quand vous l'avez entraînée de force dans cette maison, vous ignoriez que votre fille avait appartenu corps et âme à l'homme dont vous la sépariez.

Il était trop tard pour mettre à l'abri de la religion la femme qui s'était perdue sans savoir qu'elle se perdait. Il était trop tard pour la remettre au culte divin, alors qu'une passion invincible, attachée à l'existence d'un fils, était un trop grand malheur pour accorder à la pauvre amante et mère quelques minutes d'une prière avec l'esprit tranquille.

Ces révélations sont poignantes, Monsieur le Marquis, mais quelle douleur bénie que celle qui nous délivre d'une grande honte. Le salut de cette jeune fille est possible, car son union avec l'homme que son âme a choisi la sanctifiera devant Dieu et la société.

Permettez, Monsieur, que je sois le messager de votre pardon. Inspirez-vous du grand nom de vos aïeux, du grand nom de Votre Excellence et du futur de sa réputation, pour que les fleurs de vertu, qui commencent à faner sur l'innocente couronne de sa fille, puissent refleurir, grâce à son pardon et à sa bénédiction de ce mariage, où Votre Excellence rendra deux êtres heureux, épargnant la naissance avilissante d'un troisième, qui, un jour peut-être, petit-fils du marquis de Montezelos, viendrait demander l'aumône aux laquais de son grand-père.

Avant ces considérations toutes mondaines, je devrais invoquer auprès de Votre Excellence la charité évangélique, l'amour du prochain et particulièrement les devoirs sacrosaints qui l'unissent à sa fille. Je le devrais, mais je comprends la grandeur de la Terre, et j'ai pensé que Votre Excellence ne voudrait pas s'humilier aux yeux de la société, en insistant sur le déshonneur absolu de sa fille. J'aurai l'honneur de venir quérir cet après-midi la réponse à ma missive, tout comme j'ai celui, déjà, de la signer en tant qu'aumônier et respectueux serviteur de Votre Excellence.

Père Dinis Ramalho e Sousa

— Vous voyez donc, Monsieur le Marquis, que votre père n'a pas décidé de ne pas poignarder sa fille, ni de dépecer

111

l'amant de celle-ci, par ignorance. Sa réponse confirme totalement ce fait. Que Votre Excellence se donne la peine de la lire elle-même.

Voici le contenu de la réponse, que le marquis lut :

Je ne me considère pas tenu de vous donner satisfaction de mes actes, ni même de recevoir vos conseils. En tant que père, il m'appartient d'assurer l'avenir de ma fille, même si l'opinion publique, dont Votre Seigneurie me menace, entend que l'avenir que je lui prépare n'est pas le meilleur. En tant que prêtre, la mission la plus noble que Votre Seigneurie se doit d'accomplir est de garder le silence sur ce qui vous a été révélé en confession. Je prendrai les mesures nécessaires pour que ma fille ne soit pas exposée au déshonneur que vous craignez pour elle.

Marquis de Montezelos

Le frère d'Ângela plia placidement cette lettre et me la remit avec la plus grande indifférence. Je feignis de ne point remarquer cette froideur et poursuivis :

— Votre Excellence connaît les mesures que votre père a prises pour que sa fille ne soit pas exposée au déshonneur. Il la retira immédiatement du couvent pour l'emmener dans une propriété à vingt-cinq lieues de Lisbonne. Toutes mes précautions se révélaient donc inutiles. Ce fut alors que je crus Dona Ângela irrémédiablement perdue ! La plus cruelle des pensées qui m'assaillirent fut la crainte que la malheureuse jeune fille succombât, sous de sourdes tortures, aux mains de son propre père. J'avais vu la lettre que le marquis de Montezelos avait écrite au comte d'Alvações. Cette lettre promettait de recouvrir d'un linceul le corps maculé de l'amante de Dom Pedro da Silva, si par malheur il l'était.

» Je ne vous décrirai pas, Monsieur, l'agonie de ce généreux jeune homme, quand je poignardai son cœur avec cette nouvelle.

Peut-être Votre Excellence ne peut-elle m'écouter avec compassion, et je regretterais de la lui raconter si je ne voyais chez elle la moindre larme. Qu'il me suffise de vous dire que ce noble malheureux tomba, comme foudroyé, sur le lit où, quatre mois plus tard, il prononça un seul mot, le nom de votre sœur, et ferma ses lèvres à jamais.

» Ma mission n'était pas accomplie, Monsieur le Marquis. Quelques mois après que votre sœur eut été enfermée à la Quinta das Alcáçovas, un inconnu s'y montra, vêtu comme un gitan, dissimulant le mensonge de son prétendu mode de vie sous le masque d'un marchand de chevaux. Cet homme passa inaperçu aux yeux des nobles de l'Alentejo et réussit à passer la nuit dans la propriété où vivait Dona Ângela de Lima.

» Outre celle-ci, y habitaient deux servantes, un aumônier, un chapelain, un intendant et quelques serviteurs. L'inconnu établit sa résidence provisoire à trois quarts de lieue de la propriété.

» Le gitan chercha astucieusement à voir la fille du marquis, mais n'y parvint pas et n'osa pas demander après elle. Ses ressources, cependant, étaient considérables, car il avait une volonté de fer.

» Un dimanche, il invita les domestiques du marquis chez lui. Il leur offrit à dîner et fit couler le vin à flots. Le dîner fini, l'ivresse régnait parmi les convives, et le gitan se réjouissait, non de son vin, mais de son triomphe.

» Quand il vit les esprits se laisser aller à des épanchements propres à l'ivresse, il crut venue l'heure des révélations. Il évoqua la fille du marquis et constata que le trouble de ses convives n'était pas supérieur au silence qui leur avait été imposé. Il n'insista pas et changea de tactique, changeant du même coup de vin. Peu après, lorsqu'il effleura de nouveau le sujet de la fille du marquis, un seul homme lui répondit, les autres s'étant écroulés, vaincus par la dernière gorgée qu'ils avaient été capables d'avaler !

» Le seul que la Providence avait maintenu debout s'accrocha au cou du gitan, lui demandant de sortir s'il voulait parler librement.

» Ils sortirent et bavardèrent pendant à peine un quart d'heure, car le soiffard ne put garder plus longtemps la position verticale.

» Reste à savoir ce qui se passa entre le gitan et le serviteur du père de Votre Excellence. C'est une scène incroyablement atroce, mais le gitan n'était pas homme à mentir. Vous souvenez-vous d'un de vos domestiques surnommé Mange-Couteaux ?

— Je m'en souviens, répondit le marquis.

— Eh bien, écoutez donc, Monsieur le Marquis, les révélations de Mange-Couteaux. Cet homme avait été rappelé d'une propriété où votre père l'avait caché à cause de coups de couteau qu'il avait infligés à un rival de son maître, à l'occasion de je ne sais quels désordres nocturnes, vers les quartiers de Belém. Votre père l'estimait comme un bouclier sur lequel il se déchargeait des coups de poignard qu'il ne pouvait lui-même encaisser. De plus, Mange-Couteaux était le confident intime du marquis de Montezelos et l'instrument aveugle de ses vengeances en bien des occasions.

» Voilà les confidences de l'*ami* du gitan, mais ce dernier ne limitait pas à cela sa curiosité investigatrice.

» Ramenant la conversation à la fille du marquis, il trouva chez Mange-Couteaux la plus cordiale franchise mais craignit de ne pouvoir en profiter bien longtemps, car son interlocuteur se tenait difficilement debout.

» Il apprit donc que le fugitif avait été envoyé dans cette propriété quelques jours après que Dona Ângela y fut emmenée. Mange-Couteaux n'était pas venu là sans une mission. Sa tâche était de veiller à ce qu'aucune personne suspecte ne pénétrât dans la propriété, et si cette personne était reconnue comme le fils cadet du comte d'Alvações, il était autorisé à lui tirer dessus, pourvu qu'il ne soit pas difficile de cacher le cadavre aux yeux de la justice. Cette mission était horriblement féroce et recélait plus atroce encore !

» Mange-Couteaux avait été chargé de prendre livraison en temps voulu d'un enfant, qui devait lui être remis par une femme. Cet enfant, Monsieur le Marquis, avant de recevoir le premier baiser de sa mère, et la parole du Christ l'appelant à la rédemption, devait pousser un vagissement de mort entre les mains de l'infanticide, chargé de l'ensevelir sous quelques pelletées de terre.

» Vous semblez horrifié, Monsieur le Marquis ! Le gitan aussi recula d'effroi devant l'assassin, qui déjà ne pouvait plus voir l'effet qu'il avait produit sur son hôte, car il était tombé à terre en prononçant le dernier mot de son programme sanguinaire. Le gitan prit cet homme dans ses bras, le porta jusqu'à son lit et le coucha avec la même tendresse qu'il aurait montrée en couchant son frère ! Puis il s'assit au chevet de l'homme soûl et veilla sur son sommeil profond, jusqu'à ce que, tard dans la nuit, sa digestion achevée, son convive cherche à se rappeler la raison de sa présence à cet endroit.

» Mange-Couteaux se leva, joyeux, et appela ses camarades. Avant qu'ils n'arrivent, le gitan le sonda, cherchant à savoir s'il avait des réminiscences de la conversation qu'ils avaient eue. Il n'en avait aucune, il se rappelait à peine qu'il avait bu quelques chopes de bon vin et se dit disposé à remettre le couvert pour une bonne ripaille. Le gitan l'invita, lui seul, au titre de la sympathie qu'il éprouvait pour lui, à dîner avec lui le lendemain, après avoir quitté la propriété sans se faire remarquer.

» Le lendemain soir, le gitan attendait impatiemment l'homme dont il avait serré la main en l'appelant son ami ; nonobstant le titre flatteur qu'il lui avait donné, le gitan se prépara à recevoir l'*ami* comme s'il envisageait de se battre avec un assassin. Il glissa deux revolvers à son ceinturon et un couteau de chasse dans la poche de sa veste en peau.

» Mange-Couteaux n'était pas homme à faire défaut.

La table était dressée, le vin aiguisait l'appétit et l'invité cédait gaillardement à la provocation. Avant, toutefois, que le rouge de l'ivresse ne lui monte aux joues, le gitan tira de sa gibecière une bourse d'or qu'il lança sur la table.

» — Qu'est-ce que c'est que ça ? demanda Mange-Couteaux.

» — C'est de l'or, répondit le gitan. Compte-le et considère-le comme tien si tu me rends un service qui ne te coûtera rien.

» L'homme ouvrit la bourse avec avidité et compta quarante pièces.

» — Diable ! s'exclama-t-il, tu es riche ! À qui as-tu volé cet argent ?

» — Que t'importe ? répliqua le gitan. Il est à toi si tu me vends l'enfant que le marquis de Montezelos t'a ordonné de tuer !

» Mange-Couteaux se leva d'un bond et planta dans le gitan ses yeux où affluait le sang de sa férocité surprise.

» — Qui t'a dit ça, âme damnée ? cria-t-il en portant sa main à son poignard.

» — Toi ! répondit sereinement le gitan, pointant le canon de son pistolet sur la poitrine de Mange-Couteaux.

» Ce dernier s'arrêta net sous le coup de ce spasme stupide, si fréquent aux gens de son engeance. Il rangea à contrecœur son poignard dans son fourreau, cédant promptement, soit au canon du pistolet, soit à l'étonnement causé par ce "Toi !", proféré avec la plus ferme présence de corps, qui, pour un homme de la sorte, valait plus que la présence d'esprit.

» — Assieds-toi, lui dit le gitan, rangeant tranquillement son pistolet dans son étui, assieds-toi et bavardons en bonne amitié. Tu vois bien que je connais ton passé, ton présent et ton avenir. Tu vois bien que si je ne t'avais pas trouvé sympathique, j'aurais pu en finir avec toi en te livrant à la police, et même envoyer ton maître au bagne de Pedras Negras. Tu vois comme elle est drôle, la vie ! Non seulement je ne te fais pas de mal, mais en plus je veux te donner de l'argent et t'épargner, pour le même prix, le meurtre d'un petit enfant.

» — Quel démon t'a dit que je voulais tuer cet enfant ?

» — Je te l'ai déjà dit, c'est toi en chair et en os. Tu étais soûl, mon gaillard… Finissons-en, le vin t'a rendu franc comme doit l'être un ami loyal. Ne te souviens-tu pas d'avoir dîné avec moi hier ?

» — Oh, diable ! Alors les autres domestiques du marquis ont entendu ! Nom de Dieu, je suis perdu !

» — Ils n'ont rien entendu… quand tu m'as parlé seul à seul, ils ronflaient déjà comme des cochons ! Tu peux me croire. Jusqu'à hier, il y avait trois personnes dans le secret, aujourd'hui il y en a quatre… Tu prends l'enfant, tu ne le tues pas, tu me le remets, tu empoches les quarante pièces et tu dis au marquis que l'enfant est enterré.

» — Pourquoi veux-tu cet enfant ?

» — Que t'importe ? Dis-toi que je veux un orphelin pour en faire un maquignon de premier ordre et un petit gitan malin comme le Diable ! Je suis riche et je n'ai ni fils, ni fille, ni femme, ni neveu à mon goût pour partager la vie que je mène. Celui qui héritera de mes troupeaux de poulains doit être un de ces hommes qui se jettent à poil sur un couteau et sautent par-dessus toi pour te prendre à revers. Or, un tel enfant, si c'est une fille, tu la verras, dans quatorze ans, chevaucher comme un éclair à travers ces prairies sur la meilleure jument de l'Alentejo. Si c'est un garçon, alors là, mon cher, il sera comme il faut. Petit-fils de marquis ou de comte, il aura l'étoffe d'un gitan pur jus. La race des nobles de ce pays est celle qui se confond le plus avec la nôtre. Pas un gitan ne les vaut, dans les foires. Si l'un d'eux donne une tape sur la croupe d'un cheval de noria, il tressaille comme un pur genet d'Alter, ferré par les éperons du plus adroit des Marialva. Voilà pourquoi je veux cet enfant. Si c'était ton fils, il ne me servirait à rien, car du meilleur joueur de couteau on ne fera jamais un écuyer passable. Mais du petit-fils du marquis de Montezelos, si la variole lui fiche la paix, je te promets d'en faire le premier gitan des provinces du Sud. Que veux-tu que je te dise de plus ? Tu vends la vie de l'enfant pour quarante pièces ?

» – Tu veux ma perte !

» – Tu es un âne… Tu es déjà perdu, si je le veux : non seulement tu ne tueras pas l'enfant, mais tu n'auras pas les quarante pièces… Je vais tout droit d'ici à Elvas, je parle avec le *corregidor* et je lui dis que la fille du marquis de Montezelos est dans l'état que nous savons, et que j'ai mes raisons de croire que le garçon ou la fillette qui sortira de son ventre sera mis en pièces. Que penses-tu que fera le corregidor ? Il sommera sur-le-champ le père de lui présenter son petit-fils mort ou vif…

» – Qu'est-ce que ça peut faire ?… Il le lui présentera mort.

» – C'est justement ce que le marquis ne veut pas. Tu crois que tu vas tuer cet enfant pour qu'aucun grand héritage ne lui revienne ? Il n'est pas question d'héritage ici !… L'affaire est une autre. Ce que le marquis ne veut pas, c'est que l'on sache que sa fille a eu un bâtard… Tu me comprends, imbécile ?

» – Je commence à comprendre.

» – Et si le corregidor l'apprend, tu peux être sûr que cinq cents autres coquins le sauront dans son entourage : greffiers, officiers de justice, huissiers de justice, officiers de police, mouchards, sbires, enfin, les déchets les plus pourris de l'humanité… Tu as compris, maintenant ?

» – C'est dit ! Je te donne l'enfant, parole d'honneur !

» – Et je te donnerai trois cent mille réaux, avec lesquels tu pourras vivre honorablement une année durant sans poignarder ton prochain. Tu fais une bonne action et tu peux, avec l'argent que je te donne, chercher un mode de vie qui te délivre de cet office de bourreau qui t'enchaîne au carrosse du marquis de Montezelos.

» Voilà, Monsieur le Marquis, la partie la plus intéressante de l'échange entre votre serviteur Mange-Couteaux et le gitan.

» Trois mois plus tard, à deux heures du matin, le gitan fut réveillé pour prendre livraison du nouveau-né. C'était un garçon, emmailloté dans les plis d'un sac, la bouche bâillonnée par un mouchoir que la généreuse sage-femme n'avait pas trop serré, voulant détourner d'elle la principale responsabilité de l'infanticide.

» Malgré tout, l'enfant arriva presque mort, et ne reprit vie qu'entre les bras d'une nourrice de lait que le gitan avait trouvée.

» Quelques heures plus tard, le gitan abandonnait les lieux où il avait vécu quatre mois durant, vendait son important troupeau de chevaux et disparaissait dans l'Alentejo, où personne ne le vit jamais plus ni n'eut de nouvelles de lui.

– On croirait entendre une nouvelle, mon Père ! interrompit le marquis. Personne n'a donc plus eu aucune nouvelle de ce gitan ?! Qui nous garantit que ce gitan a vraiment existé ?

– Le gitan en personne, Monsieur le Marquis. L'abbé Dinis d'aujourd'hui ne fera pas mentir le gitan d'il y a quinze ans.

– Sa Seigneurie l'a donc connu ?

– Parfaitement, bien que rares soient les personnes qui le connaissent… Le gitan, c'était moi, Monsieur ; j'espère donc que vous croirez en mon existence, à moins que vous n'apparteniez à l'école des pyrrhoniens.

Le marquis me dévisageait, pensif, avec un regard où se mêlaient le respect et l'étonnement.

Je poursuivis :

– J'ai pris à ma charge l'éducation du fils de votre sœur, Monsieur le Marquis. Le père de l'enfant était alors dans les affres de la mort. Il put encore le voir et poser sur ses lèvres un baiser, pour qu'il le remette un jour à sa mère, ou qu'il le lui rende en présence de Dieu, où il espérait le retrouver. C'est devant moi, en ces douloureux instants, que Dom Pedro da Silva écrivit une lettre à la mère de son enfant, lui demandant protection pour son fils, si un jour elle avait les moyens de la lui prodiguer. Cette lettre, que je pus faire parvenir à temps entre les mains de votre sœur avec la nouvelle de l'existence de son fils, est celle-là même que Votre Excellence a vue. C'est elle justement que le comte de Santa Bárbara exhibe, comme un permis de bourreau, à qui lui demande de quel droit il martyrise sa femme.

» Entre-temps, Monsieur le Marquis, votre père, débarrassé de cet enfant qui, même sans parler, répandrait à haute voix la nouvelle du déshonneur de sa mère, rappela sa fille auprès de lui, la traita avec tendresse et regretta avec elle la mort de Dom Pedro da Silva ! Le cynisme de votre père, Monsieur le Marquis, ferait rougir Diogène ! Ces fleurs de nostalgie, déposées par la main du marquis de Montezelos sur la tombe de l'amant de sa fille, sont le plus avilissant crachat au visage d'un mort ! C'est dans ces moments, je crois, que le cadavre frémit dans sa tombe et que la justice de Dieu recule, effarée, devant les crimes des hommes !

» Dona Ângela reparut, un an plus tard, dans les salons. Elle y était traînée par son père, quand elle ne le suivait pas, silencieuse et humble, comme redoutant de défier sa colère.

» Le comte de Santa Bárbara, devenu orphelin à seize ans, était un jeune homme à la tête d'une fortune de trois millions de cruzados, dilapidant follement les nombreux emprunts qu'il contractait sur de grandes usures garanties à terme.

» Votre père commença à exhiber votre sœur devant lui. Votre sœur, cependant, ne croisa jamais le regard du jeune comte sans lui répondre par un mépris souverain. La malheureuse jeune fille se consumait de l'intérieur, appelant à son secours l'image de l'homme mort en luttant contre ce père, qui maintenant lui imposait despotiquement l'amour du comte.

» La lutte était inégale. Dona Ângela n'eut pas le courage

de sacrifier sa vie, en dépit des menaces de son père. Quand elle se vit abandonnée de tous, elle se tourna vers le comte lui-même, lui demandant de ne pas l'aimer, de renoncer à un cœur qu'elle ne pouvait lui donner, de la mépriser publiquement. Elle l'en remercierait, en privé, les mains au ciel.

» Mais elle parlait à un garçon sans honneur, sans noblesse d'âme et sans cet amour-propre qui rarement s'éteint, même dans la plus dépravée des âmes.

» Le misérable révéla au marquis les suppliques que sa fille lui avait adressées. Le marquis lui promit de façonner un nouveau cœur à sa future épouse, pour peu qu'il lui prêtât quarante mille réaux avec lesquels restaurer sa maison et quarante mille autres pour doter sa fille.

» Le comte ne faillit à aucune des conditions qui lui étaient imposées. Il était amoureux et il manquait, comme je l'ai déjà dit, de ce noble orgueil qui nous fait fièrement renoncer à une femme qui sollicite notre haine par compassion !

» Le marquis tâcha donc de façonner un nouveau cœur à la future épouse du comte.

» Je me propose de vous exposer sa façon de procéder, Monsieur le Marquis. Elle était fort simple : elle reposait sur la torture physique. Il s'enfermait dans une chambre avec elle, bleuissait son corps à coups de discipline et la maintenait en vie avec des bouillons pour pouvoir, le lendemain, trouver un corps vivant sur lequel recommencer à expérimenter un procédé qu'il tenait pour infaillible. Ângela était disposée à se laisser mourir. Elle demanda un confesseur. Son père ne le lui refusa pas, loua plutôt son idée. Un prêtre lui apparut, dont le marquis avait façonné la conscience selon la sienne. L'innocente vit la vengeance de Dieu planer sur sa tête et se persuada qu'elle était coupable de désobéissance envers son père. Le prêtre, comiquement horrifié, lui dépeignit une légion de démons de formes diverses, qui venaient la chercher corps et âme pour l'emmener dans les entrailles embrasées de l'enfer. La malheureuse pleura, cria, s'évanouit et implora le pardon de son père, espérant qu'il était encore temps de suspendre la vengeance de Dieu.

» Le crime était consumé. Avec honte et compassion, j'affirme que la main d'un de mes collègues a posé la pierre angulaire de cet édifice d'immoralité !

» Le cœur de la future épouse du comte de Santa Bárbara avait effectivement été refaçonné.

» Reçu chez son futur beau-père, aussitôt disparus les vestiges de la mortification du visage de Dona Ângela de Lima, le comte trouva un sourire sur ses lèvres.

» Et quel sourire, Monsieur le Marquis ! C'était la pure expression de la martyre involontaire, à qui l'on avait dépeint Dieu comme un tyran déléguant à son père le droit de tyranniser son cœur !

» Votre père accéléra le mariage. Ayant triomphé, par des menaces, de la résistance du tuteur du comte, et trompé la vigilance des parents qui le gênaient, il appela, pour consacrer ce mariage clandestin, le même curé à qui il avait payé la confession de sa fille.

» Dans cette affaire immorale, rien ne fut fait à mon insu. Je me mis en relation avec le supérieur du prêtre auquel le marquis accordait un quignon de confiance intime, pareille à celle qu'il avait accordée à Mange-Couteaux.

» Je parvins à connaître le jour du mariage, l'heure et jusqu'au moindre détail de ce sacrement sacrilège, qui tombait également sous le coup des lois civiles sanctionnant le laxisme ecclésiastique.

» Dona Ângela de Lima était déjà comtesse de Santa Bárbara.

» À deux heures du matin, le ministre de Dieu, qui venait d'unir pour toujours ces âmes avec un lien de Satan, avait gravé dans le Livre des mariages l'acte d'adjudication d'une femme qui s'était agenouillée au pied de l'autel, aux côtés de son propriétaire, poussée par la terreur des peines interminables de l'enfer, que son confesseur lui avait laissé entrevoir.

» Le temple était presque entièrement plongé dans l'obscurité. Dès la fin de la cérémonie, le marquis et son gendre entrèrent dans la sacristie pour signer le registre des mariages.

» Dona Ângela resta pour prier. Non loin de là, je priai aussi pour elle.

» Quand je vis le comte penché sur le livre, peinant, comme on aurait pu se douter, à écrire son nom, je m'approchai sur la pointe des pieds d'Ângela et lui remis une lettre.

» Effrayée, la pauvre jeune fille la laissa tomber. Je lui dis mon nom et, tremblante comme la tige d'une fleur qui ne supporte plus la moindre secousse, elle ramassa la lettre et vacilla, perturbée, sans savoir où la cacher.

» Appelée pour signer, la comtesse de Santa Bárbara, passant à mes côtés, murmura ces paroles :

» – Ils m'ont perdue… pour toujours !

» Les portes de l'église se refermèrent. Une voiture, dont le bruit des roues se perdait au loin, emmenait de la maison du Seigneur une femme qui venait, sur l'autel du juste, d'être marquée au front par le stigmate de son esclavage. Le code de Jésus-Christ, interprété par son ministre, avait sanctifié ce stigmate avec le titre pompeux de sacrement ! Et moi, seul sur le parvis du temple, la poitrine transpercée par une détresse qui me faisait vaciller dans ma foi, je me disais, seul à seul avec mon âme : "S'il n'existait pas d'autel, s'il n'existait pas de temple, s'il n'existait pas de prêtre, si l'athéisme était la raison suprême de l'humanité, cette malheureuse ne serait pas aujourd'hui esclave. Car l'autel est une caricature de la foi, le temple est devenu un bureau pour vendre l'âme et le corps, et le prêtre y est comme le concierge du lupanar qui conduit par la main le premier qui le paie à la chambre de la femme perdue, qui se vend."

» Levant les yeux au ciel, je tremblai, horrifié par mes raisonnements. Il me sembla que mon blasphème avait été sculpté sur l'astre de la nuit, comme une tache noire à travers laquelle me surveillait l'œil de la justice de Dieu. Je sentis plier mes genoux, quand le mot "Pardon !" s'échappa de mes lèvres comme le cri tourmenté du remords…

» La lettre que j'avais remise à la comtesse de Santa Bárbara était du père de son fils, écrite dans les affres du trépas. J'y avais joint un mot de ma part, dans lequel je lui indiquais ma résidence, où elle pourrait venir quérir, de temps en temps, des nouvelles de son fils.

» Je ne saurais vous dire, Monsieur le Marquis, l'accueil que votre sœur trouva dans les bras du mari à qui votre père l'avait vendue. Il est certain, cependant, que le lendemain du mariage la comtesse de Santa Bárbara, au comble d'un désespoir qui m'est inconnu, et que je ne voudrais pas vous décrire si j'en avais connaissance, méprisa les peines de l'enfer dont on l'avait menacée pour le crime de désobéissance à votre père. Si bien qu'elle interdit, au marquis de Montezelos comme à Votre Excellence, l'entrée dans sa maison.

» Et comme son père lui rappelait le feu ardent dont le confesseur l'avait menacée, je sais qu'elle eut le courage de lui répondre que, esclave de son mari, elle était dispensée d'être l'esclave de son père, car elle ne pouvait l'être de deux seigneurs. Est-ce vrai, Monsieur le Marquis ?

— En effet ; et pour cela, durant quinze ans, je n'ai pas vu ma sœur, comme mon père ne la revit jamais. Même à l'heure de sa mort, il n'a pas obtenu qu'elle lui rende visite.

— Je peux vous le dire, Monsieur le Marquis… Quand votre père se débattait, quatre mois durant, dans les affres de l'agonie, la comtesse de Santa Bárbara était enfermée dans une chambre, privée de lumière, privée de nourriture et empêchée de communiquer avec tout autre que le tortionnaire que votre père lui avait choisi, et un serviteur fidèle que le Providence lui accorda.

» Votre père, Monsieur, mourut sans que sa fille le sache, car le comte ne lui donna pas la nouvelle, craignant trop de lui faire plaisir.

— Et pourquoi ma sœur était-elle enfermée dans une chambre ?!

— Cette triste situation dura huit années… Je ne peux guère vous en dire plus…

— Rien n'explique donc cette atrocité ?

— Toutes les atrocités s'expliquent. Réfléchissez bien, et épargnez-moi le désagrément de vous rappeler que votre sœur avait été amante avant que d'être épouse.

— Je ne vous comprends pas bien.

— C'est incroyable ! Votre Excellence croit donc que la bénédiction nuptiale a le pouvoir de fabriquer des vierges ?

— Non…

— Cela suffit, alors. Si vous ne me comprenez pas maintenant, laissez-moi vous donner une seconde explication qui viendra appuyer la première.

» Votre sœur n'était mariée que depuis quelques jours quand le comte de Santa Bárbara, fouillant dans ses livres de prières, trouva la lettre que Dom Pedro da Silva lui avait écrite. Les soupçons du mari ne pouvaient plus être bernés par un quelconque défaut physiologique. La lettre mettait en lumière que sa femme avait été amante et mère, qu'elle avait un fils, vivant, remis à l'éducation d'un prêtre et recommandé par son père, sur son lit de mort, aux bons soins de sa maîtresse. Tout ce qu'on pourrait ajouter, pour expliquer la réclusion de votre sœur huit années durant, serait oiseux de ma part, et impertinent de la vôtre, Monsieur le Marquis.

— Je comprends parfaitement, mais Votre Seigneurie qui est prêtre, et s'entend dans les choses de Dieu, pourrait me dire si ma sœur n'était pas punie de sa faute par la Providence…

— Ne blasphémez pas, Monsieur le Marquis ! Dieu ne permet pas que l'instrument de sa justice soit un homme qui tire sur le généreux amant de sa fille, qui ordonne d'étrangler le fils de celle-ci, qui la vend pour quarante mille réaux et la fait passer du lit nuptial, où elle est entrée déshonorée, à un chevalet de torture, où son mari lui fait expier la trahison de son beau-père… Plus encore que la stupidité, j'abhorre l'hypocrisie. Votre Excellence a emprunté à l'instant un air béat, de profonde vénération de la Providence, qui m'a dissuadé de cueillir les fruits que j'attendais de ces semailles de paroles, arrachées avec difficulté à mon cœur…

» Franchement, Monsieur ! Quelle impression vous a laissée l'histoire de votre sœur ? Vous voulez la livrer à son mari ?

— Non, Monsieur.

— Vous voulez l'abandonner à la misère ?

— En ce qui me concerne, je ne peux lui donner une opulence que je n'ai pas. Ma maison est mise en gage…

— Votre père ne l'a donc pas redressée, comme il le prétendait, avec les quarante mille réaux de la vente de sa fille ?

— Je ne sais pas à quoi ont été employés ces quarante mille réaux ! Mon père est mort en en devant quatre-vingts, et moi, j'en dois cent vingt.

— Que vous semble-t-il, Monsieur ? Ne serait-ce pas l'occasion d'évoquer une punition de la Providence, sans faire pour cela des grimaces béates ?

— Peut-être est-ce une punition de la Providence, mais je ne peux être tenu responsable des injustices commises par mon père à l'encontre de ma sœur.

— Dans ce drame sanguinaire, Votre Excellence a eu un rôle, et il faut qu'elle s'en acquitte par une action quelconque qui effacerait, à mes yeux, le sang qui éclabousse son visage.

— Le sang ?!

— Vous en doutez, Monsieur ? Avez-vous déjà oublié la facilité avec laquelle vous avez tiré à la carabine sur Dom Pedro da Silva ?

— Qui vous l'a dit, pour que vous l'affirmiez avec autant d'aplomb ?

— Le troisième acteur de ce lâche guet-apens. Mange-Couteaux, quand il était soûl, était sincère comme Épaminondas le Thébain… Le crime est ancien, Monsieur le Marquis : votre jeune âge vous en dédouane, mais le remords est le noble sentiment d'un criminel. Repentez-vous des gouttes de fiel que vous avez versées dans le calice de votre sœur : rappelez-vous que vous avez ulcéré son cœur de plaies profondes, dont seul l'amour peut atténuer les douleurs. Donnez un peu de votre amour de frère à cette pauvre femme. Séchez ses larmes par des paroles ointes de ce baume d'espoir auxquelles aspire la malheureuse, car son esprit ne peut se nourrir uniquement d'agonies.

– Que puis-je faire, Père Dinis ? Me le direz-vous ?

Les dernières paroles de cette glaciale question n'étaient pas encore proférées quand la porte du salon s'ouvrit, et la comtesse de Santa Bárbara, magnifiée par le noble orgueil qui éclairait son visage, dit :

– Me mépriser !… C'est le plus grand service que peut me rendre mon frère : c'est une juste récompense du sentiment que vous m'inspirez depuis quinze ans !

L'énergie de ces paroles et la noble superbe du geste qui les accompagna firent honte au marquis et m'emplirent de satisfaction.

Il me sembla qu'un fil électrique avait relié mon esprit à celui de Dona Ângela ! C'était justement la réponse que j'aurais voulu faire à cet homme que la conscience m'accusait d'avoir mis en présence de sa sœur.

Le marquis, impassible, revenu de la surprise qui l'avait fait rougir pour se dissiper aussitôt, se leva, prit son chapeau et ébaucha un salut pour prendre congé, quand la comtesse, superbement altière, tragiquement embellie par les grandioses élans d'un orgueil courageux, tendit la main, lui indiquant la chaise sur laquelle il devait se rasseoir.

Je n'avais jamais vu, ni ne verrai jamais plus, de situation réelle, dans la vie, qui illustre mieux les postures héroïques où le ciseau du sculpteur grec parachevait la gloire de l'art ! Je sentis les frissons de l'enthousiasme ! Je croyais que les péripéties de la tragédie ne pouvaient se manifester en dehors de la scène ; je croyais que la femme, faible et pauvre en vaillance morale dans les grandes souffrances, ne pouvait, sans expérience, s'imposer ainsi, magnifique et majestueuse, bien que courbée sous le poids de l'affront et du mépris ! Le marquis se rassit, comme si un bras invisible l'y avait forcé. Peut-être le regard de sa sœur le fascinait-il ! Chez moi, l'enthousiasme et l'influence du remords ou de la honte rendaient cette fascination bien réelle.

La comtesse s'assit également. Elle planta sur son frère ses yeux colériques, essuya les gouttes de sueur qui perlaient sur son front, et donna à chacun de ces mots un ton d'angoisse, de sévérité et d'arrogance, dont je ne peux que me souvenir, et que je n'essaierai pas de décrire :

– Il vous faut m'écouter, mon frère. Cela fait quinze ans que nous ne nous voyons plus : je vous ai moi-même éloigné avec indignation de ma présence, et je tiens à vous le rappeler, car je ne doute pas que le marquis de Montezelos aurait eu la cynique audace de chercher à me revoir au fond de l'abîme où il m'avait jetée de la pointe du pied. La haine silencieuse est un cancer qui ronge le cœur. Le martyre que m'ont infligé mon père et mon frère me fut d'autant plus douloureux que je réfrénais en moi le cri du malheur qu'ils auraient dû entendre. Je me tus. Je me laissai brûler dans cet enfer intime, où les espoirs en Dieu semblent se consumer dans le feu de la désespérance des hommes… Jamais, de ma chambre, on n'entendit s'échapper un gémissement ! Jamais je ne demandai de consolation aux miens ou à des étrangers ! Je bus en silence ma gorgée de fiel, dans la coupe que mon mari portait de force à mes lèvres. J'avais appris l'humilité en endurant les coups infligés par mon père. Vous savez bien, mon frère, que j'essuyais votre mépris, le visage souriant. Rappelez-vous vos insultes quand je vous appelais mon frère, car, disiez-vous… c'était injurier le sang noble qui coulait dans vos veines. Je vous injuriais par mon refus de devenir la femme du comte de Santa Bárbara, de qui vous espériez recevoir quarante mille réaux pour tenir votre rang. Je vous injuriais, car je ne voulais pas payer de mon corps les gabegies de mon père ni l'héritage de mon frère. Je vous injuriais, enfin, car je craignais d'être la victime expiatoire de la traîtrise que mon père et mon frère feraient à mon mari, lui offrant perfidement une femme qui ne pouvait être sienne… parce qu'elle avait été celle d'un autre… À peine mariée, mon frère, le sang qui coulait dans vos veines, de noble dégénéra en servile. Vous m'avez répugné, quand je vous vis assis à mes côtés dans les salons de la comtesse de Santa Bárbara, que vous appeliez affectueusement sœur, et à qui vous demandiez pardon de l'avoir emmenée de force sur le trône de l'opulence où vous la voyiez assise.

» Vous vous rappelez très bien que je vous regardais avec cette compassion qui plaint le caractère méprisable. À côté de moi, se trouvait le comte de Santa Bárbara, à qui mon frère prodiguait ses basses adulations, car le jour approchait où il devait recevoir les quarante mille réaux, convenus lors de la vente de l'esclave, dont la liberté injuriait le sang noble qui coulait dans vos veines. Quand je sus que les quarante mille réaux étaient entre vos mains et que ma décision ne pouvait plus empêcher le triomphe de votre fourberie, je bannis de ma présence le barbare qui se disait mon père et le digne fils de cet homme, que j'avais honte d'appeler mon frère.

» Je ne vous ai certainement pas vexés, car je sais votre caractère invulnérable à la vexation la plus cuisante. Pendant quinze ans je ne pus vous oublier, car à chaque instant je sentais dans mon cœur se creuser la plaie que vous y aviez ouverte. Après la haine, vint le mépris ; mais la haine se perpétua dans les douleurs infligées par le fouet, qui était passé des mains de mon père et de mon frère à celles de mon mari. Sachez, Monsieur, que ce n'est pas moi qui vous ai fait appeler après quinze ans. C'est le vœu spontané de mon bienfaiteur, dont j'ai eu, pour la première fois, à blâmer une action. J'ai reçu votre présence comme un outrage et, même ainsi, j'ai eu la faiblesse de vous serrer la main. Quand j'ai entendu le marquis de Montezelos demander ce qu'il pourrait faire en ma faveur, je lui ai répondu, mais je n'ai pas répondu pleinement. Sachez donc, mon frère, que je suis la comtesse de Santa Bárbara, vendue pour quatre-vingt mille réaux. Le prix de mon corps m'appartient entièrement, vous me comprenez, Monsieur ?

– Non, répondit vivement le marquis, fixant le sol de ses yeux emplis de rancœur.

– Non ? reprit-elle. Eh bien, je vais vous l'expliquer. Quelques jours avant ma fuite de la maison du comte de Santa Bárbara, cet homme m'a dit d'aller chez mon frère réclamer les quarante mille réaux qu'il lui avait prêtés il y a quinze ans, et de m'en servir pour vivre, loin de sa vue. Ce disant, il m'a jeté au visage le titre de la dette... Le voici... Je demande à être remboursée... La femme vendue réclame le prix de son corps.

La comtesse proféra ces dernières paroles déjà debout, le titre de la dette ouvert et orienté vers le marquis. Celui-ci, immobile et stupéfait, la vit lui tourner le dos et disparaître par la porte par où, il y avait peu, elle était entrée.

J'avais l'intention d'écourter ce dernier coup de théâtre, mais je fus surpris par ce titre. La comtesse était si noble qu'elle n'avait pas voulu me montrer plus tôt un tel document, craignant que je lui conseille de le présenter devant un tribunal.

Le marquis, insensible à tous les camouflets, une fois passé le choc, recouvra les esprits de sa dépravation héritée, et sourit avec mépris.

– Il ne me paraît pas juste que vous souriiez, Monsieur le Marquis ! lui dis-je. Cette vaillance morale avec laquelle vous affrontez d'un air méprisant les tourments de votre sœur ne vous fait pas honneur et ne vous sera même pas profitable. Pour ma part, je vous déclare que cette dame n'a besoin de personne pour la protéger, au cas où elle voudrait se faire rembourser par voie de justice les quarante mille réaux que

Votre Excellence lui doit. Moi, qui ai sauvé son fils, je serai aussi bon procureur que j'ai été gitan ou ministre de Dieu auprès de votre père, de vous-même, d'elle et du père de son enfant.

— Comme Votre Seigneurie voudra, dit le marquis, désabusé, et il descendit les marches, chantonnant je ne sais quel refrain moqueur, de ceux qu'on entend dans les orgies des tavernes du Bairro Alto.

J'interromprai ici la copie du *Livre noir* du Père Dinis.

XIV

Le comte de Santa Bárbara était un de ces nombreux maris courageux qui reçoivent, sans vaciller, le coup d'un affront porté par leur femme. Ce courage n'est pourtant pas une qualité noble. C'est du cynisme, l'extrême opposé de l'honneur qui, par une de ces analogies des extrêmes, ressemble fort à une résignation vertueuse. Le comte n'avait pas été outragé par sa femme, mais tant qu'il ignorerait quels pas elle avait faits hors de sa maison, il devait se considérer comme tel. Nul besoin pour un homme d'avoir de l'honneur pour taire en lui l'humiliation, blessante pour son orgueil, de ne pas être préféré. Mais il est absolument nécessaire que soit gâtée au plus haut point la nature du mari qui clame le déshonneur de sa femme pour justifier le sien. C'était le cas du comte de Santa Bárbara. Quand sa conscience lui disait que sa femme avait fui son toit, où le désespoir et la torture déchiraient sa vie dans un lent paroxysme, cet homme exceptionnel se vengeait de la malheureuse, qui ne voulait pas mourir entre ses mains, l'accusant d'être une femme adultère, de celles qui abandonnent leurs gentils maris pour se réfugier chez leurs amants. Si ma vertueuse mère s'était suicidée, le comte de Santa Bárbara aurait peut-être affirmé qu'une passion violente pour un amant qui l'avait ignorée l'avait poussée à ce délire honteux.

Père Dinis avait promis de surveiller les gestes du comte. Les révélations du marquis de Montezelos lui épargnèrent cette démarche. Le caractère du premier était établi, celui du second également.

Le comte n'altéra en rien le programme qui l'avait fait revenir de Santarém. Peu de jours après qu'il fut rentré chez lui, on le vit sortir avec la prestance gaillarde d'un homme qui porte sur le visage la paix de sa conscience. Quelques heures auparavant, une voiture aux portières closes était sortie. À son bord, se trouvait la servante, l'ange de la sublime passion du comte. Je dis bien ange sublime, et je ne le dis pas avec ironie. Pour certains caractères, ces femmes sont des anges, et je ne sais pas moi-même s'il est judicieux de critiquer un homme qui a vu son bonheur là où nous aurions vu notre infortune… Qui aurait pu prévoir ce que cette femme allait devenir ?

Avant de partir, le comte avait reçu la visite des personnes les plus influentes de Lisbonne, venues, par politesse, s'enquérir de sa santé. Ce culte respectueux devait beaucoup à la position d'importance que le comte occupait auprès du roi Dom Miguel. Les conclusions qu'un politicien pourrait tirer de cette sympathie, de cette proximité, de cette importance, n'importent guère au romancier qui écrit une histoire contemporaine ; mais elles sont si nombreuses et d'une si grande portée, dans le déclin inexplicable des institutions politiques en vigueur jusqu'en 1833, qu'il vaudrait grandement la peine de les disséquer sans craindre d'inciser au scalpel le visage de certains hommes qui vivent encore.

Or, le comte de Santa Bárbara, à chacun des amis qui s'enquéraient de la comtesse, racontait, d'un air contraint, l'histoire de sa femme avant leur mariage, la mauvaise vie qu'elle lui avait faite en tant qu'épouse et, enfin, son avilissant et inqualifiable comportement en l'abandonnant et en se réfugiant il ne savait où ni avec quel homme, qu'elle lui avait préféré.

Ma mère devint donc l'aliment ignoble des conversations dans les salons et sur les places, tandis que le comte de Santa Bárbara, content de lui et fort de tout le poids de sa perversité, quittait Lisbonne en rêvant voluptueusement d'une saison de bonheurs nouveaux, dont il lisait la promesse joyeuse dans le tendre sourire de son aimée Eugénia.

Père Dinis, le cœur empli d'amertume et les lèvres scellées par la compassion qu'il éprouvait pour ma mère, tut la vile réputation dont la pauvre dame était accablée. Une telle nouvelle l'aurait peut-être foudroyée.

Mais l'abbé n'aurait pu veiller avec plus d'acharnement sur l'honneur d'une fille dont il aurait été convaincu de l'innocence aussi intimement qu'il l'était de la probité de ma mère.

Le premier pas de l'abbé fut le seul qui pouvait être fait en faveur de ma mère. Il déposa au tribunal, où l'on traite les sévices et où l'on châtie les calomniateurs, une requête qui était plus qu'une simple requête, un appel que la comtesse de Santa Bárbara adressait à son mari, afin qu'il répétât les infamies qu'il lui imputait, en présence des personnes qui les propageaient dans tout Lisbonne.

La requête de ma mère causa de profonds remords chez ceux-là mêmes qui la traînaient au pilori sur les places, selon la volonté de son mari.

Il était nécessaire que le comte revienne pour répondre aux questions, au cri tourmenté, aux exigences sacrées de sa femme. Ma mère avait une protection unique : l'abbé. Celui-ci lui demanda juste d'apposer sa signature au bas d'une feuille blanche, car il ne voulait pas qu'elle découvre le stigmate qu'on lui crachait au visage, avant qu'elle ne puisse plus le sentir.

À l'heure où la requête était expédiée, le comte de Santa Bárbara arrivait à Santarém. Après être descendu de cheval, il s'approcha de la portière de la voiture et offrit le bras à la servante, embarrassée par le cortège de personnes qui la prenaient pour la comtesse de Santa Bárbara.

Le comte entra, mélancolique, dans la chambre de l'auberge et se plaignit d'une douleur physique qui l'empêchait de respirer. Cette douleur s'accrut avec des symptômes inquiétants. Les médecins qui entouraient le lit du comte se regardaient les uns les autres, avec ce regard soupçonneux qui terrorise un malade. L'idée de la mort se présente à un pervers avec un cortège de fléaux, dont nous ignorons s'ils mordent sa conscience percluse de remords ou s'ils réveillent sa soif de vivre pour de nouveaux crimes.

Quelques heures après que la douleur parut le serrer entre ses bras de fer jusqu'à l'étouffer, le comte sentit un soulagement, se contorsionnant moins, mais défaillant dans une complète atonie du corps. Une fièvre violente se déclara dans la foulée, et les médecins l'affirmèrent en danger.

Vingt-quatre heures plus tard s'arrêtaient, dans la même auberge, un greffier et un officier de justice, demandant, non pas après le comte qu'ils n'imaginaient pas là, mais le temps qui leur serait nécessaire pour le rejoindre. Avec ces hommes de justice, il y en avait un troisième.

C'était Père Dinis, qui avait pris congé de nous pour deux ou trois jours, afin de régler des affaires personnelles.

Tout autre que lui aurait hésité avant de faire porter une citation aussi infamante au chevet d'un malade en grave danger de mort. Pas l'abbé. Les envoyés du magistrat semblaient embarrassés devant la livrée galonnée des laquais du comte, qui, adossés à la porte de la chambre de leur maître, attendaient les ordres transmis par la servante dévouée, qui n'avait pas quitté le chevet du malade.

Le prêtre, cependant, les exhortait à appliquer la loi, avec cet air de souveraineté auquel il était plus difficile de désobéir qu'à la loi d'être abusée par la simple vue des livrées du noble comte de Santa Bárbara.

L'antichambre de l'illustre malade était pleine de gentils-hommes de Santarém, qui venaient respectueusement remettre entre les mains de la domestique, comme il est d'usage, leurs profonds regrets pour l'indisposition du comte.

Père Dinis, le greffier et l'officier de justice traversèrent la salle remplie de ces messieurs émerveillés par ce qu'ils voyaient. La main sur la poignée de la porte qui donnait sur la chambre du comte, Père Dinis, se tournant vers le groupe de gentilshommes qui l'observaient attentivement, dit sur un ton courtois et impérieux : « Je demanderai à Vos Excellences de rester quelques minutes encore, car leur présence sera nécessaire à une œuvre honorable. » Et il entra dans la chambre du comte de Santa Bárbara.

Le comte avait la tête inclinée sur l'épaule de la servante, qui soutenait, dans une posture gracieuse, le doux fardeau de son seigneur.

Surpris par le bruit de la porte, abruptement poussée, le comte ouvrit des yeux fiévreux et crut voir trois de ces gentilshommes qui ne cessaient de venir le visiter.

Père Dinis salua brièvement le comte, et regarda en biais, avec un mépris étudié, l'infirmière qui, indifférente, semblait convaincue de l'honnête mission qu'elle remplissait au chevet du malade.

— Qui sont Vos Excellences ? demanda le comte, s'efforçant de recevoir les nouveaux arrivants avec la gravité héraldique adaptée à la circonstance.

— L'accueil que vous nous réservez, répondit l'abbé, montre bien que nous n'avons pas l'honneur d'entretenir des relations avec Votre Excellence. Je suis un prêtre qui, en ce moment, contre les règles établies, cumule, en quelque sorte, les fonctions de l'avocat. Ce monsieur est greffier de la Troisième Chambre et cet autre est officier de justice.

— Que me voulez-vous ? demanda le comte, plissant le front.

— C'est à monsieur le greffier qu'il revient de répondre, répliqua tranquillement l'abbé.

– Citer Votre Excellence, dit le greffier, aux fins exposées dans la présente requête.

– Je ne dois rien à personne, protesta le malade, le visage doublement embrasé, par la fièvre et par l'orgueil irrité.

– Il ne s'agit pas d'une dette, Monsieur le Comte, reprit le greffier. Votre Excellence me pardonnera de venir involontairement la mortifier. Je suis envoyé ici à la requête de madame la comtesse de Santa Bárbara.

– Que me veut cette femme ? interrompit le comte, repoussant frénétiquement ses cheveux, que la sueur collait à son front.

– Madame la comtesse, poursuivit l'imperturbable greffier, se plaint d'avoir été atrocement calomniée par son mari, et demande que Votre Excellence soit appelée au tribunal pour prouver la calomnie, ou se dédire.

– Me dédire ! vociféra rageusement le comte. Me dédire !… Moi ?… Vous savez à qui vous vous adressez, misérable mouchard ? Je vais vous faire fouetter par mon cocher !

Ces cris décidèrent les gentilshommes qui étaient dans l'antichambre à s'engouffrer en désordre dans la chambre. Les contorsions grimaçantes du visage du comte faisaient penser à un fou furieux et auraient effrayé tout autre qu'un greffier de tribunal. Il n'y a plus héroïque que l'impassibilité avec laquelle le raisonnable fonctionnaire répondit aux menaces du malade.

– Monsieur le Comte de Santa Bárbara, dit-il, souriant avec bonté, la loi, dont je suis l'exécuteur, a autorité sur les membres de la société dans leur état normal. Votre Excellence ne peut être verbalisée, car ses facultés intellectuelles réclament l'infirmerie de São José, ne pouvant guère trouver de baume dans la prison du Limoeiro. S'il en était autrement, je prie Votre Excellence de croire que je la verbaliserais. J'attendrai un moment de lucidité pour que Votre Excellence paraphe son assignation, que je dresserai en présence des témoins ici présents.

Tandis que le greffier essayait sur son ongle la pointe de sa plume trempée dans un encrier en os que lui tendait l'officier de justice, le comte, les yeux menaçants et exorbités, fixait diaboliquement la physionomie de Père Dinis.

— J'ai déjà vu cet homme… autrefois ! murmurait-il. C'était ce même visage… Tu te souviens, Eugénia ?

Il n'obtint pas de réponse à son interrogation. Eugénia n'avait pu supporter le regard foudroyant de l'abbé et s'était enfuie, effrayée, en voyant faire irruption dans la chambre les gentilshommes attirés par les cris dissonants de son amant.

Le comte, surpris de ne pas voir à ses côtés l'inséparable compagne de ses souffrances présentes, se contorsionnait, cherchant anxieusement dans toutes les directions.

Père Dinis, qui avait entendu la question et constaté l'absence de la servante pour y répondre, s'approcha lentement de l'oreiller du malade et lui susurra à l'oreille :

— Je suis en effet l'homme que Votre Excellence a vu…

— Devant mes fenêtres… coupa le comte.

— Devant vos fenêtres, poursuivit l'abbé, justement, quand Votre Excellence m'a demandé de me retirer en me menaçant.

— Et avec vous, il y avait un garçon…

— C'est exact… avec moi, il y avait un garçon.

— Qui était-ce ?

— Qu'importe à Votre Excellence de savoir qui il était ? Supposez que c'était un orphelin, un enfant inoffensif…

— Et de quel droit venez-vous ici accompagné de ce greffier ?

— Je suis l'unique protecteur de madame la comtesse de Santa Bárbara. Je suis la sentinelle vigilante de son honneur, et je peux, sans scrupule, affirmer que je le suis aussi de l'honneur de Votre Excellence.

— De mon honneur ! Vous vous moquez de moi !

Ce court dialogue passa inaperçu de ceux qui se trouvaient à quelques pas du lit du malade. Le greffier venait de dresser l'acte d'assignation, ou quel que soit le nom dont on le désigne, et offrit aimablement sa plume au comte, pour son indispensable signature.

Le comte l'accepta sans hésitation, mais à peine l'eut-il saisie qu'il la laissa tomber, comme si sa main était frappée de paralysie à l'instant même. À la chute de la plume succéda celle de ses paupières, et une somnolence profonde figea ses traits dans la placidité cadavérique d'un moribond à l'agonie.

Cette transition imprévue frappa de stupeur l'esprit du propre greffier, qui se serait volontiers retiré si une loi opiniâtre ne sanctionnait la défection à un mandat solennel par la perte de son office.

Un des médecins entra alors et prit le pouls du malade.

— C'est une syncope, dit-il, les symptômes ne sont pas alarmants, mais, après celle-ci, une autre pourrait survenir et le tuer.

— De quelle maladie souffre monsieur le comte, docteur ? demanda l'abbé.

Le médecin haussa les épaules.

— C'est un cas nouveau tant pour moi que pour mes collègues, répondit-il. Depuis quarante-huit heures, nous avons épuisé toutes nos ressources et attendons un diagnostic plus affiné pour qualifier ce cas extraordinaire.

Le médecin s'apprêtait à se répandre en un flot de paroles confuses et pompeuses, mais le comte de Santa Bárbara ouvrit les yeux impétueusement et les planta à nouveau sur l'abbé, comme s'il venait de le voir dans un rêve effrayant pour le retrouver à nouveau dans la réalité du réveil.

On attendait de ses lèvres convulsées et entrouvertes une imprécation, un blasphème, une injure ou du moins un appel à son cocher, armé de son fouet aristocratique, instrument de prédilection de la revanche des nobles.

Il n'en fut rien. Le comte, les yeux sereins et le visage tranquille, regarda autour de lui et murmura à voix basse :

– Avant que je ne signe ce papier… je vous prie de me laisser seul avec ce monsieur.

La personne qu'il désignait était Père Dinis. Ceux qui étaient présents se retirèrent et Père Dinis referma la porte derrière eux.

XV

Père Dinis, sans deviner l'objet de ce tête-à-tête extraordinaire, referma sur ceux qui partaient la porte de la chambre et s'approcha respectueusement du chevet du malade. Le comte, sans lever les yeux de ses mains qu'il avait croisées sur sa poitrine dans une posture dévote, après avoir passé sa langue sur ses lèvres desséchées par la chaleur de la fièvre, parla posément, donnant à chacun de ses mots le ton lugubre d'une révélation solennelle, faite à l'heure de la mort :

– Monsieur l'abbé ! Si j'écoute ma conscience, j'entends des accusations qui m'accablent ; mais si je consulte mon cœur, je m'absous de mes péchés… enfin, de ceux commis envers la comtesse de Santa Bárbara.

Père Dinis rompit vivement le silence qu'avait marqué le comte :

– Écoutez plutôt votre conscience, Monsieur le Comte, car le cœur amoureux est mauvais conseiller : après avoir commis le crime, il n'hésite pas à l'absoudre.

– Mais la tête, Monsieur, s'incline devant le cœur… J'avais besoin de me venger… de me venger, oui ! On s'est moqué de mon innocence… On a fait de mon âme la victime de ma richesse… Eussé-je été pauvre, les spéculateurs ne m'auraient pas privé du bonheur de toute ma vie…

– Je ne comprends pas bien, Monsieur le Comte… Puisque Votre Excellence me fait l'honneur de consentir à m'entendre, je voudrais qu'elle clarifie ses idées, de façon que je puisse lui répondre.

— Eh bien, vous répondrez, mais c'est moi qui n'ai que peu… voire aucune question à vous poser… Je ne sais pas si je vous apprendrai du nouveau. Si tel n'était pas le cas, écoutez tout de même ce que j'ai à vous dire, car c'est en présence de Dieu que je vous le dis… Vous l'écouterez avec patience, et je vous le dirai avec répugnance, mais avec sincérité… J'étais enfant quand le marquis de Montezelos, derrière une hypocrisie retorse, vint troubler mes rêveries qui ne faisaient de tort qu'à moi-même et que j'achetais avec mon argent… L'imposteur déplorait mes gaspillages, et regrettait, disait-il, de voir le représentant d'une des plus illustres maisons du Portugal prendre un si mauvais chemin.

» Je l'écoutai d'abord avec impatience, puis je m'habituai à ce persécuteur opiniâtre, qui se donnait la liberté d'entrer dans ma maison à toute heure, de donner des ordres à mes domestiques, d'intervenir dans mes affaires et de veiller sur mes intérêts avec une affection toute paternelle.

» Sa première tâche fut de me brouiller avec mes chargés de tutelle, me persuadant que c'était une horde de voleurs qui s'engraissaient au banquet de ma fortune, ne m'en donnant que les restes. Je crus volontiers à ses accusations de vol, d'autant qu'ils ne me donnaient pas ce que je leur demandais, et si je protestais, leur montrant que la recette était supérieure à mes dépenses, ils me répondaient que nos comptes seraient apurés au moment de mon émancipation. Ces *comptes futurs*, d'après le rusé marquis, c'étaient là des termes choisis pour gagner du temps et fabriquer un solde qui rendrait, à la fin, mes voleurs mes créditeurs.

» L'insistance sur ces calomnies préméditées finit par me convaincre. Il était nécessaire de faire obstacle à la progression des vols, et pour cela, ajoutait mon habile conseiller, l'unique moyen était le mariage.

» Je détestais ce mot, dont l'idée ne m'était jamais venue

à l'esprit, même en rêve. C'était la première fois qu'on m'imposait comme une nécessité un état qui m'ennuyait chez les autres, car je les avais étudiés assez tôt, et j'avais encore gravés dans ma mémoire les souvenirs de ma propre maison.

» Je pris le conseil du marquis pour un propos banal, malgré la gravité et le sérieux avec lesquels il me le donna. Cependant, l'importun s'entêtait et exigeait une réponse. Une fois, pour me débarrasser d'une conversation fastidieuse, je pris congé de lui en disant que le meilleur conseiller en mariage serait une brave femme célibataire.

» Le marquis sourit avec je ne sais quel air de joie, qui me rendit songeur ! Je n'étais pas si naïf que je ne visse dans ce sourire l'expression d'un calcul mal réprimée !

» Je savais bien que le marquis avait une fille. Je me souvenais de l'avoir vue deux ans auparavant, très belle, très courtisée, mais très dévouée au fils cadet du comte d'Alvações. Je me souvenais aussi d'une histoire de coups de feu qui, en pleine nuit, avaient été tirés sur l'amoureux de Dona Ângela, des commentaires qu'on avait faits de l'événement en société, et de la retraite dans un couvent à laquelle l'avait forcée son père.

» Tous ces souvenirs, quasi évanouis, car je n'avais plus jamais revu Dona Ângela, étaient tout de même des raisons plus que suffisantes pour que la fille du marquis ne valût pas la peine qu'on lui fît la cour, et encore moins la folie… d'un mariage ! Son existence m'était totalement indifférente, voire tellement dépourvue de poésie que, durant les quelques mois de familiarité avec son père, je ne pensai jamais à lui demander de ses nouvelles. Et si parfois je me rappelais que mon inséparable mentor avait une fille, je jugeais qu'il ne fallait pas lui en parler, craignant de heurter sa chatouilleuse susceptibilité.

» Comment aurais-je pu penser sérieusement être l'époux élu de la fille du marquis de Montezelos !

» Je me rendis à un bal du comte de Colares. J'entrai dans

le salon, je vous l'avoue, avec la ferme intention de courtiser une femme qui vienne équilibrer la passion désinvolte que j'avais pour les chiens et les chevaux de race. Il me semblait qu'un jeune homme se devait de fréquenter une femme qui habitât une rue large, où un beau cheval arabe pourrait exécuter des sauts périlleux donnant une haute idée du cavalier à son amoureuse. Voilà, Monsieur l'abbé, comment débutèrent en moi ce que l'on nomme les aspirations idéalistes de la jeunesse. La vanité d'être admiré, le désir de provoquer des frayeurs chez une femme, et de l'éblouir, en lui montrant la maîtrise de mes jambes sur les bonds et les saccades d'un cheval. Triste définition de l'amour, pour exclusive qu'elle soit ! Mais poursuivons…

— L'effort de parler ne vous indispose-t-il pas ? interrompit l'abbé.

— Au contraire, Monsieur… je me sens mieux quand je me rappelle l'époque où je fus moins malheureux… Comme je vous le disais, j'entrai dans les salons du bal et j'observai de nombreuses femmes avec avidité. À peine entré, le marquis fut à mes côtés. Puis, après les inévitables futilités des salutations d'usage, il me prit par le bras, me disant qu'il voulait me présenter sa fille.

» Je ne sais si je l'accompagnai de bonne volonté ou si je le suivis machinalement. Le fait est que je le suivis et je vis, au bout d'une rangée de chaises, une belle femme, à la silhouette éblouissante, un mélange d'éclat et de beauté qui m'ébahit. Il me fallait traverser lentement la foule des hommes, malgré ma hâte d'approcher cette femme, très heureux que j'étais d'imaginer que la fille du marquis n'en serait pas loin.

» Ma curiosité m'empêcha d'attendre de la voir de près.

» — Qui est cette femme assise sur la dernière chaise ? demandai-je au marquis.

» — C'est ma fille, répondit-il.

» — Votre fille ? interrompis-je avec un étonnement idiot.

» — Oui. Vous ne l'avez donc jamais vue ?

» – Je ne crois pas. Du moins, je ne l'ai jamais vue avec mes yeux d'aujourd'hui.

» Le marquis rit de nouveau de moi, avec la même gaieté qu'auparavant, et s'avança en ma compagnie, écartant la masse compacte des hommes, jusqu'à ce que nous approchions la belle reine de la fête.

» Mon émerveillement s'atténua quelque peu en me rapprochant, mais tout n'était pas qu'illusion ; cette femme, vue de près, gagnait en valeur de cœur ce qu'elle perdait dans le carat des yeux.

» C'était une femme à regarder, mais encore plus à aimer… Comment ai-je pu, en un instant, jongler avec toutes ces pensées !… L'amour a de ces intuitions lumineuses qui peuvent faire taire la passion la plus frénétique pour les chiens et les chevaux de race.

» Ce fut le cas pour moi !

» Ângela me reçut froidement, mais sans arrogance. Elle me parut triste. Son visage n'avait pas la fraîcheur de l'innocence heureuse. Cela ne m'étonna pas. L'homme que cette femme avait tant aimé était mort, et qui sait si elle n'en aimait pas toujours le souvenir ?

» Je lui dis des lieux communs et elle me répondit par monosyllabes. Je lui parlai des choses du cœur, elle me répondit par son silence. La vérité, c'est que j'étais en train de tomber amoureux. Je sentais une énergie de l'âme, un incendie soudain qui me rendaient supérieur à moi-même. Quelle misère ! Même de l'image que je supposais habiter son âme, comme l'ombre d'un cadavre, même de celle-là, j'étais jaloux ! Je remarquai la difficulté qu'elle avait à me répondre. Ângela souriait toute seule, et je pris pour de la moquerie cette attitude distraite, si tant est qu'elle ne fût pas l'expression sincère de son infortune…

» Je me retirai, troublé par la réception glaciale qu'elle me fit. Son père semblait nous observer de loin. À peine m'étais-je séparé de sa fille qu'il vint à ma rencontre. Il souhaitait s'enquérir discrètement de la valeur de sa fille, comme je demanderais à un écuyer la valeur de mes chevaux.

» – Alors, dit-il, vous vous êtes amusé ?

» – Votre fille est très avare de paroles, répondis-je.

» – Elle ne vous a donc pas parlé ? demanda-t-il, l'air fâché.

» – C'est qu'elle n'était pas à l'aise avec moi, conclus-je, partant saluer des tantes qui me faisaient signe.

» Je ne pouvais, malgré mon amour-propre, détourner mes yeux d'Ângela. Si elle avait déversé des flots d'éloquence, je l'aurais naturellement aimée pour son esprit. Comme elle ne dit rien, je l'aimai pour son silence. Le cœur de l'homme est comme le palais du pauvre : tout a, pour lui, la saveur de la nourriture.

» Je vis le marquis se diriger droit sur sa fille, se pencher à son oreille et lui dire quelque chose qui lui fit baisser les yeux au sol. Puis, à peine son père lui tourna-t-il le dos qu'elle porta un mouchoir à ses yeux, essuyant ses larmes.

» Cela m'ébranla ! Qu'avait-il pu lui dire ?

» L'homme était revenu à mes côtés, ramenant la conversation sur sa fille. Cela ne me dérangea pas.

» Il disait qu'Ângela avait des indispositions passagères, qu'il ne savait pas s'il s'agissait de romantisme ou d'un tempérament mélancolique ; mais il penchait pour la première hypothèse, eu égard au cœur de sa fille, qui avait soif d'un amour pur et saint comme son âme.

» On n'aurait pas pu faire meilleur courtier de cœurs avides !… Mais la vérité est que ces informations venant d'une source aussi fiable flattèrent ma vanité. Le marquis était expérimenté, comme tous les hommes usés. Il avait en méchanceté ce que la nature ne lui avait pas donné en galanterie. Il devinait, donc, une à une, chaque impression que ses paroles produisaient en moi. Comme il me parla de sa fille !… Aujourd'hui, je suis corrompu, Monsieur l'abbé, et je ne crois pas qu'il y ait de salut pour cette âme perdue dans l'abîme du monde ; mais même à ce stade, je ne saurais m'expliquer l'impudeur du marquis quand il m'a dit de retourner auprès de sa fille, car je la trouverais peut-être dans de meilleures dispositions. Et tout cela me sembla si bien, si naturel alors !

» En réalité, quand je m'approchai timidement d'Ângela, je la trouvai docile et souriante. Une chaise vide à côté d'elle rendit possible une conversation qui, en ce moment de confession générale, je vous l'avoue, mon Père, est devenue le souvenir qui a toujours retenu mon bras, l'empêchant de poignarder la fille du marquis de Montezelos…

» Assis à côté d'elle, malgré ma désinvolture, je me sentais l'esprit entravé et aussi pauvre en paroles que le plus imbécile de mes métayers. L'heure du courage arriva, et je lui dis que je l'aimais jusqu'au délire. Foi de gentilhomme, je ne lui mentais pas ! Que de choses lui ai-je dites, et quelle réponse me donna-t-elle ! Il suffit de vous dire, mon cher Monsieur, que, résumé tout le contenu de notre échange, n'en résulta qu'un *non* ferme de sa part, qui fit choir à terre l'âme de mon amour et s'élever jusqu'à la fureur l'âme de mon orgueil.

— Je connaissais déjà cette histoire, intervint l'abbé.

— Vous connaissiez déjà cette histoire ? C'est elle qui vous l'a racontée ?

— Je la connais. Je ne sais si je la tiens d'elle ou d'un autre, mais je sais que c'est une des plus belles fleurs de la couronne de martyre de madame la comtesse. Une telle confession, venant de vous, vous évite de poursuivre votre récit jusqu'à trouver la justice pour votre mauvaise conduite envers la malheureuse fille du pire des pères.

— Je trouve inconvenant, coupa le comte, que Votre Seigneurie s'érige en juge, avant d'entendre la déposition du prévenu.

Le malade, plus d'une fois, accompagna d'un sourire ironique certaines expressions que le lecteur aura remarquées.

Tel était son caractère, et il serait plus facile de faire sourire une statue que de retirer le sourire des lèvres du comte.

Le prêtre admirait cette incohérence, mais l'expliquait mieux que je ne peux le faire. Il disait, dans son *Livre noir*, que le rire du comte de Santa Bárbara était un acte aussi naturel et spontané pour son caractère que l'étaient les larmes pour d'autres. Et il ajoutait que l'on devait juger le rire des uns et les pleurs des autres à la même aune, car il y a des hommes, et particulièrement des femmes, qui ont un réservoir de larmes toujours à portée de main et une machine à rire aux rouages toujours parfaitement huilés. L'expression a de vrai ce qui lui manque en beauté.

Le comte, qui connaissait ses mœurs et n'était pas hypocrite, coupa court aux réflexions de l'abbé avec cette justification pleine de ses rires équivoques :

— Je vous demande d'avoir la bonté de ne pas vous méprendre sur mes expressions facétieuses. J'ai toujours été ainsi, même au plus profond de mes malheurs. Quand je n'avais personne à qui parler, je griffonnais la trame de nouvelles cocasses qui auraient fort bien pu être révélatrices d'un homme à l'esprit goguenard. Il n'en est rien, Monsieur l'abbé ! Pour mon salut, je vous dirai que j'ai enfoui au tréfonds de mon âme l'horreur de ma posture morale en ce monde... Assez de réflexions, vous ne pensez pas ?

— Ne vous privez pas d'en faire, Monsieur le Comte... Il est dommage que...

— Qu'est-ce qui est dommage ?

— Que vous ne soyez pas parfaitement heureux ! Vous le seriez si, au bal du comte de Colares, vous aviez eu un ami qui vous dise : attention, tu t'avilis en poursuivant une femme qui te repousse.

— Je n'ai pas eu d'ami, je n'ai eu personne... du moins cette nuit-là. Mon secret, je ne pouvais le confier parce qu'il me faisait honte... Là où mon orgueil aurait pu s'épancher, ç'aurait été lors des révélations faites au père d'Ângela... mais il est si naturel qu'il me coûtât alors de les faire ! Fallait-il que j'aime cette femme pour avoir honte de faire de son père mon confident ! Si je n'avais été si jeune, il aurait fallu que je sois bien pauvre en honneur et en dignité ! Le refus avait été grave et courtois, mais je voulus me persuader que Dona Ângela avait été grossière. Boudeur et exalté comme un collégien à qui l'on aurait administré deux coups de férule, je m'apprêtais à quitter le bal quand le marquis, surveillant attentif de mes moindres gestes, vint à ma rencontre.

» – Eh bien, que se passe-t-il ? dit-il. Vous partez ?

» – Je pars, répondis-je, car je ne me sens pas bien. Je ne suis pas homme à aimer les bals, parce que je ne sais pas parler à ces gens : je dois être très stupide ou très laid ! Il semblerait que je ne vaux pas un clou quand je descends de mon cheval noir et mets pied à terre où tous les autres marchent…

» – Ne sois pas si fâché, reprit mon noble ami, monsieur le marquis de Montezelos, me serrant cordialement sur sa poitrine sensible, tu es encore bien vert, mon cher Comte, et je veux à tout prix faire de toi un homme, pour que l'on ne dise pas que tu es comme moi.

» À cette étreinte démonstrative et au *tu* qui l'accompagnait, devaient succéder l'amitié, la confiance et la familiarité auxquelles, jusque-là, je m'étais fait difficilement.

» Dès lors, le marquis, du haut de ses quarante-quatre ans, me sembla un jeune homme. Nous nous tutoyions, il me racontait ses exploits de jeunesse, me demandant d'en garder le secret absolu, et pour tout ce qu'il me racontait, il concluait toujours, triomphalement :

» – Et tout cela, mon cher Comte, ce sont des aventures du temps de mon mariage… Tu vois bien que le mariage est un contrat politique, civil, économique et hygiénique jusqu'à un certain point. Tant que j'ai aimé ma femme, je l'ai aimée. Puis, après avoir vu plusieurs fois le même visage, la même taille, la même main et le même pied qui m'avaient fait perdre la tête, j'ai désiré qu'elle eût une grande main, un pied anglais, un visage paysan et une taille plus large que

147

les épaules. Comme la statue ne se transfigurait pas, je l'ai détestée… Je ne suis pas très clair… Je ne la détestai pas comme un beau meuble de mes appartements, mais comme une excroissance matrimoniale de ma vie. Voilà, Comte… La femme que l'on épouse est, de toutes les femmes, celle que l'on épouse le moins. Sais-tu pourquoi je te dis, pourquoi je te raconte ces bombances nostalgiques ?

» Je ne le savais que trop bien… Le vertueux marquis me donnait des leçons qui devaient stimuler mon esprit, au cas où l'idée du mariage m'aurait intimidé avec sa prison à vie.

» Quel beau-père généreux ! Il était disposé à me mener par la main avec sa fille jusqu'à l'autel, mais, eu égard à la grandeur de mon sacrifice, il me délivrait par avance de la servitude et me dispensait de tout le respect dû à mon épouse ! Comment ne serait-elle pas solide, la beauté de la société, avec des piliers du calibre du marquis de Montezelos !

» Mais revenons-en au bal : comme j'étais harcelé par le marquis sur les raisons de ma mélancolie, je lui répondis avec la plus stupide des naïvetés que sa fille ne m'aimait pas. Cette naïveté me fait honte aujourd'hui !… Aujourd'hui !… Il n'en faut pas beaucoup, Monsieur l'abbé ! Je vois que j'ai encore bien des étapes d'immoralité à franchir, pour être l'égal de mon défunt beau-père… vous ne trouvez pas ?

— Dieu seul voit dans les cœurs ; qu'Il fasse qu'il en soit ainsi ! répondit l'abbé, aussi écœuré par l'histoire qu'il venait d'entendre que compatissant pour la bassesse à laquelle peut en arriver un homme que la société considère parmi les plus grands dans la noblesse de sang !

Ah, si la noblesse de sang impliquait l'idée de la noblesse d'esprit !

L'abbé poursuivit :

— Naturellement, le marquis alla de nouveau réprimander sa fille, n'est-ce pas ?

— Pas du tout. Je m'y opposai moi-même, car l'homme n'était même pas capable de feindre. Alors qu'il lâchait mon bras avec une fureur de comédie, je le menaçai de ne plus remettre les pieds chez lui s'il disait encore un mot à mon sujet à sa fille, tant que nous serions au bal. Il se tint sagement : je ne le vis plus parler avec elle, mais ce silence même la punissait, et lui annonçait, peut-être, les tendresses paternelles qui l'attendaient une fois rentrée chez elle... Pauvre Ângela ! Dieu sait ce qu'elle souffrait... beaucoup, je crois !...

Le comte suspendit quelques instants son récit. Il balbutia ses derniers mots avec une inflexion tremblante de pitié. L'esprit du bien demandait à ce cœur une larme de chagrin et une épine de remords. La larme surgit, et le comte, comme si elle lui faisait honte, ferma les paupières. Mais l'épine, elle, ne pouvait se dissimuler... Ce silence portait en lui le mutisme douloureux imposé par la main qui étouffe les mots dans notre gorge.

Cinq minutes de silence s'écoulèrent, les seules peut-être de vie, de conscience et de dignité humaine que le comte ait vécues jusqu'à ses trente-deux ans.

Père Dinis, effrayé par la transfiguration du malade, lui passa la main sur le front, tâta son pouls et l'appela, inquiet. Le comte ouvrit les yeux et le fixa avec une certaine douceur dans le regard, qui impressionna religieusement l'abbé.

— Vous vous sentez plus mal ?

— Je me sens fatigué... répondit le comte, sans cette énergie dans la voix et dans l'expression dont il avait admirablement fait preuve jusque-là.

— C'était inévitable, reprit Père Dinis, nous avons tous deux oublié l'état de Votre Excellence... J'aurais dû vous le rappeler, mais, Monsieur le Comte, j'avais tellement besoin de vous entendre pour rassembler les péripéties de votre infortunée vie conjugale !

— Très infortunée... très.

Le comte allait poursuivre, quand on frappa à la porte. Le médecin insistait pour que le malade prît une dose de médication, mais le malade fit signe à l'abbé de ne pas ouvrir. Il répondit lui-même que la porte ne s'ouvrirait pas et poursuivit :

– Laissez-moi, Monsieur, céder à une sensation dont jamais je n'ai fait l'expérience dans ma vie... C'est une chose nouvelle... C'est une apparition mélancolique, un je-ne-sais-quoi de lumière céleste qui me parvient de l'au-delà, de si loin, à travers cette longue nuit de quinze ans qui est la mienne... Je la revois encore au bal ! Je vois aujourd'hui, avec les yeux de l'esprit, cette femme qui m'a rendu si malheureux et que j'ai rendue si malheureuse aussi ! Comme j'aurais été heureux si mon cœur avait été ainsi ! Ângela était si belle quand elle me demandait de ne pas l'aimer ! Oh ! Personne n'a vu comme cette femme pouvait susciter la compassion ! Les femmes la chérissaient... Elles allaient et venaient sans cesse pour la consoler... Elles murmuraient je ne sais quelle malheureuse prophétie sur son destin ! Maintenant, oui, maintenant j'entends et je ressens les paroles d'un homme que le monde appelait un poète, alors que moi, j'ignorais qui il était ! Cet homme, me voyant si souvent près d'Ângela, me parla d'elle avec tant de respect, tant de tendresse et avec les yeux si humides de larmes ! "Comte, me disait-il, regarde bien cette femme... C'est une fleur à moitié séchée qui supplie qu'on l'effeuille, car elle ne peut, à l'automne des larmes, supporter la nostalgie de son beau printemps ! Tu ne sais pas ce que c'est... Elle va dans ce monde lacérée d'agonies... Elle avait dans l'âme un reliquaire... Ils l'ont transformé en coupe de fiel... Veux-tu toi aussi, Comte, verser ta goutte dans le cœur de cette malheureuse ?! Laisse-la, car le souvenir d'un premier amour, le cadavre d'un premier amant nourrit cette existence d'une nostalgie que ta passion impétueuse ne peut lui apporter... Laisse-la, par pitié, ne l'achète pas à son père, car tu achèterais une esclave morte."

Père Dinis, les yeux radieux d'enthousiasme, rompit le silence qui suivit les dernières paroles du comte :

— Cet homme, ce poète, ne vous tint-il jamais plus le même langage ?

— Je ne le revis jamais, ni ne trouvai personne qui me parlât de lui.

— Il n'était donc pas connu de la société ?

— On disait que c'était un mystère... Je ne lui ai parlé que deux fois. La première, j'avais aimé l'entendre, autant que j'aime écouter chanter les oiseaux dans les arbres de Judée de ma propriété ! Comme il parlait ! La seconde fois que je le vis, dans ma propriété d'Almada, au lendemain du bal, il me parla d'Ângela... Je le cherchai par la suite... mais je ne le revis plus... C'était un homme de quarante ans, il portait une moustache noire et avait une stature délicate... Il parlait comme jamais je n'ai entendu parler personne... Quel dommage de l'avoir perdu... Aujourd'hui plus que jamais, le parler de cet homme serait un hymne dont le son endormirait mes malheurs.

— Quel homme admirable ! Il vous est apparu comme un ange du salut et vous a abandonné quand Votre Excellence avait le plus besoin de ses conseils !

— Il m'a abandonné quand il a vu que je faisais fi de ses attentions. Il m'a fait l'effet d'un être merveilleux ! Il est apparu, comme miraculeusement, au sein d'une société qui ne le connaissait pas.

» Il ne dit pas de qui il était le fils, mais il fut présenté dans la société par un marquis des plus grandes familles de Lisbonne, peut-être le seul qui le connût. Quand soudainement il se cacha, bien des gens s'enquirent de la disparition de Sebastião de Melo, comme il se nommait.

» Les informations se firent attendre, on le crut chevalier d'industrie. On le dit fils bâtard de feu le comte de Viso, qui avait vécu dans le Minho. On dit bien d'autres choses encore à son sujet. Les uns les attribuèrent à la manie de voir dans les hommes mystérieux des êtres romantiques ; les autres les crurent, et essayèrent en vain de retrouver la trace de cet homme. Il était probablement mort.

– Probablement. Mais que pourrait donc vous dire Sebastião de Melo qui ne puisse aujourd'hui être répété par n'importe quel autre homme de cœur, d'intelligence et d'honneur ?

– Tout ce qu'on pourrait me dire arriverait trop tard. J'ai chu… C'est au bord de l'abîme que j'avais besoin d'amis.

» Aujourd'hui, Monsieur, le mieux que pourraient faire mes amis, ce serait de me plaindre. Les plaintes, je ne les remercie pas, ni ne saurais qu'en faire. Je n'ai jamais raconté à personne les tourments secrets de ma maison. Je ne me suis jamais dit malheureux pour me rendre intéressant à la compassion des autres. Il aurait été naturel que le monde devinât l'horrible secret de mon enfer domestique, en voyant la solitude dans laquelle je me complaisais dès lors que je me vis enchaîné à Dona Ângela de Lima. Je ne me suis jamais montré avec elle en public. Je ne l'aurais pas pu sans que mon visage me dénonçât. Il y a des hontes qui font monter le rouge aux joues les plus indifférentes aux rires sarcastiques de la société. Il me semblait que le monde, me voyant tranquillement associé à une femme… pareille, raillerait ma bonne foi et m'affublerait, par commisération, de la douce épithète de *pauvre homme*.

– Par conséquent, coupa Père Dinis, vous vouliez laver les taches de votre superbe dans les larmes de Dona Ângela de Lima, enfermée huit années durant dans une chambre, avec la faim et la soif pour seules compagnes et le désespoir de l'âme pour consolation !? C'était un expédient barbare, Monsieur le Comte ! Votre âme ne se sentait sûrement pas soulagée. Ce système fait d'affronts vils et lâches, par lequel vous tourmentiez votre femme, ne pouvait vous rendre le remords moins suave, ni plus supportable la honte. Quel était votre but ?

– La tuer lentement.

– C'est vrai, la tuer lentement. Si votre Excellence n'avait pas la franchise de me répondre si loyalement de ses intentions, moi-même y aurais répondu au nom de sa conscience. Vous vouliez, Monsieur le Comte, que votre épouse meure, mais vous ne vouliez pas la tuer… Adoucissons un peu le langage de cette façon. La chose ainsi dite est moins révoltante et plus sincère, peut-être. Votre Excellence voulait que Dona Ângela de Lima meure de façon à ce que tous disent : "Elle est morte de chagrin, de honte, de remords, pour avoir trompé un homme qui l'avait achetée fort cher, la tenant pour un joyau d'innocence, un cœur immaculé, des lèvres qui n'avaient affiché un seul sourire d'affection qui ne fût propriété de son acheteur." C'est ce que vous vouliez que le monde dise, n'est-ce pas ?

Le comte de Santa Bárbara regardait l'abbé, stupéfait, comme si chacun de ces mots déchirait son cœur, fibre par fibre, pour pénétrer le secret de sa conscience, qu'il avait caché aux yeux du monde. Sans répondre à la question qui lui était posée, le comte porta la main droite à ses cheveux, qui tombaient sur son front baigné d'une transpiration soudaine, s'inclina un peu sur son bras gauche, ferma les paupières et sembla acquiescer à la question de l'ancien gitan de la propriété des Alcáçovas.

On frappa de nouveau à la porte, enjoignant l'illustre malade, au nom de l'infatigable médecine, de prendre une tisane. Père Dinis, sans consulter le comte, ouvrit la porte, prit le verre, le porta jusqu'au malade et demanda s'il avait des ordres à donner. Son Excellence répondit d'un signe par la négative. L'abbé referma la porte et resta debout, les bras croisés devant son interlocuteur qui le regardait, étonné, sans comprendre la fascination que l'humble prêtre exerçait sur son arrogance.

— Monsieur le Comte, nous allons arracher quelques épines de votre conscience. Il n'y a pas de malheur absolu sous le ciel. Nous sommes tous malheureux, si nous ne regardons qu'une face de la médaille. Votre Excellence est un problème. Pétri des vanités de votre honneur, soucieux du cachet de votre dignité au point d'imaginer que tous devinaient les secrets les plus occultes de votre déshonneur, comment avez-vous pu dénoncer votre femme au monde, la proclamant adultère, pour vous justifier des accusations qu'elle pourrait proférer contre vous ? Il n'y a pas de solution à cela ; c'est l'éternel problème de l'insondable prévarication de l'homme ! Poursuivons. Je ne veux pas vous rendre heureux. Cela est impossible. L'heure de Sebastião de Melo est passée. Il m'est à présent nécessaire d'imaginer que l'ombre de Sebastião de Melo me murmure à l'oreille, en secret, les consolations que cet homme inspiré pourrait vous offrir, s'il vivait.

— S'il vivait… il me fuirait, interrompit le comte, s'agitant fébrilement.

— Peut-être pas… je ne crois pas. Le prophète de l'infortune viendrait, tel Jérémie, pleurer sur les ruines qu'il avait prédites, quand l'opulence de Jérusalem méditait le crime qui la fit tomber pour toujours. Votre ami viendrait vous plaindre, et bien que les larmes de l'ami paraissent stériles, soyez assuré qu'elles ne le sont pas, Monsieur le Comte. Elles réconfortent, quand elles ne rendent pas au malheureux la vigueur de son âme, la croyance en un futur meilleur et la tranquillité au milieu du harcèlement du malheur, qui semble en ce moment s'acharner à vous obscurcir la vie. Sebastião de Melo vous dirait ceci : "Comte, il y a quinze ans, je t'ai dit : cette femme avait dans son cœur un reliquaire d'amour… Ils l'ont transformé en coupe de fiel. Veux-tu, toi aussi, verser ta goutte dans le cœur de cette malheureuse ? Laisse-la, car le souvenir d'un premier amour, le cadavre d'un premier amant nourrit son existence d'une nostalgie que ta passion impétueuse ne peut lui apporter."

— Qui vous a dit ces mots ?! interpella le comte, convulsivement agité.

— Votre Excellence, il y a quelques instants. Rappelez-vous que vous m'avez parlé de cet homme que le monde disait poète. C'est donc cet homme que je consulte en ce moment solennel. C'est au nom de cette mystérieuse apparition que je vous parle : "Comte", dirait-il s'il était ici, témoin de cette halte dans votre existence tourmentée… "Comte, la deuxième fois que je t'ai parlé, dans ta propriété d'Almada, c'était la veille de ton mariage. Tu étais radieux de bonheur : tu te laissais aller à des transports d'une poésie que je ne pouvais concevoir, car Dona Ângela de Lima t'avait dit la veille : 'Monsieur le Comte de Santa Bárbara, je serai malheureuse, et vous-même vous le serez aussi, si vous n'éprouvez pas de joie à être mon tortionnaire. Il n'y a guère d'autre issue'…"

— Ces paroles, Monsieur, je ne vous les ai pas répétées il y a peu ! interrompit le malade, s'adossant au prix d'un violent effort aux barreaux de son lit.

— C'est vrai, vous ne me les avez pas répétées, mais Dieu permet qu'en cet instant j'écoute les échos du passé par un miracle de l'audition. Que Votre Excellence imagine que je suis un illuminé que la Providence a conduit au chevet de la douleur.

Le comte le dévisageait avec une étrange expression d'étonnement, et Père Dinis, impassible, poursuivit :

— Sebastião de Melo dirait : "Comte, quand je t'ai étreint pour la dernière fois, je t'ai serré contre ma poitrine et je t'ai murmuré à l'oreille, pour que ton futur beau-père, le marquis de Montezelos, ne m'entende pas : 'C'est la dernière accolade que je te donne en ta saison de bonheur ; demain, si je te croise, je serrerai la main du plus infortuné des hommes.'"

— Vous avez connu Sebastião de Melo ? interrogea le comte, de plus en plus agité.

— Je l'ai connu, répondit froidement l'abbé, et il poursuivit. Cet homme, donc, que nous connaissons tous deux, dirait à Votre Excellence : "Je ne t'ai jamais revu, Comte. Je n'ai plus fréquenté les salons où nous nous retrouvions, mais je m'enquis de toi, et je sus que ta maison, sombre comme la terreur et désertée par la fréquentation du monde comme le crime répulsif, était le chevalet de tortures de ta femme… le cirque où ton âme, transfigurée en l'instinct sanguinaire d'un tigre, s'engraissait de sa victime sans défense, qui avait prédit, peu de jours auparavant, votre destin à tous deux. Je voulus te chercher… je ne sais pas pourquoi… À cette époque, Sebastião de Melo était cruel comme la colère étouffée, et robuste comme le levier de fer qui ne ploie pas sous le poids des édifices qu'il démolit. S'il t'avait ordonné d'ôter le pied du cou de ta femme et que tu ne l'avais pas retiré, cet homme aurait pointé un pistolet sur ta poitrine et tu lui aurais obéi, naturellement, mais ta femme, elle, aurait été dès lors doublement malheureuse. J'ignore si le fils supposé du comte de Viso aurait reculé devant cette première intention, si sa vie n'avait souffert un revers que tu n'as pas besoin de connaître. Sebastião de Melo disparut de la société où certains le tenaient pour un chevalier d'industrie, et d'autres, pour un important personnage. Le passé est passé. Le monde est resté et Sebastião de Melo a suivi son chemin. Cela fait quinze ans que toi seul peut-être, Comte de Santa Bárbara, te souviens de l'existence de cette énigme, qui a passé ici deux jours, drapée de mystère, alimentant l'oisiveté de la société de Lisbonne avec la pensée de sa charade…"

– C'est possible, Monsieur ! interrompit le comte, halluciné, tendant ses bras convulsés vers le prêtre.

– Possible… quoi donc, Monsieur le Comte de Santa Bárbara ?

– Vous êtes Sebastião de Melo… Je le vois maintenant… Vos yeux brillent comme les siens… la voix que j'écoute est la sienne… son corps était semblable au vôtre… Quel âge avez-vous ? Vous devez avoir la cinquantaine… exactement le même… Dites-moi qui vous êtes… vous êtes Sebastião de Melo, n'est-ce pas ?

Père Dinis tendit solennellement la main droite. Ses yeux emplis de larmes brillaient. Le rouge de l'enthousiasme colorait son visage. Ses cheveux, rares et blancs, semblaient se hérisser. Sur ses lèvres, on notait une crispation, comme si elles étaient agitées par le trouble de l'air qui ne pouvait être articulé dans l'aspiration, s'abandonnant à l'ardeur de sa poitrine haletante.

Ils étaient tous deux suspendus, silencieux, sublimes, compilant dans l'éclair d'une pensée une synthèse de douleurs cruelles, que cette rencontre avait réveillées dans leur mémoire.

XVI

La physionomie du comte se ranima. Ses forces lui étaient momentanément prêtées, mais le malade se persuada que sa mort était nichée dans son âme et que la présence d'un homme qui s'y était gravé comme un regret éternel devait la lui rajeunir. Père Dinis, ébranlé par l'émotion de tant de sentiments étouffés, fut pris d'une faiblesse. Il s'assit, posa les coudes sur le lit de son vieux compagnon de peu de jours, laissa tomber son visage entre ses mains et resta quelques instants dans cette position. Le comte l'observait, inquiet.

— Melo !... murmura le comte.

— Melo... répondit l'abbé en souriant, se nomme Père Dinis Ramalho e Sousa... c'est ainsi que le monde me connaît.

— Tu es prêtre ! Toi ! Quels détours la vie a dû prendre pour en arriver là ! Et tu es vieux ! Ce que c'est que l'homme ! Comment peut-on être ce que tu es après avoir été ce que tu fus, Sebastião de Melo !... Raconte-moi ton histoire.

— Mon histoire n'a rien à voir avec ce qui nous intéresse... Parlons de toi, Comte. Laisse parler cet homme de ton passé, vu que tu gardes encore un culte en ton âme pour sa mémoire. Respecte-le, car le malheur est vénérable.

Je ne me prévaudrai pas de mes cheveux blancs, ni ne te parlerai comme un homme de l'Évangile, qui parle au nom de Dieu car il ne peut être obéi en tant qu'homme.

— Parle… que veux-tu de moi ? Fais de moi un homme bon, si tu le peux.

— Je ne peux rien, Comte… Si ta conscience n'a pas été touchée par l'aiguillon de l'honneur, mes paroles ne feront qu'effleurer tes oreilles comme celles que je t'ai dites il y a quinze ans.

— Quinze années ont passé, Melo ! Le malheur que j'ai nourri entre mes bras veut aujourd'hui me dédommager en m'apprenant ce qu'est la vie. Dis-moi, mon ami, que dois-je faire ?

— Ce n'est pas moi qui te le dirai… mais ta conscience.

L'abbé se redressa majestueusement, serra la main du comte et, avec un inexplicable air impérieux, il dit à mi-voix :

— Sois honorable et sincère.

Puis il ouvrit la porte de la chambre. Dans la petite salle attenante, se trouvaient non seulement les gentilshommes que le prêtre avait croisés dans la chambre du malade, mais d'autres encore, venus s'enquérir de la santé de l'ami intime du roi Dom Miguel. Devant l'allure étrange du prêtre, ils semblèrent l'accuser de la réclusion prolongée où il avait tenu leur ami, au grand désagrément de Ses Excellences. Le prêtre, droit comme le battant de la porte, courbant légèrement la tête, ce à quoi daignèrent répondre de nobles saluts, dit, donnant à sa voix une intonation séraphique :

— Monsieur le Comte de Santa Bárbara me charge d'annoncer aux personnes qui lui ont fait l'honneur de leur amitié qu'elles peuvent entrer dans sa chambre.

Puis, faisant un pas vers l'extérieur de la chambre, il croisa les bras dans une posture hypocrite et reçut avec de légères révérences les gentilshommes qui le saluaient, comme s'il s'était agi d'un cardinal potentiel ou du directeur de conscience de l'évêque de Viseu.

Le prêtre suivit le dernier gentilhomme, puis, se tournant vers le greffier qui se frottait les mains d'impatience, il dit :

— Attendez.

La porte fut refermée. L'aristocratie de Santarém encerclait le lit du malade. Le corregidor, vêtu de sa robe d'apparat, multiplia les révérences aux gentilshommes qui l'encourageaient du coude pour qu'il fût l'interprète des inquiétudes que la santé de Son Excellence inspirait à ses nombreux amis. Et, de fait, l'illustre corregidor se mit à bégayer une improvisation, qui pourrait lui valoir une chaise au Suprême Tribunal de la Cour, le *Desembargo do Paço*, quand l'abbé Dinis, sous le regard insistant du comte, prit place près du malade et dit, sur un ton impérieux authentiquement apostolique :

— Monsieur le Comte de Santa Bárbara, ne pensant pas venue l'heure de présenter à Dieu les comptes rigoureux de sa vie, a pourtant voulu décharger sa conscience des mortifications causées par l'inconsidération d'une mauvaise pensée et d'une œuvre terrible. Son Excellence, dont le caractère est bon, peut encore réagir contre l'instinct du mal qui corrompt les meilleures natures, si le sentiment religieux ne prend pas part aux luttes dont l'erreur sort presque toujours triomphante.

Père Dinis scrutait du coin de l'œil, sur la physionomie du comte, le moment où il devrait se taire pour le laisser « être honorable et sincère » comme il le lui avait conseillé. Ce moment arriva, interrompant les dernières paroles du prêtre. Le comte, ranimé par le touchant préambule de l'énigmatique Sebastião de Melo, se nourrissant de cet ascendant magnétique qui adoucissait la dureté de son orgueil en docilité enfantine, parla. Il parla sans balbutier, sans fuir un instant la frayeur d'un démenti honteux à lui-même :

— Je me suis déshonoré, Messieurs, en infligeant un affront à madame la comtesse de Santa Bárbara, ma femme : je l'ai rendue malheureuse en l'achetant à un père amoral et en la contraignant au mariage. J'ai voulu qu'elle expiât les infamies de son père et lui ai fait vivre, quinze années durant, une vie d'incroyables amertumes. La malheureuse a souffert à genoux, silencieuse, humble et vouée au sacrifice avec une sainteté de martyre. Je l'ai arrachée à la tranquillité de ses larmes, ne voulant pas la croire quand elle m'a dit que son cœur était mort à l'instant où Dieu l'avait rendue veuve d'un homme que son esprit adorait dans l'éternité. J'ai médité des supplices, des affronts, des humiliations à son amour-propre, des outrages à sa dignité. Je l'ai traînée au bord du tombeau, puis, quand je l'ai vue s'enfuir, je me suis indigné que la victime ne se laissât pas arracher son dernier soupir sans que la société l'entende. La comtesse de Santa Bárbara s'est enfuie, il y a quelques jours, de sa maison. Je croyais qu'elle allait révéler des souffrances que personne n'aurait pu deviner. J'ai voulu justifier une infamie par une autre.

» J'ai répandu le bruit de l'adultère de Dona Ângela de Lima, prétendant que, pour savourer son crime sans entrave, elle avait abandonné son mari. La rumeur s'est bien répandue. L'amoralité générale l'a accueillie sans s'attarder sur mon caractère ni celui de la malheureuse. C'est une affreuse calomnie, Messieurs. Mon épouse, dont j'ignore le sort, peut être morte, ou peut, à cette heure, être tombée dans la vile condition de servante, mais son honneur, s'il est entaché, c'est par ma perversité, c'est par le contact auquel je l'ai forcée avec un homme aux instincts dégénérés qui déshonorent le nom de ses aïeux.

L'excitation avait épuisé son dernier souffle. Le comte voulut continuer mais ne put garder la posture pénible qu'il avait prise pour parler et s'affala sur le lit. La surprise se peignait sur les visages qui l'entouraient avec des couleurs qui simulaient l'indignation. Le corregidor, un honnête homme, fronçait le front et frottait la pointe de son nez de sa lèvre supérieure. Le doyen des gentilshommes de Santarém, Dom Cristóvão Vaz, fronçait les sourcils et allongeait sa lippe en signe de dégoût. Sur tous les autres visages, qui exprimaient plus ou moins la surprise, Père Dinis observa la prédominance de

160

la morale sur la corruption. L'un d'eux présentait un aspect franc, sans simagrée, gai comme la jubilation de la conscience et souverain comme l'empire de l'honneur sur les vilenies qui se tordent sur la plaine de l'hypocrisie. C'était le ministre de l'autel, le plus grand entre tous, le modèle de la grandeur de l'homme, investi de la mission de ployer les orgueils par la force prestigieuse de la parole.

Père Dinis s'approcha du chevet du lit, épongea la sueur qui coulait glacée sur le front du comte, rajusta ses oreillers, prit son pouls et fit signe aux présents de se retirer. Le médecin entra à l'instant où ils sortaient. En voyant ainsi le malade, qui pourrait, s'il vivait, l'élever aux fonctions de médecin chef du royaume, il s'alarma et demanda au prêtre si l'évanouissement remontait à longtemps, si la sueur était critique, si les spasmes étaient diaphragmatiques et les titillations intermittentes. Le prêtre sourit du bavardage stridulant du médecin et répondit qu'il n'était pas habilité à voir autant de maladies ensemble, qu'il lui semblait que cet accès n'était qu'une commotion de l'esprit, qui passerait rapidement. Le médecin, qui avait une grande expérience, ferma l'œil droit, crispa légèrement la commissure gauche de ses lèvres, fronça l'aile gauche de son nez et tapota ses dents avec l'ongle de son pouce. Tout cela signifiait que la médecine avait des moments de lucidité où elle pensait tristement au peu qu'elle pouvait. C'était le cas ici, et les grimaces du docte médecin, habitué à rendre à la poussière ceux qui sont nés de la poussière, étaient toujours un signe funeste.

Le comte s'était évanoui. Il avait pris la couleur des draps. Ses paupières tremblaient et ses tempes pulsaient, impétueuses. Ses mains, froides et livides, bleuissaient aux extrémités. Père Dinis s'alarma et demanda l'opinion du médecin.

— Mon opinion, dit-il, espaçant les syllabes tout en reniflant sa troisième prise, mon opinion est celle de la science dans ces cas. Nous sommes en présence d'une suppuration pulmonaire ou d'une altération d'un autre viscère majeur. Les médicaments antipsoriques doivent nous éclairer sur le traitement qu'il convient le mieux de suivre, au cas où le psore traduirait une crise morale que le malade serait en train de traverser. Pouvez-vous me dire si ces accès sont apyrétiques ? Avez-vous connaissance des habitudes hygiéniques de Monsieur le Comte ? Ces intermittences sont-elles caractéristiques ?

Père Dinis aurait voulu sourire aux questions du savant de Santarém, mais la situation ne s'y prêtait guère. Le comte venait de rouvrir les yeux, qui semblaient voilés par un nuage gris. Le sang, qui refluait vers le cœur, affluait maintenant en cordons saillants le long de son front. La pâleur de son visage vira soudain au rouge, comme la fleur de la grenade. Les symptômes d'une congestion cérébrale, dans l'entendement du prêtre, étaient effrayants. Le médecin examinait le malade, tâtant le système circulatoire sur tout son corps, et proposait de le saigner quand le comte, laissant échapper un gémissement profond, s'exclama, tendant la main vers le prêtre :

– Je me sens mieux !

Le médecin, très content du résultat, même s'il était contraire à ses prévisions scientifiques, posa quelques questions au malade, donna des prescriptions variées pour des symptômes variés, et alla répandre ses bienfaits sur l'humanité d'une main généreuse.

Se trouvaient donc, face à face, le sauveur de la réputation de Dona Ângela de Lima et l'homme qui, quelques heures auparavant, se serait estimé heureux d'apprendre que la comtesse de Santa Bárbara s'était jetée de l'aqueduc des Águas Livres.

Père Dinis dit affablement, portant la main du malade à ses lèvres :

– Tu as parlé avec ton cœur, Comte, mais le corps ne pouvait en supporter autant. Tu es tombé, exténué. Ton âme, pourtant, s'est élevée très haut. C'est elle qui te rendra la vigueur de tes trente-deux ans. Que te dit ta conscience ?

– Elle te bénit... Elle se sent grandie, toute-puissante

contre toutes les vexations de l'infortune, elle me promet une vie plus tranquille, m'offre toutes les choses du monde parées d'une nouvelle couleur, elle se répand et regarde horrifiée, mais sans remords, ce que j'ai semé d'ignoble dans mon voyage jusqu'ici… Des remords, j'en aurais si je ne m'étais pas ouvert aussi franchement devant des hommes atterrés par mes confessions. Tu étais le seul dans le visage duquel je voyais mon absolution… Peu importe… Comme ami, tu me suffis… Qu'ils me laissent… toi, tu ne me laisseras jamais… La solitude, maintenant, serait ma mort… J'ai besoin de toi…

— Et d'elle… coupa le prêtre.

— Oui… d'elle, mais je n'ose l'appeler ici. Personne ne croit en la transfiguration des grands pervers. Il est nécessaire qu'elle s'approche de moi sans peur. Il est trop tôt.

— Non, il n'est pas trop tôt. Dona Ângela est supérieure à toutes les femmes. Si on lui dit combien il est noble et grandiose, le sacrifice de s'agenouiller, te demandant pardon d'avoir démenti la calomnie avec laquelle tu as foudroyé sa réputation, elle viendra s'agenouiller ici.

— Elle ne peut pas m'aimer.

— Je te l'ai dit il y a quinze ans. Elle ne peut pas t'aimer… elle ne t'aimera jamais. C'était impossible !

» Qu'attends-tu d'une femme qu'on t'a jetée dans les bras alors qu'elle versait ses premières larmes pour un homme qui, sur son lit de mort, lui disait "Je meurs en martyr, ne crache pas sur ma mémoire !" ? Qu'attends-tu, Comte, de cette femme qu'au lendemain de ton mariage, tu as poussée du bout du pied dans le recoin obscur d'une alcôve et que tu as enfermée dans un enfer que toi-même étais incapable de comprendre !

— Ne me parle pas ainsi, tu me tourmentes ! dit le comte, portant sa main à la bouche du prêtre.

— C'est une nécessité, car je veux te donner le bonheur possible. Tu ne peux pas vivre une heure avec la comtesse de Santa Bárbara. Ce que tu pouvais lui faire de bien est fait.

Si tu la veux humble et souffrante, elle viendra s'humilier et souffrir. Si tu la veux morte, elle mourra. Amie, par la volonté et par l'enthousiasme, c'est impossible. Ne te crois pas l'assassin de la vie de ce cœur. Morte pour l'amour, elle l'était déjà quand on l'a mise dans tes bras. Tu n'as rien fait, sinon mortifier son corps. Ta femme doit entrer au couvent. Ce dont elle a besoin, c'est d'un peu de paix, du contact avec la vertu, qui donnera à ses croyances religieuses la solidité que le malheur a ébranlée. Elle a besoin de humer l'arôme du Ciel. Dehors, l'air est putride. La douleur matérialise et la désillusion brise le dernier soutien auquel peut s'adosser la femme coupée de tous les liens qui la retiennent au monde. Que supposais-tu donc ? Croyais-tu que Dona Ângela viendrait te caresser avec les artifices d'un amour excessif ? Ce n'est pas son caractère.

» Cette femme, si au lieu de l'avilir jusqu'aux savates de tes servantes, tu la faisais s'asseoir sur un trône, entourée de duègnes et jalousée des plus comblées des dames, elle pleurerait toujours. Il n'y a chez elle aucune ambition, ni d'amour ni de faste. Ce qu'elle demande, ce que je demande en son nom, c'est de la compassion et de la solitude. Elle veut être seule.

– Seule !... interrompit le comte, colérique. Et son fils... oui, puisque tu me pousses à cette nouvelle honte... et son fils ?!

– Qu'as-tu à voir avec le fils de Dona Ângela de Lima ? Avec le fils d'une femme qui s'est dégagée de tous les compromis envers toi, la veille du jour où tu as signé le contrat de sa vente pour quarante mille pièces de métal sonnant ?

– Elle ne m'a pas avoué l'existence de ce fils...

– Elle n'y était pas obligée. Que voulais-tu d'elle ? De l'amour ? Elle te l'a refusé. Un corps ? Tu l'as acheté. Que voulais-tu de plus ? Tu voulais la forcer à avouer son déshonneur ? Pourquoi ? Une femme qui dit à un homme "Je ne peux vous aimer" n'a pas l'obligation d'exposer ses motifs.

164

De plus, le 14 juin 1821, que t'a dit Sebastião de Melo dans ta propriété d'Almada, assis sous les saules pleureurs du portail ?

— À ce sujet... je ne m'en souviens pas...

— C'est faux... ta mémoire est bonne... Je t'ai montré une fleur, la première qui avait éclos dans un vase.

— C'est vrai...

— Et je t'ai dit : "Cette plante avait moins de valeur avant de produire une fleur. On dit que les femmes sont des fleurs, et pourtant, en ce monde, on les estime différemment. Cette plante meurt en produisant la première." Et tu as dit : "Elle meurt !" "Tu penses cela ?" ai-je demandé. "Oui... Dieu me préserve de penser autrement", as-tu répondu avec une superbe impérieuse. "Alors ne te marie pas...", ai-je repris. "Que veux-tu dire ?", m'as-tu interpellé avec une aigreur qui m'a parue propice. "Ne te marie pas... Dona Ângela de Lima est comme cette plante qui a produit sa première fleur."

— Je ne t'avais pas compris.

— Tu m'avais compris.

— Tu mens ! cria le comte, exalté, et il s'assit sur son lit.

L'abbé sourit et poursuivit, imperturbable :

— Je n'ai jamais menti. Deux heures plus tard, tu recevais un billet.

— Anonyme.

— Anonyme... qu'importe ? Ne t'y disait-on pas des choses qu'un faussaire ne pouvait savoir ?

— J'ai cru que c'était une calomnie !

— Cette conjecture de ta part fut une calamité... Récapitulons cette longue conversation : tu n'as rien à pardonner à Dona Ângela de Lima...

— Tu as raison...

— Le marquis de Montezelos est le seul qui doit parler à ta compassion.

— L'infâme !

— Dieu le jugera. La pierre du tombeau est sacrée. On profane les cendres des morts par besoin de justifier les vivants. Dona Ângela a déjà pardonné à son père. Ses lèvres, frottées par une éponge de fiel, ont maudit. Plus maintenant. Si on lui dit que son maître renonce au droit de la supplicier, elle te pardonnera.

— J'ai besoin qu'elle me pardonne… Qu'elle entre au couvent si elle le souhaite, mais je voudrais la voir juste une fois. Est-ce impossible ?

— Non.

— Où est-elle ?

— Chez moi.

— C'est où, chez toi ?

— À Lisbonne.

— Tu es incompréhensible ! Le mystère de ton existence suffit à me tourmenter ! Quels liens avais-tu avec la comtesse de Santa Bárbara ? Comment as-tu pu lui faire accepter ta maison ? Tu as de la famille ?

— Tu es de vingt ans mon cadet. Il est naturel que je meure avant toi. Le mieux que je puisse faire pour toi, c'est de consentir à ce que tu lises mes œuvres posthumes. Tu verras combien est décharné le mystère de mon existence et de mes relations avec Dona Ângela de Lima avant qu'elle devînt comtesse de Santa Bárbara. Comment ai-je pu lui faire accepter ma maison, demandes-tu. Facilement. Ma maison est le sanctuaire de l'honneur et l'asile de l'infortune. Si j'ai de la famille ? J'ai une femme de quarante ans. Le monde dit que c'est ma sœur… Quoi de plus ?

— Tu es riche ?

— Non. Je suis indépendant.

— Tu es Père Dinis ou Sebastião de Melo ?

— Les deux. Restons-en là. Laisse ces questions en suspens, jusqu'à ce que ma tombe te réponde.

— Tu veux me quitter, n'est-ce pas ?

— C'est nécessaire. Dona Ângela a besoin de moi, en ce moment, bien plus que toi.

— Quand reviendras-tu ?

— Seul ?

— Non… avec elle.

— Après-demain, au lever du jour. Nous quitterons Lisbonne à la tombée de la nuit.

— Reviens vite, car ma vie…

— Qu'a donc ta vie ?

— Elle s'éteint. J'ai dans la tête un volcan. Je ne me suis jamais plaint, mais cela fait deux ans que je sens la mort là.

Le comte posa sa main sur le côté gauche de sa poitrine, et il s'imprégna tant du pressentiment de sa mort que, soudain, son visage s'assombrit d'une pâleur cadavérique.

— Mais la vie que tu as menée ces dernières années, reprit l'abbé, a été désinvolte. Il y a deux jours à peine, il t'était nécessaire de simuler une maladie pour revenir à Lisbonne, plein de vie et de joie, capable de dépenser ta vigueur débordante avec…

— Des misères sordides du cœur humain.

— Tu l'as dit toi-même, Comte… Ce ne sera pas ce que tu prédis. Tu es jeune et tu as de la force de volonté. Repousse la mort avec vaillance morale et tu vivras. Adieu.

Père Dinis étreignit le comte. Tous deux pleurèrent. Il n'y a pas de cœurs usés quand l'émotion est noble.

Le médecin entra quand le prêtre sortait. En prenant congé, le docteur dit à l'oreille du prêtre quelques mots qui le laissèrent pensif.

XVII

Le thème fécond de toutes les conversations à Lisbonne était la fugue de ma mère. La médisance, maquillée par les momeries et les mimiques de la religion, accablait l'inqualifiable comportement de la comtesse de Santa Bárbara.

Les illustres cousines de ma mère se plaignaient d'elle comme d'une tache sur le brocart de leurs blasons. Jamais on n'avait vu une telle attitude dans l'aristocratie ! Le sang bleu bouillonnait, indigné, dans les artères héraldiques de la race pure. L'écœurement affichait des grimaces d'indignation sur toutes ces physionomies limpides et sereines comme la vertu.

L'anathème contre l'adultère était sur toutes les lèvres ! L'abject événement était un pur scandale ! Vers la maison du marquis d'Alfarela convergeaient les puissances les plus autorisées du sang pur. Là se trouvait le forum de l'information. Dans ces salons, la satire mettait un point d'honneur à empaler la victime du jour. Depuis longtemps, les soirées immanquables du mercredi, dans cette maison, étaient le Golgotha où l'illustre maîtresse de maison, aidée de ses amies présentes, crucifiait les absents. Les convives des deux sexes étaient obligés de déposer à charge, de façon que l'accusée coupable d'une imprudence ne puisse jamais faire appel à la commisération généreuse, ou à la tolérance de ceux qui pardonnent des erreurs, qui font bien souvent l'éloge du cœur. C'était là le sommaire. Le soupçon était un diplôme de débauche, la débauche une chose horrible, et toutes les épithètes obscènes étaient admises sur ces lèvres pudiques quand le zèle fervent de l'honneur les excitait. Tout était permis dans ce déchaînement extrême de morale, sauf en ce qui concernait les escapades de la marquise d'Alfarela dans la salle contiguë, pour picorer quelques baisers scandaleux, pendue au cou de Dom Martinho d'Almeida. Dans ces moments-là, l'impudence s'effaçait religieusement. C'était une convention tacite, où la plus immorale des épouses égalait en vertu l'amante de son mari.

Ce fut donc dans cet amphithéâtre, où la dissection du cadavre moral ne laissait pas une fibre intacte, ce fut là que ma mère, lors d'un de ces mercredis prédestinés, devait être jugée avec toute la solennité des lois en vigueur dans la hiérarchie de la dignité.

Étaient présentes les comtesses de Penacova, d'Aroza et Picanhal, oratrices attitrées de cette communauté. Les marquises de Santa Eulália et Simões jouissaient d'un vote définitif dans la procédure des témoignages ; dès qu'elles dirent « C'est honteux ! », toutes se mirent à vociférer sur un ton effaré et caverneux : « C'est honteux ! » Les gentilshommes présents étaient la crème de la société de Lisbonne et certains nobles de province qui appartenaient à l'armée. Parmi eux, cependant, le fait mérite d'être mentionné, se trouvait un intrus dans la lignée des nobles, qui, lors de la session du mercredi précédent, avait été la cible des médisances.

Cet homme était apparu à Lisbonne quelques mois auparavant, étalant les merveilles d'une richesse fabuleuse. Ses voitures déprimaient l'orgueil des courtisans. Son manoir, édifié avec une promptitude magique et paré des plus superbes inventions en or, avait irrité la rudesse insolente des seigneurs détenteurs de terres.

Alberto de Magalhães venait du Brésil. Quand et d'où il était parti, personne ne le savait, et il ne donnait pas l'occasion qu'on le lui demandât. La propension pour ce qui avait trait au mystère s'était chargée de le rendre célèbre. L'homme portait beau. Il n'était pas délicat dans ses formes, mais dans l'ensemble il dégageait une harmonie plaisante. Il avoisinait les quarante ans. Contrairement à l'usage, il entretenait une épaisse moustache noire, qui creusait les sillons de son visage, plus terrien que pâle et émacié. Son regard était hautain et effrayant à la fois. Observant les choses avec attention, il plissait le front et affichait un pénible ennui. Il parlait peu, mais personne ne disait que son silence était un signe de stupidité. Ses paroles étaient correctes et sentencieuses.

Il s'était rendu intéressant à la cour, car il venait de Rio de Janeiro recommandé par une notabilité qui suivait de près les intentions de Dom Pedro au sujet du Portugal. Le gouvernement, inquiet de la certitude d'une guerre longue, faisait appel à toutes les ressources pour alimenter le courage de l'armée.

Alberto de Magalhães donna, à la première sollicitation qu'on lui adressa, une somme conséquente. On le proclama bienfaiteur et les portes des salons de l'aristocratie s'ouvrirent à lui sans qu'on lui demandât qui il était ni d'où il venait. Il n'avait personne qui l'appelât son frère ou son parent. Il était seul. La curiosité s'ennuyait de ce secret. Il fallait donner du grain à moudre à ces conjectures. Les uns voulaient qu'il fût espion de Dom Pedro, disposant d'une fortune qui devait être employée à ruiner le trône et l'autel. Les autres le disaient aventurier, devenu riche grâce au négoce ignoble de l'esclavage. Celui-ci affirmait tenir d'une personne digne de foi que cet homme avait été pirate au large des côtes brésiliennes. Cet autre, prenant des airs mystérieux, disait qu'Alberto de Magalhães était le fils bâtard de Dom João VI et d'une dame d'atour de Dona Maria Iʳᵉ. Quand cette rumeur extravagante circula, quelques physionomistes célèbres jurèrent que la lippe inférieure d'Alberto était typique de la maison des Bragance.

Toutes ces opinions avaient été âprement discutées chez la marquise d'Alfarela, le mercredi précédant celui où la comtesse de Santa Bárbara, par le grave procès de son adultère, était venue chasser l'enquête sur la naissance de cet homme célèbre, allant de la basse accusation d'espionnage à la généalogie des rois. Il était présent, mais, à ce qu'il semblait, étranger à la discussion. C'est ce que ne pouvaient supporter les illustres dames attachées à donner le plus d'ampleur possible à la médisance.

La comtesse de Penacova, qui venait de rapporter non seulement ce qu'elle avait entendu au sujet de son indigne cousine, la comtesse de Santa Bárbara, mais aussi ce qu'elle avait pu inventer dans le feu de son récit, se tourna vers Alberto de Magalhães et lui dit avec aigreur :

— De quoi souriez-vous, Monsieur Alberto ?

— De Votre Excellence, répondit-il, caressant les pointes de sa moustache, sans lever les yeux des pieds de la dame qui l'interpellait avec rudesse.

— De moi ?! rétorqua-t-elle, rouge de rage.

— Du monde, Madame la Comtesse.

— Je ne comprends pas…

— Nous non plus… ajoutèrent en chœur les autres dames, avec une expression de déplaisir.

— Je n'y peux rien, Mesdames, répondit l'imperturbable Alberto de Magalhães sans quitter des yeux les pieds de la comtesse de Penacova.

— N'est-il pas plaisant, ce monsieur ! reprit celle-ci, étirant ses lèvres dans un sourire d'ennui, expression aussi gracieuse que moqueuse, capable de mettre à terre l'orgueil d'un homme.

Alberto sourit une fois de plus, la regarda de biais, comme se prémunissant des dents d'un chien qui aboie, et dit doucement :

— Votre Excellence voudrait que je dise que la comtesse de Santa Bárbara est la honte de la noblesse, n'est-ce pas ?

— Je ne vous demande pas votre avis, Monsieur. Mais je souhaiterais que vous fassiez preuve d'assez de délicatesse pour ne pas rire quand je parle sérieusement.

— Votre Excellence ne parle pas sérieusement.

— Pourquoi ?

— Car Votre Excellence, parmi bien d'autres maximes de son éloquente indignation, a affirmé que les intentions, même manquées, suffisaient à entacher la délicate réputation d'une dame bien née.

— Et alors ?

— Votre Excellence se moquait de nous.

— Vous vous permettez trop, Monsieur Alberto !

— En quoi, ma chère Comtesse de Penacova ?

— En supposant que je ne voue pas un culte sincère aux principes de morale que j'établis.

— Je n'en ai pas dit tant… J'ai dit, en revanche, que Votre Excellence ne serait pas capable de sacrifier, comme sainte Lucie, ses beaux yeux à ces principes.

— C'est une insulte ! s'exclama Dom Martinho d'Almeida, fixant Alberto avec arrogance.

— À Madame, répondit l'inconnu sereinement, indiquant la comtesse, je dirais qu'il n'en est rien. À Votre Excellence, je dirais… de le prendre comme il lui plaira.

— C'est une provocation ? demanda Dom Martinho.

— Voilà une question oiseuse. Je ne vous provoque pas, Monsieur. J'ai la satisfaction de vous dire que Votre Excellence ne me donne aucun souci ni ne m'a blessé le moins du monde.

— Monsieur Alberto, si vous êtes un gentilhomme, expliquez-moi donc votre sourire.

— Ne me demandez pas ça, Madame.

— Je le demande, je l'exige et je somme votre honneur de répondre.

— Ce que, en tout honneur, je pourrais dire à Votre Excellence, je le lui ai déjà dit. L'affaire est fort simple. La comtesse de Santa Bárbara ne peut être jugée ici. Les aphorismes moraux de Votre Excellence peuvent être exécutables. La Samaritaine peut passer, personne ne lèvera la moindre pierre contre elle.

— Monsieur Alberto de Magalhães, je vous en demanderai réparation ! dit Dom Martinho, lui touchant l'épaule.

— Vous avez eu tort de me toucher, Monsieur Dom Martinho d'Almeida. Ce genre de futilité se dit de loin.

Alberto se leva sans la moindre altération dans sa physionomie de bronze. Il prit son chapeau, s'approcha de la comtesse de Penacova, et lui murmura, presque à l'oreille, avec un léger sourire :

— Votre Excellence a à ses pieds une lettre. Si elle n'est pas de votre mari, qui est parti pour le front de Porto, ce pourrait être un outrage à vos principes de morale.

La comtesse, effarée et rouge, n'articula pas un seul son. Les présents restèrent perplexes et se dirent qu'Alberto était un homme supérieur, ou Satan en personne, déguisé.

Il sortit, saluant gracieusement la maîtresse de maison qui reçut froidement son salut. Entre-temps, la comtesse, par un subtil subterfuge, poussait sous sa chaise, de la pointe du pied, une lettre mal dissimulée par l'ourlet de sa robe.

Voici comment s'était déroulée la chose. Au début de son discours contre Dona Ângela de Lima, la comtesse de Penacova demanda à un gentilhomme de lui donner son mouchoir, qui se trouvait sur le buffet. Le gentilhomme, sans la prévenir, avait placé dans le mouchoir une lettre, à laquelle la chaleureuse dame ne s'attendait pas. Peu de temps après, dans l'enthousiasme de ses mimiques, le mouchoir laissa glisser la lettre, aperçue par le seul Alberto de Magalhães. Le malheureux gentilhomme ne trouva pas un moment opportun pour prévenir la dame de l'abîme qui se trouvait à ses pieds, alors qu'elle semblait fulminer contre l'immoralité de l'adultère avec tant de conviction. Et c'était de cet épisode grotesque qu'Alberto souriait, lorsque l'honorable comtesse, au centre de cette tragédie, l'avait questionné. Le sourire était légitime, saint, et même évangélique, si vous me le permettez.

XVIII

Le lendemain, Alberto de Magalhães recevait un cartel. Les témoins de Dom Martinho venaient s'enquérir, selon les règles, des personnes avec qui ils devraient s'entendre pour les négociations du duel.

— Avec moi, répondit Alberto.

— Ce n'est pas là l'usage. Votre Excellence doit se soumettre aux conditions qui lui seront imposées par deux gentilshommes de sa confiance.

— C'est ce que je ne concède à personne. Les obligations d'honneur, je me les impose moi-même. Je suis en pleine possession de mes moyens. Je ne renonce pas au droit de me gouverner. Je réponds pour moi : je ne me bats pas.

— Vous ne vous battez pas ?

— J'ai déjà répondu.

— Vous avez pesé les désagréments de cette décision ?

— Je n'en vois aucun.

— Il y en a beaucoup.

— Le plus grave de tous ?

— Serait de risquer une rencontre qui pourrait vous être funeste.

— Va pour la rencontre.

— Ne pouvons-nous rien faire d'autre ?

— Prendre congé.

Les témoins se figèrent devant un tel laconisme. Ils échangèrent un regard de stupéfaction et comprirent que leur mission était terminée.

Alberto sembla oublier cet épisode dès que les gentilshommes se retirèrent. Il alla dans sa bibliothèque pour écrire, jusqu'à ce qu'on lui annonce l'arrivée de monsieur José de Campos Salema. C'était un habitué de la maison. Il entra dans le bureau, enleva son manteau, enfila une robe de chambre en soie violette et s'étendit sur un fauteuil à ressorts.

Monsieur José de Campos Salema était un riche négociant, propriétaire de neuf navires qui exerçaient un commerce lucratif entre le Portugal et l'Orient, l'Angleterre et le Brésil, la Turquie et la France. C'était ce que l'on disait à Lisbonne, à son sujet. On évaluait sa fortune à quinze millions fermes, outre un crédit d'un million deux cent mille réaux auprès de l'État, dette contractée par le roi Dom João VI, dont il avait été le compagnon, lors de sa retraite au Brésil.

Monsieur José de Campos Salema était donc le premier capitaliste de Lisbonne et, à ce qu'il semblait, le seul ami intime d'Alberto de Magalhães.

— Où as-tu passé la soirée ? demanda Salema, épongeant sa sueur avec le col de sa robe de chambre.

— Chez la marquise d'Alfarela.

— Elle est ruinée. Elle a ruiné sa maison. Elle a hypothéqué la propriété d'Alvarães pour vingt ans. Elle m'a cédé pour quinze ans les rentes des commanderies de Beira Alta. Elle est pauvre.

» C'est Dom Martinho d'Almeida qui l'a réduite à cette situation. Ces fils cadets veulent que les femmes mariées leur servent de majorats. Qui y était ?

— La comtesse de Penacova, celle de Picanhal, la marquise de Santa Eulália, la…

— Assez, assez. En voilà de bonnes ! La Penacova ferait mieux de renoncer au monde, rien que pour démentir Nicolau Tolentino. Elle est presque de mon temps. Il y a vingt ans, elle était intéressante et très prometteuse. Elle a donné plus qu'elle n'a promis. Elle m'a soulagé de deux mille réaux, qu'elle a fait fondre comme neige au soleil. Tu ne connais pas cette histoire ?

— Non.

— Elle est bonne. Je te la raconte. Elle était fraîchement mariée. Sa lune de miel à peine terminée, elle en commença une autre d'huile de ricin. Elle s'est amourachée d'un certain António Pisco, écuyer de la maison. C'était une sorte de Galicien, large d'épaules et rouge comme une langouste. Il venait souvent à mon cabinet chercher l'argent des propriétés de Cascais, que le pauvre comte vendait à bas prix. Le rustre n'estimait pas sa conquête. Un jour, il m'est apparu avec un reçu du comte pour retirer deux mille réaux. Je les lui ai donnés. Quelques heures plus tard, je reçois un mot du comte me demandant si son serviteur, António Pisco, n'était pas venu chercher deux mille réaux à son ordre. Je lui ai répondu que oui et que j'avais le reçu en ma possession.

» Vingt-quatre heures plus tard, la comtesse en larmes vient me voir. Elle me dit qu'elle est l'amie du malheureux António Pisco, qui a perdu les deux mille réaux au jeu et qui se trouve à la prison du Limoeiro. Elle me demande, les mains au ciel, de lui prêter cette somme pour que le pauvre garçon ne soit pas condamné. Je lui ai donné les deux mille réaux. Je ne sais pas comment ils se sont arrangés, ce que je sais, c'est que je n'ai jamais revu l'argent et que mon ami monsieur António Pisco s'est retrouvé un beau jour propriétaire d'une auberge rue de l'Arsenal, d'où l'un de mes amis, amateur de bons petits plats, m'a dit avoir vu la comtesse de Penacova sortir un soir, alors qu'il y entrait. À part ça, c'est une brave dame. Elle donne du fil à retordre à son chapelain, avec ses scrupules. On dit qu'elle jeûne tout le carême et prie la Voie sacrée avec ses servantes.

Monsieur Salema termina sa phrase par un éclat de rire et s'étonna du sérieux d'Alberto.

— À quoi penses-tu ? Je parie que tu ne m'as pas écouté ?

— Je t'ai bien écouté. C'est une histoire intéressante… et dégoûtante… Passons à l'essentiel.

— Allez. Les navires *Raio* et *Lucifer* ont jeté l'ancre à hauteur des Antilles. Ils ont attendu dix-huit jours à bonace. Au dix-neuvième, ils ont été servis en vent. Ils ont levé l'ancre et ont navigué jusqu'à vingt milles de Cuba à la voile. Les navires espagnols sont arrivés. Il y en avait trois. L'abordage s'est fait avec peu de résistance. Ils étaient chargés de soie et de porcelaines. Lima s'en est superbement sorti… il a pris la mer, a hissé le drapeau portugais, a apprêté les batteries et a accosté à sept milles de Cadix. Il devrait arriver la semaine prochaine. J'évalue la prise à cent vingt mille réaux. Il y a pénurie de soie. J'ai fait jeter le lest par-dessus bord et j'ai demandé à Dom Pedro Gusmão, à Cadix, d'améliorer les amarres et de les rendre plus souples.

— Bien. Et en Baltique ?

— Pas de nouvelles, c'est trop tôt.

— Et le Panama ?

— Un abordage peu intéressant. Le commerce du Pérou est presque fini.

176

– Il faut déplacer les deux navires.

– Pas tout de suite. On attend un bon chargement pour l'Amérique du Sud. Une fois ce coup-là fait, on dit au revoir à l'océan Pacifique.

Le dialogue se poursuivit un quart d'heure sur le même sujet. Alberto regarda sa montre, tira une sonnette et demanda à ce qu'on préparât la voiture. Salema fit avancer la sienne et prit congé.

La voiture de l'ami intime de monsieur José de Campos s'arrêta devant l'église de São Vicente de Fora.

Alberto s'arrêta et traversa deux ou trois rues tortueuses jusqu'à s'engouffrer dans une ruelle, puis dans la meilleure maison qui s'y trouvait, dotée d'un premier et unique étage surplombant les entrées fumantes des taudis.

La porte s'ouvrit sur un homme grand au visage répugnant, vêtu à moitié à l'espagnole, portant une chemise à boutons blancs dentelés en métal, une large ceinture en tissu écarlate et un bonnet rouge.

Le fils supposé du roi Dom João VI, en passant le pas de la porte, paraissait un autre homme. Parmi les nombreuses selles pendant à des clous en bois, il en prit une, l'ajusta de façon à en faire un oreiller, forma un canapé avec quatre chaises et s'allongea dans la position caractéristique d'un muletier fatigué.

– Tu as du vin, José ? dit Alberto, essuyant sa sueur aux franges d'une couverture typique de l'Alentejo.

– De quoi soûler quinze matelots, répondit le gitan, vidant une bouteille dans un gros verre à anse.

– Tu as quelque chose à manger ?

– De la morue frite avec des œufs et des crevettes, ça vous va ?

– Le plus divin mets du monde. Pendant que je mange, raconte-moi ce que tu as fait.

– J'ai beaucoup travaillé et je n'ai rien fait.

– Tant pis.

– Je vais vous raconter. J'ai passé trois jours à Elvas. J'ai parlé avec tout ce qu'il y a de gitan et de camelot vivant dans ce coin depuis vingt ans. Personne ne connaissait ce Sabino Cabra.

» Après, je suis allé jusqu'à la propriété des Alcáçovas. J'ai trouvé un vieux domestique, qui est visiblement là-bas depuis plus de vingt-cinq ans. Il a même vu mourir le grand-père et le père de l'actuel marquis de Montezelos.

— Comment s'appelait-il ?

— João Alves.

— Et après ?

— Je suis allé voir le gars et je lui ai dit : "Vous ne vous souvenez pas d'avoir vu dans le coin, il y a de ça quinze ans, un gitan du nom de Sabino Cabra ?" Le gars s'est mis à réfléchir, a levé sa trogne comme un poney d'élevage et a dit que oui, qu'il se souvenait de ce gitan, qui lui avait, au passage, offert un dîner, à lui et à deux autres, pendant lequel ils ont bu jusqu'à ne plus savoir d'où ils venaient. Jusque-là, tout roulait, mais après, ce gitan s'est éclipsé et ce João Alves ne l'a plus jamais revu ni n'a eu de ses nouvelles. Voilà tout ce que j'ai pu savoir. Si on me demandait mon avis, je dirais que c'était pas un gitan… C'était plutôt un carottier de première. Mais quel diable de rapport avez-vous avec ce démon qui nous donne tant de fil à retordre ? On me dira ce qu'on voudra, il y a anguille sous roche… vous ne trouvez pas ?

— Des histoires, mon cher José… On n'y peut rien. Il vaut mieux laisser tomber.

Alberto se leva pour sortir.

— Ton vin et tes crevettes sont un régal, dit-il. Voilà de l'argent pour ceux que je reviendrai déguster un de ces jours.

— Oh, Monsieur ! Avec cet argent-là, on pourrait acheter toutes les crevettes, les colins et les soles qui naissent dans la mer de Dieu. S'il vous plaît… je ne suis pas usurier, j'ai des scrupules à recevoir tant d'or pour si peu de travail.

— Au revoir, José, à la prochaine fois.

Et se renfermant dans sa tristesse habituelle, Alberto

de Magalhães sortit, monta dans sa voiture et demanda qu'on le ramenât chez lui.

À la tombée du jour, le mystérieux commanditaire de l'enquête sur le gitan des Alcáçovas monta à cheval et piqua un trot de course vers le Beato António, où il avait fait construire une jolie maison de campagne, au goût oriental.

Devant le couvent des Antoninhos, il vit que trois cavaliers le suivaient au triple galop. Il remarqua et reconnut Dom Martinho d'Almeida, accompagné des deux gentilshommes, qui, le matin même, avaient été les commissionnaires du duel. Alberto se souvint, à cet instant, de la provocation. Il vérifia, et constata qu'il était désarmé. Pas l'ombre d'une émotion n'apparut sur son visage. Il tira sur les rênes. Le cheval, réfréné, avançait de côté, exécutant les courbettes que le cavalier lui concédait, exprès, pour pouvoir surveiller de biais les intentions de l'amant de la marquise d'Alfarela.

Celui-ci, subitement abandonné par son impétueux courage, ou affectant le sang-froid de la véritable vaillance, ralentit son cheval. Ses compagnons, serrés contre lui, semblaient s'appliquer à lui insuffler une nouvelle âme pour une grande action.

Alberto de Magalhães fit avancer son alezan de biais, pour se retrouver, à quelques pas de distance, face à face avec les trois cavaliers, tout en gardant un impeccable aplomb sur sa selle. Dom Martinho salua brièvement son adversaire, qui serrait la main tendue du comte de Cavez et répondait au sourire aimable de Dom Pedro d'Alvim par un autre sourire.

Dom Martinho d'Almeida, irrité par l'indifférence insultante avec laquelle il était accueilli, recouvra son courage et parvint à dire, avec une vanité et une hardiesse auxquelles lui-même ne s'attendait pas :

— Monsieur Alberto, je vous ai dit hier soir que votre honneur vous imposait le devoir d'une explication.

— Vous avez fait bien plus que cela, Monsieur Dom Martinho, vous m'avez touché l'épaule de votre main, acte auquel j'ai accordé l'importance grave et sérieuse d'une menace.

— Je vous ai envoyé aujourd'hui mes témoins. Vous avez rejeté, Monsieur Magalhães, ma proposition de duel.

— Je l'ai rejetée. Apprenez-moi quelque chose de nouveau, Monsieur Dom Martinho.

— J'en ai déduit qu'un gentilhomme digne de ce nom, lorsqu'il rejette une réparation par les armes, souhaite satisfaire son adversaire par des explications honorables.

— Vous avez mal déduit. Je n'ai aucune explication à vous donner.

— Dans ce cas, je dois vous considérer comme lâche…

Alberto de Magalhães, sans ironie ni sarcasme, laissa échapper un éclat de rire consciencieux. Puis il se retourna vers les amis du pâle épéiste et leur demanda quel parti ils adoptaient dans ce différend.

— Celui de gentilshommes, répondirent-ils : la neutralité, vu que Votre Excellence n'accepte pas les conditions du duel.

Alberto descendit de son cheval et l'attacha aux barreaux du portique du couvent. Dom Martinho, affectant un calme que son visage démentait, descendit également de cheval et le remit à Dom Pedro d'Alvim.

— Courage ! lui murmura celui-ci, quand Alberto s'avança, placide et rieur, comme quelqu'un qui s'apprête à se jeter dans les bras d'un ami. Devant le spadassin au visage défiguré, le mystérieux défenseur de ma mère croisa les bras, le fixa avec la supériorité du dédain et lui demanda :

— Alors ?

Dom Martinho, aiguillonné non par la honte de sa conscience mais par celle de deux hommes qui le croyaient courageux, éleva la voix, tant que la bravoure de ses poumons le lui permettait.

— Vous êtes un infâme lâche, Monsieur !

— N'épuisons pas votre vocabulaire injurieux.

Ces mots prononcés par Alberto furent accompagnés

d'un geste ignominieux. Dom Martinho sentit sur son visage la pointe d'un fouet. Il recula de quelques pas sans que son ennemi l'attaquât. Craignant d'être la proie d'Alberto, il sortit un pistolet, l'arma et tira, blessant son adversaire.

Le visage d'Alberto, si naturel et serein il y a peu, semblable à la physionomie inaltérable du stoïque, se transfigura dans le masque de la férocité avec tout ce que la rancœur peut peindre sur la figure d'un homme. On aurait cru voir des taches de sang sur son visage bronzé. Ses paupières s'écarquillèrent et ses pupilles, rendues vitreuses par l'éclat de la fureur, lui sortaient des orbites.

Dom Martinho recula, effrayé, certain que, n'ayant pas tué son adversaire, son salut était impossible ! Alberto l'attrapa par la ceinture, lui serrant les bras. Sa main gauche, raide comme un carcan, lui déplaça les vertèbres cervicales. Soulevé de tout son poids par le bras droit du musculeux athlète, le fluet gentilhomme agitait ses jambes comme un poulet entre les dents d'un chat sauvage. Ses compagnons contemplaient silencieux et effarés la férocité de l'homme énigmatique. Esclaves de leur honneur sans faille, ils ne rompirent pas leurs vœux de neutralité quand ils virent Alberto de Magalhães courir avec son fardeau jusqu'au bord du Tage et l'y précipiter depuis la berge, de six ou sept coudées de hauteur.

Le changement dans la physionomie d'Alberto fut immédiat. Les traits du tigre cédèrent la place à ceux de l'homme. Il était redevenu celui qu'il était dix minutes auparavant. Passant devant les compagnons de son malheureux adversaire, il les salua poliment. En remontant à cheval, il comprit que sa blessure était grave, car il ne pouvait lever son bras gauche à la hauteur des rênes.

Le comte de Cavez et Dom Pedro d'Alvim descendirent de cheval et se penchèrent sur le précipice.

Ils s'attendaient à trouver un cadavre et virent leur ami coincé entre deux rochers, le visage ensanglanté. Ils l'appelèrent et il leur demanda de le secourir. D'une taverne proche, que le curieux trouvera sur le côté gauche de la route, sortirent deux hommes qui descendirent le long du précipice et transportèrent, difficilement, Dom Martinho sur un bateau. La taverne en question possède une entrée sur le Tage.

Le gentilhomme blessé y fut installé dans une chambre. Les douleurs à ses bras et ses jambes désarticulées lui arrachaient des cris qui appelaient la compassion.

Dom Pedro d'Alvim courut jusqu'à Lisbonne à la recherche de médecins. Ils vinrent et déclarèrent qu'aucune blessure n'était mortelle.

À la porte de la taverne, les habitués philosophaient sur les événements.

Presque tous se reprochaient de ne pas avoir arraché le foie au bandit qui avait réduit à cet état ce brave gentilhomme, très connu dans le coin. Quelques moines étaient venus à la taverne recueillir des informations sur le terrible attentat. L'opinion publique était en faveur de Dom Martinho, et la clameur contre l'homme au cheval noir était unanime. Certains proposèrent d'incendier son pavillon oriental, à un quart de lieue de distance, qu'ils qualifiaient de cahute, dans leur haine pour les innovations venues de Chine.

XIX

Au milieu de ce tumulte, survinrent Père Dinis et le greffier, de retour de Santarém. Le tapage excita leur curiosité. Le greffier, guidé par son instinct, flairant dans les traces de sang un possible procès, s'enquit de ce qui se passait. On lui répondit qu'un scélérat avait jeté Dom Martinho d'Almeida dans le fleuve et s'était enfui.

Père Dinis ne récolta guère chez les moines de plus amples informations. Ils mirent pied à terre et pénétrèrent dans la taverne. Montèrent à l'étage et attendirent sur la terrasse qu'on les éclairât. Le blessé se trouvait dans une chambre voisine. Le médecin vint au balcon se laver les mains, ensanglantées des soins prodigués, et reconnut le greffier.

— Que se passe-t-il, Monsieur le docteur ? s'enquit le fonctionnaire.

— Une querelle entre un certain Alberto de Magalhães et Dom Martinho d'Almeida. Ils se sont pris de mots chez la marquise d'Alfarela, au sujet de la comtesse de Santa Bárbara.

— La comtesse de Santa Bárbara ? interrompit Père Dinis.

— Oui, Monsieur. Dom Martinho faisait chorus avec des dames qui réprouvaient le comportement scandaleux de la comtesse. Cet Alberto, que les uns disent espion de Dom Pedro, et d'autres fils de Dom João VI, a pris la défense de la comtesse de Santa Bárbara. Je n'en sais pas plus… Ce que je sais, en revanche, c'est que ce pauvre gentilhomme a un bras cassé, deux côtes rompues, une contusion à la tête, l'articulation fémorale disloquée, et je ne sais quoi encore.

— Cet Alberto de Magalhães, l'interpella le prêtre, n'est-il pas cet individu qui arriva, il y a environ un an, du Brésil ?

— C'est bien lui.

— Je ne le connais pas, reprit le prêtre, mais j'ai entendu dire que c'était un homme mystérieux.

— Un homme diabolique, c'est ce que je crois qu'il est. Dom Pedro d'Alvim m'a dit qu'il avait pris Dom Martinho sous son bras et l'avait jeté dans le fleuve comme on jette un singe mort dans le caniveau.

Père Dinis, abasourdi par ces événements inouïs, prit congé du médecin. Le greffier prit congé à son tour, persuadé que ses services seraient inutiles à faire respecter la loi méprisée, étant donné que l'on n'avait guère établi de procès-verbal, au grand dam de la justice.

Père Dinis retrouva ma mère dans l'état d'affliction où il l'avait quittée. Moi, je ne m'étais pas éloigné de son chevet. Dona Antónia, affectueuse et empressée consolatrice de ses craintes, était restée agenouillée devant la Mère de Dieu, implorant Son divin secours dans la mission périlleuse dont s'était chargé l'ecclésiastique, durant les quarante-huit heures, à quelques heures près, écoulées depuis que son frère était parti pour rencontrer le comte.

Le retour aussi rapide du prêtre effraya ma mère : cependant, son visage était joyeux, et dans son sourire, rare sur ses lèvres, parlait l'espoir et s'animait le cœur.

— Je vous trouve malade, est-ce vrai ? s'enquit-il, lui prenant le pouls.

— Malade dans l'esprit... j'étais triste... je devinais des difficultés... toujours le pressentiment du pire.

— Votre mauvais ange vous a trompée, cette fois-ci.

— Comment cela, Père Dinis ?

— Le comte est un miracle de la Divine Providence. La compassion, le remords et l'honneur ont soudain rejailli sur son âme. Votre mari vous demande pardon : il veut vous voir.

— Pour l'amour de Dieu, Père Dinis ! s'écria ma mère impétueusement. Vous connaissez les intentions du comte de Santa Bárbara ?

— Je les connais. Vous demander pardon, vous innocenter sur le pilori même où il vous a diffamée ; vous restituer le bonheur, non, car cela est impossible ; mais vous offrir une vie de paix et de tranquillité.

— En sa compagnie ?

— Non, ma fille. En compagnie de vos souvenirs et de vos espoirs.

— Espoirs !

— Au royaume de ceux qui souffrent. Il y a beaucoup à aimer hors du monde. Vous verrez ce qu'est la tranquillité dans l'amour de Dieu. Voulez-vous entrer au couvent ?

— Ah, oui, un couvent ! C'est mon ambition la plus chère... Un couvent, mon bon ami... Il me l'accorde ?

— Il vous l'accorde.

— Et mon fils ?

— Donnez-le à Dieu, et Dieu me dira ce que doit devenir votre fils… Vous voyez ? Ne vous semble-t-il pas que s'ouvre une nouvelle ère dans votre existence ? La roue tourne. Le malheur s'est fatigué. Dorénavant, il s'agit de croire beaucoup, de confier beaucoup et de beaucoup espérer. Nous partirons demain.

— Où ?

— À Santarém. Votre mari est malade.

— Malade ?!… En danger ?

— Dieu seul le sait. Il faut y aller au plus tôt. La vie est une lumière sans défense, et le vent de la mort souffle de tout côté… Aurez-vous la force d'y aller ?

— Dieu me l'accordera… Nous irons. Et ensuite ?

— Nous reviendrons aussitôt que le comte de Santa Bárbara pourra poursuivre son voyage. Dites-moi, ma fille… Avez-vous entendu prononcer ce nom : Alberto de Magalhães ?

— Je l'ai vu écrit.

— Où ?

— Sur un mot que j'ai gardé dans ma malle.

— Pour quelle raison ?

— J'ai cru que ce mot était un fouet dont le comte se servait pour me flageller. Je vais vous le montrer.

Ma mère prit dans une boîte en ivoire une lettre cachetée et lut ce qui suit :

À la comtesse de Santa Bárbara :

Il y a quinze ans, le marquis de Montezelos a ordonné l'assassinat d'un enfant de sa fille, Dona Ângela de Lima. L'infanticide chargé de cette mission n'a pas tué l'enfant, il l'a vendu. L'actuelle comtesse de Santa Bárbara a-t-elle eu connaissance de ce fait ? Répondez à Alberto de Magalhães, demeurant à Lisbonne.

– Quoi, Madame ?... intervint le prêtre, bouleversé. Veuillez relire cela... Laissez-moi lire cette lettre !... Saint nom de Dieu, quelle confusion dans ma tête.

– Que se passe-t-il ? s'effraya ma mère.

Le prêtre lut la lettre.

– Et alors ?... Lui avez-vous répondu ? l'interrogea-t-il avec véhémence.

– Rien. Je vous ai dit que j'ai cru à un leurre d'un genre nouveau forgé par la cruauté de mon mari.

– Vous n'avez pas reçu d'autres lettres ?

– Aucune autre.

– Madame la Comtesse, ayez la bonté d'écrire.

Le prêtre plia le papier et tendit une plume à ma mère qui écrivit :

À Alberto de Magalhães :
La comtesse de Santa Bárbara, diffamée dans son malheur, remercie avec des larmes le cœur généreux qui prit la défense de son honneur...

Ma mère s'arrêta d'écrire.

– Je ne comprends pas cela, Père Dinis.

– Écrivez, ma fille. Cet homme a puni cet après-midi l'un de vos détracteurs et a été blessé d'une balle dans le bras.

– Que me dites-vous, Monsieur ?... On me calomnie ainsi dans le monde ?

– On vous exalte, Madame la Comtesse... Écrivez :

Elle veut connaître le gentilhomme qui a voulu laver son honneur souillé, avec son propre sang. Cela ne pourra pas se faire tout de suite. Mais un jour, bientôt, cela se fera. Dona Ângela de Lima tient à répondre personnellement à une question qui lui fut posée, il y a dix mois, par Alberto de Magalhães.

Minuit sonnait. Père Dinis sortit et se dirigea vers la rue des Romulares, où demeurait Alberto de Magalhães.

Il y avait de la lumière dans les écuries. Il frappa, et le portier lui répondit qu'à cette heure-là il n'ouvrait pas la porte sans le consentement de son patron.

Le prêtre le pria alors d'écouter une question sans ouvrir la porte. Il se renseigna sur la blessure d'Alberto. Le serviteur lui répondit que les médecins jugeaient qu'il n'y avait pas de danger. Le prêtre lui demanda d'accepter une lettre qu'il voulait remettre au maître de céans. On la lui prit par-dessous la porte.

Alors que le prêtre s'en allait, s'approchèrent de la porte deux silhouettes qui s'y arrêtèrent. Le prêtre se dissimula dans l'obscurité, au coin de la rue voisine. Il vit qu'un coup convenu faisait ouvrir la porte. Les silhouettes y entrèrent précipitamment, et le prêtre, craignant un coup fourré, se colla au mur du palais, pour écouter. Sur le seuil de la porte, son pied heurta un objet qui brillait sur la chaussée. Il le ramassa. C'était un bracelet.

Lorsqu'il regagna sa chambre, il régnait un silence profond. Ma mère s'était endormie appuyée sur mon épaule. Moi-même, je m'étais assoupi sur un canapé, adossé à son lit. Dona Antónia, que j'avais laissée agenouillée devant l'oratoire, était la seule personne qui aurait pu entendre les pas furtifs du prêtre. Si elle les a entendus, elle a sans doute remercié le Seigneur qu'ils l'aient conduit jusqu'à sa chambre, où, après minuit, et jusqu'à trois heures du matin, elle entendit souvent le frémissement de la plume sur le papier.

Père Dinis, assis à son écritoire, remarquant le bracelet, s'attarda à déchiffrer les caractères d'une inscription sur sa face intérieure. Il ouvrit le *Livre noir* et y écrivit quelques pages sous l'épigraphe suivante, qui semble provenir de l'auteur lui-même :

Et les filles des prêtres, dans le silence de la nuit, pataugeaient dans le marécage des turpitudes, laissant derrière elles leur nom gravé sur des lames d'or, serties de brillants, pour encourager celles qui leur étaient inférieures dans la hiérarchie à suivre la voie de la corruption opulente.

XX

Une heure avant le point du jour, l'auteur du *Livre noir* frappa à la porte de la chambre de Dona Antónia et lui ordonna de se préparer avec la comtesse de Santa Bárbara. Puis il sortit, et revint accompagné de deux voitures.

Lorsqu'il arriva, ma mère crachait du sang ! Dona Antónia voulut prévenir son frère, pour ajourner le voyage : ma mère n'y consentit point. Habituée aux grandes souffrances de l'esprit, des douleurs à la poitrine ne l'ont jamais affligée : elle n'a jamais songé que les flots de sang dont elle trempait ses mouchoirs pourraient être des symptômes de mort.

Avec le prêtre, entra le vieux Bernardo, notre ami.

Le maître m'a confié à lui, et ma mère a inondé mon visage des larmes de la séparation.

Ils partirent. Les cahots de la voiture aggravaient la souffrance de ma mère. Avant Beato Antonio, elle pria qu'on la laissât poursuivre à pied, car elle craignait de mourir. Le prêtre voulut revenir en arrière, mais la malheureuse était incapable de sacrifier un désir de son âme à la jouissance d'une santé, qui, depuis quinze ans, lui était étrangère. Elle fit quelques pas et, épuisée, s'assit sur le seuil de la taverne, où se trouvait, souffrant lui aussi, Dom Martinho d'Almeida.

Dona Antónia lui demanda si elle voulait un bouillon de poule, et elle en accepta l'idée.

Père Dinis vacilla un instant dans l'irrésolution de la laisser entrer dans cette maison.

La nécessité de la restaurer et la crainte de la voir faiblir, malgré son infini courage d'âme, triomphèrent. Ils entrèrent.

Les premiers rayons du soleil d'août doraient le château de Palmela. Le ciel limpide, le Tage bleuté et le murmure matinal de la nature enchantaient l'âme dans ce recueillement intime, havre providentiel de suavissime tristesse.

La comtesse de Santa Bárbara, sur la terrasse surplombant le Tage, souleva son voile noir pour respirer ce fil d'air qui, jusqu'alors, lui avait été mesuré entre quatre murs étouffants. Père Dinis, à ses côtés, comme un père bien-aimé auprès de sa fille effleurée par l'aile de la mort, accompagnait son esprit dans son élévation, et la perçait à jour. Dona Antónia préparait de ses mains le bouillon pour sa compagne du couvent de Nazaré, et sa fille adoptive depuis que le malheur l'avait jetée dans ses bras, abandonnée du sort.

Soudain, la porte donnant sur la terrasse s'ouvrit, et apparut la marquise d'Alfarela, dont l'intimité avec Dom Martinho d'Almeida était bien connue de monsieur José de Campos Salema, le propriétaire des neuf navires et des quinze millions.

Dona Ângela de Lima voulut baisser son voile, mais il était trop tard. La marquise voulut reculer, et il était trop tard également. Elles se toisèrent, chacune luttant contre le dégoût, mais pour des motifs différents.

La marquise rompit le silence, balbutiant :

— Oh, cousine Santa Bárbara !... Toi, ici ?

— C'est vrai !... Notre rencontre est étrange !... Tu viens d'arriver ou tu étais déjà là ?

La marquise prit sept couleurs et marmonna autant de monosyllabes. Ma mère n'a pas compris. Père Dinis était troublé. Il voulait éviter l'affrontement, mais n'en voyait pas le moyen. Il regrettait son mutisme par trop mystérieux.

Il se retira, soit parce qu'il estimait que sa présence pourrait accroître leur embarras, soit par crainte que la marquise ne le provoque en lui assenant ces terribles traits d'esprit qui jaillissaient toujours de ses lèvres, piquants et précis, comme des flèches d'un arc.

La marquise, restée seule avec ma mère, l'étreignit tendrement.

— Raconte-moi tes malheurs, ma cousine ! lui dit-elle, modulant sa voix sur le ton de la compassion. Hier encore notre cousine Lencastre et notre cousine Natividade plaignaient ton sort, indignées d'une rumeur infâme que l'on fait courir à ton égard.

— Que veux-tu, ma cousine, la calomnie ne respecte même pas le malheur.

— Cela est vrai... À qui le dis-tu !... J'en suis victime comme personne, et Dieu connaît ma conscience et mon cœur.

— Et que disait-on de moi ? Que j'étais adultère, n'est-ce pas ?

— C'est vrai ; vois-tu, Santa Bárbara, comment peut-on vivre dans cette société de calomniateurs et de calomniatrices, qui, la plupart du temps, ne quittent nos salons que pour jeter notre réputation dans le bourbier de la canaille ?

— Moi, je ne me plains pas, ma cousine, ni de la société, ni de la Providence, ni de moi-même. Je suis malheureuse parce que je dois l'être. Dieu veut que je souffre... Et alors ? Le vermisseau doit-il se révolter ?

— Ma pauvre ! Comme tu es amaigrie !... En quinze ans, je ne t'ai pas vue quatre fois... Et maintenant, où vas-tu ?

— Voir mon mari.

— Oui ? Voir ton mari ? Regarde comme est le monde !... On dit partout que c'est lui-même qui a répandu la nouvelle de ta fugue.

— Je ne sais pas, cousine marquise... C'est peut-être ainsi... Le pire, c'est qu'il est souffrant à Santarém... Je vais lui rendre visite et voir s'il est en état d'être ramené à Lisbonne. Quant au reste... le monde peut parler... Si tes amies te disent que je suis une méchante femme, dis-leur que je leur pardonne de tout cœur.

— Mes amies !... Elle est bonne, ma cousine ! Tu n'imagines quand même pas que dans ma maison quelqu'un oserait rabaisser ton nom !

— Je ne l'imagine point ; je sais cependant que mon honneur est disputé en duel.

La marquise pâlit. Ma mère poursuivit, sans remarquer le trouble de sa cousine :

— Tu n'as pas eu vent du duel, je crois bien que c'en était un, entre Dom Martinho d'Almeida et...

Le reste de sa phrase fut interrompu par l'arrivée de Dona Antónia, qui apportait le bouillon. Père Dinis l'accompagnait, et il remarqua la physionomie de la marquise. Il devina tout. Tandis que la comtesse prenait son bouillon, la maîtresse de Dom Martinho cherchait un prétexte pour prendre congé. Père Dinis, cependant, n'était pas homme à négliger, par ignorance, fût-ce le plus infime détail d'un sujet qui méritait d'être consigné dans le *Livre noir*. Il demanda :

— Madame la Marquise d'Alfarela. Comment allez-vous, Madame ?

— Bien ; je vous remercie beaucoup.

— Toujours un exemple de bonté et de vertu.

— Certainement... Je n'ai pas le plaisir de connaître Votre Excellence.

— Ce traitement me fait trop d'honneur... Je ne suis qu'un prêtre.

— Sans doute le chapelain de ma cousine de Santa Bárbara.

— Pas le chapelain, Madame la Marquise... un simple serviteur.

– Un père… l'interrompit la comtesse, le dévisageant avec la tendresse d'une fille.

– Eh bien, je n'avais pas le plaisir de vous connaître… Mon mari vous connaît-il ?

– Non, Madame… Je ne vis pas à portée de son regard… Mais moi, je connais ses vertus, qui sont du domaine public. Et, si je ne me trompe, je crois l'avoir aperçu à la fenêtre, de l'autre côté de la maison.

– Oui, bégaya la marquise, il est ici aussi.

– Partez-vous en voyage ? demanda le prêtre, affûtant la lame d'une sarcastique simplicité.

– Nous attendons une famille… Nous allons à Farrobo.

– Ah, oui ?… Vous vous êtes donc levés de grand matin.

Leur dialogue fut interrompu par l'arrivée d'une voiture. C'était le médecin, que le prêtre avait déjà connu par l'intermédiaire du greffier. Arrivant sur la terrasse, le docteur, supposant que les trois dames étaient parentes du malade, demanda :

– Comment va Dom Martinho ?… Il s'est sans doute plaint.

Personne ne lui répondit. La marquise tourna le dos au groupe et regarda le Tage. Dona Ângela de Lima fixa, stupéfaite, le visage du prêtre. Ce dernier souriait, les yeux rivés au sol. Le docteur crut donc que la malchance l'avait égaré au milieu d'un tas d'imbéciles. La seule personne qui semblait vouloir lui répondre, sans bien savoir quoi, c'était Dona Antónia, qui entrait dans ce jeu avec la même innocence avec laquelle elle entrait dans toutes les intrigues. Ce qui acheva de convaincre le docteur, soit de la démence de ces gens, soit d'une confusion indéchiffrable, ce fut le prêtre lui-même, lui imposant silence le doigt sur les lèvres, lorsqu'il fut, une deuxième fois, interrogé sur l'état de Dom Martinho.

La situation devenait pénible pour tout le monde. Père Dinis offrit son bras à la comtesse et salua le dos de la marquise qui, se retournant pour répondre au salut, n'avait sur son visage un seul trait qui ne fût de la couleur du maroquin.

Ma mère, remontée par l'excès de vie que de telles émotions insufflaient à son esprit, se trouva plus confortée dans son corps, ou plus oublieuse de ses douleurs de poitrine. Elle monta dans la voiture et voulut que le prêtre s'assît à ses côtés.

Ce secret, dit-elle, la tourmentait. Elle se voyait forcée de tout raconter au prêtre ; et si elle ne l'avait pas fait, le *Livre noir* ne se serait pas enrichi du dialogue de la marquise d'Alfarela avec sa cousine calomniée, deux jours après que celle-ci l'eut flagellée à coups d'indignation, en proposant à son illustre assemblée l'adultère de sa « cousine indigne » comme thème de la soirée.

Dona Ângela de Lima voyait se déchirer le brouillard qui lui cachait la face obscène du monde. Cependant, par répugnance, par dégoût, il lui semblait impossible de croire à ce visage ulcéreux, sordide de la société. Père Dinis sut que l'heure avait sonné de dessiller les yeux de cette pauvre femme, puisque la trahison, l'imposture, l'infamie assiégeaient son existence. La comtesse de Santa Bárbara, tenue à l'écart, depuis ses dix-sept ans, du foyer de la grandeur dans le vice et le luxe, supposait que son père était le premier homme pervers, son mari le second, et que ces deux hommes, une fois retranchés de la famille humaine, laisseraient la société purgée de ses ordures.

Le prêtre, tout au long de ces sept ou huit lieues de route, lui mit devant les yeux le flambeau de l'expérience. Tout d'abord, la lumière fut trop éclatante, et la malheureuse dame en souffrit. Ensuite, ses oreilles prirent l'habitude d'entendre l'anathème des lèvres d'un vertueux, et elle conclut que le monde était détestable. Elle fut alors sublime ! Lorsque le prêtre lui demanda ce qu'elle trouvait ici-bas de bon pour la vertu, qui se débat dans un continuel paroxysme sur le lit d'épines que lui dresse l'infamie, Dona Ângela de Lima pointa le ciel et s'illumina d'une joie surnaturelle.

La nuit était tombée. Santarém n'était plus qu'à un quart de lieue. Par à-coups, la brise ramenait de là-bas un murmure de plus en plus affaibli. C'étaient la population qui quittait les places et le grand souffle d'un bourg populeux qui s'évanouissait dans la fatigue de l'agitation diurne.

Le prêtre avait cédé sa place, dans la voiture de la comtesse, à Dona Antónia, qui murmurait son rosaire avec ferveur, l'offrant à la Vierge, l'implorant d'être la protectrice de sa malheureuse amie. Ma mère, ravie par la transparence étoilée du ciel, ressassait des mélancolies qui lui tiraient des larmes de regret, toujours amères quand l'espoir est impossible.

Père Dinis était triste, de la tristesse éternelle du génie et de la vertu, en révolte contre l'ignorance et le crime. Cette aimable nature, qui alentour l'appelait à la paix, lui était un aiguillon de la plus profonde douleur. Le silence de la nuit rendait plus douloureux encore le tumulte qui, intérieurement, lui agitait le cœur. Son âme était un gouffre. Cet homme vivait depuis quinze ans en mourant à chaque instant. Au déclin de son existence, à cinquante et quelques années, il se sentait fort d'une vigueur providentielle, qu'il devait consumer en combats tourmentés.

Le visage d'un cadavre et l'esprit bouillonnant des aspirations d'un jeune homme ! Le corps affaibli à l'approche du tombeau, et l'éther de l'âme embrasant tout autour un vaste horizon, peuplé de grandes passions, mais généreusement grandes ! « Qu'ai-je été ? », se demandait-il, les yeux rivés au loin à la lisière du ciel, aussi profonde que le secret de son destin. « Qu'ai-je été ? La damnation ! Un mythe de souffrances, mêlées de plaisirs, que le monde tient pour des excentricités ! Un ambitieux de gloires, susurrées au monde et recueillies dans le temple de la conscience, comme des trophées que le monde écarterait de son chemin du bout du pied !... » L'absorption de cette douleur enviable se poursuivait en un dialogue entre Dieu et l'homme, lorsque le retentissement du glas, se répandant le long des ravins et des landes tel un air mélancolique, ramena l'esprit du rêveur à la douloureuse positivité de la terre.

La voiture de ma mère s'était arrêtée sur son ordre. Le prêtre s'enquit de ce qui était arrivé.

— Rien, dit-elle. N'entendez-vous pas ces cloches ?

— Je les entends… et alors ? Il est bien triste, ce son, n'est-ce pas ?

— Mon cœur en est serré.

— Soyez tranquille, Madame… Il y a beaucoup de vivants à Santarém… Il suffit que l'un d'eux meure…

Les voitures reprirent leur route. En quelques minutes, elles parvinrent à Santarém.

La comtesse confia à Dona António qu'elle sentait son sang bouillonner dans ses veines. Son pressentiment lui peignait dans les vives couleurs de la réalité l'idée, qui avait passé comme l'ombre d'un linceul devant ses yeux, dès que la première plainte de bronze était allée de son oreille à son cœur. Et, cependant, elle ne pouvait pas dire avec précision ses craintes. Ce qu'elle ressentait, c'était le trouble impénétrable de l'augure. La nuit, le silence, le ciel et la solitude prêtaient des formes à ce que la philosophie, prise au dépourvu, tient pour un abus des âmes faibles, le fantôme d'un esprit insoucieux et toutes les autres injures avec lesquelles la matière se venge de tout ce qui est supérieur, même de la souffrance !…

Ils entrèrent à Santarém. La voiture de Père Dinis passa devant et s'arrêta devant l'auberge du comte de Santa Bárbara. Des groupes de badauds y étaient assemblés. Le prêtre se souvint du pressentiment de ma mère. Son cœur sursauta. Il voulut s'arrêter là. À quoi bon ? Si leurs soupçons étaient la vérité, la vérité, en ce lieu, ne pouvait plus être cachée. Ils parvinrent auprès des groupes de badauds. Le prêtre demanda quel événement les rassemblait là. Plusieurs voix lui répondirent :

— Monsieur le comte de Santa Bárbara est mort.

Ma mère les entendit. Dona António surprit le gémissement qui s'échappa de ses lèvres et la prit dans ses bras.

– Ce n'est pas nécessaire, murmura ma mère, j'ai des forces et du courage pour davantage encore… Je veux descendre.

Le prêtre lui ouvrit la portière.

Dona Ângela descendit. Sans un mot d'affliction. Père Dinis s'en étonna.

– Où est-il ? demanda ma mère, prenant le bras du prêtre.

– Dans cette maison.

– Je veux le voir.

– Pour quoi faire ?… Vous ne savez donc pas…

– Qu'il est mort… Je sais… Je le savais déjà… Dieu me l'a dit… J'ai déjà prié pour son âme.

– Eh bien, continuez de prier ; mais n'y allons pas. Votre Excellence descendra dans une autre auberge.

– Respectez ma volonté, mon Père.

La veuve gravit les escaliers avec une étrange désinvolture. Elle se fraya un chemin dans la foule des gentilshommes qui débordaient de l'antichambre.

Elle pénétra dans la pièce où, vingt minutes auparavant, avait expiré son mari.

À côté du crucifix, les cierges brûlaient toujours. Le cadavre n'avait pas encore été touché. Il était découvert au-dessus de la taille. Le col de sa chemise, trempé dans la sueur froide de la mort, semblait se confondre avec la peau verdâtre de ses épaules. Un bras pendait, dénudé jusqu'au coude. L'autre était resté en travers de sa poitrine. Une partie de ses cheveux lui collait à la tête, l'autre, en désordre, se mêlait aux dentelles de l'oreiller. Il avait les yeux mi-clos. Ils étaient entourés d'une zone jaune saupoudrée des gouttes de la transpiration de son agonie. Son nez, effilé à la base et dilaté sur les ailes, projetait des rayons sombres jusqu'au coin de ses lèvres, où les ombres étaient relayées par deux traits de sang noir. L'extrémité de sa langue, crevassée par des sillons grisâtres, se voyait, juxtaposée aux dents supérieures, couvertes de caries et rayées de sang glacé. La barbe qui lui avait poussé en

196

empâtements humides, comme gluants, lui tombait sur le cou, où les veines, encore turgescentes, semblaient haleter ses derniers râles.

Tel était le tableau que la comtesse de Santa Bárbara avait devant elle. A-t-elle tressailli ? Recula-t-elle ? Non pas. Ceux qui s'apprêtaient à emmener le défunt chez son cousin Dom Cristóvão Vaz s'écartèrent du lit. La comtesse s'en approcha. Elle s'agenouilla entre le lit et le guéridon où étaient posés les cierges, qui enveloppaient cet intérieur d'un éclat terrifiant. Elle joignit ses mains.

Elle riva ses yeux, brillants de larmes, au visage de Jésus-Christ. Ses lèvres ne bougeaient point. Ses mains tremblaient dans une convulsion imperceptible. Elle n'avait pas encore levé son voile. Personne n'avait vu son visage, et tous l'avaient reconnue. C'était une scène respectable.

Cette angoisse ne pouvait pas être regardée par des indifférents, ni interrompue par des consolations banales. Le prêtre s'était agenouillé au pied du lit. À ses côtés, Dona Antónia. Les autres se retirèrent. Le silence était profond.

Et toutes les tours de Santarém vibraient de cette plainte stridente qui jette à terre toutes les superbes illusions de ceux qui comptent sur le présent pour accéder à de nouveaux stades de bonheur futur.

XXI

Vingt minutes plus tard, Père Dinis ne pouvait plus respirer les miasmes de cette chambre.

Dona Antónia, défaillante, se retira, appuyée à son frère. La comtesse semblait étrangère à tous ces mouvements.

Craignant ce qui allait effectivement arriver, le prêtre pria ma mère de se retirer elle aussi, puisque les prières étaient entendues au Ciel de tous les points de la Terre et que l'air impur de cette chambre, si elle s'entêtait à le respirer, ne pouvait qu'accroître gravement ses maux de poitrine.

Absorbée par sa douleur, ou bien indifférente aux raisons de son affectueux ami, elle ne répondit pas. Quelques minutes plus tard, elle devint livide comme quelqu'un qui se vide de tout son sang. Elle vacilla sur ses genoux et tomba en avant, la tête sur la banquette et les mains sur le piédestal de la croix. Seulement alors, avec l'affaiblissement du corps, ses lèvres purent obéir à l'injonction de l'esprit. Le prêtre entendit ces mots :

– Seigneur ! Pardonnez-lui et ne me condamnez pas, moi…

Quelques dames des familles les plus illustres du bourg vinrent alors inviter la comtesse à se rendre chez elles. Elle fut emmenée sans connaissance à la maison la plus proche.

Le cadavre, enveloppé dans un linceul, fut conduit à l'église. Les médecins recommandaient qu'on l'ensevelît avec la plus grande célérité.

Père Dinis accompagna, avec sa sœur, la convalescence de ma mère. Le repos lui avait rendu des forces. Les gens, qui s'empressaient autour d'elle, la mortifiaient. Elle les pria avec délicatesse de lui accorder quelques instants de silence et de solitude. Tous se retirèrent, sauf le prêtre, à qui elle ne consentit pas de s'éloigner. Ce fut lui qui rompit le silence angoissant après quelques minutes :

– Votre âme est angélique, Madame la Comtesse… Vous ne pouviez pas ne pas souffrir… Vous avez pardonné… Vous ne pouviez pas ne pas pardonner.

– J'ai pardonné… Quand on le demande ainsi, avec autant de souffrance et de tourments, il est impossible que Dieu n'écoute pas.

– Il écoute. Et encore plus les suppliques de la victime qui demande le pardon du…

– … malheureux qui la tuait parce qu'il ne la comprenait pas… Il le sait… Je ne lui ai jamais fait de peine… Je ne me suis jamais révoltée contre le martyre… Lorsque la douleur excédait mes forces, je le haïssais, mais je ne serais pas capable de me dédommager de tant de larmes en pleurant une seule larme d'amertume sur les larmes versées… Il le sait… Son esprit ne m'effraie point… Je ne vois pas de fantômes accusateurs dans ma conscience… Je suis venue lui pardonner, et souffrir encore, si sa volonté l'exigeait… Je pardonne… Je lui pardonne tout. Que Dieu ne lui donne pas un seul moment d'expiation… Qu'il ne goûte jamais à l'amertume de mon fiel… Que le sein de Dieu lui soit ouvert, si mes larmes ont quelque poids dans la balance de ses iniquités.

Ma mère sanglotait, noyée dans ses larmes, les cheveux en désordre, le visage enfoui entre les mains. Père Dinis, rompu à toutes les vicissitudes de la souffrance, et de la souffrance en tout genre, n'étouffa pas en elle cette respiration de l'âme. Il la laissa parler et pleurer. Il fouetta toutes les cordes de sa sensibilité. Il attisa tous les sentiments qui pouvaient être dilués dans des larmes. L'homme de cœur pourrait ici paraître cynique, expérimentateur de la qualité des souffrances d'autrui. Tout autre aurait réfuté une douleur légitime avec la frivolité de niaises consolations. Pas lui. Lui, il appliquait le fer chauffé à blanc sur la plaie, exacerbant la douleur pour en brûler les excroissances et guérir le mal avec le plus grand tourment d'un instant, alors que des palliatifs, souvent, avec une longue durée de souffrances mineures, laissent entrer la mort dans nos entrailles.

Cette pratique, en tête à tête avec ma mère, fut longue et riche en larmes. Personne ne s'immisça dans le secret de ces deux âmes qui avaient besoin de solitude pour s'abandonner à ces douloureux épanchements. Des heures s'étaient écoulées lorsqu'on annonça à la veuve qu'un magistrat et un dominicain souhaitaient lui parler. Père Dinis supposa que la venue de ces personnes était motivée par l'urgence.

Ils entrèrent.

Le magistrat déposa dans les mains de ma mère

un testament, qu'il disait être celui de feu monsieur le comte de Santa Bárbara.

Le moine, majestueux dans son humilité, s'inclina en remettant à la comtesse de Santa Bárbara une lettre qu'il précéda de ces mots :

— J'ai été le ministre de la pénitence qui a assisté pendant vingt-quatre heures les paroxysmes de monsieur le comte, que Dieu aura appelé à Sa divine présence. La lettre que j'ai l'honneur de remettre entre les mains de Votre Excellence m'a été dictée par votre mari et signée de sa propre main. Je devais la porter, demain, à sa destination ; mais le Très-Haut a voulu que Votre Excellence vienne pleurer aux côtés du cadavre, n'ayant pu assister ce juste, dont la contrition a exhalé l'âme que le monde pervers avait entravée. Ma mission n'est pas encore accomplie. Il me faut savoir si le révérend père Dinis Ramalho e Sousa est ici présent.

— Votre serviteur, dit le prêtre, faisant un pas vers le dominicain.

— C'est vous ? insista le moine, ouvrant les bras.

— C'est moi.

— Eh bien, cette étreinte, je l'ai reçue des bras presque glacés par la mort pour vous la transmettre. Recevez-la comme un trophée. Vous n'en avez certainement pas de plus grand en toutes vos vertus. C'est l'étreinte d'un homme à qui vous avez voulu apprendre à vivre… sans y être parvenu… Mais vos leçons ne se sont pas perdues… Vous lui avez appris à mourir. Vous, vous avez semé, moi, j'ai récolté. Vous avez remis à mon tribunal un homme purifié, je l'ai absous. Ce triomphe est le vôtre. Je sais que vous êtes un homme supérieur. Votre pouvoir vient d'en haut. Soyez l'ami de tous les malheureux, comme vous l'avez été du comte de Santa Bárbara. Soyez mon ami, moi qui suis le dernier des hommes, et le premier parmi ceux qui prient Dieu pour que jamais votre secours ne fasse défaut aux malheureux, qui se perdent parce qu'ils ne possèdent pas un seul ami. Embrassez-moi maintenant, car je suis le porteur de l'héritage que vous a légué un moribond !

Ces deux hommes vénérables, mêlant leurs larmes dans les bras l'un de l'autre, formaient un tableau, de ceux qui font vibrer dans le sang la glace et le feu de l'enthousiasme. Dona Ângela, les mains jointes, contemplait la scène et se sentait tomber insensiblement à genoux. Le magistrat lui-même, âme stérilisée au spectacle des sentiments, tremblait nerveusement et ne dédaignait pas de verser une larme, qu'il avouerait être la seule, en quarante ans. La voix sonore du moine fit accourir la famille et se précipiter tous ceux qui le tenaient pour un saint. Elle était grandiose, la touche visible de la ferveur religieuse en toutes ces physionomies ! Ces gloires, ces conflits sublimes sont exclusifs à la religion. Là, il y a de la divinité, il y a de la flamme céleste, il y a une élévation qui n'est pas de ce monde ! Le dominicain, s'arrachant aux bras de Père Dinis, salua la comtesse, pour prendre congé, en lui disant :

— Madame, avez-vous besoin de moi ?

— Votre compagnie me sera toujours chère.

— Je vous laisse le Père Dinis. Écoutez-le. Ce qu'il vous dira, je ne saurais pas vous le dire. Je suis moine, Madame – ajouta-t-il avec un sourire –, ma cellule est veuve de son époux fugueur depuis vingt-quatre heures... Il nous faut faire la paix. Que la grâce de Jésus-Christ soit avec vous.

Lorsqu'il disparut, Père Dinis murmura, dans le secret de sa conscience :

— Combien je suis petit !

Le magistrat, évanoui le sentiment qui lui avait fait oublier les raisons qui l'avaient amené là, appela des témoins pour assister à l'ouverture du testament. La veuve le pria de ne pas le lire en sa présence. Le magistrat prit congé avec urbanité, et avec lui les autres personnes, qui avaient devancé le souhait de la comtesse. Elle était impatiente de lire la lettre. Seule avec Dona Antónia, elle l'ouvrit d'une main tremblante et lut, en sanglotant :

Ângela

Écoute ce cri poussé au pied de la tombe. Mes lèvres, bien-tôt pâture de la vermine, t'appellent. Ângela, le cœur me dit que tu viendras trop tard. Tout à l'heure, tu t'agenouilleras peut-être près de ce corps refroidi, de ces yeux éteints, de ces oreilles sourdes au pardon de tes lèvres. Ângela, agenouille-toi et pardonne, car j'attends aux portes du ciel les mots de ma rédemption ! Ne t'enfuis pas, terrorisée, loin de ce cadavre. L'ombre de ton bourreau gît ici. Si j'ai des ennemis, qu'ils viennent cracher sur la dépouille de mes triomphes ; mais toi, ne crache pas, mon unique victime. Pas toi, Ângela, car je meurs avec ton image dans mon cœur, et je dois répondre à Dieu lorsqu'Il me dira : « Damné, qu'as-tu fait de ton épouse ? » Ângela, tu as maudit ton père, et il est mort en repoussant les fantômes qui l'étouffaient. On l'a entendu pro-noncer ton nom en indiquant le pied du lit, poussant des râles grinçants qui glaçaient le sang de ceux qui y assistèrent. Tu l'as maudit lorsque je t'ai dit : « Tu seras la victime expiatoire de l'infamie de ton père ! »

Ne me maudis pas moi, Ângela ! Pas moi, que l'on a fait malheureux, et sordide, et méprisable ! Pas moi, ma pauvre épouse, car je reconnais que je dois mourir à l'instant même où je suis déchiré par le remords ! Mourir du choléra ou de honte, c'est le destin que Dieu se devait de m'accorder pour que je ne lève plus les yeux vers toi. Ângela, j'entends dire que tu m'as pardonné. Auprès de moi se trouve un homme qui me promet ton pardon. Et auprès de toi il y a un juste qui te dira de me pardonner. Écoute-les tous deux, Ângela ! Ne ferme ton cœur à aucun d'eux, pour que les supplices du condamné ne me soient pas éternels... Ângela !... Adieu !... Sauve-moi, toi, et que le monde conspue la mémoire du

Comte de Santa Bárbara.

Ces dernières lignes, ma mère ne parvint déjà plus à les lire, prise de convulsions, étouffée par les sanglots, versant à chaque ligne une larme. L'exaltation fiévreuse avec laquelle elle avait commencé à lire se mua en une apparente paralysie. Ses paupières tremblaient, comme si une attaque de goutte sereine lui avait obscurci la vue. Elle voulait lire, et n'y parvenait pas ; lisait, et ne comprenait plus ; elle laissa tomber la lettre et joignit les mains ; elle ne lisait plus : elle priait. Cette prière, si fervente, si élevée dans l'auguste sainteté de cet instant, lui faisait monter aux lèvres tout son cœur, toute la ferveur d'une foi qui lui peignait Dieu à ses côtés, qui l'écoutait, la consolait, cueillait le pardon de ses lèvres, comme le « mot de rédemption », tel que le lui avait demandé le criminel agonisant. Père Dinis la trouva dans cette extase. Il ramassa la lettre par terre. Au bout de quelques minutes, ma mère lui demanda :

— L'avez-vous lue ?

— Pas encore.

— Lisez-la, et priez Dieu avec moi.

Ainsi fut-il. Alors qu'Ângela se retirait dans sa chambre, Père Dinis, enfermé dans la sienne, entama une prière par ces mots :

— Grand Dieu ! Tu m'as donné un éclair de foi ; Tu as illuminé mon cœur ; Tu m'as convaincu que le crime et la vertu ne sont pas seulement punis ou récompensés sur Terre. Dieu de miséricorde ! Reçois la supplique fervente du néophyte !… Pardonne au ver, qui n'a pas pu traîner plus longtemps le poids de ses iniquités. Pardonne à celui qu'à cet instant personne n'accuse. Acquitte-le de ses terribles dettes, car les larmes pleurées dans l'agonie sont comme celles que, sur Terre, pleure la martyrisée sur les épines de sa couronne.

XXII

Frère Baltasar da Encarnação, le dominicain, le confesseur du comte de Santa Bárbara, alla trouver Père Dinis le lendemain, dès le lever du jour.

— Je suis venu tôt, dit-il, car je me doutais que le soleil ne vous aurait pas retrouvé au lit, Père Dinis... Regardez-moi !... Ne faites pas attention à la façon dont je vous traite. À un moine de soixante-dix-sept ans, on peut accorder certaines libertés. Comparé à moi, vous avez l'âge d'un enfant, même si vous êtes vieux, plus vieux encore, dans la pratique de la vertu.

— Votre Révérence a soixante-dix-sept ans ?

— Je suis né le 14 avril 1755, nous sommes en 1832. Faites le compte.

— Ce que c'est que de vivre dans le délassement de la tranquillité !... Votre Révérence a la sérénité sur le visage et la joie d'une conscience immaculée dans le regard... Les années vous ont donné seulement vos cheveux blancs, qui sont la majesté d'une mine sereine... De cette façon, la vieillesse ne pèse pas, et le chemin vers le dernier arrêt de ce pèlerinage ne lasse point. Depuis combien d'années Votre Révérence a-t-elle prononcé ses vœux ?

— Cinquante-trois ans, et j'en ai cinquante-quatre de cloître. Je suis le doyen du monastère. J'ai fermé les yeux à tous les moines que j'ai croisés, à tous mes compagnons de noviciat et à beaucoup d'autres qui sont venus après. Je suis donc parvenu jusque-là, Père Dinis, droit dans le corps, mais accablé dans l'esprit. Sachez qu'il est douloureux de voir tomber, à vos côtés, un à un, les compagnons que l'on a étreints en commençant ce court voyage. Et il est bien court pour ceux qui ne s'asseyent pas, las de souffrir et désireux de reposer au sein du néant. À ceux-là, le découragement et l'enfer intolérable du doute. Aux autres, à ceux qui vont de l'avant en pleurant et en semant les fruits bénis, la vie est toujours brève… Quel âge avez-vous, mon Père ?

– Cinquante-quatre ans.

– Vous semblez plus âgé. Vous avez beaucoup de rides précoces. Vous mortifiez votre corps ou tourmentez votre esprit. Si ce sont des cilices qui vous martyrisent, éloignez-les de vous, car le sacrifice de la chair est inférieur à l'élévation de l'esprit. Ceux qui ne parviennent pas à se maîtriser grâce à la volonté se flagellent… Laissez la macération de la chair aux âmes faibles, qui ont besoin de châtier leurs corps… Si vous avez mal à la conscience… je ne puis même pas l'imaginer… mais si l'ivraie parvient à pousser dans le champ des fruits bénis, arrachez-la à la racine. Surveillez-vous, descendez avec une lampe là où l'obscurité est la plus noire. *Si ignoras, egredere*[1]. La lutte de l'homme avec l'homme, le combat incessant des deux ennemis qui s'arment dans le cœur de l'homme… tout cela vient de là-haut. Ce qui est bon, recevons-le les mains jointes. Ce qui est mauvais, ne le maudissons pas. Il n'y a pas de triomphe sans combat amer et malaisé. *Si bona suscepimus de manu Dei, mala quare non suscipiamus*[2]?… a dit le plus martyrisé des hommes… Eh bien, voici que le pauvre moine se croit en mission !… Pardonnez-lui ses soixante-dix-sept ans, et racontez-lui quelque chose sur vous-même… Je veux votre amitié, et on ne l'a pas sans confidences… Voulez-vous que je vous dise, mon Père ? Votre ami, le comte de Santa Bárbara, lorsqu'il m'a parlé de vous, était halluciné par je ne sais quelles visions où lui apparaissait votre image… Je l'ai cru en plein délire.

– C'était du délire, sans doute… Votre Révérence voit bien que chez moi tout est insignifiant, sauf ce qui aurait pu être magnifié aux yeux d'un ami de longue date.

---

1. Si tu ne te connais pas, sors (de toi-même).
2. Si nous avons reçu les biens de la main du Seigneur, pourquoi n'en recevrions-nous pas aussi les maux ?

– Savez-vous ce qu'il m'a dit ?… "Entrez dans son cœur…
Vous y trouverez un saint, ou un homme supérieur, incompréhensible aux autres hommes"…

– La fièvre le faisait divaguer… Ce que je suis, ce que j'ai
été, je ne pourrais pas moi-même le dire à Votre Révérence.
Votre regard est pénétrant, vos paroles amènent la lumière
jusqu'à mon cœur, mais là les ténèbres sont un abîme pour
toute science de la nature humaine. Votre Révérence est un
juste… Percez-moi à jour.

– Qui vous a dit que j'étais un juste ? En cet homme que
vous voyez, il n'y a que de longues douleurs et une longue
expérience… Des larmes qui ne s'épuiseront pas… J'ai la
science des larmes… Voulez-vous savoir ce qu'est Baltasar
da Encarnação ? C'est un homme blanchi dans la glaise, que
la brûlure des passions a endurci.

– La brûlure des passions ?… Votre Révérence parle le
langage…

– … des hommes qui ne peuvent balbutier le mot "ciel"
sans qu'un nuage d'ici-bas vienne obscurcir la lumière de
leur ravissement… Savez-vous ce qu'est l'amitié ?… C'est
la confiance… Mon cœur est en train de s'ouvrir à vous…
On m'a dit que vous étiez un être supérieur, et je cherche
un tel être depuis longtemps, parce que je ne me suffis pas
à moi-même. J'ai besoin de vous.

– De moi ?!

– Oui, mon Père… Vous avez hanté ma pensée toute la
nuit. J'ai vécu soixante-dix-sept ans. Et ma vigueur, dans ma
décrépitude, est providentielle. Frappé par les passions, je n'ai
pas faibli. Trois fois en proie à la mort, je me suis relevé
comme le paralytique sur le seuil du Temple. Lorsqu'on
m'a dit : "Il y a là un homme supérieur, ou un juste", j'ai
été ébranlé, et je me suis dit : voilà l'homme que j'attendais.

– Que puis-je être pour Votre Révérence ?…

– Un ami, un outil puissant dans les mains affaiblies d'un
vieillard qui vous attend depuis cinquante-quatre ans.

— Parlez, Frère Baltasar.

— Je parlerai… mais pas maintenant. Venez un jour à mon couvent, mais ne tardez pas. Je n'insisterai pas davantage, car je sais que vous viendrez si je vous dis qu'un malheureux vous y attend… Allez vous enquérir de la veuve, transmettez-lui ma bénédiction, et venez me dire comment elle va.

Le glas avait commencé à sonner. Ma mère, qui, au point du jour, était tombée dans l'étourdissement d'un apparent sommeil, se réveilla en sursaut avec l'air plaintif des cloches. Elle s'agenouilla sur son lit, et elle était en train de prier lorsque Père Dinis croisa Dona Antónia qui sortait de la chambre de la comtesse.

Il revint alors vers Frère Baltasar, et le trouva les bras croisés, le regard profondément plongé dans la couverture sombre d'un livre. Le moine leva vers lui des yeux qui semblaient porter le poids du mystère de ce livre et lui dit :

— Alors, comment va-t-elle ?

— Elle prie. Elle dormait jusqu'il y a une demi-heure, lorsque le glas a sonné. Elle s'est réveillée épouvantée et est tombée à genoux.

— Que Dieu vous accompagne, mon frère. Vous rentrez aujourd'hui à Lisbonne ?

— Si la santé de la comtesse le permet.

— Allez en paix. Vous reviendrez quand vous pourrez.

— Très bientôt. Fixez le jour.

— Demain je serai mort, et vous aussi… Qui peut compter sur le lendemain ? Venez quand vous pourrez. Adieu.

Ils s'étreignirent.

Père Dinis écrivit quelques pages. Il fut interrompu par sa sœur qui le pria de venir chez la comtesse. Il la trouva prête pour partir.

— Avons-nous encore à faire ici ? demanda-t-elle.

— Plus rien. Monsieur le comte a été mis en terre.

— Déjà ?

– Les médecins l'ont exigé. Il est mort du choléra, et ils craignent que la contagion ne se répande.

– Nous pouvons partir ?

– Tout de suite, si Votre Excellence le décide.

– Père Dinis, mon état me dispense des remerciements d'usage… S'il est possible, remercions seulement cette famille-ci, et prions-la de nous excuser auprès des autres.

XXIII

Le comte de Santa Bárbara fit de sa femme l'héritière universelle de tous ses biens, y compris le crédit de quarante mille réaux à avoir de son beau-frère, le marquis de Montezelos. Il la chargea de doter de mille réaux chacune des deux filles du peuple dont les noms et les adresses étaient notés dans un porte-lettres, que l'on trouverait à la place indiquée dans son écritoire. Il légua une somme considérable à une servante, du nom d'Eugénia, à la condition qu'elle se retirât, en qualité de domestique, dans un couvent où elle jouirait, et là seulement, de la rente de ce legs, qui, à sa mort, serait employé en messes pour le salut de son âme.

Il voulut que son corps soit porté par quatre pauvres et enterré dans la fosse commune, sans épitaphe ni distinction. À son valet Bernardo Pires, il légua une généreuse somme pour l'amitié avec laquelle il avait traité son épouse, et pour les sacrifices et les ennuis que la noblesse de son âme lui avait valus. À Père Dinis Ramalho e Sousa, il légua son portrait, son habit nuptial et la chemise dans laquelle il était décédé. Ce legs extravagant allait devenir un sujet inépuisable de conversation dans les salons. Tous voulaient le déchiffrer, mais le légataire seul put le comprendre.

Le reste du testament concernait des suffrages pour

son âme et d'innombrables messes pour l'âme de son beau-père, le marquis de Montezelos, qui seraient payées par son épouse.

Cette clause, à elle seule, révèle le grandiose ascendant de la religion sur l'esprit du moribond.

Le testament avait été rédigé par Frère Baltasar da Encarnação. Quelques mots étaient brouillés par les larmes. Les yeux du vieillard avaient pleuré sur le fruit planté, comme il disait, par Père Dinis.

J'attendais anxieusement ma mère. J'avais vécu son absence de deux jours comme si je l'avais perdue. En pleine nuit, le deuxième jour, lorsqu'elle arriva, j'étais sur la terrasse du jardin, priant Bernardo de me parler d'elle.

Je courus à sa rencontre sitôt que j'entendis les voitures. Ma mère descendit si repliée sur elle-même que je crus à un refroidissement à mon égard. Je la regardais avec étonnement. Elle comprit et pleura.

— Plus séparés que jamais ! dit-elle, me serrant frénétiquement dans ses bras.

— Séparés… par qui ? m'écriai-je.

— Par le malheur !… balbutia-t-elle, haletante, cachant ses larmes dans ses mains.

— Qu'y a-t-il ? demanda le prêtre, saisissant la main de la comtesse et se penchant pour la dévisager.

— Et mon fils ?… se récria-t-elle.

— Ne le voyez-vous pas ? demanda le prêtre en souriant.

— Mais je ne le reverrai plus.

— Qui vous en empêchera ?

— La mémoire du comte de Santa Bárbara.

— Toujours cet homme entre nous, m'écriai-je avec rancœur.

— Plus jamais, mon fils… Cet homme est mort… Maintenant, c'est son ombre, et l'ombre des morts est sacrée… Respecte son nom, si tu veux que je consente que tu m'appelles mère.

J'étais perplexe et honteux. Je me retirai dans ma chambre, où j'appris tout par Dona Antónia.

Je retrouvai Bernardo en pleurs : il venait de prendre connaissance de la clause du testament le concernant. Et puisqu'il se peut que je ne parle plus ici de cet homme, je ne veux pas oublier le chapitre le plus honorable de sa vie obscure : le legs important qu'il reçut, il le dépensa pour payer des messes pour l'âme de son maître.

Je n'avais jamais vu ma mère si renfermée. La porte de sa chambre s'ouvrait rarement. Les moments fugaces où elle consentait à me recevoir étaient presque silencieux. Elle ne s'est plus jamais épanchée avec moi. Elle se retenait visiblement, lorsque la vivacité brillait dans ses yeux ou la rougeur de l'enthousiasme embrasait son visage. Cette contention intime de sentiments refoulés devait lui être très pénible, ou alors le cœur de cette femme s'était glacé. Ce courage m'impressionnait tristement. Je demandai au prêtre l'explication de cette indifférence. Il me répondit :

– Ne blâmez pas votre mère, elle se trouve dans la phase ultime de son martyre.

Je ne le compris pas. Je commençai à douter des élans chaleureux que je lui avais vus.

Il me sembla mensonger, l'amour de cette mère qui répudiait son fils. Par moments, je l'ai vue petite, ordinaire et indigne de moi. Ces sentiments virils, à quinze ans, révèlent que celui qui pense ainsi est déjà un homme achevé.

Au bout de trois jours, la comtesse de Santa Bárbara m'appela dans sa chambre. J'y pénétrai avec de l'impassibilité dans le cœur et de l'ironie sur le visage. Je la vis assise, et je m'assis de même. Je la vis pleurer, je croisai les jambes et me mordillai les ongles avec la posture d'un cynique blasé.

Elle remarqua mon attitude et pâlit.

– Pedro da Silva, s'écria-t-elle, on dirait que tu viens cracher au visage de ta mère !

– Si j'avais une mère, je ne lui aurais pas craché au visage, répondis-je, troublé par ce nom, qui m'était donné pour la première fois.

— Si tu avais une mère !… Tu as raison… Tu n'as pas de mère… Elle est là, cette femme qui t'a appelé fils, mais cette femme… elle est morte !… Punie par tous et partout, son fils devait bien finir par la punir aussi !… Coupe dans ce cœur, Pedro, il y a encore une fibre qui ressent la douleur… Je ne mérite pas davantage… Tu n'as pas de mère, enfant du crime… Si tu l'avais eue, tu aurais dû la connaître depuis le berceau, tu aurais dû l'aimer depuis que ton premier mot aurait été son nom, et quand, à quinze ans, tu l'aurais vue par terre… tu l'aurais relevée avec tendresse et tu ne l'aurais pas repoussée du bout du pied… Tu n'as pas de mère, et, cependant, malheureux enfant, tu es mon fils !… Abandonné il y a quinze ans par la peur et la honte, je te sacrifie aujourd'hui à l'ombre d'un homme à qui j'ai pardonné !… Je te sacrifie, Pedro, parce que ma vie sera brève, et tu demeureras aussi pauvre que quand tu es né, aussi orphelin que tu as vécu, cachant toujours le nom de ta naissance pour que la pitié des autres ne t'insulte pas !… Tu vois la mère que je suis et que j'ai été ? Hier, l'esclave de la terreur, aujourd'hui, l'esclave de l'honneur ! Hais-moi, mon fils !… Rejette-moi de ce monde avec une injure qui abrège mon exil… Tue-moi avec ton mépris, pour que je puisse mourir en te bénissant.

Ces derniers mots étaient presque inaudibles. J'étais la proie d'émotions diverses, allant de l'indignation à l'amour, de l'indifférence aux regrets. Au bout de cet affligeant effort, au cours duquel les mots lui venaient comme des sanglots, je ressentis comme une explosion dans mon âme… Je tombai à genoux aux pieds de ma mère, je lui baisai la main, sans articuler un mot, je l'étreignis convulsivement, et j'éprouvai, pour la première fois de ma vie, du remords.

Livre deuxième

I

Une voiture s'arrêta à l'entrée du couvent royal d'Odivelas. Les sœurs, familières de l'affluence des meilleurs équipages de Lisbonne, dans leur spacieuse entrée, accoururent empressées aux fenêtres, en quête d'un spectacle qui égayât l'oisiveté fastidieuse où elles vivaient.

Elles ne reconnurent point les armoiries de la voiture qui s'était arrêtée. Ce n'était ni le cousin comte, ni la tante marquise, ni l'oncle monseigneur. Le doute les tourmenta jusqu'au moment où elles entendirent le cri perçant de la sœur concierge : « Santa Bárbara ! » Le lecteur ignorant des mœurs monastiques va s'imaginer que la voiture inconnue avait amené un quelconque orage ! Bien au contraire. L'après-midi du 15 septembre 1832 était beau, le ciel limpide, le soleil, glissant vers le couchant, rougeoyait l'horizon, les feuilles fanées des fleurs, reconnaissantes des soins prodigués par les bénédictines lors de leurs moments libres, et d'autres égards plus aimables encore, ne faisaient entendre qu'un murmure, bercées par la douceur de la brise.

Le cri répété de la sœur concierge, ce nom qui avait apaisé à moitié la curiosité des sœurs, était un appel à la servante de la comtesse de Santa Bárbara pour qu'elle se présente au parloir.

Toutes les sœurs, auxquelles leur statut permet d'être servies, prêtent leur nom à leurs servantes, qui répondent toujours par un « oui » strident à l'appel de la concierge, dans son perçant fausset.

La femme de chambre de la comtesse de Santa Bárbara vint donc à l'entrée, et elle apporta à sa maîtresse une carte de visite portant ce nom : Alberto de Magalhães.

La servante fut bientôt de retour, disant que madame la comtesse priait le visiteur de se rendre à un parloir donné.

L'inconnu mit pied à terre. Ce fut alors que les épouses du Seigneur, négligeant leur mari comme les célèbres épouses de la parabole, tournèrent vers le visiteur les rayons noirs, marron ou verts de leurs beaux yeux, des yeux qui n'étaient pas faits pour être en ce lieu ou, s'ils l'étaient, ne s'en souciaient guère. Elles le virent et, ne l'ayant pas reconnu, la curiosité les égara à tel point qu'il s'en fallut de peu qu'elles ne demandent qui il était et pourquoi il était venu.

Alberto les salua, sur le mode du courtisan bien dressé, que bien peu savent imiter si l'éducation ne le leur a pas appris.

Flattées, ces dames lui décernèrent unanimement le diplôme de gentilhomme, et elles convinrent qu'il devait être l'un des rares provinciaux titrés ayant fréquenté la cour, ou ayant lu *La Cour* de Rodrigues Lobo. Ce fut notamment l'opinion de sœur Tomásia do Céu, la plus versée dans les classiques, qui s'ingéniait alors à réfuter un ouvrage de sa grand-tante, Maria do Céu, intitulé *Oiseaux illustrés en avertissements pour que les religieuses servent les offices de leurs monastères.*

Bien que cette réfutation ne fût pas citée, car superflue, l'influence de ses doctrines, exposées dans le couvent en séance secrète, était telle et à ce point révolutionnaire qu'en 1832 il n'y avait pas une seule de ses compagnes qui ne montrât, en pratique, qu'elle détestait, cordialement mais scientifiquement, les théories de la dévote Maria do Céu, triomphalement réfutées par sa petite-nièce.

Et, soit dit en passant, elles ne pouvaient pas non plus

transiger avec les restrictions séraphiques de la très religieuse abbesse du monastère de l'Espoir, pour tout ce qui était du domaine du cœur, qui commençait alors, comme on dit, à « palpiter d'actualité ». Et elles la réfutaient avec ses propres armes, répétant au piano les quatrains suivants du très ascétique auteur de la *Vie de la vierge sainte Catherine*, qui n'était autre qu'elle-même, et de beaucoup d'autres ouvrages, comme *Le Phénix renaissant* ou *La Précieuse*.

Les quatrains, eux, étaient extraits des *Oiseaux illustrés* et du *Discours XII*, intitulé *La Colombe à l'infirmière* :

Qui ne souffre pas d'amour
Ne se dise pas malade,
La douleur n'est qu'afféterie
Si l'amour n'est pas le mal.

Du malade qui n'aime pas
Innocent le pouls sera,
Car avec un cœur tépide
Il n'y a pas de pouls ardent.

Qui ne meurt pas d'amour
Quand arrive son trépas
Ne sait pas ce qu'est mourir
Même s'il expirera.

Celui qui sans amour gémit,
On peut le dire scélérat,
Car pour pousser un soupir
Il vole à l'amour un cri.

C'était justement cela que l'on répétait dans le groupe des plus incendiaires lorsque la voiture renversa l'érudition féconde de sœur Tomásia do Céu, que nous pourrons, sans scrupule, surnommer Luther à coiffe et scapulaire.

Alberto de Magalhães entra dans le parloir et attendit

quelques minutes. La comtesse de Santa Bárbara surgit, accompagnée de Dona Antónia.

L'adroit visiteur avait une allure qui inspirait confiance. C'était un homme comme il y en a peu, à l'esprit froid. Il attendait la comtesse comme il aurait attendu quelqu'un de sa famille. Il avait ce que l'on peut appeler la conscience de sa supériorité, ou une indifférence naturelle devant tout ce qui embarrasse et surprend les autres hommes.

La comtesse ne l'avait jamais vu. Elle venait, en se pliant à la bienséance, à ce parloir, s'entretenir, face à face, avec un homme célèbre par le secret dont il s'entourait et la mystérieuse naissance qu'on lui attribuait.

Elle entra, intimidée comme une écolière.

Alberto ne connaissait pas les lieux communs. Il s'asseyait, regardait, parlait, souriait, et se servait même des armes, comme on l'a vu, exceptionnellement. Voici sa réponse au salut de la craintive comtesse :

— Votre Excellence a déjà vu que je suis un homme très simple… Parlez-moi en toute confiance, et ayez la bienveillance de me dire si ces petites sœurs, qui me semblent des canaris voulant briser les barreaux de leur volière, sont de bonne compagnie.

— Je les connais à peine, dit Dona Ângela, souriant, embarrassée, mais je les tiens en très bon compte… Dans ces maisons, il y a d'excellentes dames.

— C'est ce qu'il me semblait. C'est dans la solitude qu'on forme les bons cœurs et qu'on habitue l'esprit au silence, où la conscience dit le meilleur et ignore ce qu'est le monde que Votre Excellence a fui.

— C'est vrai… et quel monde !

— Je connais tous ses visages… Mais laissons cela… Parlons de Votre Excellence et de votre amie que je n'ai pas l'honneur de connaître.

— C'est la sœur de l'un de mes bons amis.

— Je sais… Père Dinis Ramalho.

– Vous le connaissez ?

– De réputation… C'est un homme extraordinaire… On me dit que Votre Excellence lui doit beaucoup.

– Tout.

– C'est connu… Il y a beaucoup de monde qui brûle de le connaître, et je ne veux pas être parmi les derniers à l'admirer.

– Je donnerai son adresse à Votre Excellence, si vous souhaitez le rencontrer.

– Volontiers, Madame la Comtesse. La sœur de Père Dinis est sans doute une amie de Votre Excellence.

– Intime.

– Nous pouvons donc nous parler comme frère et sœurs.

– Certainement. Mais…

– Parlez, Madame.

– Vous allez me parler d'une affaire…

– … dont il vous est pénible de parler… Je n'en parlerai pas.

– Père Dinis peut…

– … me répondre ?! Bien… J'irai le trouver.

– Rue da Junqueira, numéro 44.

Alberto en prit note dans un carnet et, en le refermant, demanda avec familiarité :

– Êtes-vous heureuse, Madame la Comtesse ?

– Autant que je le puis… dans ma triste condition de femme enfermée pour souffrir.

– Et n'y a-t-il ici un espoir qui rende le cœur sourd aux regrets du monde ?

– Je n'en ai pas… de regrets… Je ne sais pas si je manque à la vérité… À dire vrai, j'en ai, et profonds, et insupportables.

– Je le savais.

– Vous le saviez ?

– Oui, Madame… On m'a dit que l'image de l'ange que Votre Excellence a perdu il y a quinze ans vit toujours sur cette terre.

— On vous l'a dit... qui ?!

— Mes pressentiments... Je connais l'histoire de votre cœur, Madame la Comtesse.

— Dois-je vous croire, Monsieur Alberto ?

— Vous le devez... Si vous ne me croyez pas, vous vous ferez de moi une triste idée... N'avez-vous pas compris que l'homme qui vous a écrit il y a un an était le reflet de votre conscience, un étranger qui vivait dans votre âme ? Comment aurait-on pu avoir été ce que j'ai été, sans être tout à fait sincère ?

— Vous vois-je pour la première fois, Monsieur Alberto de Magalhães ?

— Non, Madame ; vous m'avez déjà vu.

— Quand ?

— Il y a quinze, dix-huit, vingt ans.

— Où ?

— Dans le monde, dans cette vallée de larmes, dans ce mélange de grandeur et de misère, où les visages se perdent et les souvenirs s'en vont... Ne vous fatiguez pas, vous ne me connaissez pas. Ici, de l'homme du passé, il n'y a plus un seul trait.

— Quel mystère, mon Dieu !

— C'est vrai... Quel mystère !

— Et vous ne me dites pas ?...

— Quoi ?... Qui je suis ?

— Oui.

— Non, Madame... Permettez-moi cette grossièreté... Je ne vous le dirai pas.

— Et vous savez tout ?!

— Absolument tout.

— Je n'insisterai pas davantage... Tout ce que je sais, c'est que je vous dois beaucoup.

— À moi ?... Rien, rien... malheureusement.

— Beaucoup... Il y a peu, vous avez même risqué votre vie.

Alberto sourit et poursuivit :

— Votre Excellence ne sait pas ce que c'est de risquer sa vie... Dans ce qui est arrivé, il n'y a aucune gloire... Je me suis défendu contre un homme petit dans l'âme et dans le courage. Il n'a rien appris, et moi, je ne tire pas gloire d'avoir été son maître... Ce qui est arrivé ne concerne pas Votre Excellence. C'était une affaire à moi, une querelle personnelle. N'en parlons plus... Que puis-je encore pour le service de Votre Excellence ?

— Vous partez ?

— La nuit tombe, et j'ai entendu une voix qui nous commande de partir, si je ne me trompe pas. Nous nous reverrons, Madame la Comtesse... Ne gaspillez pas la nuit à mortifier votre mémoire... Je vous dis que vous ne me connaissez pas, parce que vous ne me connaissez pas.

— Vous avez éveillé en moi un vif intérêt... C'est dommage d'ignorer le nom d'une personne qui nous est si intime et si digne de notre gratitude.

— Je vous ai déjà dit, Madame, que je suis l'homme à qui Votre Excellence doit le moins.

— Je ne comprends pas cela.

— Tant mieux pour nous deux... Bonne nuit, Mesdames.

— Monsieur Alberto de Magalhães, dit la comtesse, sans dissimuler son intérêt pour cet homme original ou pour l'extraordinaire énigme de son apparition, n'oubliez pas... je vous en prie... de parler à Père Dinis.

— Dès demain, Madame la Comtesse.

Montant dans sa voiture, Alberto remarqua à leurs postes les canaris, comme il définissait les curieuses filles de saint Benoît, qui composaient avec leurs têtes de jolis groupes à plusieurs fenêtres. La voiture s'ébranla. Dona Ângela de Lima en suivait avec l'oreille le roulement qui s'évanouissait dans le lointain. Curiosité excusable, mais qui ne lui laissa, de toute la nuit, une minute de repos. À l'aube, elle avait écrit tout un dialogue qu'elle remit à Père Dinis.

221

II

Le gitan de 1817, Sebastião de Melo dans la société de cette époque, écrivait dans son livre confident le dernier mot du dialogue que lui avait envoyé la séculière d'Odivelas, lorsqu'une voiture s'arrêta à sa porte.

Quand on lui annonça Alberto de Magalhães, il tressaillit. Ce nom lui semblait associé à un secret aux conséquences funestes. Pourquoi ? Un pressentiment l'effrayait ; mais ses craintes étaient confuses.

Il entra dans la salle où le mystérieux visiteur l'attendait. En se dévisageant, leurs deux physionomies se figèrent. Alberto, les lèvres entrouvertes, les yeux rivés aux yeux du prêtre, avait l'air d'un idiot. Le prêtre, lui, moins stupéfait, participait néanmoins de cette apathie, et ne parvenait pas à identifier la cause de cette surprise. « Il y a de la fascination dans le regard de cet homme ! » se disait-il, lorsque Alberto lui demanda d'une voix circonspecte :

— Me reconnaissez-vous ?

— Je ne vous connais pas... Du moins, je ne me souviens pas de vous.

— Je vais vous poser une question qui devrait venir à bout de mes soupçons... Dites-moi, mon Père, avez-vous rencontré, en 1817, un gitan nommé Sabino Cabra ?

— Cette question, répondit le prêtre balbutiant, seuls deux hommes... auraient pu me la poser... L'un est mort... l'autre...

— C'est Mange-Couteaux...

— Justement ! s'écria le prêtre, bouleversé, le regard anxieux et la respiration accélérée.

— Vous me reconnaissez ? répéta Alberto, souriant sereinement et tendant la main au prêtre.

— Vous !... dit l'ecclésiastique, abasourdi. Vous !... Je crois que je suis en proie à un coup de folie... Je n'ai pas bien entendu… Je ne sais toujours pas avec qui je parle… Votre Excellence me connaît… ou a connu Mange-Couteaux ?

— J'ai connu le gitan qui maintenant s'appelle Père Dinis… Sabino Cabra a perdu la mémoire… Mange-Couteaux a sur lui un grand avantage concernant cette faculté de l'âme.

— Voulez-vous me brouiller les idées ?… Bref… vous êtes…

— Je le suis.

— … Mange-Couteaux… l'homme…

— … chargé de tuer un nouveau-né.

— Vous vous moquez de moi !… Sur votre visage, il n'y a pas un seul trait de cet homme.

— Ils s'y trouvent tous, et d'autres qui ne s'y trouvaient pas alors. Ces rides ne sont venues que quinze ans après… Ces moustaches cachent la moitié de l'homme ; l'autre moitié, l'or l'a défigurée… Vous ne concevez pas que l'or défigure ?… Sabino Cabra lui non plus n'avait pas de cheveux blancs, ni des yeux ternes, ni une tonsure en haut du crâne, ni une soutane cachant ses belles formes, merveilleusement mises en valeur par une veste de velours bleu et une ceinture en soie rouge. Ma voix elle-même ne vous parle-t-elle pas avec le timbre de l'ancien confident du marquis de Montezelos ?

— Maintenant, si ! s'écria le prêtre sans faire un pas vers le capitaliste, à la porte duquel, comme il l'écrivit, "les filles des gens illustres laissaient leurs noms gravés sur des lames d'or"… Maintenant, si ! Je vous vois tel… que vous avez été… Je vous crois… C'était impossible… que je ne finisse pas par vous reconnaître… Comment cela est-il possible ?!

— Cela, quoi ?… L'or ?

— Non… l'esprit, l'intelligence, la science de se présenter dans le monde, où je sais que l'on vous fait une réputation de grandeur dans l'âme, dans le talent.

— La grandeur dans l'âme… je l'ai depuis que je me connais… L'indigence a changé cette grandeur en courage pour le crime… Les nobles penchants sont étouffés dans l'entonnoir de l'infortune... Le talent est né avec la fierté de l'esprit. L'or m'a rapproché des sources de la science. J'ai pratiqué les grands d'Europe... Je ne me suis pas imposé de les imiter... En sept ans de voyages, j'ai appris tout ce que fait l'homme distingué dans une société de gens frivoles... Les vices, implantés de force dans mon organisme jusqu'à mes vingt-cinq ans – l'âge auquel vous m'avez rencontré, mon Père –, je ne me suis pas fait violence pour les expulser... Il m'a suffi d'un instant pour avoir honte de mon passé et croire que l'esprit peut être réhabilité... Voulez-vous savoir ? Mon âme s'oppose à ce point à ce que j'ai été que, bien souvent, j'arrive à m'imaginer que j'ai toujours été ce que je suis maintenant.

– Il me semble, en ce cas, que vous auriez dû cacher votre passé à mes propres yeux.

– Je ne l'ai pas voulu ; je me suis dévoilé, parce que je vous dois ce que je suis.

– À moi ?!

– À vous... Sans le gitan qui a acheté pour quarante pièces un enfant à un assassin, Mange-Couteaux serait aujourd'hui un pervers repu de sang, ou un nom qui rappellerait un souvenir atroce et un échafaud... De ma vie, je ne vous dirai que deux mots, car je déteste la curiosité et je ne souhaite pas que Père Dinis tire profit de ces quinze années de ma biographie... Grâce à votre argent, j'ai quitté le Portugal. Sans lui je ne serais pas aujourd'hui le rival des plus grandes fortunes de Lisbonne. Toute ma fortune est née de l'affaire que nous avons conclue alors... Mais assez... Je ne vous demanderai pas, moi non plus, comment le gitan s'est transfiguré en prêtre... En revanche, je ne vous dispense pas de me dire si le fils de Dona Ângela de Lima et de Dom Pedro da Silva existe toujours.

– Il existe.

– Ici ?

– Ici.

– Je souhaiterais le voir.

– Vous pouvez !

Je fus appelé. Je vis un homme de belle allure qui me tendit la main et m'attira vers sa chaise. Il me dévisagea sans dire un mot. Je sentis sa main brûler la mienne et son regard me serrer le cœur. Je me pris de sympathie, malgré cela, pour ses longues moustaches, aussi noires que ses yeux.

– Le voici !

Ce furent les seuls mots que je lui entendis, murmurés comme un secret. Puis, sur un signe du maître, je me retirai.

Après ma sortie, Alberto de Magalhães se leva, prit son chapeau et, la main du prêtre déjà serrée dans la sienne pour prendre congé, dit :

– Cet enfant est-il pauvre ?

– Logiquement, oui. Son père l'était ; sa mère le sacrifie à son honneur. De l'héritage de son mari… elle n'en distrait même pas de quoi se nourrir, n'y puisant qu'une subsistance très parcimonieuse.

– Voilà la vertu donnant le bras au crime. Les extrêmes se touchent. Laissons-la être vertueuse à sa manière… Père Dinis, vous recevrez aujourd'hui même quarante mille réaux. Vous serez l'administrateur de ce capital, que vous remettrez au fils de Dom Pedro da Silva le jour de ses vingt-cinq ans. De cela, je vous prie de garder le plus religieux secret auprès de la comtesse de Santa Bárbara. Ce que j'ai été, c'est un secret entre nous deux. Si un tiers venait à l'apprendre, je traiterais Père Dinis comme un ennemi.

Le lendemain, le maître me dit :

– Écrivez à votre mère une lettre d'adieu.

– Et où vais-je donc ?

– À Londres. Vous allez entrer au collège. Ici, c'est trop étroit pour qui peut respirer de l'air plus pur. Tout va bientôt s'écrouler au Portugal. Il est proche, le jour où la vie, ici, deviendra ennuyeuse et morne pour beaucoup. Les principes feront faillite, la guerre civile ne se contentera pas d'un petit tribut de sang, il n'y aura ni vaincus ni vainqueurs, l'anarchie, après la guerre, entrera au gouvernement, quel qu'il soit, et les fondations du nouvel édifice seront les cadavres et les décombres de maintes fortunes. Heureux ceux qui pourront voir de loin leur patrie dans les griffes des vautours.

Le prêtre semblait se réciter à lui-même cette mélancolique prophétie. La guerre, qui aurait dû être, à cette époque, le thème de toutes les conversations, était un sujet rarement traité par lui. Cet esprit était trop élevé pour se repaître de la lutte entre des ambitions sordides, où l'honneur des drapeaux était le sang que répandaient les uns, tels des moutons emmenés à l'abattoir du « patriotisme », et les autres, tels des aventuriers dévorés par cette soif qui légitime tous les principes, quand la vie est le plus que l'on peut perdre, comparée au tout que l'on peut gagner. Le prêtre avait raison.

Ma mère, se retirant à Odivelas, prit congé de moi pour très longtemps. C'était tout à fait comme si elle m'interdisait de lui rendre visite. De nos adieux, je me souviens aujourd'hui des moindres détails, et je conçois, ayant eu l'expérience de la souffrance, ce que furent les serrements de cœur de cette pauvre femme ! Sanctifiée par la mort de son mari, elle reçut de la main de son cadavre les épines qui manquaient à sa couronne de martyre, et accepta, comme sacrés, les fléaux et les violences qu'elle devait s'infliger, afin que la haute opinion que le comte, à ses derniers instants, s'était fait d'elle ne fût point démentie.

Devant elle se dressaient deux ombres, celle de Dom Pedro da Silva, qui s'était perdu en l'aimant ; et celle du comte de Santa Bárbara, qui était mort en la suppliant de lui pardonner et de respecter ses cendres. Moi, aimé de la comtesse en tant que son fils, j'étais une insulte aux cendres de son mari. Éloigné de ma mère, je devenais presque un parjure aux dernières suppliques de Dom Pedro da Silva.

Ce fut le mari qui triompha. Le christianisme continue de

faire des martyrs. Les lions du cirque s'en allèrent ; arrivèrent les casuistes.

J'écrivis à ma mère. Sa réponse fut simplissime :

Va, mon fils. Ne fais pas un seul pas qui te détourne du chemin de l'honneur. Je ne te dis pas de consulter mon esprit pour tes entreprises juvéniles… Je suis femme… et, déchue de ma primitive grandeur, j'expie la faute de la première femme… Garde tes yeux tournés vers le ciel, mon enfant. Avance toujours en t'élevant vers lui. Ceci, ici-bas, ne dure qu'un jour… et le mien tire à sa fin… Si Dieu veut que je ne te voie plus, reçois ma bénédiction, chaque jour, et à l'heure de ma mort.

Ângela

Père Dinis, quelques heures avant que je ne monte à bord de la goélette anglaise, me fit venir dans sa chambre. Je le trouvai, les coudes posés sur sa table et les mains entrelacées sur le visage. J'attendis quelques instants. Je ne voulus pas le réveiller de ce sommeil de la vie extérieure. L'excès de vie intime l'obligeait souvent à prendre cette position, douloureuse fatigue de la pensée, que les souffrances mêlées troublent et abrutissent.

Comme assailli par une idée inopinée, le maître me dévisagea soudain, avec le regard pénétrant de la stupéfaction, et s'attarda dans ce silencieux ébahissement quelques minutes. Je le trouvai bizarre, et j'aurais voulu me trouver loin de là. Puis, déridant son visage assombri avec un léger sourire, semblable à l'alternative entre la démence et la lucidité, il m'indiqua une chaise. Je m'assis, toujours craintif de cette extraordinaire manifestation d'une chose nouvelle, chez un homme que je connaissais depuis que je me connaissais moi-même.

— Monsieur Dom Pedro da Silva, dit-il, donnant de

la solennité à l'intonation de ce mot, c'en est fini de ce "Joãozinho", qui châtiait les détracteurs de son prosaïque nom avec les épines d'un cactus. Maintenant… place au droit. J'ai devant moi le rejeton d'une souche illustre ! Dom Pedro da Silva n'est plus mon pupille. La fleur a quitté la serre où on la cachait, pour embaumer dans le climat qui lui est propre. L'obscurité jusqu'ici n'enlevait rien au beaucoup que vous êtes et au plus que d'aventure vous deviendrez encore. Dorénavant, l'homme veut un autre monde, l'âme une autre nourriture, et le néophyte de la société a besoin d'un autre maître. Avant, toutefois, de vous livrer au monde, il me faut, je dois et je veux – laissez-moi vous parler ainsi – vous lire le prologue du deuxième acte du drame auquel Votre Excellence participe, car le premier s'achève ici, dans ce pauvre théâtre du Père Dinis.

» Je suis le dépositaire de vos biens. En voilà une énigme. Votre Excellence ignorait qu'elle possédait des biens. Vous avez quarante mille réaux dans ce tiroir. Ne me demandez pas que je vous dise d'où ils viennent. Les intérêts de ce capital doivent vous nourrir jusqu'à vos vingt-cinq ans. D'ici dix ans, Votre Excellence sera le dépositaire de ce legs – appelons-le ainsi, pour ne pas avoir à inventer de mots. Je serai mort, alors… le cœur me le dit. Donnons crédit à mon cœur, qui ne m'a jamais été déloyal. Laissez-moi anticiper quelques réactions, que je ne puis réserver pour ce moment-là. Écoutez-moi bien.

» À Lisbonne, quarante mille réaux sont une fortune moins que médiocre. Au service de l'ostentation, elle s'épuiserait en trois mois. Dom Pedro da Silva, aiguillonné par l'orgueil de sa naissance, et porté par des envies et des vanités, pourrait devenir pauvre au milieu de sa carrière, et se traîner ensuite, jusqu'à la fin de ses jours, dans l'ignominie, ou aussi bien se tirer une balle dans l'oreille.

» Le suprême malheur, c'est d'avoir un grand cœur, un riche sens de l'honneur, l'instinct du sublime, alors que ces

228

généreux sentiments, stérilisés par le germe de la pauvreté, semblent ne pas exister du tout.

» Un temps viendra où la vanité de la hiérarchie sera pure dérision. Les lauriers, précieux aux petits-enfants des conquérants, ont touché leur automne, au bout de quelques siècles. Les feuilles fanées, piétinées par tous, tel le dernier bras de l'arbre séculier tombé à terre, seront englouties dans l'abîme de l'histoire, et là, recouvertes de la boue des outrages. Des philosophes viendront qui railleront vos aïeux, Dom Pedro da Silva, parce que vos aïeux étaient sanguinaires, qu'ils ravageaient à feu et à sang le nid de peuples inoffensifs, et qu'ils se retiraient ensuite dans leurs châteaux féodaux, pour manger et gaspiller le butin pris aux Indiens. Ces philosophes, malheureuse caricature de leurs devanciers hués par leurs disciples, riront de Votre Excellence si seulement ils vous voient célébrer les armes de vos aïeux vêtu d'un vieil habit. Être pauvre sera devenu une infamie.

» Oubliez votre naissance. Montrez-vous dans la société sans nom ronflant, sans des alliances qui vous imposent la pompe comme condition de bon accueil. Grandissez-vous matériellement. Si vous ne parvenez pas à maîtriser vos bas instincts, devenez au moins un homme riche. Si vous ne l'êtes pas, votre péché ne trouvera point de pardon sur terre.

» Votre cœur est bon. On le pervertira immanquablement à Paris, à Lisbonne, à Constantinople ou à Pékin. Le serpent de la démoralisation a étreint le globe dans ses anneaux. On respire partout la mort de l'âme. Le monastère aurait pu donner au cœur de l'homme un peu d'air sans poison ; mais la corruption a pénétré aussi dans le cloître, et le monastère sombrera. L'époque qui vient est une autre. Ce sont les débuts de la vertu du cerveau ; celle de l'esprit est passée, car l'homme sera défini comme "de la matière qui pense".

» Qui décide de l'avenir de l'homme, hors du commun des masses qui avancent comme des machines ? C'est la première femme que l'on aime.

» Je ne sais quoi vous dire en ce tournant hasardeux, et le plus inattendu, de votre vie.

» Ce que je puis vous prédire, c'est que la femme à qui vous accorderez votre première affection vous sauvera ou vous perdra. Elle vous fera revenir à l'innocence de vos premières années, au doux parfum de vos désirs immaculés, ou bien, en un clignement d'yeux, vous montrera toutes les turpitudes et, d'un seul élan, vous précipitera dans tous les gouffres. Je crois que je vous dis là une chose nouvelle. Je n'ai pas encore rencontré quelqu'un d'autre qui pensât ainsi. La mode est à la sanctification des premières amours. L'homme usé, qui est toujours le plus immoral, épuisé par les passions, incapable de s'élever par l'esprit, ne parle jamais de ce qui l'a fatigué, de ce qui l'a rendu matérialiste, de ce qui l'a plongé dans le bourbier des bas appétits.

» Ouvrez-moi votre cœur ; je veux y graver une prière. Rendez-moi tout ce que j'ai été pour vous, en ne l'oubliant pas. Soyez orgueilleux dans le renoncement de votre âme. L'amour d'un homme est un encens qui descend vers le sol quand l'idole est d'argile. Ne le prostituez pas. La première femme à aimer, cherchez-la avec la résignation d'une pauvreté honnête, sans une tache, sans la rougeur d'une honte. Qu'elle soit pauvre, obscure, humble, et qu'elle garde toujours devant ses yeux le bonheur que Votre Excellence lui donnera, comme une récompense de la vertu qu'était la sienne, avant d'entrer au sein de l'opulence. Que votre demeure soit un sanctuaire impénétrable. Si un appétit invincible vous poussait à partager les mets que la société digère, au prix d'un pénible travail du cœur, allez-y, mais laissez-la, elle, dans le secret de sa vie, comme l'ange gardien du baume qui adoucira vos blessures quand Votre Excellence viendra se réfugier du tumulte des passions dégénérées, dans le havre de l'amitié intime sans laquelle l'amour est impossible.

» Je parle à un enfant, mais l'homme, à notre époque, est homme très tôt. À quinze ans, on devine tout grâce aux livres, et à dix-huit, commence ce magistère de l'enseignement, où l'on apprend tout ce qui existe à une génération qui tient à tout savoir.

» Mon ami. C'est l'heure de partir. Serrez-moi dans vos bras... Ne me cachez jamais votre vie. Gardez-vous de me donner le chagrin d'avoir élevé un ingrat. Vous me devez peu ; mais vous ne devez davantage à personne... Vous voyez cette larme ? C'est le maximum que peut donner un homme comme moi... Je n'en aurai pas d'autres, peut-être, à verser pour tout ce qu'il y a sur la Terre... Assez... L'homme n'est que de la glaise, quand la lourde main de la souffrance se pose sur lui... Je ne peux pas.

J'étouffai tous mes mots sous les sanglots.

Nous sortîmes en silence. Ce que je pensai et sentis, depuis lors jusqu'à ce que je sois monté à bord de ce navire, fut ce qu'il y a de plus triste, de plus poignant dans les peines du cœur, de plus sombre et insupportable dans le regret, quand un enfant, seul, livré à des étrangers, est séparé de l'homme qui a tout été pour lui.

Le navire prit la mer. Je cherchai Père Dinis alentour, pour le prier, au nom de Dieu, de ne pas me quitter. Je ne le vis pas. Je regardai le Tage et je le reconnus, assis à la poupe d'un canot, tournant le dos au navire, la tête courbée entre ses mains. Alors, oui ! J'éprouvai tous les chagrins du monde en un seul instant... Je suivis ce canot de mes yeux brouillés de larmes, appelant le Père Dinis dans le silence de mon cœur, priant Dieu qu'Il me rendît cet homme, et demandant à l'esprit de ma mère qu'il me donnât assez de force d'âme pour endurer une telle douleur... Je désirais la mort et je passais en revue les moyens dont je disposais pour anéantir, avec moi, ce chagrin qui me rendait fou...

Autour de moi, il n'y avait que de l'indifférence... Cela y ressemblait... Et n'en était pas. Au moment de quitter le port, une dame portugaise saisit ma main et me dit à l'oreille :

– Assez de pleurs… Le cœur est soulagé… Maintenant, du courage viril, et de l'espoir : c'est ce qu'il y a de mieux au monde, et c'est le trésor le plus chéri de l'infortune. Venez bavarder avec moi et mes fils, qui vont être vos compagnons au collège.

III

La comtesse de Santa Bárbara vivait dans sa cellule, presque à l'écart du commerce des nonnes.

En accord avec la civilité raffinée en usage dans les monastères, la séculière reçut la visite de toute la communauté. Dona Ângela, cependant, ne rendit la visite qu'à la mère supérieure, s'excusant auprès des autres religieuses. Blessées dans leur délicate susceptibilité, elles la tinrent pour sauvage et se vengèrent angéliquement en la piquant avec les épingles d'une argutieuse mordacité, dont la maîtresse attitrée était la très spirituelle, littéraire et érudite nièce de sœur Maria do Céu, auteur de villanelles espagnoles, capables de faire mourir d'envie la sensualité anacréontique.

Un jour, on annonça à la comtesse qu'une religieuse, qui ne lui avait pas rendu visite parce qu'elle se trouvait absente en villégiature, lui demandait la permission d'accomplir son devoir.

Elle entra, se jeta dans les bras de la séculière avec une étrange cordialité. Dona Ângela accueillit cette effusion avec stupéfaction et crainte.

– Tu ne me reconnais pas, Ângela ? Moi non plus, je ne t'aurais pas reconnue, si je n'étais sûre que c'était bien toi !…

– Je ne vous connais pas ! balbutia la comtesse.

– Nous étions, il y a dix-huit ans, les meilleures des amies… les meilleures des sœurs !

– Aïe ! s'écria Dona Ângela, la serrant dans ses bras avec anxiété. Toi, ici, Adelaïde… toi, ma chère Adelaïde !… ici.

– Tu ne savais pas que j'étais religieuse ?

– Je le savais ; mais ton couvent n'était pas celui-ci.

– Non… mon couvent était à Santa Apolónia. J'y ai vécu très peu de temps. L'année de ton mariage, je suis venue à Odivelas. Il y a quinze ans, n'est-ce pas ?

– Oui… Mais on m'avait dit que tu y étais si heureuse, que tu y vivais en si grande amitié avec Francisquinha Valadares que tu n'avais d'ambition qui ne soit comblée par Dieu ou par elle.

– C'était ainsi… mais Francisquinha…

– Est morte, je sais… et tu la pleures toujours autant… Quelle amitié tu lui vouais…

– Immense… Je suis morte, quand elle est morte. J'ai vieilli comme tu vois… J'ai trente-cinq ans et les cheveux blancs… Ângela, on ne survit que par miracle seize années avec le regret au cœur, brûlant, dévorant, que l'on rêve ou que l'on soit éveillé, toujours et à toute heure… Et sans espoir… L'appelant à chaque instant ; la priant de me donner un signe qu'elle m'entend, et n'entendant que mes sanglots et ma nostalgie, que même l'amour de Dieu ne parvient pas à soulager… Et je vis toujours, Ângela !

– Comme tu souffres… Adelaïde !… Parle-moi d'elle… C'est peut-être le silence qui t'a fait du mal… Peut-être !… N'as-tu pas d'amies ?

– Non… elles ne me comprendraient pas… Je les crains… Elles sont très superficielles en tout… Pour la légèreté, il n'y a pas de douleur qui mérite que l'on y pense beaucoup… Et moi, je voulais quelqu'un qui pleurât avec moi et qui me dît : "Cette pauvre jeune fille est digne de nos larmes…"

– Elle est morte phtisique, n'est-ce pas ?…

– Je ne sais pas, ma chérie… Elle est morte comme on désire mourir, lorsqu'on est malheureux…

– Et elle était malheureuse… N'est-elle pas entrée au couvent de sa libre volonté ?

– Non… on l'y a traînée par les cheveux… Quand elle

a prononcé ses vœux, des flots de sang ont jailli de sa poitrine... Et elle a encore vécu deux ans... pour purifier son martyre...

— Et, aussitôt qu'elle est morte, tu ne pouvais plus vivre dans ce couvent-là, tu ne pouvais plus voir les lieux où tu l'avais vue, la tombe de ton amie chérie, son image partout, ce qui t'avait réjouie jadis, et tu as fui ce couvent, c'est cela ?

— J'ai fui... Je ne pouvais plus regarder le tableau le plus affligeant, la souffrance la plus déchirante que l'on puisse imaginer... Je veux te le raconter, mon Ângela, mais à toi seule, seulement à toi... je l'ai enfoui dans le cœur il y a si longtemps, je ne veux pas le profaner... À toi, je te le dis... Tu souffres toi aussi, tu sais ce que c'est que se tourmenter... tu m'écouteras avec tout le sentiment, et tu pleureras avec moi... oui ?... Ferme cette porte... Personne ne viendra ici, n'est-ce pas ?

— Personne, ma chère... Dis-moi tout... souffrons ensemble, et que personne ne nous voie... Il nous suffit d'avoir ce crucifix pour témoin... Ce que nous allons nous dire déplaira-t-il à Dieu ?

— Aïe... je ne pense pas... Dieu est bon. Ce que je crains, c'est le monde qui fait de la justice divine un cilice violent... Écoute, ma chérie. Francisquinha Valadares aimait d'un amour d'enfant un gentilhomme de province, qui fréquentait le grand monde, même s'il n'y apparaissait que rarement. Il avait voyagé jusqu'à trente ans ; il était indépendant, fascinait, il avait une aura extraordinaire, il a pris possession de l'esprit de cette pauvre fille avec très peu de mots et très peu de regards, de ceux qui demandent plus que ne peut donner le cœur d'une femme.

— Qui était-ce ? l'interrompit la comtesse.

— Tu ne t'en souviens peut-être pas, ma chère... Il s'appelait... je ne te dirai pas son nom... tu ne le connais certainement pas.

— Il se peut que je le connaisse...

— Je ne crois pas... Francisquinha, jusqu'à l'instant où

elle se perdit pour cet homme, voulait être nonne, elle attendait avec anxiété ses quinze ans pour entrer au couvent, et répondre ainsi au souhait de son père, qui désirait doter son cadet avec l'héritage qui lui revenait à elle. L'heure d'entrer au couvent venue, on remarqua la froideur et la mélancolie de Francisca. Son père trouva suspect ce changement de volonté en quelques mois et s'en enquit auprès d'elle. Francisca lui répondit qu'elle serait une fille obéissante, mais ne pourrait jamais devenir une bonne religieuse. Cela n'a pas impressionné cet homme ! En tant que père, il avait basé ses calculs sur l'humilité de sa fille, et n'en changerait pour aucun motif.

— Et ce gentilhomme, pourquoi ne la demandait-il pas ?

— Parce qu'elle ne l'a jamais prié de le faire, je crois, et lui, il n'a jamais esquissé un pas qui aurait pu rabaisser sa fierté.

— N'était-il pas noble et riche ?

— Riche… il semblait l'être ; noble, je ne sais pas… Il ne disait pas de qui il était le fils ; des rumeurs couraient sur une naissance très distinguée ; mais nul n'affirmait quoi que ce soit avec certitude. La personne qui l'avait introduit dans quelques maisons ne révéla pas la clef de l'énigme, si tant est qu'elle la possédât. Lui-même se montrait si peu intéressé par les relations qu'on lui offrait qu'il ne les recherchait même pas, ni ne se laissait approcher par elles. Tout cela était mauvais pour Francisquinha, qui n'osa jamais révéler le secret de son amour à son père, ou à une amie quelconque, mise à part cette malheureuse que tu retrouves en pleurs, après l'avoir perdue il y a seize ans…

— Mais… comment était-elle, cette passion ? Ne s'écrivaient-ils pas, ne sacrifiaient-ils pas l'un à l'autre l'obéissance et l'orgueil qui les séparaient pour toujours ?

— Si, ils s'écrivaient… C'était moi, l'infortunée confidente de cette malheureuse passion ! Et tu me demandes comment était cette passion ! Aïe, Ângela ! Elle était très noble, pleine d'une sublime résignation, de sentiments élevés, de sacrifices de l'un et de l'autre, que moi seule ai pu mesurer, et qu'eux seuls, peut-être, étaient capables d'accomplir… Ce n'était pas une de ces passions qui aveuglent la raison, qui vous font mourir ou tuer en quelques instants de fièvre… Ce n'était pas cela… De cet amour, on en meurt toujours, mais lentement, sentiment à sentiment, larme à larme… d'abord la mort de l'espérance, ensuite le cœur serré, sans air, sans soulagement…

— On en meurt, oui… Je le sais, Adelaïde… je sais ce que c'est que la mort de l'espérance…

— Mais la foi… tu ne le sais pas, Ângela… Souffrir les tourments auxquels l'aveugle hasard nous condamne… penser qu'il nous faut ici fatalement peiner, sans le recours à Dieu, les yeux rivés sur la pierre du cloître, qui doit cacher l'histoire de nos souffrances étouffées ici… sans écho…

— Et elle est morte comme ça ?… sans foi !

— Sans remords… sans transiger avec la tyrannie qui l'a tuée, sans pardonner… car… disait-elle… "pardonner pour quoi… Si la justice de Dieu n'était pas une chimère, je n'aurais pas souffert ainsi"…

— Mon Dieu !… quel blasphème !… Elle l'a proféré ?!…

— Tu n'as jamais été malheureuse, Ângela !… Tu ne serais pas étonnée à ce point…

— Et si je l'avais été ?… Je l'ai été, Adelaïde… je l'ai été, et j'ai blasphémé… et le remords est venu, après…

— Parce que après tu as été moins malheureuse ?

— Oui…

— Elle non… Elle l'a été davantage heure après heure, et jusqu'à la fin… Elle n'a pas eu le temps de se repentir…

— Et ils ne se sont plus jamais revus ?… Ni ne se sont écrit ?

— Ils ne se sont pas vus durant un an… ils s'écrivaient ; mais ses lettres à lui, pendant le noviciat, l'ont amenée à un tel point de découragement et de passion que, je te l'ai déjà dit, je crois, pendant la cérémonie de la profession de foi, la malheureuse versa des flots de sang par la bouche, et on a dû la porter jusqu'à la cellule de la mère supérieure… Celle-ci était un ange… elle écouta son cœur, sans avoir honte du scapulaire qu'elle portait… Elle comprit la douleur de la pauvre enfant, et s'enferma avec elle pendant des jours et des nuits…

— Pour quoi faire ?… la dissuader ?…

— Non… cela l'aurait tuée…

— Et alors ? Les vœux étaient prononcés…

— Ils l'étaient ; mais le cœur n'avait rien à voir avec les mots que l'oreille avait cueillis des lèvres de la maîtresse des novices et que la tête avait appris par cœur de la règle du Patriarche.

— Elle lui a dit d'annuler ses vœux ?

— Cela était impossible… Elle lui a dit d'aimer l'homme que la prépotence lui avait volé…

— Mais on ne l'a pas sauvée avec cela…

— Non, car il était trop tard… La fleur portait la mort à la racine… rien n'aurait pu la faire reverdir. Le maximum que l'on pouvait faire, c'était adoucir la fin de sa vie.

— Comment ?

— La mère supérieure l'a conseillée comme une amie… Elle lui a dit de répartir entre le ciel et la terre l'immense amour de son âme… qu'elle reçoive, comme on reçoit un frère, derrière la grille du parloir, cet homme qui était né pour lui donner le bonheur, comme le cloître avait été bâti pour le bonheur d'autres âmes, d'autres tempéraments, d'autres organisations, pour lesquels le monde était un supplice… Francisca pleurait de gratitude, dans les bras de la vertueuse religieuse, qui, peut-être, avait caché là, dans cette cellule, des tortures semblables… Depuis lors, le gentilhomme venait chaque jour au couvent. Pour lui comme pour elle, il n'y avait pas d'autre existence, d'autre ambition, ni d'autre devoir à accomplir. Francisca, laisse-moi te l'avouer, ne pouvait pas suivre les conseils de la mère supérieure. Les charges divines de sa profession de foi n'exigeaient pas cela d'elle, sinon elle ne les aurait pas respectées.

» Plein de fiel et d'amour, son cœur ne se rassérénait pas avec la présence quotidienne de l'amant. Avec la passion impuissante, stérile et réprimée entre ces grilles de fer, croissaient la désespérance et l'inconfort. Je sais que lui, contrariant sa propre douleur, inventait tous les jours des ressources de talent et de cœur pour la persuader que les souffrances en ce monde n'étaient qu'un jour, que les épousailles de deux martyrs, au bord du tombeau, étaient l'union de deux anges pour l'éternité... L'infortune semble tuer le pouvoir de ces élévations vers l'infini que l'on ne connaît pas... Ce qui est avéré, ce qui est certain, c'est la tourmente dans la vie ici bas... Francisca quittait toujours le parloir les yeux noyés de larmes... Une telle vie devait durer peu... Et elle dura deux ans.

— Et son père ne lui interdisait pas de voir ce gentilhomme ?

— Il a essayé, mais il a dû reculer, honteux de cette entreprise. Francisca l'a reçu une fois et plus jamais. Elle lui a répondu qu'elle n'était pas de ce monde, qu'elle n'avait plus de famille, qu'avec sa liberté elle avait acheté une cellule et un tombeau, qu'elle n'avait aucune responsabilité devant la société, et qu'elle ne pouvait considérer son père qu'en tant qu'auteur d'une existence dont elle ne le remerciait pas... Ils ont menacé l'amant, mais ce n'était pas un homme que l'on pouvait intimider. Il a laissé tomber sur le père de Francisca un regard de silencieux mépris et, depuis lors, lui a rendu visite matin et soir.

» À la fin, ma malheureuse amie ne parvenait plus à aller de sa cellule au parloir. Elle lui écrivait des lettres qui déchiraient le cœur... et lui, peut-être encore plus pitoyable qu'elle, les lisait derrière la grille, et restait là plongé dans je ne sais quel tourment – mon Dieu ! – les dix heures qu'il passait d'habitude avec elle... Un jour, vers la fin septembre, Francisquinha dit qu'elle se trouvait si bien qu'elle se croyait sauvée. Elle se leva et alla au parloir... Elle y resta quelques heures, et en revint dans les bras des servantes. Le lendemain à l'aube, elle m'a fait appeler, car j'avais quitté la cellule en voyant arriver le prêtre qui venait l'assister dans son agonie… J'y allai, elle me pria de venir tout près d'elle… son haleine était de feu, ses mains de neige, ses yeux vitrés, et tous ses traits, si beaux, desséchés et blanchâtres… J'approchai mon oreille de ses lèvres, j'entendis ces mots, qui furent les derniers : "Dis-lui de faire front… de ne pas m'oublier… de vivre dans la nostalgie… de me pardonner, si je l'ai rendu malheureux… si je l'ai tué…" Et rien d'autre… Puis…

La bénédictine, étouffée par les sanglots, n'articula pas son dernier mot. La comtesse pleurait avec elle et priait dans le fond de son cœur pour l'âme de Francisca Valadares. Cet esprit, soumis à l'austère dévotion du confesseur qu'elle avait choisi, ne pouvait pas s'apitoyer sur les tribulations temporaires de cette nonne, sans craindre la vie éternelle dans la présence de Dieu.

Adelaïde, soulagée de la douleur la plus cuisante de son inconsolable regret, poursuivit :

– Le malheureux a écouté de mes lèvres l'exhortation de l'agonisante… à peine venait-elle d'expirer… Il ne prononça pas un seul mot… Il était debout, les bras croisés, les yeux rivés au sol, et il resta ainsi… Quelle majesté dans la douleur qu'éprouvait cet homme, Ângela ! Il semblait que ses cheveux blanchissaient et que les rides de la vieillesse se creusaient sur son visage… Je dus lui dire de s'en aller, car le parloir était interdit pendant l'office pour la défunte. Il sortit machinalement… Je ne lui entendis le moindre mot… Il me fit de la peine ! Je me suis oubliée de moi-même et d'elle, pour guetter la plus grande des douleurs… Le plus malheureux des hommes doit avoir cette mortification, cette démarche, tout ce que je voyais en lui, à l'instant où je lui répétai les dernières paroles de Francisca.

» Six mois se sont écoulés. Je me trouvais dans le chœur avec toute la communauté, attendant un prêtre qui devait dire une messe pour l'âme de Francisca Valadares et avait demandé la présence des religieuses. Je le vis entrer. Dans le même temps, parmi nous, s'éleva un murmure. Je fus la première à pousser un cri d'étonnement, de surprise et de je ne sais quelle sublime terreur !... Le prêtre, c'était lui !... Je ne peux pas te faire éprouver les émotions de cette messe ! Nous l'avons toutes entendue les larmes aux yeux, nos mains jointes tremblant de fervente dévotion et d'enthousiasme, qui n'ont plus de nom hors de l'esprit. À plusieurs reprises, il suspendit le sacrifice et se figea, comme suspendu, les yeux rivés au crucifix. Lors de l'élévation du calice, il s'agenouilla, comme forcé, lentement, en un tremblement que l'on voyait de loin, et resta ainsi des minutes entières dans une extase qui nous ravissait toutes, dans laquelle beaucoup se sont senties faiblir à cause d'une si grande émotion, et durent appuyer leur tête défaillante aux grilles de la cellule. Ajoute à tout cela, ma chère Ângela, l'orgue, joué par la dolente inspiration d'une tendre amie de Francisca. Aïe ! ma chérie, quelle tristesse, quel nuage dans nos cœurs, combien de regrets cela éveillait de nos illusions perdues, avec la voix de celle qui s'en était allée nous disant que notre existence n'était pas meilleure que ne l'avait été la sienne !

» La messe terminée, nous suivions le prêtre de nos yeux et de notre cœur... nous aurions voulu le voir, l'écouter encore. Moi, davantage que toutes les autres, qui n'avais jamais pu me procurer de ses nouvelles, moi, la confidente, je voulais recueillir des lèvres de ce martyr des mots de consolation... Lui seul pouvait me dire si cet ange était au ciel... Je demandai à la mère supérieure de m'autoriser à l'appeler au parloir...

— Nul besoin, dit-elle, de mon autorisation. L'abbé viendra au parloir, il doit même y venir tous les jours, car il a été nommé adjoint au chapelain de cette maison.

— Vous le connaissez ? lui demandai-je.

— Parfaitement, répondit-elle. C'est un juste, un exemple

pour ceux qui souffrent, un prédestiné, qui fait honneur à l'humanité, né dans un siècle où l'on ne l'a pas compris.

Il était transfiguré : les cheveux blancs, le regard terne, l'ardente mobilité des traits presque disparue, on aurait dit que jusqu'au métal insinuant de sa voix avait changé !... On n'a pas parlé même très vaguement de Francisca. Ses mots étaient rares, et même ceux-là lui étaient arrachés par les questions de la mère supérieure.

Maintenant, Ângela, essaie de comprendre cette grande lutte à laquelle ce prêtre se trouvait confronté... Le chapelain entrait, deux fois par semaine, dans le couvent. Puis il se dirigeait vers le cloître... Il s'agenouillait au pied du tombeau de Francisca... il croisait ses bras sur la poitrine, fixait ses yeux sur le mur...

— Et il priait ?

— Je ne sais pas... Il restait comme ça une heure, deux, davantage... Pendant ce temps, personne ne l'importunait. Sa douleur était sacrée pour nous toutes. De loin, quiconque le voyait priait aussi... Puis il entrait dans l'église, disait la messe pour l'âme de cet ange, nous y assistions toutes avec la même émotion que nous avions éprouvée au cours de la première... Mais, ma chérie, ce que je souffrais était insupportable... Je ne pouvais plus vivre là-bas... L'image de ma chère amie, celle de cet homme, là, devant moi, chaque jour... je ne pouvais en endurer autant...

Sœur Adelaïde fut interrompue par une servante, disant, à l'extérieur de la cellule :

— Madame la Comtesse, monsieur le Père Dinis est à l'entrée.

— Le Père Dinis ! s'écria Adelaïde.

— Oui, le Père Dinis... Qu'est-ce que c'est ?... Quel est cet étonnement, Adelaïde ?!

— Père Dinis Ramalho e Sousa... c'est celui-là, Ângela ?!!

— Celui-là !... qui ?...

— Sebastião de Melo !...

– Que dis-tu, Adelaïde !… Père Dinis serait cet homme dont tu me parles ?!

– Oui, oui !… Laisse-moi le regarder de la fenêtre du dortoir…

Dona Ângela accompagna la religieuse qui, après un premier coup d'œil, se tourna vers elle en murmurant, très agitée :

– C'est lui… D'où connais-tu cet homme ?…

IV

La comtesse de Santa Bárbara était saisie de stupeur en pénétrant dans le parloir, où elle trouva Père Dinis. Cet homme lui apparaissait autre, maintenant. La grandeur de son passé, les mystérieuses infortunes de sa vie, son héroïsme d'ecclésiastique oint par les larmes d'une passion éternelle, à jamais gravée sur cette physionomie émaciée, le mystère, enfin, enveloppé dans un silence de seize années, c'était ce qui manquait à cet homme pour imprimer une image prestigieuse chez Dona Ângela de Lima.

Le prêtre, plus triste qu'à l'accoutumée, les yeux fixés sur le visage songeur de la comtesse, perçut une inquiétude extraordinaire, qui l'empêchait de parler avec l'assurance et la placidité habituelles.

– Qu'avez-vous, Madame la Comtesse ?… Toujours triste… mais, aujourd'hui, en plus, vous me semblez préoccupée… Soucieuse pour votre fils ?

– Nostalgique… oui.

– La nostalgie des vivants est une douleur suave… La nostalgie insupportable, sans soulagement, il n'y en a qu'une… celle sans espoir, qui vous parle depuis quinze ans… ne la ranimons pas. Rassembler les douleurs affaiblit la force de chacune.

Tous ces chagrins, qui vous frappèrent l'un après l'autre, il y a moins d'un mois, semblent avoir paralysé votre sensibilité, Madame la Comtesse… Grâce à Dieu !

— Monsieur le Père Dinis, la nostalgie ne paralyse pas ainsi… Qu'un autre me le dise… mais celui qui connaît tout… qui a goûté au fiel de toutes les passions… Je ne suis pas devenue insensible… Cette grâce, j'espère la devoir à Dieu… un jour prochain ; mais pour le moment, je sens, je sens beaucoup, et je sens plus encore, parce que l'homme qui devrait le mieux connaître mon âme est celui-là même qui semble condamner froidement mon insensibilité…

— Je ne vous condamne pas, Madame la Comtesse de Santa Bárbara… Je vous observe, et je vous vois plus courageuse que je ne l'aurais supposé, pour vous contraindre aux conditions que la raison vous impose. C'est beaucoup ; plus que ne le peut le cœur d'une femme ; on ne le peut que lorsqu'il n'y a pas la sève des passions, quand l'âme semble vieillir avec la matière, quand on reçoit toutes les douleurs avec la tête et qu'on a la force de maîtriser la réaction du cœur…

— Et que fais-je donc ?! l'interrompit Dona Ângela avec anxiété.

— Vous vous suicidez. L'amour de Dieu, ce n'est pas l'affaiblissement de tous les liens qui nous attachent au monde. La vraie religion est sereine comme la paix de la conscience ; il y a de la jubilation, et elle ne se nourrit pas seulement de la solitude de la prière ; elle jaillit de nos yeux en larmes, quand le remords est enraciné et rebelle à la contrition ; elle nous vient aux lèvres, en sourires d'amour pour le genre humain, quand l'âme est en train de jouir de la quiétude de la vertu. Votre Excellence a cherché avec avidité un confesseur qui lui serre ses cilices. Vous l'avez trouvé parmi les capucins, qu'on tient pour saints, mais qui ne jouissent pas d'une aussi bonne réputation en matière d'éducation. Madame la Comtesse, doutez de la sainteté qui prétend faire des saints en défaisant la glaise d'où sort l'homme d'entre les mains du Créateur. Si le ministre de la conscience vous dit que vous devez être ce que vous êtes déjà, ne vous prêtez pas à des sanctifications qui, plus tard, seront fatigantes et, en violentant l'esprit comme l'arc de l'évangéliste, le briseront et le rendront inutile pour l'avoir trop comprimé. La grâce de Dieu est joyeuse, communicative, et elle vient à la lumière du jour, elle s'affiche devant les hommes en se montrant telle qu'elle est…

— Que voulez-vous donc que je fasse, Monsieur le Père Dinis ? Que je quitte le couvent ?

— Oui, s'il n'y a pas d'autre moyen de vous faire comprendre la vertu.

— Ne m'avez-vous pas conseillé de venir dans cette maison ?

— Je vous l'ai conseillé comme un havre pour vous reposer des travaux où votre âme a été éprouvée. J'ai été mauvais conseiller… c'est ce qui en ressort… J'ai supposé que Votre Excellence aurait trouvé du soulagement parmi des gens qui vous ont reçue affectueusement. Nulle part, comme dans ces maisons, on ne met du baume sur vos souffrances avec autant d'empressement, et la volonté de les soulager est aussi sincère. Ce fut le contraire. Votre Excellence s'est renfermée et s'est éloignée d'elle-même…

— Des gens que je ne connaissais pas et que mon confesseur…

— … vous a dit que vous ne deviez pas connaître : pourquoi ?

— Parce que la vraie vertu est aussi rare dans le monde que dans le cloître…

— Le frère avait raison… coupa le prêtre, souriant. À l'écouter, la vraie vertu ne se trouve même pas parmi les capucins… Votre confesseur est un franciscain sincère et authentique, Madame la Comtesse !

— Il est vrai que jusque-là j'ai vécu seule avec votre sœur,

244

mais aujourd'hui j'ai rencontré une amie d'enfance, une religieuse… de Santa Apolónia…

— Une amie d'enfance ?! coupa le prêtre, alarmé.

— C'est cela… Adelaïde Maldonado…

— Elle ! s'écria le prêtre.

— Oui, Monsieur, dit la comtesse avec une simplicité mal feinte.

Père Dinis, habile à maîtriser ses émotions, demanda calmement :

— Vous vous fréquentez beaucoup ?

— Un peu… Elle est rentrée hier de la campagne, où elle se trouvait en villégiature. Vous la connaissez, Monsieur le Père Dinis ?

— Oui, Madame… J'ai idée de l'avoir vue…

Le prêtre ne parvenait plus à cacher son trouble. Mais Dona Ângela ne savait pas jouer un rôle qu'elle avait violemment imposé à son caractère. Elle avait des scrupules à feindre l'ignorance, trompant la bonne foi de l'ami qu'elle avait adopté comme père. Les demi-révélations inconsidérées qu'elle venait de faire lui causaient des remords. Il était trop tard pour y remédier ; mais les laisser là, en suspens, ce serait indigne des sentiments sincères qu'elle éprouvait pour un tel homme, ce bon ange qui, depuis son jeune âge, ne l'avait jamais abandonnée dans les plus angoissantes détresses. Le prêtre lisait dans ses yeux les craintes du cœur. Il se sentit intérieurement transi de douleur ; il éprouvait pour elle une sorte de compassion et appréhendait de la laisser tourmenter par le chagrin de ne pas savoir taire ce qui, peut-être, ne lui avait pas été confié comme un secret.

— Avez-vous parlé de Père Dinis à votre amie ? lui dit-il, souriant.

— Non, Monsieur ; c'est elle qui m'en a parlé…

— C'est curieux !

— … quand elle m'a raconté la raison qui l'a fait venir du monastère de Santa Apolónia jusqu'ici…

— Cela me suffit… Je comprends tout…

— Vous souffrez, Monsieur le Père Dinis ?

— Si je souffre ?…

— Oui… souffrez-vous parce que je suis entrée involontairement dans le secret de votre vie ?

— Non, Madame la Comtesse… Mon égoïsme dans la douleur ne va pas si loin… Si le moment était venu où je devais, moi, par nécessité, vous raconter ce que j'ai été, pour que Votre Excellence puisse comprendre ce que je suis, je ne vous aurais pas caché ce secret… Vous le dévoiler sans raison aurait été une frivolité inutile à tous les deux…

— Cela aurait été tout de même un exemple de résignation, une incitation à accueillir la souffrance avec courage.

— Eh bien… parlons donc de votre amie Adelaïde… Je ne l'ai pas vue depuis quinze ans au moins… Elle était alors très triste… Elle avait la beauté d'un ange, et le cœur aussi. Et aujourd'hui ?

— Son cœur me semble aussi bon qu'il l'était ; sa tristesse est faite de larmes incessantes et de regrets restés de longues années sans consolation !… Son visage a changé ; elle n'a plus rien de l'Adelaïde que nous avons connue !… Ses cheveux sont presque entièrement blancs, et ceux qui ne connaîtraient pas son âge diraient que la pauvre Adelaïde est une vieille femme.

— Et pourtant elle ne l'est pas… Il y a quinze ans, la dernière fois que je l'ai vue, elle avait dix-neuf ans… Elle a vieilli… il ne pouvait en être autrement, même si on ne le comprend pas…

— Ce fut une telle passion… le chagrin…

— Le chagrin… pour elle ?

— Oui… pour cette malheureuse…

— Ne l'appelez pas malheureuse !… dit le prêtre, les yeux remplis de larmes, et avec un doux sourire d'ineffable sentiment, Francisca Valadares n'a pas été malheureuse. Elle est morte ? Bénis soient ceux qui meurent ainsi !… Grande dans l'âme, grande dans le sacrifice de toutes ses ambitions !

Malheureuse est la femme qui transige avec la persécution, en s'humiliant. Elle, non. On l'a blessée, sans parvenir à l'outrager. On a tué son corps, sans lui toucher l'âme. Et ensuite, cet ange aurait pu se perdre et ne s'est pas perdu. Elle s'est purifiée par l'agonie, sourde, soumise, et réconfortante pour ceux qui souffrent. Elle s'est toujours élevée vers son origine. Quand elle est morte, au bout de la nuit tourmentée de sa courte existence, elle avait déjà sur le visage la lumière crépusculaire de la béatitude éternelle... Madame... quand on a aimé ainsi... une fois, et tout perdu en un instant... le cœur vous reste chevillé au tombeau... rempli de regrets et de vie jusqu'à la décrépitude... Adelaïde a raison... elle ne pouvait que vieillir. Quand les cheveux d'un homme blanchissent en quinze jours, la femme, qui a été sa véritable amie, ne pouvait que vieillir au bout de quinze ans... Dites-lui que sa douleur est sacrée... et que son âme se sanctifie par le martyre noble du chagrin... Nous pleurons tous deux, Madame la Comtesse... Pourquoi pas ? Votre Excellence voit un vieillard pleurer. Vous éprouvez de la compassion pour le pauvre homme, parce que vous savez quel cœur est le sien. En cet instant, il récapitule les pénibles tourments de tant d'années qui le réduisirent à ça !... Voir le soleil de chaque jour se lever, comme un signe nouveau que ma captivité se prolonge... entrer dans le silence de chaque nuit en la voyant toujours là... avec ses mots, les derniers, le convulsif adieu de la moribonde... c'est un poids qui fait ployer tout courage moral, Madame ! Sans la foi, cette existence aurait été une facétie du Créateur...

Les sanglots l'étouffèrent. Il se leva soudain, alla à la fenêtre qui ouvrait sur le mur d'enceinte, et aspira à grandes gorgées l'air qui semblait le ranimer de la suffocation avec laquelle il avait exprimé ces passionnées réminiscences de toutes les heures, mais que ses lèvres énonçaient là pour la première fois. La comtesse, incapable d'inventer des lénitifs à ce chagrin inconsolable, l'interpellait avec tendresse, le priait de ne pas se retenir ainsi, de laisser sa passion se libérer en un franc épanchement… Le prêtre l'entendait-il ? Peut-être pas ! Les yeux tournés là-bas, vers l'horizon, les mains croisées sur la poitrine, cet homme en noir, vêtu de l'habit majestueux du lévite, était grandiose, là, dans son combat avec les passions terrestres ; il était plus grand que la magnificence de son ministère, oint entre la glaise friable de l'amour mondain et le perpétuel amour de Dieu !

— Madame la Comtesse, dit-il, adoptant l'aspect de froide austérité qui lui était habituel, comme si les passions, soumises par sa volonté de fer, n'avaient laissé sur lui la plus légère marque d'agitation, Madame la Comtesse, votre fils est parti. Je l'ai confié à la veuve du général Almada qui emmenait ses enfants à Londres. Elle sera comme une mère pour lui, et lui comme un fils pour elle.

— Mais, Monsieur le Père Dinis, mon fils, dans sa lettre, ne me dit rien sur les moyens qui lui permettront de subsister dans ce collège.

— Votre fils ne pouvait pas vous le dire parce qu'il ne les connaît pas. La Providence les lui a procurés…

— Encore un secret…

— Qui m'a été demandé sur mon honneur. Ces moyens, ce n'est pas moi qui les lui donne… Je m'empresse de vous éviter cette conjecture…

— Alors qui ?

— Je vous pardonne votre curiosité ; mais je ne puis vous en dire davantage que votre fils.

— Vous ne le savez pas ?!

— Je le sais, Madame la Comtesse.

— Je ne dois plus rien demander à ce propos ?

— Accordez-moi cette preuve d'estime… Les legs de votre mari ont tous été remis, à l'exception du don fait à Eugénia, votre femme de chambre.

— Pourquoi ?

— Elle n'a pas voulu l'accepter : elle l'a refusé en disant [...] e s'était pas vendue au comte de Santa Bárbara de son vivant, et se vendrait encore moins à lui après sa mort. Deux jours plus tard, je l'ai croisée en voiture. Elle a fait arrêter les chevaux, m'a appelé à la portière et m'a invité dans sa demeure, place da Alegria, numéro 19. Je lui rendrai visite un de ces jours… Le mystère est provocateur… Encore une chose… Demain, je pars à Santarém. Le confesseur de monsieur le comte de Santa Bárbara m'a prié de lui rendre visite en ami. Je ne sais pas combien de temps je m'y attarderai. Je ne prends pas congé de ma sœur…

— Votre sœur ?

— Dona Antónia…

— Elle est votre sœur ?

— Quelle question !… Pourquoi me la posez-vous, Madame la Comtesse ?

— Je n'ai pas entendu dire que Sebastião de Melo avait une sœur…

— Madame la Comtesse… je vous répondrai plus tard. En attendant, considérons-la comme ma sœur et une bonne amie de Votre Excellence.

V

Père Dinis s'était fait annoncer à Frère Baltasar da Encarnação, à l'entrée du monastère des dominicains, à Santarém, et il fut conduit à la cellule du moine, qui le reçut en le serrant dans ses bras, comme s'il serrait en soupirant un ami de longue date, attendu avec toute l'affection de son cœur. La jubilation semblait avoir rajeuni le visage ridé du moine. On aurait pu dire que ce sourire, sur cette figure vénérable, venant droit du cœur et de l'instinct, comme en vérité il venait, était l'un des rares qui avaient jamais effleuré les lèvres du septuagénaire.

Là, dans ce cloître, dont la terre recouvrait tous ceux qu'il avait rencontrés, tous ceux avec lesquels il avait été novice, durant plus de cinquante années, personne ne lui avait vu un éclair de joie dans l'ombre éternelle du visage.

On attribuait la mélancolie imperturbable, l'abstraction profonde, la solitude obscure de cette âme aux effets du cilice, de la discipline et de la macération morale, auxquels la dévotion ou, selon beaucoup, le fanatisme tenaient cet esprit asservi.

Frère Baltasar était un sage de l'ancien temps, où un érudit, après cinquante années de fatigues studieuses, recevait ce titre que les petits-enfants de ces hommes, dans leur rage puérile contre le passé, n'osaient lui dénier.

L'ordre de Saint-Dominique l'écoutait comme un oracle en toute science et le surnommait, sans déshonneur pour le terme de comparaison, le saint Thomas de l'Église lusitanienne, le soutien de la bonne science, et le dernier rejeton du tronc vénéré de Frère Bartholomé des Martyrs.

Pour louer hautement ses capacités, on disait que l'illustre évêque de Viseu, alors secrétaire d'État, ne dédaignait pas de le consulter sur des affaires délicates de politique. Et à supposer que, par cette compétence, Frère Baltasar souffrait d'une injuste censure de la part de certains scrupuleux, qui n'approuvaient pas l'interférence du ministre du Ciel dans les affaires de la Terre, le dominicain, plein d'humilité, indiquait à ses détracteurs un traité in-folio *De re politica*, production d'un jésuite, que le Saint-Père avait canonisé. Elle était donc invulnérable, la vertu du moine, aux argutieuses insinuations de l'assemblée des bigots, cousine germaine de la mauvaise foi et, tout au moins, amie intime de l'ignorance audacieuse. Ces quelques lignes suffisent pour esquisser les traits que les yeux de ceux qui ne voient que la croûte extérieure découvraient, plus en surface, sur la physionomie de l'impénétrable moine.

Avec des raisons fondées, Père Dinis l'avait vu sous un autre prisme et l'avait défini autrement. Frère Baltasar lui semblait un homme, avec en lui deux hommes divers, qui le plaçaient devant un déchirant antagonisme de conscience. Il le tenait pour un savant, mais à l'esprit endurci par les leçons amères de l'expérience qu'il avait emportées du monde avec lui, en se retirant dans le refuge ultime des malheureux. Il le jugeait bon, de cette bonté qui n'est pas congénitale au cœur, mais qui se fait et s'acquiert tel le bon fruit du mauvais arbre qui, s'il n'est pas arrosé avec beaucoup de larmes, n'arrive jamais à maturité. Père Dinis ne croyait pas aux cilices, disciplines et jeûnes comme machines à fabriquer des saints. Par la connaissance qu'il en avait, Frère Baltasar lui inspirait une très haute estime. La renommée de ses pénitences, flagellations et mortifications, aux yeux de l'ancien Sebastião de Melo, n'était qu'une croyance populaire, que le dominicain démentait avec ses soixante-dix-sept ans. L'esprit pouvait bien s'exténuer en secrètes mortifications, mais la chair, elle, sans être dodue et succulente comme celle d'un moine d'Alcobaça, était saine et vigoureuse, *quantum satis*, le plus et le mieux qu'il pouvait, à son âge, ambitionner.

Ceci dit, observons-le, puisque l'occasion nous est offerte de mieux le juger.

– Je vous attendais avec anxiété et impatience, dit le Frère, serrant son hôte. Pour un peu j'aurais écrit à madame la comtesse de Santa Bárbara, la priant de vous dispenser quelques heures au bénéfice d'un vieux moine de Santarém… Maintenant, vous êtes à moi ; je vais ordonner que l'on verrouille la grille d'entrée et demander une ration à vie pour vous… Vous riez ? Vous verrez… Je vous charmerai avec des sorcelleries de moine, qui sont pires que celles d'une vieille femme. J'ai hérité de la nécromancie du vénérable Gil, que les païens du christianisme ont béatifié en l'honneur de ses sortilèges… J'ai l'impression que vous me croyez hérétique !… Allez, asseyez-vous et entamons, tels de bons chrétiens, en sainte harmonie, les agapes d'un dîner de dominicain, qui ne vous sera pas indigeste, parce que notre père saint Dominique est meilleur avocat contre les indigestions que les très béats patriarches Benoît et Bernard...

Comme vous voyez, Frère Baltasar avait un esprit satirique, sans médisance. Les sujets célébrés par de graves penseurs du siècle dernier, et par la tradition vénérable du peuple, tel saint Gil, avec lequel le divin Garrett joua par la suite, étaient un objet de moquerie pour le moine. Philosophe, non pas selon la philosophie négative de l'école française du XVIIIe siècle, mais selon la pensée critique, sans préventions, là où les abus sont vannés et le fait indestructible purifié des scories qui gâtent son éclat.

Père Dinis, sympathisant de plus en plus avec ce caractère si particulier dans un monastère, se sentait attiré vers cet homme avec toute l'effusion de la franchise qui, en quelques minutes, noue en un lien serré deux personnalités qui se ressemblent. Miraculeuse entente, le prêtre ayant toujours exécré le moine !...

Au cours du dîner, dans la cellule de notre vieillard qui, grâce à son autorité, s'était affranchi de l'obligation du réfectoire, ils parlèrent politique, matière fastidieuse et abstruse qui, traitée ici, ne serait qu'une pitoyable usurpation du journalisme, calamité non prévue par Gutenberg.

Le frugal repas terminé, Frère Baltasar conduisit Père Dinis à une chambre où il pouvait se reposer et se retira dans la sienne. Pendant une heure, il dormit, pria et médita.

Père Dinis était en train d'écrire, lorsque l'incrédule chroniqueur de saint Gil fit résonner à travers la serrure un bénédicité, en lugubre clef. Ils sortirent ensemble se promener dans l'enclos ; développèrent les thèmes traités au dîner ; tombèrent d'accord sur de graves sujets de légitimité dynastique ; doutèrent ensemble des Cortès de Lamego, sans mettre en question l'autorité de la sanction juridique ; parlèrent de beaucoup d'autres choses profondes et spécieuses et se recueillirent, enfin, à leur cellule, quand les vêpres leur commandèrent de le faire. Ils ouvrirent les bréviaires, murmurant les versets sur un ton monotone et priant de conserve, à genoux, l'habituel *Salve, Regina*. Leur érudition n'était donc pas si érudite qu'elle les dispensât de l'obligation de prier.

Ils s'assirent ensuite. Père Dinis entamait une nouvelle conversation sur un quelconque sujet trivial, quand Frère Baltasar, par un signe plein de majesté, lui imposa le silence.

— Le sujet est un autre, dit-il et il resta suspendu en un long recueillement, comme s'il cherchait dans un élan de l'âme à récapituler les topiques essentiels d'un discours étudié.

Ce n'était pas cela. L'improvisation lui venait spontanément aux lèvres ; mais son cœur semblait se rétracter, retenant une effusion qui devait lui être très chère.

— Mon ami, dit-il, serrant la main de son hôte, mon cœur a tant de vie… Ces tissus de soixante-dix-sept ans ne se sont toujours pas distendus… Je sens ici une oppression… qui ressemble à la crainte d'un prophète… Je suis très gêné… Me serais-je trompé sur l'homme que j'ai choisi pour lui confier le secret de ma conscience ?

— Je n'ose pas vous répondre… dit le prêtre avec une dignité froissée. Je suis ce que je suis.

— On ne m'a jamais répondu ainsi ! Vous êtes bien l'homme que j'ai imaginé… Je ne me suis pas abusé moi-même… Maintenant, écoutez-moi. Je suis né dans le Minho. Mon père était d'une noblesse plus ancienne que celle des rois de ce pays. Sans les patriarches de ma famille, le Portugal serait aujourd'hui un petit coin d'Espagne, Alphonse VI de Castille aurait enseveli à Guimarães la rébellion du comte Henrique, et Jésus-Christ ne serait pas venu à Campo de Ourique prophétiser la déroute des cinq rois maures. Vous voyez bien que l'ironie me sauve de l'accusation que vous pourriez faire à la vanité bouffie de ma naissance.

» J'ai été éduqué librement. Je suis né avec de mauvais instincts et on m'a donné carte blanche, pour que je dispose avec largesse de l'or avec lequel je servais sans compter mes immoralités.

» Je me suis lassé de moi-même lorsque j'ai atteint mes vingt-trois ans, sans l'encouragement d'une passion noble, sans une affection pure pour une seule des innombrables femmes que j'avais jetées dans le déshonneur, tels des fardeaux insupportables, même si sur ma conscience ils ne pesaient d'aucun poids.

» À cette époque, le comte de Viso... remarquez que je ne vous cache aucune circonstance... si je ne vous ai pas encore dit mon nom, je vous le dirai bientôt... le comte de Viso est venu vivre dans la demeure de la femme qu'il avait épousée dans le Minho. La comtesse avait été éduquée à Lisbonne. Je la rencontrai déjà mariée ; je ne l'avais pas connue célibataire. Cette femme avait tout ce qui perd un homme. Elle était d'une beauté rare et d'un esprit si joliment enrichi des dons de l'intelligence que, pour l'amour d'une telle femme, pour l'affection qu'elle gaspillait avec l'homme grossier auquel on l'avait mariée, j'aurais été un ange et un démon, j'aurais été un homme vertueux humilié par tous pour la posséder, elle, j'aurais été l'assassin de mes amis, si telle était la condition de mon triomphe. Un homme qui ressent cela ne s'appartient plus, ni à la vertu, ni au crime, ni à Dieu, ni à la société... Il lui appartient à elle... et il est ce qu'elle voudra qu'il soit.

» Le comte de Viso était général. Il avait la rusticité, l'âpreté rude du soldat, n'ayant pas la pratique de la délicatesse des sentiments, ni l'art de s'en donner l'air avec la femme exquise que les convenances sociales avaient faite son esclave. Jamais il ne songea à mesurer le gouffre qui les séparait, ni à prévoir les batailles qui se livraient dans le cœur de l'odalisque, réagissant contre la dure condamnation de la captivité au pouvoir d'un sultan, autorisée par le sacrement d'un précepte divin, d'après les casuistes de bonne foi.

» Le timbre de sa voix n'avait pas d'inflexion. Il commandait la charge à ses escadrons sur le même ton dont il usait pour appeler sa femme pour qu'elle prenne note des boisseaux de maïs qu'on rentrait au grenier. Il avait dans l'idée qu'il y a des hommes qui ont été conçus pour être généraux ; que son métier à la guerre était de tuer et de mourir et, dans la paix, se souvenir des batailles, solliciter une distinction pour chaque blessure, montrer les murs derrière lesquels ses camarades s'étaient cachés pendant telle escarmouche, et chercher une femme, seule machine à créer des représentants des gloires que la patrie reconnaissante jamais n'oubliera.

» Le comte de Viso était ainsi, et sa femme, elle, était une âme de désirs, ardente, remplie de chimères, conspirant contre tout ce qu'il y a, car ses ambitions étaient tout ce qu'il n'y a pas.

» Je suis entré chez le général comme quelqu'un qui va étudier le terrain d'une bataille inéluctable. Mon orgueil me tendait d'avance les lauriers du triomphe. Les probabilités étaient toutes de mon côté, même si la notoriété de mon nom m'avait précédé, excitant la grossière jalousie du comte et indisposant la fine sensibilité de la comtesse.

» Ma stratégie était ignoble. En présence de cette femme, mes plans se sont écroulés. Elle me dévisagea d'une façon qui semblait me dire : "Recule, misérable !" Je reculai. La tête me brûlait, remplie de fantaisies enflammées, et le cœur me cuisait de chagrins jamais ressentis, d'espoirs qui me semblaient des reproches à mon amour-propre… de désirs qui n'auraient pu être assouvis sans elle, silencieuse et impassible tel un sarcasme à ma vanité, une expiation des vaines gloires bon marché que m'avait procurées mon habile perfidie.

» C'était ma première passion. Je la nourris de larmes généreuses. Je me sentais un autre dans l'âme. Des propensions au bien me vinrent soudain. Mon cœur s'ouvrit aux tendres sentiments, à la compassion pour les pauvres, à la méditation douloureuse et secourable à l'égard des malheureux. La nature, tout ce qui nous entoure et n'éveille en nous aucun affect parce que le tumulte de passions sordides nous sépare du beau, m'apparut charmante et splendide dans le reflet de cette femme, venue, tel un ange de paix, me réconcilier avec la vertu.

» Vous trouvez étrange ce langage chaleureux chez un vieillard de soixante-dix-sept ans ? Cette impression a laissé un sillon indélébile. Cette douce réminiscence, en mon âme, est comme la fleur de toute la vie, toujours verdoyante de la rosée des larmes. Je serais mort si cette passion avait été suivie d'une autre passion. Ce n'était pas possible. Elle a été unique… Le corps a vieilli, mais l'esprit en a été nourri pour toujours.

» Le comte de Viso était un ennemi acharné du marquis de Pombal. Moi-même, je détestais ce dernier de tout mon cœur, car mon père était décédé douze ans auparavant dans le château de São João da Foz, où il avait subi des supplices nés de l'imagination carnassière de Sebastião José de Carvalho.

» Mon désir de vengeance me fit apparaître, à l'intelligence étroite du comte, comme un homme supérieur. De là naquit la sympathie avec laquelle il m'accueillit chez lui et la confiance entière que je parvins hypocritement à lui inspirer. Aussitôt que je lui dis que j'attendais l'heureux moment où je pourrais assouvir ma rancœur dans le sang du comte d'Oeiras, le général, qui avait été brave sous les ordres de Lippe, mais incapable de tirer vengeance, face à face, des affronts que lui avait infligés Pombal dans les salons du Palais royal, me serra frénétiquement dans ses bras, en s'écriant : "Amis, à la vie à la mort !"

» Cette année-là, nous étions en 1777, le roi Dom José mourut. La nouvelle de cette mort désirée impliquait la chute du favori. Le comte était délirant de joie et le fut plus encore quand la reine Dona Maria le fit appeler pour assister à son acclamation, en qualité de gentilhomme de la Chambre royale, charge à laquelle elle l'avait nommé.

» Le général partit pour Lisbonne. C'était là sa passion unique. La réalisation de ses rêves ambitieux lui fit oublier les insignifiances de l'amour qui l'entouraient, voyant en sa femme un embarras ridicule qu'il n'aurait jamais songé à emmener avec lui.

» Il s'en fut. Dona Silvina prit congé de son mari avec une aigreur qu'il ne remarqua point. Elle se sentit blessée par ce manque de considération involontaire, congénital à la rudesse du soldat ambitieux, et se trouva outragée dans sa vanité.

» Moi, je la perçai à jour. Je me félicitai de mon triomphe, et me sentis soulagé du désespoir qui m'avait dépeint cette femme comme invincible.

» La comtesse savait... elle ne savait que trop... que je l'adorais... Elle avait lutté contre son cœur, contrariant les élans qui devaient finalement... la perdre. Elle me vit souffrir avec humilité... souffrir en silence, m'offrant volontairement à des désillusions encore plus grandes, m'ennoblissant même de souffrir pour une telle femme... Mais elle était faible... comme l'est toujours toute femme qui combat deux puissants ennemis... oui, ennemis : l'indifférence du mari et la lassitude imprévoyante de la possession, la tendresse de l'étranger et la caresse plus brûlante du désir. Fussent-elles vertueuses jusqu'au martyre... elles se renieraient, pourvu que l'on ne ferme pas les boulevards à la tentation de l'amant... Elles se renieraient, en se dépouillant des gloires de leur orgueil stérile ; de leur conscience, pure, oui, mais incapable de guérir les blessures de la vanité... Elles succombent toutes... Elles succombent, Père Dinis, quand la patience de l'amant tire profit des impatiences du mari... Ainsi était le monde, alors, et ainsi sera-t-il toujours... Elles seront toutes comme cette femme, pour peu qu'une passion véritable, fertile en ressources, vienne les inquiéter dans leur insipide tranquillité, dans leur intime ambition de vivre avec un autre homme qui sache cueillir les fleurs de leur âme et ne les apprécie pas seulement pour leur apparence extérieure.

VI

« Au bout de onze mois, le gentilhomme ordonna brusquement à la comtesse de le rejoindre immédiatement à la cour. Cela nous fit l'effet de la foudre. Le général avait forcément été informé par des voisins, recuits en vieilles haines, et espions diligents de mon intimité avec la comtesse. Dans toutes les lettres envoyées à sa femme, le comte en incluait une pour moi, ou bien ajoutait quelques civilités à mon adresse. Sauf dans la dernière. Dans celle-ci, la phrase était sauvage, impérieuse, ressemblant à une menace. Le départ de la comtesse, Père Dinis, était impossible. La malheureuse n'avait aucune défense. Cachée depuis trois mois aux yeux des étrangers, comment pourrait-elle se présenter devant son mari ?!…

» La réponse que le comte reçut fut écrite par son majordome. Il lui faisait part de la disparition de sa femme, aggravée par la coïncidence de ma propre disparition avec chevaux, domestiques et le plus clair de ma fortune, réalisée en une vente soudaine.

» Voilà comment cela se passa. Revenu de la torpeur où m'avait plongé l'ordre du comte, je demandai conseil à mon cœur, un geste de courage avec lequel je pourrais ranimer Silvina. L'inspiration fut instantanée. Je ne l'aurais jamais eue si cette femme n'avait pas été ma suprême joie, tout ce qui sur Terre peut nous imposer le sacrifice de la fortune, du sang et de l'honneur.

» Je lui dis que sa volonté ne pouvait pas se plier à celle du général : elle me répondit que, plutôt que lui obéir, elle aurait recours au suicide. Je ressentis en cet instant la plus haute sensation de toute ma vie. Mon espoir s'était réalisé : ma maîtrise sur cette femme était absolue.

» Deux jours plus tard, à la frontière espagnole, nous fîmes au Portugal nos adieux pour toujours. De mon patrimoine, tout ce qui était biens libres, je les avais vendus pour plus de cent mille cruzados. Mon bonheur, c'était elle ; mais, en n'importe quel point du monde, avec cet argent, j'aurais trouvé le bonheur que l'on peut acheter.

» Silvina ne partageait pas mon contentement. Chez moi, tout n'était que l'expression des joies intimes de qui n'a pas de place dans son cœur pour d'autres désirs. Chez elle, une tristesse sombre, un enfermement muet, un ressassement continuel, qui semblaient l'éloigner de moi, la rendant insensible à mes manifestations de tendresse et à mes égards pour la rendre heureuse.

» Et, cependant, je ne pouvais me plaindre de son amour. Sa tristesse était surnaturelle.

» Le cri du pressentiment lui parlait plus fort que mes encouragements.

» Nous arrivâmes à Venise, où je m'imaginais que le ciel aurait une bonne influence sur la souffrance morale de la comtesse. Nous y vivions obscurément, sous des apparences qui n'éveillaient point la curiosité, sans état, sans un indice qui puisse dénoncer notre qualité d'étrangers.

» La mélancolie de la pauvre dame s'aggravait. Puis vinrent les larmes et les prédictions d'une mort prochaine. Elle m'étreignait convulsivement et me disait : "Tu me perdras bientôt. Je partirai avec la joie d'avoir été véritablement aimée ; et je laisse dans ta conscience une voix éternelle qui te dira que je l'ai mérité… Me perdre… serait bien peu ; je ne me suis pas sacrifiée, car tu m'as dédommagée pour ce que j'ai fait en me donnant beaucoup d'amour. Pour cet amour, je veux te donner ma vie… celle-là, oui, je te la donnerai… bientôt…"

» Père Dinis, vous voyez bien que je parle et que je pleure avec franchise… Pardonnez mes larmes… En présence d'un autre, je les trouve douces… tout seul, comme je les ai toujours pleurées… elles me brûlaient…

» Vint le moment de la prophétie.

» Silvina, bouleversée par une douleur qu'elle n'avait

259

jamais ressentie et reconnaissait comme la dernière qu'elle devait jamais ressentir, me révéla un secret que les médecins lui avaient révélé à elle, quand ses parents l'avaient forcée au mariage. Je le reçus rempli de terreur ! Je le communiquai à un, à deux, à une junte de médecins que j'appelai au chevet de mon involontaire victime. Le geste craintif qui accompagna leur réponse refroidit tous mes espoirs. "Il est donc impossible de la sauver ?", leur demandai-je, les mains jointes. "Impossible, non, me dirent-ils. La science fait souvent des miracles."

» Maintenant, mon Père, pénétrez-vous bien de cette agonie. J'avais l'oreille collée à la serrure de la chambre de ma malheureuse amie. J'entendais ses cris déchirants, les gémissements qu'elle étouffait au risque de faire éclater sa poitrine, les encourageantes consolations d'un médecin, qu'elle n'entendait pas, en se tordant sur le lit, qui semblait se déboîter… J'entendis tout, Père Dinis… j'entendis mon nom… ce nom que tous ignoraient… Dom Álvaro de Albuquerque !… Ils la croyaient délirante, lorsque j'entrai… Elle tendit vers moi ses bras, se débattit, pendue à mon cou, en convulsions frénétiques… On m'ordonna de sortir au nom du salut de cette dame… Je sortis rempli de larmes et d'espoir… J'écoutai encore… Je compris, au tintement des fers, que l'on tentait un ultime effort… Les cris redoublèrent, plus aigus, et soudain faiblirent jusqu'à devenir des gémissements étouffés. On ouvrit la porte, et un médecin me dit : "Faites entrer cette femme à qui l'on doit remettre l'enfant, qui heureusement est vivant…" "Et elle ?", l'interrompis-je. "Elle se meurt", me répondit-on sèchement.

» J'oubliai la recommandation du médecin ; j'entrai dans la chambre ; je courus vers le lit ; je vis Silvina, le visage écarlate, trempé d'une sueur froide, les yeux clos. Elle respirait, semblait même sourire… Je l'appelai, elle répondit en délire, balbutiant mon nom. Je l'appelai de nouveau, elle répéta encore mon nom. Je criai avec affliction "Silvina !", je l'entendis pour la troisième fois prononcer "Álvaro !". Elle frémit… poussa un long gémissement, l'ultime, ouvrit les yeux, une brume blanche les recouvrait… tendit le bras droit, convulsé, robuste dans un dernier accès de vie… J'embrassai sa main… Je sentis sur mes lèvres le froid d'un cadavre… Elle était morte.

» Père Dinis, mes croyances religieuses naquirent à cet instant. Sans Dieu, il y a des coups de poignard incurables. Je ne tombai pas mort !… Je m'étonnai de mon courage, je reconnus que je ne l'aurais pas eu sans le réconfort du Ciel. Je pensai au suicide… je regardai autour de moi, cherchant un pistolet, un abîme, je vis un enfant qui vagissait sur la poitrine d'une femme.

» Je parle à un homme d'intelligence et de cœur. Comprenez-moi et apitoyez-vous sans que je doive vous détailler tous mes tourments minute par minute. Le désespoir ouvrit un enfer sous mes pieds. Si l'on m'avait dit alors de soulager la pression sur mon âme avec des prières… j'aurais répondu par des insultes à l'impuissante piété. Dans mon cœur tonnaient toutes les fureurs. C'était l'expiation la plus tourmentée que l'on puisse raconter, depuis que la Providence aménage un abîme pour les criminels. J'avais besoin de me convaincre que le doigt de Dieu était là… J'avais besoin de me convaincre que je me battais avec Dieu, pour retenir dans mon cœur les blasphèmes inventés par mon désespoir…

» Silvina dormait du sommeil éternel… Le glas sonnait pour elle lorsque je quittai Venise. Mon fils était là, à mes côtés. Je parvins à Rome. La terreur voyageait avec moi. Je me traînais sous ce ciel tel un reptile écrasé. Je n'avais de cœur à rien, ni d'intelligence capable de distraire mon esprit de l'angoisse qui l'imprégnait. Ce fut dans la basilique de Sainte-Marie-des-Anges, appuyé aux fonts baptismaux, cherchant à m'étourdir avec l'air funèbre des orgues, que me frappa soudain la pensée de devenir moine. Ce n'était pas l'amour

261

de la religion, ni l'envie de me livrer aux cilices en une thébaïde mortifiée par des jeûnes et des disciplines… C'était le besoin de réaliser en moi le sens même du mot *moine* : TRISTE ET SEUL. C'était plus courageux que le suicide… Dans ce linceul que je revêtis, il y a cinquante-quatre ans, il y a plus d'héroïsme que dans le lâche anéantissement d'un corps, incapable de supporter les orages de l'âme.

» Je saisis d'un coup tout ce drame de souffrances cachées en ce lieu, depuis je ne sais combien de temps, depuis des siècles… Le temps de mon âme ne se compte pas… Décrépit à vingt-quatre ans, je ne sais pas comment je pus durer… C'est un prodige de l'organisme… un miracle peut-être…

» J'étais dominé par l'indomptable désir de rentrer au Portugal… Je voulais le martyre ici, au milieu des miens, mais seul avec moi-même… Ce genre d'isolement me semblait le plus affligeant… Je songeai même aller frapper à la porte du monastère de Tibāes ; mais là-bas, c'était impossible. L'abbé mitré était mon oncle, il me connaissait, ils me connaissaient tous ; et à quelques coups de pistolet de distance se trouvait le palais du comte de Viso… Je rentrai sans décider du tombeau où je devais m'ensevelir… Avant de quitter Rome, je rendis visite pour la première fois à un cousin, chargé des affaires du Portugal là-bas.

» Je lui ouvris mon âme. Plutôt que des reproches, j'éveillai en lui de la commisération. Je le chargeai de veiller sur l'éducation de mon fils. Je lui laissai toute ma fortune, à l'exception du patrimoine avec lequel je devais entrer au couvent. Je le priai de garder un secret inviolable sur mon destin ; je partis, non pas vers le Portugal, mais vers Venise, j'y recueillis le cadavre déchiré de Silvina, je pris avec moi ce cinéraire de plomb, mémento implacable de mon crime… Il me pesait sur le cœur… Le voilà, là-bas… c'est mon priedieu… La lampe qui, durant la nuit, éclaire cette croix fait trembler au-dessus du couvercle de ce cercueil des ombres qui m'emplissent du froid de la mort… Et cela chaque nuit !…

Je me lève, je me mets à genoux, je prie avec toute ma foi, je l'appelle, je détaille chacun de ses traits, je la vois, quand elle était belle, quand elle était vertueuse, quand son corps se tordait à l'agonie, pendue à mon cou, quand, livide et glacée, fermant pour toujours des yeux où je lisais mon pardon... C'est comme cela depuis cinquante-quatre ans !... Et l'on vit, Père Dinis !... Je vis cette vie... On me dit saint... on m'appelle pour tout ce qui est tribulation de la conscience, on m'envie la paix sacrée de l'âme, on me demande la science qui conduit au Ciel... À moi, Père Dinis !... Tel est le monde... Voilà comment on sanctifie les hommes...

— Sur Votre Révérence le monde ne se trompe pas... l'interrompit le prêtre.

— Il se trompe. La conscience du juste n'est pas perturbée...

— Par le regret de ses fautes, si... toujours.

— Ici, il n'y a pas seulement l'homme que j'ai été, flagellant celui que je suis. Il y a aussi du désespoir... et la conscience du juste espère toujours...

— ... avec résignation de nouveaux tourments qui puissent mettre à l'épreuve son courage.

— J'en ai pour tous les autres ; mais je ne peux réfréner un désir qui est entièrement de ce monde... Pour lui, j'oublie Dieu et le Ciel... C'est un désir impuissant, impossible à réaliser...

— Et que désirez-vous ?

— L'impossible... vous ne devinez pas ?... Vous avez oublié mon histoire... vous ne vous rappelez plus que j'ai laissé à Rome...

— Un fils ?...

— Oui, mon fils, le fils de Silvina...

— Mais ne l'avez-vous pas confié à votre cousin ?...

— Oui. Nous nous sommes écrit pendant deux ans, avec de longs intervalles... Au bout de ces deux ans, mon cousin décéda, presque subitement, et avec lui disparut la seule personne sur terre qui connaissait mon existence. Moi, je ne pouvais pas apparaître, je ne pouvais pas écrire à quelqu'un... et à qui donc ? J'étais moine... j'étais mort pour tous... J'inventai un scrupule de conscience... Je quittai cette maison avec le bâton du pèlerin. Je me rendis à Rome, je fus déçu dans mon espoir, personne ne me connaissait. J'allai à Venise. Je cherchai la nourrice à laquelle on avait confié mon fils. La pauvre femme, lorsqu'elle me reconnut, ne put retenir ses sanglots.

» – Il est mort ? lui demandai-je avec la sérénité de la résignation.

» – Pas tant que je l'ai nourri à mon sein, me répondit-elle.

» – Et ensuite ?

» – Je ne sais pas, dit en pleurant la seule personne qui savait qu'il y avait un cœur de père battant sous cet habit.

» – Vous ne savez pas ? repris-je avec anxiété. Mon fils n'était donc pas chez vous ?

» – Si, mais, peu avant que votre ami n'expire, j'ai été appelée en sa présence. Il y avait là un monsieur qui a pris l'enfant de mes bras et est sorti. Je ne les ai plus revus... J'ai demandé à votre ami si on me reprenait l'enfant parce que je n'avais pas été une nourrice digne... Il ne m'a pas répondu... Il est mort en emportant le secret du destin de mon cher enfant.

» Quel mystère affligeant, insupportable ! À qui fut confié mon fils ? Je ne sais ! Qui peut me dire ce qui s'est passé durant les cinquante ans qui pèsent sur ce secret ? Personne, Père Dinis ! Aucun indice !... pas la plus vague lueur... pas le moindre soupçon !... Vous, l'homme extraordinaire, pourriez-vous ôter de ma poitrine cette barre de fer qui m'empêche d'élever vers Dieu le soupir sincèrement contrit de mes crimes ? Me donnerez-vous un lointain espoir, qui me réconforte jusqu'au jour de ma mort, même s'il ne sera jamais exaucé ?

Sur le visage de Sebastião de Melo transparaissait cette

lueur de l'esprit que seule une force surnaturelle allume. Si les oracles étaient vrais, l'aruspice, consulté lors des grands conflits, devait annoncer sa réponse avec un visage pareillement enflammé, comme éclairé par un jaillissement de lumière venu du ciel.

Frère Baltasar le contemplait, se disant en sa conscience que l'homme de Dieu, le prophète, le saint, allait lui indiquer le point du globe où, à cette heure, se trouvait le fils de Silvina.

Ils se dévisageaient avec je ne sais quelle fascination qui les faisait ressembler, dans la pénétration des regards, à deux adversaires qui se toisent avant de se battre en un combat acharné.

Après cette pause, Père Dinis, la main droite sur son front, comme s'il craignait qu'il n'éclatât, demanda :

— Avez-vous connu le marquis de Luso ?

— Oui.

— Savez-vous si cet homme se trouvait à Rome lors de la mort de votre cousin ?

— Laissez-moi réfléchir... Le marquis de Luso... il y était !... Je sais qu'il y était... Il s'y trouvait en tant qu'envoyé extraordinaire auprès de Sa Sainteté, pour régler les mésintelligences entre la Curie et le marquis de Pombal... Pourquoi me posez-vous cette question ?...

— Savez-vous quel a été son destin par la suite ?

— Attendez !... Oui, je sais... Une fois les négociations terminées, il a été chargé de remplacer, en France, l'ambassadeur du Portugal, qui avait déplu à la reine...

— Oh ! Mon Dieu !... murmura le prêtre, cachant, selon son habitude, son visage entre ses mains.

— Qu'y a-t-il ? s'alarma le dominicain, se levant et se précipitant vers lui. Ne me parlez pas à demi-mot...

— Encore une question...

— Dites... vite... Oh !... parlez, par pitié...

— Quel capital avez-vous dit avoir laissé pour être administré au profit de votre fils ?

— Cent mille cruzados...

– Seulement de l'argent ?

– Quelques bijoux aussi...

– C'est tout ?

– C'est tout... je ne me souviens de rien d'autre...

– N'y avait-il pas aussi une chaîne en or ?...

– Avec un poignard...

– Et sur sa lame, l'interrompit Père Dinis, les cheveux dressés par l'exaltation, et sur la lame de ce poignard, n'y avait-il pas une inscription ?

– Oui... reprit vivement le moine, il y en avait une... D'un côté : *Mucius Scævola* ; de l'autre : *mort à Porsenna*...

– Seigneur ! s'écria Père Dinis, lui tendant un bras tremblant.

– Dites... vous alliez me poser une autre question ?!

– Assez... C'est tout ce qu'on pouvait dire et savoir...

– Quoi donc ?!... balbutia le moine, serrant le prêtre entre ses bras. Vous savez... vous croyez qu'il est possible de le retrouver ?... Est-il vivant ?... Dites un mot... un seul...

Il se produisit alors un phénomène que le cœur ne peut expliquer. Père Dinis ne répondit pas à la dernière question du moine. Il regarda la croix, comme pour invoquer le témoignage de Jésus-Christ. Les yeux du dominicain suivirent instinctivement ceux de l'abbé. Sans se concerter, ils se mirent à genoux au pied du cercueil de plomb qui formait le piédestal du crucifix.

– Prions ! dit le prêtre...

C'était une extase, sans un murmure... Comme si les liens du corps se rompaient pour que l'âme s'élevât vers Dieu... Des minutes s'écoulèrent... À l'improviste, Sebastião de Melo se mit à trembler convulsivement, pâlit sous des vagues de sueur, se laissa tomber, le visage contre le cinéraire, et s'écria :

– Ma mère !

VII

L'homme endurci par de petits chagrins, mais successifs, acquiert la force de cœur pour vaincre la douleur suprême. Il ne tombe pas par faiblesse de l'âme. Il peut se sentir mourir lentement en chaque fibre de son corps ; mais dans ce desserrement des liens de la matière, il n'y a pas d'affaiblissement de l'esprit. Ce qui meurt, c'est le corps, dont les conditions de vie ne résistent pas à la macération incessante de l'âme. Ainsi, l'homme qui souffre beaucoup et ne se dérobe pas à la douleur, en s'anéantissant, est le prolongement du fils de Dieu sur Terre ; il est peut-être l'éternel Christ expiant la première faute du tronc vermineux de l'humanité.

C'est dans la joie que l'homme n'est pas grand-chose. Il n'a ni le sang-froid ni la hauteur d'âme pour bénir les grands coups du sort, qui le surprennent. La douleur est devenue naturelle dans sa vie, elle a converti toutes ses aspirations en découragement, elle a empoisonné l'air qu'il respire et l'a rendu invulnérable au poison. Soudain, un rayon de lumière déchire les ténèbres où il vit. L'air pur d'une jubilation inespérée se répand dans ses poumons en des gorgées d'espoir vivifiant. L'homme, alors, devient faible. La douleur, qui ne l'avait pas vaincu, avait innervé son cœur, lui ôtant l'organe du plaisir et le tuant ensuite en l'abandonnant, car la sève qui nourrissait cet homme était le fiel du désespoir.

Il en était ainsi de Frère Baltasar. Tandis que le prêtre, incliné sur l'urne des cendres de Silvina, invoquait sa mère, le dominicain se redressa d'un bond, recula avec, dans ses pupilles immobiles, stupéfaction et terreur, éloignant de ses yeux, avec des mains convulsées, le voile de ce rêve, et laissant s'échapper, de ses lèvres nerveusement crispées, une exclamation qui pouvait être autant de jubilation que de terreur.

Sebastião de Melo, tournant son visage en quête du moine, dont il avait aussitôt saisi l'émotion, le vit dans cette posture.

Il alla vers lui, offrant la poitrine à son étreinte. Le moine recula. Il le suivit, prononçant un nom qui aurait dû apaiser son délire, mais le moine, appuyé au mur de la cellule, les bras tendus, semblait repousser avec horreur le spectre qui le poursuivait. Père Dinis s'effraya de cette réaction. Il croisa les bras devant son père, attendant un mot qui démentît ses tristes soupçons. Ce mot confirma ses malheureuses craintes. Peu après, le moine laissa s'échapper un strident éclat de rire et s'écria au milieu d'un accès d'hilarité typique de l'idiotie :

— Mon Père, vous êtes venu vous moquer d'un pauvre vieillard !... Il y a cinquante-quatre ans j'ai laissé à Rome un petit enfant, et tu te présentes à moi maintenant, vieillard aux cheveux blancs, me disant que tu es mon fils ! Imposteur !... Mon fils est un enfant aux cheveux blonds, aux yeux noirs comme ceux de Silvina, et aux lèvres qui vagissaient comme sa mère soupirait. Mon fils... toi... mon fils !... Pourquoi n'as-tu pas songé à dire que tu es le roi Dom Sebastião, libéré du charme où l'ont tenu les fées de Crisus ?!... Sers-toi du *si vera est fama*[1] du tombeau du roi, à Belém !... Dis que c'est toi.

Il était devenu fou. Tandis que le moine accompagnait d'horribles grimaces l'apostrophe moqueuse, Père Dinis fixait les yeux sur la croix, comme un recours extrême, seul remède à un tel délire.

On avait entendu la diatribe virulente du moine dans les dortoirs. C'était la première fois que le silence était ainsi rompu en pleine nuit. Le prélat, prévenu de l'extraordinaire incident, vint écouter à la porte de la cellule. À l'intérieur, le silence était profond. Le moine était tombé évanoui sur une chaise et Père Dinis lui prenait le pouls comme s'il redoutait sa mort à la suite de cet accès de démence.

Ne voulant pas se recoucher sans avoir tiré au clair l'étrange événement, le prélat murmura derrière la porte :

— Frère Baltasar, êtes-vous indisposé ?

---

1. Si ce qu'on dit est vrai.

On ne lui répondit pas. Il répéta à haute voix sa question et, soupçonneux car le silence se prolongeait, il ouvrit la porte, comme il lui était permis, et entra.

Au même moment, le dominicain ouvrit les yeux et dévisagea, craintif, le prêtre, puis le prélat, qui s'était figé perplexe devant le groupe.

— Qu'a Votre Révérence ? demanda-t-il, lui saisissant tendrement la main qu'il lui offrait.

La réponse fut une larme et un sourire.

Le prieur se tourna vers l'ecclésiastique inconnu et l'interrogea sur l'événement. Père Dinis répondit :

— Il aurait fallu que Frère Baltasar ait l'usage de son intelligence pour pouvoir vous répondre... Moi, je ne peux satisfaire à la question de Votre Révérendissime.

Le moine coupa la réplique du prieur avec un nouvel éclat de rire, plus significatif que le premier, car ce n'était déjà plus le délire causé par la surprise du bonheur, mais la confirmation de la folie.

— Frère Baltasar est-il devenu fou ?! demanda le prélat à Père Dinis.

— Fou... moi ! s'écria le moine, bondissant vers le cercueil des os de Silvina. Fou... moi !... pour vouloir garder ce trésor... (et il indiqua le cinéraire) le sépulcre de mon cœur... ce gage que je conserve depuis cinquante-quatre ans pour le léguer à mon fils... Vous appelez fou le vieillard qui peut vous donner des leçons dans la science de la souffrance ?!... Fou !... Appelez-moi plutôt malheureux... achevez mes supplices en crachant sur ces cheveux blancs... Crachez... mais souvenez-vous que chaque cheveu blanc que vous me voyez est une heure de vie battue, broyée, écrasée sous le pied d'un démon !... Crachez... impies ! car ces os, vous les entendrez grincer au sein de ce cercueil de plomb... Crachez, pharisiens de la vertu, vous qui tous les jours portez l'éponge imbibée de fiel et de vinaigre aux lèvres du doux agneau représenté par l'homme qui souffre... Crachez...

– Frère Baltasar, coupa le prélat, vous parlez avec des amis… Ne me reconnaissez-vous pas, ne reconnaissez-vous pas Frère João de Deus, votre disciple bien-aimé, comme vous m'appeliez hier encore ?

– Celui-là… il est mort !… balbutia le dominicain, sanglotant et se passant sur les yeux la manche de son habit.

– Et moi, vous ne me reconnaissez pas ? l'interrogea Père Dinis, portant la main à son cœur.

– Si… Tu es l'homme à qui je racontais ma vie… Tu m'as promis de me rendre compte de mon fils, tu as passé là-bas tant d'années et à la fin tu es venu me dire que mon fils était un prêtre aux cheveux blancs, au visage blême creusé des rides de la vieillesse, à l'éclat du regard éteint et à l'apparence du pervers qui fait son intéressant par hypocrisie…

– Cela est-il vrai ?! interrompit le prieur, s'adressant au prêtre.

– C'est vrai, Monsieur, que le fils de Frère Baltasar est cet homme qu'il décrit, mais il n'est pas ce malfaisant qui fait l'intéressant par hypocrisie.

– Je me sens de plus en plus perdu !… reprit le prélat. Il faut que nous parlions, Monsieur l'abbé.

Le moine, épuisé par ces violents affrontements, ne parvenait plus à maintenir la posture verticale qu'il avait gardée pendant un long moment à côté du cercueil des cendres. On vit le sang violacé du délire se diluer en soudaine pâleur, ses paupières tombèrent, ses bras fatigués se baissèrent en quête d'un appui. Ils le prirent dans leurs bras, le transportèrent à sa cellule, où ils s'attendaient à trouver un lit et ne virent qu'un grabat. Ils l'y couchèrent, laissèrent un frère lai à son chevet et se retirèrent chez le prieur, où ils parlèrent durant vingt minutes.

Ils revinrent ensuite. Frère Baltasar dormait. De bien tristes visions devaient peupler son sommeil convulsif : de temps en temps, il faisait résonner des mots inintelligibles en ce ton caverneux qui nous terrorise lorsqu'il vient rompre le profond silence de la nuit. Père Dinis, l'âme tourmentée par le clapotis des idées accablantes qui lui restaient de cette dernière scène de sa vie, croisait les bras devant ce spectacle qui lui semblait un rêve.

La démence de son père s'expliquait par le même étrange ébranlement que le fils, courageuse cible de toutes les sensations, souffrait dans sa raison. Il s'étonnait de lui-même. Il attribuait à l'état d'Álvaro de Albuquerque la présence d'esprit que, pour le dédommager, lui avait concédé le Très-Haut.

Père Dinis succomberait s'il risquait sa force morale en de vaines tentatives pour sauver son père.

Les médecins, appelés à soigner les effets d'une mystérieuse cause, qualifièrent l'accès de folie de congestion cérébrale. Ils saignèrent copieusement le vieillard, qui vivait plus par l'esprit que par le sang. Au lever du jour, la lancette, déchirant de nouveau les veines épuisées du malade, ouvrit pour ainsi dire la sépulture du moribond.

Frère Baltasar ne laissait plus d'espoir. Il ouvrait rarement les yeux pour voir autour de lui la communauté consternée, qui baisait sa main presque glacée. Les prières, le chœur dans le temple, d'heure en heure, demandaient à Dieu la vie du dernier homme aussi vertueux que le premier moine. Le peuple de Santarém s'entassait à l'entrée du couvent, pour s'enquérir de la santé du père, du bienfaiteur et de l'apôtre. La dernière prière de la communauté fut interrompue par le glas de l'agonie. On entoura le lit du moine moribond, qu'il avait fini par accepter dans l'insensibilité des affres ultimes... pour mourir. Il venait d'être oint. Le ministre de l'extrême-onction entonnait : « Seigneur Dieu, miséricorde ! » Et les assistants, étouffés par les sanglots, répondaient : « Seigneur Dieu, miséricorde ! » Ce fut alors que le dominicain ouvrit les yeux.

Son visage était serein. Une lueur de vie, telle qu'elle est dans la vigueur de l'adolescence, illumina ses traits. De ses

lèvres, entrouvertes dans un sourire, sortirent les mots :
« Seigneur Dieu, miséricorde ! »

— Miracle ! s'écrièrent les moines.

Le moribond fixa Père Dinis, lui fit signe de venir à son chevet et lui murmura à l'oreille ces paroles tardives, entrecoupées par le besoin de se reposer à chaque mot qu'il balbutiait :

— Je meurs… quand je dois mourir… Il me fallait remettre mon dépôt… Mon fils, tu hérites de moi les os de ta mère… Ce cercueil doit, pour finir, entrer avec moi dans la même sépulture… Tu t'en acquitteras… ce n'est pas une question… je sais que tu t'acquitteras du legs de ton père.

Père Dinis se mit à genoux. Le moine posa la main sur sa tête… Lorsqu'on la retira, elle était froide…

On disait le répons autour de la bière de Frère Baltasar da Encarnação. Le prélat avait engagé les prédicateurs de la maison à réciter une oraison funèbre qui donne de la solennité aux obsèques du saint homme. Il ne se trouva pas un seul moine capable de traduire quinze minutes durant en paroles un sentiment que seules les larmes pouvaient exprimer.

À l'heure où devait apparaître sur la chaire l'orateur que personne n'attendait, tous les regards y convergèrent. Ils y virent, majestueux au point d'inspirer de la terreur, de l'exaltation et de la dévotion, le lévite en robe noire, ses rares cheveux dressés sur la tête, le visage émacié, les lèvres tremblant convulsivement. C'était Père Dinis.

Avant les mots, vinrent les larmes. Aux larmes succéda l'éloquence des sanglots, l'hymne à l'ange de la douleur chanté sur le tombeau. Ceux qui, plus courageux, purent l'écouter tremblaient avec la fièvre d'une fervente extase. Quelques-uns s'en allèrent, le mouchoir sur les yeux et le cœur haletant. L'oraison se terminait quand entrèrent les orgues. Le prêtre s'attarda sur la chaire, le front posé sur le parapet. On s'en effraya. On alla le chercher et on le conduisit à sa cellule, vidé, comme si, avec sa dernière larme, il avait épuisé son ultime goutte de sang.

VIII

Place da Alegria, une voiture s'arrêta devant la porte d'une maison de trois étages aux persiennes vertes, avec d'opulents rideaux aux fenêtres.

Dans le même pâté de maisons, à la fenêtre d'un immeuble de deux étages, aux balcons en bois très révélateurs de la débilité financière des locataires, se trouvaient une femme d'âge moyen et un homme aux cheveux blancs, la barbe appuyée sur la tête de la femme, observant attentivement la personne qui descendait de la voiture.

— C'est le même que les autres fois… dit Dona Emília do Loreto, se retirant, apparemment satisfaite d'avoir assouvi son innocente curiosité. Le mari la suivit, faisant glisser de son front vers la base du nez de prodigieuses lunettes en métal et s'attablant pour poursuivre en silence sa tâche de copieur de musique.

— J'aimerais bien savoir, dit-il un peu plus tard, que nous importe qui entre ou sort de chez les voisins !…

Sa femme, découpant des hosties qu'elle entassait ensuite dans un cylindre en fer-blanc, ne répondit pas. Monsieur Joaquim dos Reis, pliant la feuille de papier réglé tout en regardant par-dessus ses lunettes sa femme qui ne levait pas les yeux de son ouvrage, poursuivit :

— Oui… que m'importe à moi ou à toi, disais-je, que dans cette maison aux persiennes vertes vive une jolie fille qui reçoit tous les jours la visite d'un homme dont nous ne savons pas s'il est son père, son frère, son mari ou son amant ?!

Et Dona Emília se taisait toujours.

— Et le fait est, poursuivit l'inexorable, que je me laisse entraîner par toi à la fenêtre comme si l'affaire me donnait beaucoup à réfléchir ! Que Dieu vous aide, vous, les filles d'Ève... Vous entraînerez éternellement les fils d'Adam à manger le fruit défendu !...

Dona Emília soupira profondément.

Il doit être difficile à la lectrice, jalouse du privilège dont elle jouit d'être traitée de « Dona », de concevoir la raison pour laquelle cette femme, vivant de la fabrication d'hosties, n'était pas tout simplement madame Emília[1], épouse de monsieur Joaquim dos Reis, l'obscur copiste de solfège.

Nous allons lui révéler la raison à cela. Dom Teotónio de Mascarenhas, monseigneur de la Patriarcale et fils cadet de l'une des trois familles les plus anciennes de Lisbonne, était le père de Dona Emília do Loreto, de Dona Antónia dos Prazeres et (supposons-nous) de Dona Maria Amália. La mère de ces demoiselles était une femme de basse naissance, qui avait débuté en vendant du poisson au marché de Ribeira Nova, s'était transférée à dix-huit ans à celui de Ribeira Velha avec un étal de fruits, pour s'établir enfin, à vingt-cinq ans, avec un magasin de morue dans le quartier de Conceição Velha, dans un immeuble au coin de la ruelle qui mène au quartier d'Alfama.

Le magasin de morue, bien achalandé et accrédité, permettait un accroissement soudain, dû à une faveur mystérieuse, ou à un miracle de saint Antoine, du capital de madame Anacleta, qui était auparavant en dessous du médiocre. C'est que, entre-temps, elle s'était adossée à la puissante fortune du monseigneur, qui l'avait rachetée à grands frais au protégé de la cathédrale, dont l'aide lui avait permis de troquer soles et

---

1. Dom ou Dona étaient le traitement alors réservé, au Portugal, aux aristocrates et, par extension, aux très riches bourgeois, ce qui n'était évidemment pas le cas d'Emília do Loreto.

mulets de Ribeira Nova pour les pastèques et les châtaignes de Ribeira Velha.

Les gens de son époque disaient que la marchande de morue était une femme désinvolte, capable d'enchaîner, dans une apostrophe énervée, toutes les obscénités inventées par les générations de poissonnières qui lui avaient légué l'étal de morue à Ribeira. Ils ajoutaient, cependant, que l'on ne pouvait concevoir femme plus belle ni plus élégante.

Dom Teotónio de Mascarenhas était envié et fier de l'être. Il ne cachait pas sa passion, ni ne sacrifiait la fierté de sa conquête aux armoiries de ses aïeux, ni à la dignité ecclésiastique qu'il revêtait.

Cela seul explique l'imprudence, sinon l'impudence, avec laquelle il légitimait les filles, de belles enfants, que madame Anacleta lui avait données, fruits de sa fidélité, car, soyons honnêtes, les deux aînées étaient le portrait craché de leur père autant pour la finesse de leur constitution que pour le beau marron de leurs yeux vifs.

Mais, comme nous l'avons déjà dit, les petites créatures étaient trois. La troisième (caprice de la nature !) n'avait ni la délicatesse des formes ni l'allure éblouissante des autres. Fatalement, cette malheureuse coïncidence vint affaiblir la ferveur paternelle dans le cœur du monseigneur.

Des amis indiscrets lui firent accroire qu'on avait vu un vigoureux capitaine de cavalerie sortir à l'aube par la porte arrière de la maison de madame Anacleta. Dom Teotónio, amant passionné mais philosophe réfléchi, fit le guet pendant quelques jours à l'aube et ne vit rien. Mais cette banderille lui resta fichée dans l'âme, d'où seul le temps pourrait l'arracher. C'est justement ce qu'il attendait, lorsque naquit la troisième petite fille qui ne ressemblait pas à son père.

Le prébendé endura en silence l'affront qui pouvait, cependant, ne pas en être un.

Il s'en entretint avec des médecins, consulta la science à son cabinet, étudia le phénomène de la reproduction et, ayant vu que les réponses étaient équivoques, que les plus célèbres médecins lui disaient possible la reproduction sans une rigoureuse ressemblance des traits corporels, l'importun s'en accommoda. Or, parmi les vertus dont était paré Dom Teotónio, se détachait l'imbécillité morale, vertu austère entretenue depuis toujours dans la longue théorie de ses aïeux.

Quoi qu'il en soit, il ne pouvait être totalement indifférent à la morsure de la jalousie. Jamais il ne posa un regard confiant sur la petite Maria Amália, que l'affectueuse Anacleta incitait à sauter sur ses genoux, gazouillant « papa, pipi », et bien d'autres minauderies, que le célibataire – le pire de tous les hommes, c'est-à-dire le célibataire plus célibataire que le prêtre lui-même – ne peut comprendre.

La petite avait neuf ans et n'avait pas encore été légitimée. Madame Anacleta, en bonne mère et zélée administratrice de l'avenir de ses filles, en parla pour la première fois au père de ses petites princesses, puisque tel était le titre qu'elle accordait au monseigneur de la Patriarcale. Sa réponse ne lui plut guère. Son sourire, suivi d'un silence pire encore, l'agaça au point de lui remettre en mémoire des réminiscences de certains discours, avec lesquels elle avait coutume de tenir en respect ses voisines et ses clients impertinents.

– Qu'est-ce que c'est que cette fantaisie ? demanda-t-elle, croisant les bras et écartant les jambes en une posture gracieuse, mais pas tout à fait honnête. On fait l'imbécile ? C'est malin, ça !... Celle-là serait donc moins que les autres ? Tu ne veux pas être son père ?

Cet interrogatoire était parfumé d'un torrent de mots choisis, que nous ne voulons pas que le lecteur dérobe aux oreilles de Dom Teotónio, dont ils sont la propriété exclusive.

Vexé par la franchise d'Anacleta, l'aristocrate s'en alla sans piper mot, en prudent ennemi du scandale en présence de ses filles, dont l'aînée avait quatorze ans et la cadette treize.

Depuis ce jour, fatal à la tranquillité qui, du moins en

apparence, avait régné pendant quinze ans dans cette maison, Anacleta priva de sa tendresse ses deux filles légitimées et s'employa à montrer au monseigneur que l'élue de son cœur était la benjamine.

Fini les câlins, commencèrent les violences. Les pauvres petites, éduquées jusqu'à onze ans en ville par une précepterice, ne connaissaient pas les facettes les plus saillantes du caractère de leur mère. Déchues de l'affection maternelle, elles se retrouvèrent aux prises avec l'ancienne marchande de la halle. Atterrées, elles n'osèrent se plaindre. Leur père, bien que niais, était leur père et les comprenait. Il songea à les éloigner de l'influence de leur mère ; il craignit, cependant, de perdre l'amour d'Anacleta, véritable passion qui s'était enracinée dans ce cœur faible, humble, incapable de se révolter contre la fascination qui l'enchaînait à la honte. Mais – demande la logique – pourquoi ne reconnaissait-il pas la troisième fille ? Pourquoi ne rétablissait-il pas la paix domestique s'il n'avait pas assez de preuves de la déloyauté de la mère ?

Le pauvre homme ! Les preuves arrivèrent plus tard. Deux ans auparavant, était décédé à l'hôpital militaire un commandant de cavalerie qui avait prié son confesseur de restituer à Dom Teotónio de Mascarenhas cent pièces que lui avait données Anacleta, argent qu'il savait en conscience appartenir au monseigneur.

Était-il bête ou pas ? Avait-il ou n'avait-il pas des raisons de répudier la jolie gamine qu'on lui présentait comme sa fille ?

À bout de patience, Dona Antónia dos Prazeres, sa fille cadette, se plaignit à lui. Le bienheureux l'écouta et lui dit de se résigner, car la désobéissance était une faute épouvantable selon le jugement de Dieu. La pauvre enfant pria ce Dieu aux épouvantables jugements de lui donner des forces, et se résigna.

Chacune des deux jeunes filles pouvait rivaliser en beauté

avec leur mère. En revanche, la mère ne pouvait rivaliser avec la douceur suave de leurs manières, leur allure aristocratique, les penchants élevés de ces deux âmes, qui se reconnaissaient dans les mêmes larmes, la même consolation, les mêmes espérances.

Anacleta était devenue une furie. L'arrivée de Dom Teotónio était toujours saluée par une retentissante salve d'épithètes sonores, qui allaient du « pouilleux » au « vaurien ». L'illustre descendant des Mascarenhas en pleura parfois et s'enfuit souvent. Quelle triste chose était pour les jeunes filles la fuite de leur père ! Leur mère allait alors les chercher pour leur cracher au visage tout le fiel qui lui restait, les menaçant, parmi d'autres flatteuses prédictions, de finir poissonnières au marché de Ribeira, comme elle-même l'avait été, avant de se livrer à un monstre. Soit dit à la décharge de madame Anacleta, elle n'avoua pas à ses filles qu'elle était passée entre les bras d'un chanoine avant de se livrer à ce monstre, non sans emporter le butin pris au chanoine. C'est du moins ce qui se disait et qui était fort probable.

Survint alors un événement qui précipita le malheureux dénouement qui s'annonçait dans cette famille. Dom Teotónio se retira un jour dans sa chambre, ouvrit ses tiroirs, vida sur une table quelques sachets de cruzados flambant neufs, compta les rouleaux de pièces qu'il avait mieux rangés dans un coffre en laque, ramassa le tout, l'enferma, et commença à écrire.

Anacleta l'épiait avec anxiété. Si l'esprit de l'ecclésiastique n'avait pas été aussi absorbé dans cette opération, il aurait pu entendre les pulsations du cœur de la marchande de morue. L'affliction la faisait transpirer. Deux idées terribles la déchiraient… « Est-il venu, poussé par quelque nouveau soupçon, compter l'argent dont j'ai pris des pièces pour le capitaine ?… Mais le capitaine est mort il y a deux ans… C'est impossible !… Alors qu'est-ce que c'est ? Voudra-t-il emmener d'ici l'argent et les filles qui sont à lui ?… Alors ma chère Maria serait perdue… Je ne veux pas… je ne veux pas qu'elle soit malheureuse… Elle ne peut pas… » Voilà ce qui faisait se tordre d'anxiété, derrière la porte, la souveraine du cœur du monseigneur.

Au bout de quinze minutes, Dom Teotónio plia le papier où il venait d'écrire, le rangea dans le tiroir avec son argent, le ferma, médita quelques secondes et sortit. En passant devant Anacleta, il lui tendit la main et dit avec suavité :

— Je viendrai dîner avec toi, ce soir.

— Comme vous voudrez… il y en a assez dans la marmite, répondit-elle, époussetant sa jupe comme si elle venait de finir sa couture.

À peine le monseigneur tourna-t-il le coin de la rue des Fanqueiros, Anacleta entra dans le cabinet et s'y enferma à double tour. Elle ouvrit le tiroir avec une fausse clef et, sans toucher à l'argent, lut avec avidité sur le papier ce qui suit :

« Notes pour mon testament.

Je possède en argent cent huit mille cruzados qui seront ainsi partagés : quarante mille cruzados pour chacune de mes filles, Emília et Antónia, que j'ai légitimées par grâce royale, le 16 août 1792 et le 5 septembre 1804. Il reste vingt-huit mille cruzados, qui seront employés dans l'achat d'immeubles, dont je laisse l'usufruit à Madame Anacleta dos Remédios, mère de mes filles, et à celles-ci après le décès de leur mère »…

S'ensuivaient quelques notes sur des suffrages que madame Anacleta ne lut pas.

Aïe, pauvre Dom Teotónio de Mascarenhas ! La gorgone sortit de là, une moitié du visage livide et l'autre moitié écarlate.

Le papier tremblait entre ses mains ; à deux reprises, elle fit une horrible grimace et fut tentée de le déchirer. Son mauvais ange la retint, lui inspirant un peu de philosophie et de réflexion.

Anacleta entra dans sa chambre. Elle se jeta sur le lit en pleurant de rage, mordit l'oreiller, déchira la couverture et s'arracha les cheveux par poignées. Même sa fille, pleurant à ses côtés, ne parvint pas à la calmer. Mais, sa fureur passée, elle redevint philosophe. Elle réfléchit et, quoi qu'il lui passât par la tête, fit jaillir de ses yeux des éclairs d'une joie féroce. Elle retourna prudemment au cabinet du monseigneur, remit le papier où elle l'avait trouvé, ferma le tiroir et la porte, et alla s'asseoir, là où le bénéficier l'avait laissée.

Les deux jeunes filles furent étonnées quand leur mère les fit venir pour lui tenir compagnie, alors qu'elles travaillaient dans leur mansarde.

Elles s'exécutèrent, tremblant de la méchanceté qui pourrait se cacher sous l'invitation, mais trouvèrent leur mère souriante et affable, comme aux premiers temps de leur retour du collège.

— Asseyez-vous, les enfants. Je vous vois fuir votre mère comme on fuit une marâtre sans entrailles !...

— Nous ne vous fuyons pas... balbutia Antónia.

Comme Maria, la benjamine, faisait mine d'embrasser ses sœurs, sa mère lui dit en colère :

— Venez ici... n'allez pas là où vous n'êtes pas appelée...

— Laissez-la venir, ma mère !... dit Emília. Quel mal faisons-nous à notre sœur ou elle à nous ?

Anacleta se rendit compte de son impulsive maladresse et dit à la petite :

— Vas-y, vas-y... je cherchais seulement à savoir si vous étiez amies avec votre petite sœur.

— Pourquoi ne le serions-nous pas ?!... dirent les deux autres, étreignant leur sœur avec une tendresse sincère.

— Eh bien, mes filles, grand tort nous a fait à toutes la méfiance que j'avais à votre égard...

— Quelle méfiance, ma mère ? l'interrompit doucement Antónia.

— Il me semblait que vous regardiez cette petite comme si elle était de trop chez nous...

— Saint Nom de Jésus ! dit Emília. Notre petite sœur,

celle que nous embrassions avec tant d'amour quand nous rentrions du collège, impatientes de la serrer dans nos bras... Ne vous souvenez-vous pas des guerres entre Antónia et moi pour voir laquelle des deux la porterait le plus long-temps dans ses bras !... Votre silence est injuste, ma mère... répondez-moi, pour l'amour de Dieu... Vous ne vous en souvenez pas ?

Anacleta était tourmentée par sa conscience. Cette âme de tigresse, prise au piège de sa propre ruse, commençait à regretter d'avoir appelé ses filles, à la veille d'un horrible attentat. Pour ces yeux-là, il n'y avait pas de larmes ; mais son cœur, si on avait pu le voir, était noir. Le reste de sa sensibilité, ce peu avec lequel elle était venue au monde, lui faisait mal à en mourir.

— Ne parlons pas de cela, mes filles... Racontez-moi les histoires de vos livres que je n'ai pas le temps d'apprendre... Vous devez connaître des choses très joyeuses...

— Et très tristes aussi, coupa Emília. Il y a peu encore, nous lisions une nouvelle bien triste... Ma sœur a beaucoup pleuré, et moi, je n'ai même pas pu la finir.

— Qu'est-ce que c'était ? Allez, raconte, Emília... Des amants malheureux, peut-être... Il y a tant de cas comme cela...

— Écoutez, mère... Il y avait un noble en un lieu... comment c'était déjà, Antónia ?...

— Je ne sais pas... c'était quelque chose comme... je ne sais pas, le nom d'un lieu français, très difficile à prononcer.

— N'importe... reprit Emília. C'est un noble qui a rencontré une jeune fille de vingt ans, très belle, mais très pauvre. Il est tombé amoureux d'elle et lui a donné des palais et des brillants et son cœur, qui valait plus que tout...

— Qui t'a appris à dire ces choses-là ?! l'interrompit Anacleta avec aigreur.

— C'est comme ça qu'elles sont dans le livre... Si vous le voulez, je ne raconterai plus rien.

— Raconte, raconte… et après ?

— Après, l'ingrate a oublié toutes les faveurs qu'elle devait au gentilhomme, elle s'en moquait en son absence, et en plus elle donnait son cœur à un autre homme… Vous voyez quelle méchanceté, ma mère ?

— Et après ? demanda la mère, sans lever la tête du mouchoir qu'elle était en train de faufiler.

— Cette Paulina… c'était Paulina, n'est-ce pas, Antoninha ?

— Oui, oui.

— Cette Paulina tirait tout ce qu'elle pouvait du gentilhomme et le gardait pour elle… C'est là que nous ne comprenons plus les mots de la nouvelle.

— Quels étaient-ils ? demanda la mère.

— Je vais chercher le livre.

Emília revint avec le livre ouvert :

— Écoutez donc, mère… c'est comme ça ; je lis : *La parjure sacrifiait la fortune de son amant aveuglé qui l'avait arrachée au gouffre de la pénurie, au profit du fruit de sa déloyale perversité, qui était venu à la lumière du monde pendant l'année où le gentilhomme était en voyage.*

— Qu'est-ce que cela signifie, mère ?

Anacleta tressaillit et dit :

— Je ne comprends pas, moi non plus.

— Quel dommage ! dit innocemment Antónia.

— Et après… interrompit sa mère.

— Le gentilhomme est revenu et, apprenant que son amante était une ingrate, le lui a reproché en lui rappelant la vile condition dont il l'avait sortie dans l'aveuglement de son amour… Aïe, quelle tristesse, mère !… Quelle horreur !… Cette nuit-là, alors qu'il dormait, elle… lui a enfoncé un poignard dans le cœur…

— Tais-toi, tais-toi ! cria Anacleta.

Et elle s'enfuit, épouvantée, loin de ses filles. Les petites voulurent la suivre, mais elle ferma la porte du couloir par où elles devaient passer.

Elles revinrent sur leurs pas, se regardant les unes les autres, stupéfaites.

— Mais qu'est-ce que c'était ? demanda Emília.

— Peut-être de la compassion pour le malheureux gentil-homme, répondit Antónia, qui avait un an de moins que sa sœur.

Emília voulut sourire, comme qui doute, mais elle se figea, songeuse, surprise par l'attitude de sa sœur.

Peu après, leur mère revint avec un chandelier. Il n'y avait aucun vestige de larmes sur son visage.

Elle s'assit tranquillement et reprit sa couture. Emília lui demanda timidement si elle était indisposée.

— Tu ne vois pas que je suis bien ? répondit-elle.

On entendit des pas dans l'escalier et sonner l'angélus à l'église de Conceição. Les deux jeunes filles baisaient la main de leur mère après la prière, lorsque leur père arriva.

IX

Dom Teotónio fut empli d'un sentiment aussi agréable qu'inespéré en voyant ses filles auprès de leur mère. Il ne les avait pas vues échanger un mot depuis longtemps. S'il lui arrivait de déjeuner ou dîner chez Anacleta, les filles accouraient à table, mais elles n'osaient pas lever les yeux de leur assiette, de peur de croiser le terrible regard de leur mère. Jamais elles n'étaient invitées à table en l'absence du père. On leur apportait la nourriture dans leur chambre et elles devaient à une vieille servante de ne pas souffrir de la faim et de la soif.

La stupéfaction du monseigneur s'accrut encore quand il vit l'affabilité avec laquelle Anacleta insistait auprès de ses filles pour qu'elles se servent d'un appétissant ragoût de mouton, qui faisait les délices corporels et spirituels de l'illustre Mascarenhas. La douceur de madame Anacleta, ce soir-là, profitait à tout le monde. Le rival malheureux du capitaine de cavalerie lui-même bénéficia des rares caresses avec lesquelles la généreuse et gaillarde marchande de morue lui rappelait les savoureuses journées de leur peccamineuse lune de miel.

Le dîner terminé, les jeunes filles, laissant leurs parents bavarder sur les sujets frivoles qui leur étaient propres, quittèrent la table en commentant l'extraordinaire tendresse de leur mère.

L'heureux gentilhomme, au comble de la jouissance intime qui berçait son âme, pas moins replète de délices que son estomac de succulent mouton, purgea son cœur d'un reste de fange qui lui donnait la nausée depuis le funeste jour où la déloyauté d'Anacleta était devenue un fait consommé. C'était une bonne âme, ce Dom Teotónio. Il est vrai que son cœur avait en excès les dons qui manquaient à son intelligence, mais il avait bon cœur, sans cela le dignitaire de la Patriarcale serait un saint moins équivoque que saint Dominique de Gusmão ou Grégoire VII. Quand les Dalila sont élégantes et bien tournées comme la célébrée Anacleta, il n'y a guère de Samson vertueux. Dom Teotónio de Mascarenhas était tombé amoureux à un âge dangereux. Les amours à quarante-quatre ans sont des amours pour toute la vie, elles mystifient le cœur qui rajeunit avec de faux cheveux et des dents d'emprunt.

Les paupières du monseigneur tombaient voluptueusement sur ses yeux clignotants, quand Anacleta, récapitulant le dîner avec un huitième verre de vin, le réveilla de sa béatitude ensommeillée.

— On ne dort pas ici, Teotónio… Tu fais comme mes commis ?

— Tu as raison, cruelle, tu as raison, allons-y…

Le brave homme se leva, frottant ses yeux rebelles et

s'étirant avec de sonores bâillements, mais la marchande de morue coupa court à cette pacifique résolution en l'enjoignant de l'écouter.

Dom Teotónio la fixa d'un œil et ouvrit l'autre peu après, tout en remettant ses coudes sur la table.

Anacleta parla ainsi :

— Mon cher Teotónio, nous allons parler de nos chères filles Emília et Antónia. Tu n'as pas bien fait de les ramener à la maison voilà deux ans. Elles ne savent pas grand-chose. Coudre, broder et lire, ça, elles auraient pu l'apprendre à la maison. Quand je t'ai dit de les envoyer au collège, je croyais que tu leur ferais apprendre à jouer de la musique, comme tant d'autres filles qui n'arrivent pas aux chevilles des nôtres. Je ne veux pas qu'elles deviennent marchandes de morue. Ce sont tes filles, tu les as légitimées, je veux que leur éducation soit digne de leur naissance… Tu dors ?

— Si je dors !… Je t'écoute, ma chérie… et j'aime t'entendre parler ainsi… Je vois que tu regrettes de les avoir traitées sévèrement ces derniers temps.

— C'est vrai… mais… mal regretté, mal oublié… Sur ce sujet, il vaut mieux se taire, d'un côté comme de l'autre… Ce qui est passé est passé…

— Sans doute, Anacleta, ce qui a été a été. J'ai toujours fait ce qu'aurait fait tout bon père de famille pour la paix et la bonne harmonie de sa maison. Toi, tu m'as maltraité, tu as été méchante avec moi, ingrate sans raison, et non contente d'être infidèle, tu as été une mauvaise mère… J'ai gardé tout ça pour moi ; mais Dieu sait le chagrin que je porte en moi et qui m'achèvera…

Madame Anacleta avait humblement baissé la tête et semblait compter les miettes de pain avec un cure-dents. Son paisible amant poursuivit :

— Je me suis tu, et je serais mort sans rien dire si je ne t'avais pas vu repentie aujourd'hui. Anacleta, tu es ma passion, ma famille et tout… Je t'ai pardonné ton infidélité, comme j'aurais pardonné une faute à une de nos filles... Tu vois bien comme je suis ton ami... Ce que j'avais du mal à te pardonner, c'était la mauvaise humeur avec laquelle tu traitais ces enfants, qui n'étaient pas coupables d'être mes filles... Aujourd'hui, ou je me trompe, ou ton cœur a changé. C'est pour cela que je t'accuse, pour te pardonner. Sois mon amie, ne me fais pas payer dans la vieillesse les imprudences du jeune homme. Je n'ai que peu de temps à vivre ; mais ce temps-là je voudrais le vivre sous ton ombre, jouissant de ta tendresse. Maintenant, dis ce que tu voudras, Anacleta.

La courageuse femme écouta, impassible, les plaintes de l'amant réconcilié. Elle se devait, cependant, de feindre, et elle sut emprunter un air affligé qui n'allait pas à son visage de bronze. Après les quelques instants de silence que l'artifice exigeait, elle répondit :

— Ce que je te demande, Teotónio, c'est que nos filles aillent dans un collège où elles apprendront à jouer du piano et d'autres grâces propres aux jeunes filles de leur classe.

— Qu'elles y aillent. Grâce à Dieu, elles ne manqueront pas de moyens, car il y en a largement assez... tu le sais bien... Maintenant, Anacleta, parlons d'autre chose. Je veux que cette enfant, appelée Maria, et que je ne peux malheureusement pas dire mienne, entre dans le même collège et reçoive la même éducation que les autres...

— Elle n'ira pas, je ne veux pas qu'elle y aille... le coupa Anacleta, laissant percer dans sa voix et son regard la colère qui débordait de son cœur.

— Pourquoi ?... Veux-tu me le dire ?

— Parce que. Maria, tu l'as déjà dit, n'est pas ta fille, tu ne l'as pas légitimée et je ne veux pas qu'elle doive des faveurs au père de ses sœurs. Ce que j'avais quand nous nous sommes mis ensemble, c'est bien peu, mais ce peu est à elle. Elle sera marchande de morue comme sa mère et ne saura pas qu'elle a des sœurs nobles. Je ne les veux pas ensemble ; il

faut qu'elles ne se voient pas pour ne pas se jalouser ensuite…
Que chacune suive le destin que lui dicte sa naissance…

Le monseigneur trouva le plaidoyer de la poissonnière digne de l'héroïsme des temps classiques de la mère des Gracques, seule femme qu'il connaissait dans l'histoire de l'Antiquité. Dans la grandeur de ce sacrifice, le candide Teotónio voyait le châtiment auquel cette femme repentante se condamnait en la personne de sa fille, fruit maudit de sa déloyauté. Jamais madame Anacleta dos Remédios n'avait, avec autant de ferveur, suscité son idolâtrie ! Devant une telle abnégation, Dom Teotónio se souvint de la lignée des Mascarenhas, dont la tradition abondait en gestes héroïques et imprévus coups de théâtre. Dom Teotónio se redressa comme si l'épaule d'un géant l'avait poussé hors de sa chaise. Il tendit le bras comme saint Vincent Ferrier, qu'il admirait dans le chœur de la Patriarcale, et s'exclama :

— Anacleta, ta fille, après ma mort, aura une part de ma fortune égale à celle de mes filles à moi !

Le dramatique Mascarenhas tomba au plus bas de la comédie humaine, quand Anacleta, furieuse, debout elle aussi, le remercia ainsi de sa magnanimité :

— Je n'accepte pas de semblables aumônes. Je t'ai déjà dit que ma fille ne veut pas de faveurs. Pauvre, elle le sera ; mais redevable au père de ses sœurs, ça non… Et n'en parlons plus ! Je veux qu'Emília et Antónia partent demain pour le collège. La mienne ira là où sa mère lui dira d'aller. Elle n'est pas la fille d'un noble, mais… son père n'aurait pas consenti qu'elle accepte des aumônes…

Dom Teotónio perdit la tête et l'interrompit :

— Mais lui, il en avait besoin.

— Lui !… Lui… s'écria Anacleta, tremblant de rage. Répondez, vaurien !… Qui avait besoin d'aumônes ?… Le père de ma fille ?

Le monseigneur était terrorisé. La salive sécha sur sa langue et il ne put répondre.

Parmi les divers sentiments qu'il éprouvait, prédominait la peur. Devant lui se tenait un visage transfiguré par la colère, d'où se détachaient des yeux pareils à des griottes du Portugal.

C'était la première fois qu'il voyait haleter comme deux soufflets les ailes du nez de madame Anacleta ; et non seulement elles haletaient, mais elles fumaient, ce qui est plus extraordinaire encore. Le pauvre homme ! S'il ne s'était pas assis, il serait tombé avec fracas, apoplectique, aux pieds de la Marguerite de Bourgogne du marché de Ribeira Nova !

Anacleta sortit précipitamment en entendant les pas des deux bonnes qui accouraient aux cris stridents de leur maîtresse.

Elles trouvèrent le malheureux quinquagénaire figé dans sa douleur. Elles lui demandèrent ce qui s'était passé, et lui, arraché à sa torpeur, ramassa son chapeau et sortit, les larmes aux yeux.

Si trop d'imbécillité gênère la compassion, Dom Teotónio de Mascarenhas était bien digne d'elle.

X

Chez madame Anacleta dos Remédios, à minuit, deux heures après la sortie du bénéficier, tout le monde dormait sauf elle. Pleurait-elle de remords ? Non. Avait-elle honte du caractère rancunier dont son éducation l'avait dotée ? Loin de là : elle s'en enorgueillissait.

Ouvrant prudemment la porte de sa chambre, elle écouta. Assurée du silence, à peine troublé par la chatte impatiente de quitter le lit de sa maîtresse, elle sortit dans le noir, descendit l'escalier, frappa doucement à la porte intérieure qui donnait sur le magasin de morue, et attendit. Après un instant, la porte s'ouvrit et la personne, qui aussi promptement était accourue à l'appel, gravit les marches derrière madame Anacleta.

À la lumière de la chambre où ils entrèrent, nous pouvons enfin voir ce nouveau personnage. C'était le plus ancien commis du magasin : un gars de trente ans au visage revêche, les yeux clignotants, un nez carré, un menton émoussé et rouge comme le bord d'un bassinet. Le reste était stupidement régulier. Madame Anacleta, après avoir fermé la porte avec brusquerie, s'assit sur le lit, à côté du commis, et dit affablement :

— Joaquim, parlons de notre avenir. Je ne t'en ai jamais parlé, mais ce qui aurait dû être fait plus tard, faisons-le plus tôt.

— Allons-y, dit monsieur Joaquim, écarquillant les yeux et sortant la langue, détestable habitude que madame Anacleta avait déjà inutilement tenté de corriger.

— Si je voulais me marier avec toi…

— Ce serait tout de suite… la coupa l'imbécile, lui décochant une tape sur la cuisse.

— Attention, c'est ma jambe… Écoute-moi, malappris…

— Alors quoi ?…

— Je veux me marier avec toi…

— Et le monseigneur ?

— Le monseigneur… balbutia la marchande de morue, le monseigneur…

— Ben, oui… vous voulez le quitter, patronne ?…

— Pour toi, oui…

— Elle est bien bonne, celle-là ! Mais alors, si c'est ça, c'est comme si c'était fait !

— Attends.

Anacleta réfléchit un instant. Elle se leva… sortit trois clés du fond d'une malle, saisit le chandelier et dit à Joaquim de la suivre sans faire de bruit.

Ils sortirent. Anacleta ouvrit la porte du cabinet du monseigneur ; ouvrit ensuite le tiroir de l'argent, appela Joaquim, lui dit d'en sortir le coffre laqué, l'ouvrit avec la troisième clef et, remarquant la stupéfaction imbécile du bestial commis, lui dit presque à l'oreille :

— Tu sais combien d'argent il y a là ?... Cent huit mille cruzados.

— Ouille ! s'écria le commis, ouvrant grand les yeux et allongeant les lèvres pour prolonger le son de ces syllabes. C'est à vous, patronne ?

— Non. C'est au monseigneur... mais cela peut être à nous, si tu veux être mon mari...

— Ça peut ?! Et alors comment ?!

— Fermons ça, ce n'est pas encore à nous...

— Laissez-moi regarder encore un peu... dit l'idiot, fasciné par les rouleaux de monnaie.

— Tu as déjà regardé... soulève ça... mets-le là... bien... maintenant fermons tout... allez... doucement... retournons à ma chambre. Joaquim, tu te rends compte que le propriétaire de cet argent, d'ici quelques jours, va s'en aller de cette maison, emportant l'argent chez lui ?

— Oh, diable !...

— Et s'il le fait, fini mon magasin, je redeviens pauvre et notre mariage ne se fera plus. Que crois-tu qu'on devrait faire ?

— Je n'en sais rien, moi !... On ne se marie pas et puis voilà... Mais que cet argent s'en aille pour ne plus revenir, ça, c'est pas bien, c'est moi qui vous le dis, patronne ! Cent huit mille cruzados, c'est vraiment de l'argent... Alors le bonhomme, à ce que je vois, s'est brouillé avec la maison.

— C'est ça... Et à cause de toi...

— Elle est bien bonne, celle-là !...

— Il a eu des soupçons sur nos relations et voulait que je te renvoie. Je me suis fâchée, je lui ai fait front, nous avons hurlé, ce qui s'appelle hurler, cette nuit. Il s'en est allé en disant qu'à partir de mercredi il n'aurait plus rien à faire avec cette maison. Nous sommes lundi, demain ou après-demain il viendra chercher l'argent et ensuite, Joaquim, je fermerai le magasin, car j'ai des dettes et je ne pourrai pas les payer si la protection de ce monstre vient à me manquer.

— À dire vrai, moi, je ne sais pas ce qu'il faut faire…

— Quelle misérable réponse tu me fais, ingrat !… Je vais être ruinée par ta faute et, pour toute récompense, tu me dis que tu ne sais pas ce qu'il faut faire… Que le Diable te vienne en aide, andouille, tu ne sais même pas ce qui est bon pour toi !

— Qu'est-ce que vous voulez, alors, patronne ? Dites-moi, vous, ce qu'il faut faire, parce que moi, de mon côté, je ne suis pas homme à… enfin, si, quand il faut être un homme, je sais faire face.

Anacleta, revigorée par l'éloquent brio de monsieur Joaquim, s'enhardit à présenter le détail de son plan, conçu en quelques minutes.

— Je vais te proposer une chose, Joaquim. Si tu es d'accord, très bien ; si tu n'es pas d'accord, tu auras affaire à moi. Tout l'amour que j'ai pour toi se changera en rage !…

— Ça ne se passera pas comme ça, si Dieu le veut, patronne. Parlez en toute franchise et comptez sur mon affection.

— Écoute. Nous n'avons qu'un moyen de devenir riches, mariés et heureux toute notre vie. Il faut tuer cet homme.

Joaquim eut soudain l'air d'avoir été frappé par le choléra ! Ses cheveux se dressèrent sur sa tête. Ses lèvres s'asséchèrent et, sur son front, suinta un liquide semblable à du jaune d'œuf. Anacleta vit sur ce visage la réprobation du crime prémédité. Elle le dévisagea et se sentit, un instant, horrifiée elle aussi. L'idée sanguinaire était dévoilée ; sa réalité ne pouvait pas disparaître en quarante-huit heures, et la hyène, flairant le sang, comprit en un clin d'œil qu'il était trop tard pour des regrets. Le secret avait été révélé à un couard. Le commis était indigne de figurer dans le plan criminel. Tout cela, elle le vit et le comprit ; mais il n'y avait pas de remède.

Quels recours, arrivée à cette extrémité, pourrait lui souffler le démon ? Des recours extrêmes.

Anacleta s'avança d'un pas vers le commis et lui murmura ces mots à l'oreille :

— Écoute… qu'il doive mourir… ça ne fait aucun doute. Peu importe que tu ne m'aides pas… Je suis capable de vous étrangler, lui d'un bras et toi de l'autre… Si tu dis un mot à ce sujet, même en enfer tu ne m'échapperas pas. Avec cent huit mille cruzados, je peux acheter ta dernière goutte de sang… Tu m'entends, Joaquim ?

De plus en plus abruti par l'effroi, le livide commis n'avait déjà plus d'espoir de sortir entier de cette chambre. Le visage d'Anacleta se tordait en grimaces devant cet homme de glace, qui ne réprouvait ni n'acceptait les conditions de l'homicide. Il fallait tenter une autre manœuvre.

— Joaquim, dit-elle avec moins de flamme, écoute-moi. Je ne veux pas que tu le tues, pas du tout. Je veux être seule à me venger et à te venger, toi, homme de boue, qui n'as l'âme à rien. Ce qu'il faut que tu fasses, c'est très peu pour gagner tout. Écoute-moi…

La marchande de morue fut interrompue par trois coups forts suivis de trois coups faibles frappés à la porte d'entrée. C'était le signal de Dom Teotónio de Mascarenhas. Anacleta s'alarma, poussa le commis dehors, ferma la porte à clef et se mit au lit, éteignant la lumière.

On frappa de nouveau. Les bonnes se réveillèrent, reconnurent le signal et allèrent ouvrir la porte.

Le monseigneur monta jusqu'à la chambre d'Anacleta. Frappa doucement à la porte qui lui fut ouverte.

— À cette heure ?! demanda Anacleta avec suavité.

— À cette heure, mon amie. Allume une lumière : je veux que tu voies sur mon visage combien j'ai souffert.

— Souffert ?! Elle est bonne, celle-là !… Et pourquoi ?

— Parce que je t'ai blessée, Anacleta… Je viens te demander pardon… Je n'aurais pas dû te rappeler des affaires anciennes.

Tu as commis une erreur, mais qui n'en commet pas ?...
Ton cœur est bon, et moi j'ai été cruel en le mortifiant...
Tu me pardonnes, Anacleta ?

Le prébendé tomba à genoux au pied du lit de la bienfaitrice du capitaine de cavalerie, sanglotant à cinquante-huit ans comme sanglotent à dix-huit ceux que leur sensibilité fait habituellement pleurer aux pieds d'une femme à qui ils ont infligé une souffrance imméritée.

Le visage bruni de la marchande de morue contempla tout cela sereinement. Le monseigneur, une fois terminée l'apostrophe lacrymale, se redressa comme s'il se pardonnait à lui-même, et eut l'inattendue désinvolture de sceller le nouveau pacte d'alliance d'un baiser, que madame Anacleta reçut, immobile et silencieuse.

– Je peux compter sur ton pardon, ma chérie ? demanda Dom Teotónio.

– Voulez-vous me laisser seule, s'il vous plaît ? dit-elle, se tournant vers le mur. Il est l'heure de dormir... Demain nous parlerons de pardon...

– Au revoir, Anacleta... Il est une heure... Depuis dix heures, je n'ai pas eu une minute de repos... Je m'en vais plus tranquille. Dors en paix, mon amie, à demain... Je viendrai déjeuner avec toi, veux-tu ?

– Venez quand vous voudrez... cette maison est la vôtre...

Dom Teotónio éteignit la lumière et sortit. Il s'en allait avec un autre visage et le cœur soulagé du poids du remords.

Aussitôt les portes refermées, Anacleta se leva. Elle descendit l'escalier qu'elle avait emprunté plus tôt, entra dans la chambre du commis, refermant la porte à clef derrière elle.

Il ne fallait pas abandonner à lui-même « l'homme de boue ». L'arrivée du monseigneur avait interrompu le discours qui exemptait Joaquim de perpétrer directement l'homicide. De nouvelles propositions devaient être faites. Doutant du résultat, Anacleta était descendue avec un poignard caché sous la ceinture de son jupon blanc.

XI

À dix heures du matin le lendemain, revenant à la maison, Anacleta dit à ses filles de faire leurs malles pour partir au collège, après dîner. Au même moment, elle ordonna aux bonnes de se préparer à les accompagner et à rester avec elles, car elle ne voulait pas que ses filles soient moins respectées que celles des comtes et des marquis, qui chargeaient leurs servantes d'en prendre soin. Cette nouvelle fut reçue avec un plaisir immense par les jeunes filles et les bonnes. Dom Teotónio, qui était présent et attendait Anacleta depuis huit heures, communiait dans le contentement général.

Les jeunes filles embrassèrent leur père en pleurs et versèrent les mêmes larmes pour leur mère, qui ne les méritait pas. Habituées à la craindre, elles avaient fini par la haïr, honteuses d'être nées d'une telle femme. Le repenti Mascarenhas, ce jour-là, entourait comme jamais Anacleta de sa tendresse. Il interprétait littéralement le sourire de la marchande, tendre lui aussi, comme étant son pardon. Non seulement il déjeuna, mais il dîna également avec les jeunes filles et, tout à la jubilation de la réconciliation, n'eut même pas le temps de ressentir l'absence de ses enfants.

Ce qui le préoccupait le plus, c'était de voir Anacleta faire le service de la maison, puisque les bonnes n'avaient pas encore été remplacées. Il alla jusqu'à vouloir s'en occuper lui-même, mais en fut empêché par l'énergique marchande de morue, qui semblait rajeunir dans son élément naturel alors qu'elle écaillait un merlan sur la table de la cuisine. Profitant d'une absence de Dom Teotónio, qui commençait à l'importuner avec ses baisers en douce, Anacleta sortit et s'attarda une heure dehors. En rentrant, elle décacheta une bouteille de vin, enleva le bouchon, vida dedans un petit flacon d'un liquide grisâtre, agita longtemps la bouteille, puis la recacheta et la rangea dans l'armoire, comptant celles qui l'entouraient pour éviter une erreur.

Désormais, outre le vin, cette bouteille contenait deux onces de morphine.

À la tombée de la nuit, Anacleta descendit au magasin, parla quelques instants avec le commis, puis remonta pour préparer le dîner, en fredonnant *Maria Cachucha*, une chansonnette à la mode avec laquelle elle avait brillé au marché de Ribeira Nova.

En même temps Joaquim, dûment chapitré par la dernière entrevue qu'il avait eue avec sa patronne, héla deux Galiciens postés au coin de la rue voisine, auxquels il dit :

— Soyez prêts à onze heures du soir pour aller jeter au Tage une barrique de morue avariée.

Dom Teotónio de Mascarenhas, plus dodu que jamais, surgit soudain dans la cuisine alors qu'Anacleta faisait frire la dernière darne de merlan. Il jubilait, le visage du monseigneur, quand la marchande de morue, tournant la tête, effrayée, retrouva les lèvres embusquées du tendre amant.

— Aïe !… Quelle blague stupide !… rouspéta-t-elle, remettant la poêle sur le feu et s'essuyant le visage à son tablier. Ce n'est plus de votre âge ! poursuivit-elle, avec des grimaces et des gestes si brusques qu'ils laissèrent le pauvre homme comme paralysé, appuyé contre le poulailler.

— Quel cœur tu as, Anacleta !… murmura le pitoyable gentilhomme. Je ne te reconnais pas !… Tu me trouves vieux, sans sagesse, sans grâce, sot, enfin, je ne vaux rien à tes yeux !… Allez, va… Que Dieu ne te punisse pas, comme moi je te pardonne…

— Arrêtez vos jérémiades… Que le Diable emporte les passions et ceux qui s'en nourrissent… Allons dîner et la paix sera faite.

Disant cela, madame Anacleta apporta à table un plateau de poisson frit et un saladier de laitue, tandis que le rejeton du tronc vénéré des Mascarenhas prenait les devants avec le chandelier à quatre branches.

Le bénéficier avait une excellente constitution et la meilleure des âmes pour vivre en ce bas monde. Il mangeait avec un appétit d'affamé et dérobait peu d'instants à la déglutition pour répondre aux tendres faveurs d'Anacleta.

— Ouvre une bouteille de celui que nous savons, dit le monseigneur, adressant un clin d'œil très profane à sa gentille convive qui était en train de lui toucher la jambe, comme l'on pouvait déduire des grimaces quelque peu lubriques du haut dignitaire de l'Église.

Anacleta ouvrit la cinquième bouteille, remplissant le verre de Dom Teotónio et le sien par la même occasion.

L'insouciant vieillard vida son verre comme s'il en savourait la dernière goutte.

— L'âge l'a rendu aigre ! dit-il, fronçant le nez.

— Je l'avais déjà remarqué… dit Anacleta. Ce vin me semble gâté.

— Tu te trompes. Le vin est excellent ; c'est mon palais qui n'est pas bon. Voyons si le deuxième verre me convient mieux que le premier.

Il vida un deuxième verre, avala la quatrième darne de merlan et se préparait à attaquer pour la troisième fois la bouteille, quand sa main tomba insensiblement sur le verre.

— Que se passe-t-il ? demanda Anacleta.

— Je ne sais pas… je suis soûl… je crois que je vais dormir…

La criminelle ressentit la première morsure du remords en voyant les premiers effets sensibles du poison. Elle fuit la pièce et entra dans la chambre de sa fille qui dormait depuis l'angélus. Comme si elle avait besoin d'un être vivant pour la protéger de la terreur qui lui ôtait tout courage, elle étreignit la petite de onze ans qui ouvrit sur sa mère des yeux craintifs.

Dans la pièce voisine, séparée de la chambre par une mince cloison, se déroulait une scène horrible.

Dom Teotónio se leva de sa chaise avec le regard brumeux et tendit les bras au-dessus de la table, cherchant Anacleta pour le conduire au lit. Il l'appela d'une voix rauque, violemment arrachée à la torpeur qui l'envahissait, et tomba à plat ventre sur la table. Ses pupilles, dilatées, sortaient de ses orbites. Une sueur soudaine inonda son visage où tous les muscles contractés étaient d'un jaune d'ocre. Il était en proie à des spasmes déchirants, mais ne vomissait pas. Tout son corps était parcouru de convulsions et, sur ses oreilles, secouées des tremblements caractéristiques de la congestion, étaient visibles les symptômes de la mort apoplectique.

Cette pénible lutte, sans un cri, sans espoir de secours, dura vingt-cinq minutes. Anacleta tendait l'oreille ; elle entendit comme un rugissement suffoqué dans la gorge par une corde et attendit une demi-heure encore. Plus le moindre gémissement.

Tremblante et pâle, elle ouvrit lentement la porte de la pièce où venait d'expirer le père de ses filles. Elle vit un cadavre étendu à plat ventre le long de la table, les mains crispées sur le dossier de la chaise où Anacleta avait été assise.

Elle recula et descendit au magasin. Il était neuf heures et demie.

Le commis l'attendait au pied de l'escalier.

— Joaquim, dit-elle d'une voix d'épouvante, va là-haut... Si tu es mon ami, ne me fais plus entrer là où il est.

— Alors lui... il est déjà mort ? demanda le commis, stupéfait.

— Oui...

— Ç'a été vite fait !... Je n'ai pas entendu un bruit !... N'est-il pas seulement endormi ?!

— Non, non. Vas-y, toi... allez, Joaquim... Tu m'as dit que tu ferais tout une fois qu'il serait mort...

— Et je le ferai... Je ne reprends pas ma parole...

— Tu as fait sortir l'apprenti ?

— Je lui ai dit d'aller voir sa mère à Campo Grande. Nous sommes seuls... Il n'y a rien à craindre.

— Alors vas-y. Je vais voir la petite dans sa chambre ; elle m'appelle.

Le commis entra dans la salle à manger. Il fut pris d'une terreur stupide en voyant la posture de Dom Teotónio. Pour se donner du courage, il fit passer devant son imagination cent huit mille cruzados. Il colla presque l'oreille aux lèvres du cadavre. S'étant assuré qu'il ne respirait plus, il le secoua trois fois : ses bras restèrent raides, son visage parsemé de taches violacées. Il saisit le mort, le jeta sur son épaule droite et se dirigea vers sa chambre. Au milieu de l'escalier, il sentit quelque chose et laissa tomber le cadavre, qui roula jusqu'au palier, ouvrant avec sa tête la porte de la chambre du commis.

Anacleta poussa un cri en entendant le bruit. Elle voulut se précipiter vers l'escalier, mais n'en eut pas le courage… « Est-il vivant ?! », se demanda-t-elle, serrant frénétiquement les dents sur sa lèvre inférieure.

Le futur mari de la marchande de morue vint à la salle à manger chercher de la lumière. Puis il redescendit près du cadavre, toujours immobile, et conclut sans peine qu'il s'était affolé sans motif. Et il avait raison. Ce qui l'avait effrayé, c'était une ultime contraction de la matière, provoquée, pour ainsi dire, par la rupture des derniers liens qui tiennent ensemble la constitution physique. Encouragé par un dernier regard de son imagination sur le coffre aux cent huit mille cruzados, il traîna le cadavre à l'intérieur de sa chambre. Il y avait là une barrique à côté d'un tas de morue. Il souleva le mort et le laissa tomber dans la bouche de la barrique. Contre toutes ses attentes, le cadavre resta coincé entre les bords de la barrique, refusant de se plier, malgré les efforts du musculeux commis.

Il réfléchit un instant, se grattant la tête. Comme mû par une heureuse inspiration, il se précipita vers le magasin et revint avec une grosse barre de fer, qu'il abattit de toute sa force sur les genoux du cadavre, vérifiant du coup que son expédient était le bon. Une fois les jambes cassées, le tronc du monseigneur glissa au fond de la barrique, laissant les pieds dehors. L'adroit Joaquim, métamorphosé pour la deuxième fois en penseur, triompha de la difficulté en forçant les pieds à se croiser autour du cou, laissant ainsi un espace libre en haut de la barrique pour y placer la morue.

Ceci accompli, avec une perfection et une rapidité inattendues, Joaquim monta à la chambre où Anacleta bavardait avec sa fille au sujet d'Emília et d'Antónia. La petite pleurait, nostalgique de ses sœurs, et priait sa mère de la laisser leur rendre visite le lendemain.

Anacleta vit le commis qui lui faisait des signes depuis le seuil et s'en approcha, toute tremblante, dans l'attente de quelque nouvelle épouvantable, mais il lui dit avec la plus révoltante sérénité :

— Tout est prêt comme il faut. Quelle heure est-il ?

— Bientôt onze heures.

— Alors, au Tage, d'accord ?

— Bien sûr… Mais après, Joaquim, tu viendras me rejoindre, j'ai peur de rester ici toute seule. Tu veux bien ?

— Peur de quoi ? Qui s'en va ne revient plus… Sortez une bonne bouteille et à tout de suite.

Les Galiciens entrèrent dans la chambre du commis et prirent la barrique. Le quai était en face, à trente pas. Joaquim les accompagna. Le gabelou, préposé à ce quai, avait vu s'ouvrir la porte de la riche marchande de morue et sortir la barrique. Sans y prêter attention, il se limita à dire au commis qu'il n'y avait pas d'autorisation pour déverser des barriques de morue avariée au bord du Tage : il lui fallait affréter un bateau et emmener son chargement au milieu du fleuve. Un batelier, qui couchait dans sa barque, entendit cet ordre et s'offrit pour accomplir la besogne.

On chargea barrique et commis dans l'embarcation. Les Galiciens restèrent à quai, attendant que Joaquim revienne pour les payer.

— Ici, c'est bien, dit le batelier.

– Alors, aide-moi à lever la barrique.

– On jette aussi la barrique à l'eau ?

– Oui… qu'est-ce que j'en ai à faire, moi, d'une barrique ? J'en ai plein là-bas et la patronne n'y verra que du feu.

– Ça ira plus vite comme ça, dit le batelier, empoignant la barrique par un côté. Ho hisse !… Allez… Retourne-la, maintenant… bien… laisse aller…

– Attends… attends… cria le commis.

Mais il était trop tard pour attendre. Un arceau de la barrique se rompit en tombant à l'eau. Son extrémité se glissa entre le gilet et la chemise du commis, la chute de la barrique ne lui donna pas le temps de s'en libérer et il fut emporté dans le fleuve.

Le batelier appela au secours, attendit que le noyé réapparaisse à la surface. Mais le fleuve se referma sur le corps et il ne vit que quelques poissons effrayés sauter à fleur d'eau.

Anacleta entendit un grand brouhaha dans la rue. Elle se précipita de chambre en chambre, les cheveux dressés sur la tête, un délire de terreur enflammant ses yeux.

– Je suis perdue !… Joaquim ne revient pas… On l'a arrêté… Ce tumulte dans la rue, à une heure pareille, veut dire qu'on a trouvé le mort dans la barrique…

Sa terreur s'accrut quand on frappa énergiquement à la porte d'entrée. « Que vais-je faire ? Si je n'ouvre pas, je me dénonce… Ah ! Je sais déjà ce que je dois faire !… Si on veut m'arrêter… je m'empoisonne. Plutôt la mort… » Les coups à la porte continuaient. Anacleta choisit d'afficher une désinvolture artificielle qui l'aurait dénoncée davantage si on était venu là en quête des traces d'un crime. Elle ouvrit la fenêtre et demanda :

– Qui est là ?

– Madame Anacleta, fit une voix, sachez que monsieur Joaquim est mort noyé…

– Noyé ! s'écria-t-elle.

– Tout à fait. En jetant la barrique à l'eau, il s'est emmêlé et a été entraîné derrière, sans que le batelier puisse lui porter secours… Maintenant, si vous pouviez nous payer, s'il vous plaît…

— Payer quoi ?

— Le faix. C'est quatre sous. C'est nous, les Galiciens qui avons porté la barrique. Vous pourriez bien nous donner une pièce en plus, parce qu'on aurait dit que cette sacrée barrique avait le Diable dedans, Dieu nous pardonne.

Aux plaintes succéda un éclat de rire général dans l'attroupement qui s'était formé pour suivre l'événement.

— Venez demain, dit Anacleta, plus tranquillisée.

— Pour l'âme des vôtres, reprit le Galicien, faites-nous payer maintenant, car nous n'avons plus un sou pour louer un lit pour la nuit.

La marchande de morue enveloppa dans un papier quelques piécettes de cuivre, le lança vers la rue et referma la fenêtre.

Un groupe de voisines, des bigotes, vieilles ennemies d'Anacleta, s'attardèrent à ronchonner :

— Ça sera toujours qu'une poissonnière…

Une autre disait :

— Regardez-moi cette femme ! Quelle amitié elle avait pour le commis, elle ne fait même pas rechercher son corps pour prier pour cette pauvre âme, que Dieu garde en Sa divine présence. *Notre Père qui êtes aux cieux.*

Et une autre :

— *Requiescat in pace, amen*… De quelle diablerie de sortilège cette souillon se servira pour tenir en péché le pauvre monseigneur de la Patriarcale, qui porte sur le visage le sort qu'elle lui a jeté ?… Qu'elle soit maudite !… N'oublions pas que c'est une femme à moustache !… Pauvre commis… le malheureux !… Encore un Notre-Père pour son âme, Madame Teresa !… *Notre Père qui êtes aux cieux*…

— Et un autre pour l'Enfant Jésus des affligés, qui a la neuvaine la plus belle. Je l'ai achetée pour un petit sou…

Que les mains qui t'ont faite n'aient jamais mal, ma chère neuvaine de mon Enfant Jésus des affligés...

— Eh bien, que Dieu vous garde, Madame Rosinha... Celui-là, il est déjà là-haut ; que chacun tienne ses comptes en règle pour le dernier jour, qui viendra tôt... Au fait, Madame Rosinha, que me dites-vous des jacobins ?

— Je les maudis, au nom de la Très Sainte-Trinité et de saint Augustin, notre avocat contre les hérétiques...

— On dit qu'ils rôdent par là, en ces mondes du Christ, ces gens sans âme, qui mangent chiens et chats...

— Et des petits enfants aussi, vous ne le saviez pas ?

— Quelle horreur, quelle horreur ! Saint Nom de Jésus, Marie ma Très Sainte Mère, et tous les saints et saintes de la cour céleste ! Que me dites-vous là, Madame Teresa ?

— C'est comme je vous le dis... Je l'ai entendu avec ces oreilles que la terre mangera un jour, de la bouche de mon confesseur, ce saint franciscain qui fait des prophéties et des miracles et voit tout ce qui se passe dans ces Europes. C'est à ne pas y croire ! J'en ai des frissons dans tout le corps, si je peux dire ! Adieu, adieu, fermons nos fenêtres... *Mon âme magnifie et grandit le Seigneur.*

XII

La nuit d'Anacleta fut interminable. Ce n'était pas la contrition ni la terreur de la justice divine qui la tourmentaient. C'étaient les spectres des deux victimes. C'était l'éclair de lumière qui peignait des fantômes sur les murs ; les bruits des rats sous le plancher qui lui semblaient les rampements d'un moribond. C'était tout ce que l'âme d'une femme, exception maudite à la mansuétude dont Dieu l'a dotée, peut ressentir une fois réveillée d'une ivresse de sang.

Elle désirait ardemment le jour, et le jour vint. La maudite espérait l'apaisement quand viendrait la lumière, mais ne l'eut pas. Pendant la nuit, quand Maria fermait les yeux pour dormir, Anacleta la réveillait ; elle ne pouvait pas se voir seule. Cette enfant était pour elle un refuge : la vipère effrayée se cachait au sein de l'innocence.

Le jour venu, l'enfant dormait et sa mère effaçait les traces de son crime, lavant le sang que le cadavre avait laissé, dans sa chute, sur la porte de la chambre du commis. Puis elle ouvrit le secrétaire de son amant de seize années et transféra l'argent vers une cachette secrète, aménagée derrière son lit. Elle brûla le testament, ferma le tiroir et la chambre, et jeta les clés, maintenant inutiles, dans un trou du mur.

Commencèrent ensuite les visites des voisins qui venaient déplorer avec elle le fatal événement. Anacleta, reprenant courage, car il était impossible qu'une âme comme la sienne succombât à la terreur, se montrait vivement peinée, et on la croyait de bonne foi tant était convaincante la décomposition de ses traits. Beaucoup de ceux qui vinrent s'en allèrent louant la sensibilité de la pauvre dame, qui se montrait si différente de ce qu'on aurait pu attendre de ses principes. De nouvelles servantes arrivèrent à la maison. Comme s'il n'y avait pas assez de deux pour la distraire de ses terreurs nocturnes, elle en engagea quatre, qui s'entreregardaient avec stupéfaction, se demandant les unes les autres si leur maîtresse n'était pas folle.

Le soir de ce jour-là, un laquais du marquis du Val vint chez elle demander si Dom Teotónio s'y trouvait. Anacleta répondit que non ; le valet lui dit que son frère n'avait plus de nouvelles du monseigneur depuis près de quarante-huit heures. La même question fut posée toutes les quatre heures, les réponses semblant confirmer les rumeurs qui couraient sur la disparition du monseigneur de la Patriarcale.

La curiosité et la justice se mirent en branle, quêtant des nouvelles du gentilhomme. Par ordre du corregidor du quartier, on procéda à une fouille chez Anacleta dos Remédios. On la trouva pleurant la perte de son bienfaiteur, père de trois jeunes filles qui devenaient orphelines et pauvres.

On entra dans le cabinet de Dom Teotónio, on fractura les tiroirs où l'on trouva des papiers inutiles, et l'on s'en alla sans le plus léger indice qui pût éclairer le destin qui avait été le sien.

Une fois retrouvée la pleine tranquillité de son raisonnement, la marchande de morue, pour affecter la pauvreté, renvoya trois servantes et n'en garda qu'une. Elle descendit au magasin peser de la morue, ce qu'elle n'avait plus fait depuis des années, et maintint ses deux filles aînées au collège, mais les priva des servantes qu'elle ne pouvait plus entretenir.

Quelques mois plus tard, on avait oublié Dom Teotónio de Mascarenhas, et Anacleta, pour ne pas être plus constante que ne l'était la société, l'oublia elle aussi, tout en gardant ses habits de deuil, avec une ostensible impudence. La clientèle de son magasin s'accroissant, la marchande de morue, qui ne vivait plus dans le même immeuble et savait bien pourquoi, engagea un commis et recommença à vivre comme une dame.

Maria allait sur ses treize ans. Elle avait des maîtres de musique et de chant à domicile.

Elle jouissait en plus d'une préceptrice qui, pour un prix élevé, était venue, du sein d'une famille noble mais décadente, apprendre à la jeune fille l'art de bien parler et de se présenter honorablement en société.

Les envieux s'étonnaient beaucoup des moyens de la marchande de morue ; mais son magasin affichait une grande affluence, recevant des chargements de morue en exclusivité, fournissant aussi bien des magasins de morue de deuxième ordre. Les gens avisés ne s'émerveillaient donc pas des dépenses de Dona Anacleta dans l'opulente éducation de ses filles.

Antónia et Emília, les rares fois où elles vinrent à la maison, ne manquèrent pas d'être surprises par le luxe de l'ameublement qui décorait les salons de leur mère et des nombreuses relations qu'elle s'était faites.

Anacleta, en ce temps-là, allait avoir quarante ans. Chez certaines constitutions, cet âge ne peut pas être appelé le crépuscule de la beauté. Certes, on voit, parfois plus tôt, des cheveux blancs et des rides profondes ; mais, pour cela, il faut que le cœur ait vieilli, et que la rafale du malheur ait effeuillé, à vingt-cinq ans, toutes les roses d'une jeunesse tourmentée.

Ces rares exceptions ne concernaient pas l'opulente marchande de morue. Ses cheveux luisants étaient noirs comme ceux de sa fille. Le jais de ses pupilles gardait tout le vernis des passions pleines de force. Sa peau, épaisse mais très blanche, avec les touches roses de la santé et du sang en ébullition, ne montrait pas le moindre signe qui dénonçât plus de trente ans, et trente encore pour la beauté. Ajoutez-y une silhouette élégante, des bras musclés, artistiquement potelés au-delà du coude et élancés en deçà ; un pied grand, mais excusable en tant que piédestal d'une aussi grandiose statue, une vaste poitrine de neige, palpitante dans sa plénitude, et vous vous ferez une idée, lointaine mais unique, de Dona Anacleta dos Remédios, telle que peut vous la restituer son reflet dans le miroir de l'imagination.

Sa benjamine était d'une constitution plus gracile, plus épurée, mais affichant en miniature les beaux atours de sa mère.

Parmi les familles qui fréquentaient la maison de la marchande de morue, la plus aimée et la mieux reçue était celle d'un juif de la rue des Fanqueiros, nommé Moisés Pereira.

Le fils de ce Moisés Pereira, dont Dona Anacleta était tombée amoureuse, était un gentil garçon de vingt-cinq ans, présentant tous les traits, non dégénérés, de la belle race judaïque. Captif de sa nature dépravée, Azarias accompagnait rarement sa famille chez Anacleta. Il ressentait pour elle du désir, mais ne croyait pas réalisables ses plans licencieux, et les autres, plus honnêtes, comme le mariage, étaient impossibles.

Azarias était un garçon prodigue. Il dilapidait l'importante somme que son père lui allouait, puis contractait des dettes, dont ce dernier s'était acquitté jusqu'au jour où il se trouva confronté au risque de mettre sa fortune en danger. Le jeune juif avait perdu au jeu, en quelques jours, trente mille réaux. Moisés paya honnêtement, en sévère zélateur de la loi du Sinaï, mais mit hors de portée de son fils les derniers deniers de son tiroir-caisse.

Survint alors une circonstance avantageuse pour Moisés. Ses amis d'Amsterdam le priaient de s'installer au plus vite, avec sa famille, en Hollande, où venait de décéder son frère, en lui léguant une fortune de dix millions.

Moisés régla ses affaires et partit. Il s'attendait à trouver son fils déjà à bord du yacht, mais ne l'y vit point. Il le fit chercher, personne ne le trouva. Le vieillard versa deux larmes et murmura : « Monsieur le Capitaine, levez l'ancre ! Mon fils n'est plus mon fils !... Partons... Que soit faite la volonté de Dieu. » Et ils partirent. À la même heure, Azarias se trouvait chez Anacleta dos Remédios. Était-ce elle qui le retenait à Lisbonne et lui faisait abjurer l'obéissance à son père ? Non.

Azarias aimait jusqu'au délire une autre femme, inaccessible par l'élévation de sa naissance, et presque indifférente à la fougueuse passion du jeune homme. Il ne pouvait pas l'abandonner, mais n'avait pas de quoi subsister plus de quatre jours. Il songea alors à un dernier recours et le tenta, sans s'attarder à en examiner l'indécence. Il alla voir Anacleta la veille du départ. Il la surprit en pleurs, comme si de tendres larmes étaient naturelles sur ce visage de bronze.

Pour elle, la surprise fut charmante.

— Vous venez prendre congé de moi ? demanda-t-elle, sanglotant.

– Je viens accomplir ce malheureux devoir… Je voulais voir si j'en avais le courage…

– Le courage ? Je ne vous comprends pas.

– Voilà votre réponse… C'est celle que j'attendais, Anacleta… c'est à quoi je devais m'attendre de votre âme froide…

– Monsieur Azarias !… dit la civilisée marchande de morue, la voix tremblante comme celle des constitutions délicates. Ou vous vous trompez sur moi, ou c'est moi qui me trompe sur vous… Soyez franc, pourquoi me dites-vous que mon âme est froide ?

– Parce qu'en deux ans de fréquentation, je n'ai pas été capable de vous faire comprendre que je vous aimais.

– Moi !… Quelles preuves m'avez-vous données de cet amour ?

– Quelles preuves ?…

– Oui… Vous vous étonnez que je vous le demande ? Combien de fois êtes-vous venu accompagner votre famille, pour, après m'avoir à peine saluée, vous enfuir, quand vous n'aviez pas de prétexte pour vous en aller courtoisement !

– Avec quelle légèreté vous m'avez jugé, Anacleta ! À quelle distance était donc votre cœur du mien ! Et vous me demandez des preuves !… Les preuves, Madame, c'est mon comportement, que vous calomniez injustement. Je vous ai toujours tenue pour une femme dangereuse. Je tremblais pour moi-même quand je songeais aux extrémités où m'aurait conduit une passion dont je ne pouvais être maître. Je vous fuyais, oui… Vous avez employé l'expression adéquate, Anacleta, je vous fuyais parce que je ne pouvais pas vous dévisager sans sentir mon âme se resserrer et mon cœur délirer.

Azarias commençait à peine à égrener tous les mots à effet et toutes les phrases foudroyantes de sa collection, lorsque Anacleta, femme qui péchait plus par ses œuvres que par ses mots ou ses pensées, se leva du canapé et vint s'asseoir sur une chaise proche de celle du jeune homme. Ses yeux étaient humides, ses paupières se baissaient langoureusement tout comme son cou, dans une posture sans ambiguïté pour l'habile hébreu.

— Que voulez-vous de moi ? demanda-t-elle à mi-voix, avec une tremblante et tendre délicatesse. L'aveu d'un amour comme jamais je n'en ai éprouvé pour quelqu'un dans ma vie ? Je vous aime, je vous ai aimé dès que je vous ai vu, et j'ai souffert, Azarias, sans espoir, jusqu'à cet instant.

Le jeune homme, faisant appel aux inépuisables ressources du théâtre, s'agenouilla à l'improviste à ses pieds et porta à ses lèvres la main massive de la consternée marchande de morue.

— Mon adorée ! dit-il, pressant contre son sein cette main pas du tout ambiguë, maintenant je partirai moins malheureux.

— Partir !... Où ?

— Ne savez-vous donc pas que ma famille part demain ? dit-il avec effort, s'asseyant, car ses genoux le gênaient, et laissant tomber la tête sur sa poitrine. Je partirai, Anacleta, puisque le destin impie ainsi le décrète... Mon père le veut !... Père barbare, quelle guerre cruelle je te déclare !... (Il s'agissait de réminiscences d'une tragédie de Baptista Gomes, qu'il avait vu jouer quelques jours auparavant rue dos Condes). Te quitter, Anacleta !... Te quitter à l'heureux instant où tes lèvres me vaticinent un destin de bonheur !... Oh, mille fois malheureux ! Plutôt la mort qu'une vie aussi noire !...

— Azarias !... l'interrompit Anacleta, relevant sa tête du plongeon sentimental où le juif dissimulait parfois un fou rire, Azarias, si j'étais vraiment aimée...

— Si tu étais vraiment aimée !... Pardon... si *tu* étais, ai-je dit !... Je m'égarais... Pardonnez-moi, Dona Anacleta... ce *tu,* c'est le trop d'amour... j'hallucine...

— Traitez-moi comme vous voudrez... Ce *tu* m'est allé droit au cœur... C'est ainsi que j'aime que tu me traites, Azarias... Tu vois, je fais comme toi...

— Tu es divine ! s'écria-t-il, baisant son front, sans que le restant de son visage perdît sa couleur naturelle...

— Je vais exiger de toi une preuve de ton amour, dit-elle, impérieuse.

— Exige donc, mon enchanteresse !

— Tu me la donnes ?

— Ne me le demande pas... Mon honneur ? Mon sang ? Ma vie ? Ordonne.

— Pas tant : ton cœur.

— Arraché à ma poitrine ? dit-il en prenant la posture ridicule de Caton s'arrachant les entrailles.

— Non ! Je le veux dans ta poitrine, avec toute ta vigueur, avec tous les dons dont la nature t'a libéralement doté, mon Azarias... Sais-tu ce que je veux ? Ne pars pas avec ta famille...

Dans les yeux de l'israélite brilla un éclair de joie, mais sa rouerie lui fit pencher la tête, lui donnant l'inclinaison béate du pénitent en procession.

— Tu vois ? dit-elle, émue. Voilà comme tu m'aimes... Tu me donnais l'honneur, le sang, la vie, mais tu n'es pas capable de sacrifier ta famille pour moi...

— Je ne le suis pas ?... Comme tu es cruelle !... Anacleta... Il y a des franchises terribles, qui font rougir de honte... Mais il y a des instants critiques où la réserve entre deux personnes qui s'adorent est un crime... Tu veux que je sois franc ?

— Oui, oui.

— Peux-tu me pardonner la douloureuse sincérité avec laquelle je vais déchirer devant toi les entrailles de ma conscience pour te révéler la fatale vérité ?

— Dis, Azarias, vite, ne me laisse pas dans ce tourment.

— Écoute... mon père... ce barbare... m'a privé... de... ma pension... Oh !... Quelle honte !

Azarias porta comiquement les mains à son visage, cachant un impudent sourire, tandis que la marchande de morue laissait échapper un éclat de rire.

— Ton père peut faire ce qu'il veut, mon Azarias. Tu

ne sais donc pas que l'amour triomphe de toutes les difficultés ? Et tu te mortifies pour si peu !... Qu'elle est petite,
ton âme !... Ce n'est que cela qui te fait partir ?

— Pour toi, j'oublierais tous les devoirs d'un fils... Je te
les sacrifie. Mais sans moyens, je ne peux rester dans un pays
où mes mains firent couler des torrents d'or.

— Tu ne partiras pas... Ou alors, c'est que tu ne m'aimes pas.

— Je ne partirai pas ?

— Non... je te l'affirme... Je suis riche... Je veux donner
ma richesse à qui je donne mon cœur... Il ne te manquera
rien à Lisbonne, mon cher Azarias...

— Anacleta ! Demande-moi ma vie, mais ne m'oblige pas
à vivre à l'ombre de ta richesse... Dans mes veines coule le
sang des Hébreux... Mes aïeux se sont laissés mourir dans
ce maudit pays pour ne pas abjurer leur croyance ; moi, je
mourrais pour ne pas abjurer mon honneur...

Azarias aurait eu beaucoup à dire sur son honneur, si le
souffle n'était venu à lui manquer.

Heureusement, Anacleta coupa court à son discours en
lui passant autour du cou son bras de fin albâtre aux muscles robustes, un peu plus puissants que l'albâtre. Elle l'en
ôta aussitôt, comme honteuse d'avoir pris cette liberté, et,
comique à son tour, cacha son visage dans ses mains pour
voiler sa pudeur, rebelle à se montrer à la lumière du jour.

Tout cela était beau, délicieux jusqu'au ridicule. Mais,
même si c'était une aberration, presque une absurdité dans
la nature de cette femme, il est certain qu'Anacleta aimait
avidement le juif et ressentait, pour la première fois, en
quelque fibre de son cœur épargnée par la lèpre, les transports juvéniles d'un amour capable de sacrifice.

Le jeune homme, expert dans l'exercice de toutes les turpitudes sociales et ayant étudié les femmes à fond, savait
qu'il tenait là femme et argent et qu'il ne gagnerait pas
grand-chose à jouer les délicats, refusant une offre après
laquelle il soupirait.

— Azarias ! Tu ne m'aimes pas !... dit-elle, boudeuse, en retirant son bras.

— Que veux-tu de moi ?

Cette exclamation fit son effet, grâce à la posture de victime volontaire que le libertin emprunta.

— Que tu restes à Lisbonne.

— J'y resterai.

— Que tu considères cette maison comme la tienne.

— Que je te considère comme mienne... mon adorée Anacleta !

Ces mots furent l'avant-garde d'un baiser moins pudibond que le précédent. Du front, il descendit aux lèvres.

— Oui, tienne, tienne... Toute la vie, dit-elle, haletante, rétribuant avec intérêts l'audacieux baiser.

À cet instant, entra dans la salle le maître de piano, accompagnant la jeune fille à qui il venait donner sa leçon. Anacleta fronça inconsciemment les sourcils. Au fond de son cœur, elle détesta la musique. L'innocente Juliette, en ce moment, voulait être toute seule avec son Roméo, sur un tapis de feuillage, bien cachée aux yeux du monde, au fond d'un bois impénétrable. Les amours pures sont toujours ainsi... Ce sont les hommes, ces impies, qui les souillent, qui en font des romans, qui soulèvent les rideaux de l'asile sacré des vestales, qui déchirent leurs tuniques aussi blanches que la blanche colombe, et qui osent les jeter nues à la société qui, presque toujours, a l'impudeur de les montrer du doigt en disant : « On en connaît quelques-unes comme celles-là. »

XIII

Le yacht était parti. Azarias avait établi sa résidence apparente rue Nova da Palma ; mais sa demeure habituelle, toutes les nuits du premier mois et durant la plupart des journées, était chez la marchande de morue. Ni lui ni elle ne faillirent à leurs engagements. Azarias donnait des preuves sensibles d'un amour exubérant. Anacleta ne consentait pas qu'il sortît sans beaucoup d'argent en poche pour faire face aux imprévus. L'israélite était revenu à son ancienne opulence.

En ces temps-là, une voiture et une paire de chevaux étaient un privilège partagé par peu de gens. Azarias, à la grande satisfaction de la marchande de morue, aveuglait ses ennemis avec ce luxe miraculeux. Il était généralement connu, dans le milieu commercial, que l'Hébreu ne jouissait d'aucun subside de la maison de son père.

Cependant, l'homme n'était pas entièrement gâté. Nous savons déjà qu'il aimait à la folie une demoiselle de haute naissance, fort peu accessible. Sans elle, Azarias n'aurait pas déployé autant d'habileté lors de la scène à laquelle nous venons d'assister. Pour elle, il se serait vendu, non pas à une femme encore belle comme Anacleta, mais au premier serpent chauve et édenté de Lisbonne qui aurait financé les frais de sa conquête.

Au bout de quatre mois, la marchande de morue fit le bilan de sa fortune et constata sans regret que sa passion lui avait coûté dix mille cruzados. Il lui en restait quatre-vingts, car elle en avait consumé huit mille, en plus des bénéfices de son établissement réputé, en bienfaits personnels. Elle était, et elle se considérait, véritablement heureuse. Si, au milieu de la nuit, le souvenir de Teotónio de Mascarenhas lui remuait le sang, Azarias était le calmant qui le ramenait à l'exercice régulier de ses fonctions.

Entre-temps, l'Hébreu avait fait de grands progrès dans la difficile entreprise de séduction de l'inaccessible demoiselle. Fascinée par la gentillesse de l'opulent jeune homme, elle se laissa aborder autant qu'il fallait pour lui dire qu'elle l'aimait et qu'elle aurait le courage de devenir son épouse, même si ses parents le lui interdisaient. Azarias, encouragé par le résultat obtenu, la demanda et on la lui refusa. Il profita de la résolution de l'hallucinée demoiselle pour fixer la date de leur fugue. Il avait mis à bas tous les obstacles ; il en subsistait un, et probablement le plus considérable : l'argent.

Anacleta, lors d'une des innombrables heures d'intimité avec Azarias, le fit venir dans sa chambre et lui montra son trésor. Le jeune homme affecta de l'indifférence, presque du mépris, pour cette révélation. Il ne demanda pas quel était le montant du capital, ni ne gaspilla deux mots à ce sujet. Anacleta aurait pu se sentir froissée dans sa vanité si Azarias ne l'avait pas dédommagée de quelques baisers, sans enthousiasme, mais valant par la quantité ce qu'en qualité ils laissaient à désirer.

La nuit prévue pour la fugue était justement celle où Anacleta dînait avec Azarias et sa fille. Le repas terminé, Maria se retira dans sa chambre et la marchande de morue, appuyée à l'épaule de son amant, entra dans la sienne.

— J'ai mal à l'estomac, dit-il.

— Tu veux quelque chose, mon chou ?

— Du café.

Peu après, arrivaient la cafetière et deux tasses. Anacleta les remplit et tendit la première à Azarias.

— Tu me donnes ma pipe ? demanda-t-il.

— Où est-elle ?

— Dans la salle à manger, sur la table.

— Je vais la chercher.

À peine Anacleta tourna-t-elle le dos, l'israélite versa dans sa tasse une poudre blanchâtre qu'il dilua avec la cuiller.

— Voilà, mon ange.

La tendre amante but son café tandis que l'impassible Hébreu savourait des bouffées de tabac opiacé. L'heure du départ approchait. Après un échange de douces caresses, Anacleta se coucha, alors que le juif s'attardait à contempler les volutes bleutées de la fumée de sa pipe. En posant sa tête sur l'oreiller, Anacleta dit qu'elle avait un sommeil extraordinaire alors que d'habitude le café la réveillait. Une scène horrible traversa sa mémoire. Elle s'empressa de la faire fuir et s'endormit contre son gré. Elle voulut appeler Azarias, mais ne le put. Elle voulut le toucher, mais ses bras n'obéirent pas à sa volonté. Elle avait l'immobilité d'un cadavre, mais elle était vivante.

Le juif agissait tranquillement. Il ouvrit le petit tiroir de la coiffeuse, y prit une clef avec laquelle il ouvrit le quatrième tiroir d'une commode, vida les pièces d'or sur les vêtements d'Anacleta, entassés comme un paquet de linge sale, chercha alentour quelque chose qui puisse faire l'affaire, saisit les bas de sa maîtresse bien-aimée, improvisa deux sacs qu'il remplit de pièces, distribua ce qui restait dans ses poches et prit sous chaque bras un grand sac de cruzados flambant neufs.

Il traversa dans le noir les diverses pièces de cette maison qu'il connaissait par cœur, descendit délicatement l'escalier, ouvrit la porte d'entrée avec désinvolture, comme qui sort de chez soi, pour ne pas éveiller les soupçons des patrouilles, et se dirigea tout droit vers le quai des Colonnes, où l'attendait une chaloupe.

Il monta sur le yacht qui mouillait à proximité, entra dans une cabine, ouvrit et referma un bahut, et retourna à terre.

À son passage, tous se découvrirent. Le capitaine, inclinant sa tête blanchie, demanda :

– À quelle heure prendrons-nous la mer ?

– D'ici une demi-heure.

Et une demi-heure plus tard, la même chaloupe emmena à bord l'israélite et une demoiselle en pleurs, le visage appuyé contre le cœur du jeune homme.

On hissa les voiles, le vent était favorable, et le yacht, lorsque minuit sonna au monastère des hiéronymites, arriva en vue du phare de la tour de São Julião.

Suis ta route, instrument de Dieu !

XIV

Le lendemain à onze heures, au grand étonnement des domestiques, pas le moindre signe de vie ne parvenait de la chambre de Dona Anacleta.

Les servantes n'osaient pas l'appeler, car il leur était interdit, non seulement par leur maîtresse, mais aussi par leur propre pudeur, de frapper à la porte d'une chambre où se trouvait un homme qui n'était pas le mari de madame.

La fille, elle, moins respectueuse de ces considérations, ou plus innocente, frappa à cette porte plus d'une fois, mais, n'entendant pas même un soupir, s'arma de son amour filial et finit par ouvrir.

Effrayée, elle se précipita vers le lit de sa mère, l'appela, la secoua, se coucha à ses côtés, pleurant à hauts sanglots. Anacleta ouvrit des yeux abasourdis. Elle s'assit sur le lit, ne parvenant pas à redresser la tête, étourdie. Elle demanda l'heure, on lui répondit qu'il serait bientôt midi. Elle regarda alentour comme si elle cherchait quelqu'un.

— Midi ! s'écria-t-elle.

Elle bondit du lit, parvenant à peine à se tenir debout, regarda ses vêtements amoncelés, remarqua deux pièces qui brillaient dans un pli, leva des yeux atterrés vers le tiroir, vit, douta, fixa mieux… La clef qu'elle ne laissait jamais dans la serrure… Elle s'y dirigea, titubant, s'appuyant à sa fille, vit le coffre vide !… Se figea un instant, comme foudroyée, porta ses mains à sa tête, prête à éclater en douloureux élancements, poussa un cri craintif, tel le glapissement d'un oiseau de nuit, et tomba comme morte, s'exclamant :

— Volée !…

Quand elle reprit connaissance, elle se trouva entourée par les commis, les docteurs, les bonnes et les voisins.

– Qui vous a volée ?

Tous posaient la même question, mais Anacleta ne répondit à personne.

Sa douleur ne se différenciait pas de l'idiotie. Tout cela lui semblait un rêve. Volée par Azarias !... C'était incroyable, impossible ! Serait-ce une cruelle plaisanterie ? Non plus...

Il était presque nuit et personne ne parvenait à déchiffrer l'énigme de ce vol. La justice était intervenue immédiatement dans les déboires domestiques de la marchande de morue. On lui demanda des éclaircissements au sujet des personnes sur qui pourraient porter les soupçons. On lui demanda à combien s'élevait la somme volée ; même à cela elle ne répondit pas. Bien que l'affligeante surprise l'eût abrutie, Anacleta n'en gardait pas moins l'acuité nécessaire pour se rendre compte de l'inconvenance d'avouer le montant de l'argent qu'elle possédait... Quelqu'un aurait pu se rappeler le capital que l'on attribuait au monseigneur de la Patriarcale... Anacleta était fébrile et feignait d'être malade pour éviter les questions. À onze heures du soir, les nombreuses amies de la malade s'en allèrent, laissant le médecin avec Maria Amália, qui ne s'éloignait pas du chevet de sa mère.

Le docteur ignorait les intimités d'Anacleta avec le fils de Moisés Pereira, même s'il était au courant que les familles se fréquentaient. La malade semblait plongée dans l'apathie qui succède à la fièvre, quand le médecin demanda à voix basse à Maria Amália :

– Savez-vous ce qui se dit au sujet de ce monsieur Azarias que j'ai vu parfois chez vous ?

Anacleta tressaillit et Maria Amália, rougissant, répondit :

– Je ne sais pas.

– Laissez-moi vous raconter, alors. Ce juif, pour ne pas démentir la race spéculatrice à laquelle il appartient, courtisait une riche héritière, la fille unique de monsieur d'Alpedrinha. Personne ne supposait qu'il était capable de la séduire, mais le fait est que la demoiselle s'est entichée du juif et s'est enfuie avec lui ce matin.

Anacleta s'assit sur le lit en poussant un cri qui terrorisa le médecin lui-même.

— Qu'y a-t-il, ma mère ? s'écria la jeune fille avec anxiété.

— C'est vrai, ce que je viens d'entendre ? demanda Anacleta, avec un regard qui mit cruellement à l'épreuve les nerfs du médecin. C'est vrai ?

— Quoi donc, Madame ?

— La fuite de cet homme avec une femme ?

— Oui, Madame.

— Quand ?

— La nuit dernière.

— C'est impossible… On veut me rendre folle !… C'est un mensonge !

— Si j'avais su que cela vous dérangerait, Dona Anacleta, je ne vous aurais pas annoncé cette nouvelle… Mais je ne mens absolument pas. Azarias s'est enfui avec la fille de monsieur d'Alpedrinha, personne n'en doute à Lisbonne.

Anacleta, qui avait fait plus que l'on n'aurait attendu de son caractère, ne put plus longtemps tenir la bride à sa nature.

— Cet homme m'a volée ! s'écria-t-elle en tirant sur ses cheveux comme une possédée. Cet homme est un voleur qui m'a pris tout mon argent… Arrêtez-le, pendez-le… Au voleur ! Azarias m'a volée !

L'ancienne poissonnière était en pleine possession de ses facultés intellectuelles. La vraie femme était celle-là ! Le masque tomba en présence des voisins qui accouraient aux cris de la malade et aux pleurs de sa fille et de sa servante.

La médecine était impuissante devant le désespoir d'Anacleta. On la craignait et il n'y eut ni bras ni consolations capables de la calmer jusqu'à neuf heures du matin, quand la justice vint faire son miel de cette marée pleine d'informations.

Le juge interrogeait Anacleta, enfermé avec elle dans sa chambre :

– Qui a volé ?

– Azarias Pereira, juif, fils de Moisés Pereira et de Raquel Pereira.

– Quand a-t-il volé ?

– Dans la nuit de mercredi.

– A-t-il usé de violence ?

– Il m'a donné de l'opium pour m'endormir.

– Comment savez-vous qu'il vous a donné de l'opium ?

– Parce qu'il s'est couché avec moi à dix heures, je me suis endormie tout de suite et je me suis réveillée à midi.

– Alors, cet homme…

– Était mon amant.

– Combien vous a-t-il volé ?

– Quatre-vingt mille cruzados.

– De quelle nature ?

– Or et argent.

– Où les gardiez-vous ?

– Dans ce coffre.

Elle indiqua le coffre posé sur une commode.

Le juge remit le coffre à l'huissier général qui attendait dans l'antichambre et donna ses notes au greffier.

La rumeur fit le tour de Lisbonne avec la vitesse des rumeurs qui jettent le discrédit sur quelqu'un et fut reçue comme toutes les infamies qui font la part belle aux commentaires. On s'étonna du capital que la marchande de morue avait accumulé, et aussitôt la dent empoisonnée du soupçon vint mordre la réputation de la maîtresse du monseigneur de la Patriarcale, dont on ignorait la fin aussi bien que la destinée de son argent.

Le marquis du Val, frère du bénéficier, voulut voir le coffre où se trouvaient les quatre-vingt mille cruzados. Il le reconnut. C'était un objet précieux qu'un arrière-grand-père gouverneur avait rapporté d'Inde. Il intenta aussitôt un procès contre Anacleta dos Remédios.

La malheureuse, emmenée devant les tribunaux pour de

nouvelles révélations, écouta avec un étrange courage l'accusation qu'on lui faisait d'avoir gardé pour elle l'argent de Dom Teotónio de Mascarenhas. Elle répondit qu'on la calomniait : ce coffre lui avait été donné par lui pour garder les bijoux de ses filles. Les probabilités déposaient contre la marchande de morue ; mais il n'y eut pas un seul témoignage qui la condamnât et on finit par la relaxer.

Le procès contre l'israélite se poursuivit. On sollicita des informations des royaumes voisins sur son éventuel passage. On n'en obtint point. Au bout de quelques mois, le procès s'endormit et la médisance aussi. Anacleta paya les frais de la procédure et attendit de nouvelles informations.

Le magasin de la marchande de morue fut démantelé en quelques jours. Quand elle fit le bilan de l'affaire, qu'elle avait laissée à la charge des commis ces trois dernières années, elle s'aperçut qu'elle avait été volée par le comptable qui, deux mois auparavant, s'était embarqué pour le Brésil. Il y avait quelques créances, mais les dettes à payer, même si elles avaient été rayées des livres du comptable en fuite, dépassaient les créances. Anacleta se rendit compte qu'elle était devenue absolument pauvre. Avant cependant qu'elle ne l'apprît, ses nombreuses relations le surent. Toutes l'abandonnèrent.

L'argenterie, les meubles qui décoraient fastueusement sa demeure furent vendus aux enchères en paiement de ses dettes. Expulsée de l'immeuble qu'elle occupait, elle se retrouva dans une petite maison rue da Rosa das Partilhas, avec sa fille Maria Amália et une vieille servante, qui l'accompagna parce que, même seulement contre nourriture, elle n'aurait trouvé personne d'autre pour l'engager.

Anacleta fit le bilan de ses possessions et se retrouva avec trois colliers en or, quelques paires de boucles d'oreilles, des bagues, et d'autres objets insignifiants que lui avait offerts son premier maître, le chanoine.

Ses filles, Emília et Antónia, terminaient ce mois-là

leur année de collège, qui avait été payée d'avance. Leur mère leur ordonna de rentrer, mais elles ne s'exécutèrent point. Appréciées dans leur collège pour leurs talents et leurs vertus, elles y furent engagées comme maîtresses. Antónia enseignait la couture, Emília aidait les élèves, en absence du maître, à étudier leurs leçons de musique.

Elles étaient heureuses.

XV

Suivons, même si c'est avec répugnance, les traces de la malheureuse qui se traîne sur les épines de l'expiation à laquelle la Providence de la Justice éternelle l'a condamnée.

Six mois après avoir montré à Azarias le coffre sur lequel elle ne voyait pas le sang de Teotónio de Mascarenhas, Anacleta dos Remédios eut faim. Les médiocres cadeaux que le chanoine trahi lui avait offerts n'existaient plus. L'abondant linge de maison qu'elle avait pu sauver de la saisie avait été vendu. Ceux qui buvaient son thé et mangeaient ses dîners répondirent avec une aumône à sa première lettre, avec une excuse à la deuxième et lui renvoyèrent, encore cachetée, la troisième. Elle avait faim ! Le suicide occupa ses pensées quelques heures. Elle en fit part à sa fille et la malheureuse enfant étreignit sa mère en sanglots : « Oui, mourons ensemble avant que la faim ne nous tue !... » Le courage d'Anacleta n'allait pas jusque-là. L'hallucination fut passagère. Elle s'était hissée de la condition de poissonnière à celle de dame de salon, puis était redescendue du salon à la basse condition qu'elle avait déjà connue... Enfin, la faim ne lui était pas étrangère et la honte ne la tourmentait pas. On ne pouvait en dire autant de sa fille. Celle-ci éprouvait pour la première fois la sensation de la faim ; la honte de l'indigence brûlait son visage vierge de la brûlure de l'opprobre.

Le jour où le suicide avait été ajourné, Anacleta se regarda dans un miroir et murmura : « Je ne suis pas encore vieille ! » Le lendemain, elle se coiffa et s'habilla du mieux qu'elle put.

Elle s'accouda au parapet de la fenêtre, sourit au premier homme qui passa, répondit par un hochement de tête à une question et, se retirant à l'intérieur, renvoya sa fille dans la cuisine.

Maria Amália demanda plus tard à sa mère qui était cet homme.

– C'est le procureur qui s'occupe de mon procès contre Azarias.

Dès lors, la jeune fille fut souvent renvoyée à la cuisine, car le procureur ne manquait pas un jour, laissant chaque fois quelques nouveaux cruzados pour compte de ce que l'on devait recevoir d'Azarias. Cette explication satisfit Maria Amália ; cependant, comme il lui arrivait parfois de croiser des visages différents, sa mère lui dit qu'il y avait différentes personnes chargées d'enquêter sur le domicile d'Azarias pour procéder à sa capture. Quoi qu'il en fût, le feu était allumé tous les matins et le dîner, certes guère copieux, était béni par la jeune fille dans sa frugalité.

Et les procureurs se succédaient.

Il arriva qu'il entrât là un des élégants du temps où Anacleta tenait salon. Feignant d'ignorer les antécédents de cette femme, il s'enquit de sa vie passée. Il entendit un fatras de mensonges qui le firent sourire de compassion. Anacleta, rendue oublieuse par la débauche, ou distraite par d'autres émotions à l'époque de sa glorieuse opulence, ne se souvint pas que cet homme lui avait été présenté lors d'une de ses soirées, qu'alors on appelait des bals. L'inconnu lui parla de vertu, d'honneur et de la crainte de Dieu. La courtisane éclata de rire avec impudence. L'austère jeune homme s'en alla tristement. Mais, depuis ce jour, Anacleta reçut mystérieusement une pension mensuelle, dont elle n'essaya jamais de connaître la provenance. Elle crut à la restitution d'un emprunt et ne trouva aucun mérite à la générosité. Elle n'oublia pas, cependant, le moraliste, qui ne reparut jamais.

Parmi les visiteurs s'en détachait un que, d'après son apparence extérieure, personne n'aurait pris pour un procureur de causes… perdues, comme celle de madame Anacleta dos Remédios. Qui qu'il fût, il descendait de sa voiture Largo do Calhariz et remontait à pied la rue da Rosa das Partilhas, collé aux murs, jusqu'à se glisser dans l'humble demeure de la marchande de morue en faillite.

En ce temps-là (1800), certains hommes, plus hypocrites que ceux d'aujourd'hui, et peut-être plus débauchés, avaient honte d'être surpris entrant ou sortant par la porte d'une maison d'où la vertu s'était enfuie par les fenêtres.

Le gentilhomme qui rendait le plus souvent visite à madame Anacleta était l'un de ces bienfaiteurs de l'opinion publique.

Passant en revue les dialogues qu'ils ont échangés, citons-en le dernier, car il laisse entrevoir le doigt de géant qui pointe tous les autres.

— Alors, Anacleta, tu as parlé à Maricas ?

— Non, Monsieur… je n'ose pas lui parler…

— Pauvre sotte !… Pourquoi ?

— Je ne sais pas par où commencer… J'ai la langue collée au palais quand j'essaie de lui faire votre commission…

— Ma commission ? Ne lui en parle pas comme si cela venait de moi… Fais comme si c'était ton idée ; sinon ça ne marchera pas.

— Je ne sais pas comment faire, Monsieur le Duc…

— Tais-toi… Ne m'appelle pas duc… Je te l'ai déjà dit…

— C'est vrai… j'avais oublié… Pardonnez-moi…

— Ce que tu dois faire, c'est la conseiller…

— Je ne sais pas comment, parole d'honneur…

— C'est facile… Écoute-moi, apprends ça par cœur…

"Maria, nous sommes malheureuses et pourrions être heureuses... Il y a une personne, parmi les premières du Portugal, qui tient beaucoup à toi et qui donnerait tout pour que tu sois à lui. Dans la malheureuse situation où nous nous trouvons, tu ne peux pas espérer un mariage qui te sorte de la misère. Tôt ou tard, tu devras appartenir à un homme qui n'aura même pas une robe à te donner, ni ne pourra t'assurer un meilleur avenir que celui que tu as déjà. Il me semble que ce serait une chance pour nous deux si tu acceptais l'amitié de ce monsieur qui, je te le confie en grand secret, est un duc." Si tu vois que la petite se met à faire des grimaces de bigote, ajoute ceci : "Écoute, Maria, tu sais déjà comment est le monde et qu'il ne vaut pas la peine qu'on se sacrifie pour un mot aussi vain que *vertu*. Toute cette canaille qui admirait ton caractère de colombe et ton cœur d'ange nous a abandonnées à peine sommes-nous devenues pauvres. Laisse tomber l'honnêteté, car l'honneur, si c'était une offrande appréciée par Dieu, Dieu n'aurait pas permis que les vierges, poussées par la faim, courent à leur perte." Allez, répète ce que je viens de dire.

Anacleta, convaincue par les arguments philosophiques du duc, répéta son message à sa manière, s'étranglant souvent. Mais le généreux gentilhomme eut l'amabilité de le lui redire quatre ou cinq fois, faisant en sorte que la marchande de morue à la retraite finisse par le reproduire fidèlement.

En l'absence du duc, Anacleta, les idées fraîches, puisant des forces dans la philosophie de la misère, s'enferma avec sa fille et lui répéta, avec peu de variantes, le texte de l'éloquent aristocrate. Maria Amália écouta, stupéfaite, la révoltante invitation. Elle ne cillait pas, ne respirait pas, sentait se déchirer son cœur à chaque nouveau mot qui blessait ses oreilles, haletant comme si elle peinait à refouler les larmes, prêtes à jaillir de ses yeux. Quelle scène sublime ! Quel combat grandiose entre l'ange et le démon ! Comme aurait été éloquente de la volonté de Dieu la foudre qui en cet instant serait descendue du Ciel pour foudroyer le serpent qui s'enroulait autour de la colombe ! Maria, le discours terminé, balbutia :

— Je n'ai pas bien compris, ma mère... Il est impossible que ce que j'aie supposé soit vrai !...

— Qu'as-tu donc supposé, Maria ?

— Je n'ose pas le dire...

— Dis-le-moi...

— Je ne peux pas... Détrompez-moi... Que me voulez-vous, ma chère mère ?

— Ce que je te veux, Maria ?... Te rendre heureuse...

— Comme je voudrais l'être, mon Dieu ! Mais de quelle façon ?

— En choisissant un homme qui t'offre tout ce dont tu as besoin...

— Un homme !... Quel homme ?... Nous n'avons pas de parents...

— Des parents !... Quels parents !... Un homme riche, capable de t'estimer, de t'offrir la vie de château, avec de belles robes, bien servie, enviée des autres...

— Où est-il, cet homme qui m'estime sans me connaître, sans que je le connaisse, et qui, sans raison aucune, voudrait me sortir de cette situation où le malheur nous a jetées ? Qu'ai-je pour mériter autant ?

— Ta beauté...

— Ah !... s'écria Maria, se levant, la tête serrée entre ses mains. J'ai tout compris, mon Dieu ! J'ai seize ans et ma mère m'ordonne de devenir une mauvaise femme ! Oh, quelle honte !

Le visage baigné de larmes, les mains jointes, Maria Amália fuit sa mère et alla se pencher en sanglots à la fenêtre donnant sur la courette intérieure, où sa douleur n'avait pas de témoins.

Anacleta vacillait entre compassion et rage. Les instincts pervers de la poissonnière reprenaient le dessus, comme si les longues années d'une autre vie n'avaient en rien modifié leur nature. Étouffés par le bonheur, au prix d'infamies, ils resurgissaient, vigoureux, à l'instant où la pénurie rongeait les liens qui attachaient cette femme à la société.

Dans l'alternative, triompha la rage. Anacleta tapa du pied. Cette réminiscence du marché de Ribeira Nova était significative. Maria Amália devait céder.

La pauvre jeune fille, tandis qu'elle pleurait, le corps à demi suspendu au-dessus de la courette, éprouva l'attraction de l'abîme et voulut s'y précipiter. Elle en fut retenue par le souvenir de son amie et préceptrice, la fille des nobles décadents, qui lui avait donné des leçons de vertu et de religion, s'érigeant en exemple, dans sa position de servante, alors qu'elle était née maîtresse. « Si je ne me tue pas aujourd'hui », se dit-elle dans le secret de son âme, « je devrai me tuer demain… Va donc pour demain… » Quand tomba la nuit, les procureurs de la cause d'Anacleta se succédèrent. Maria, par une amère intuition, éclair de sinistre lumière qui illumina des turpitudes ignorées, comprit, cette nuit-là, quelle était la vie de sa mère. Elle se jeta dans les bras de la vieille servante, et elles pleurèrent ensemble.

Le duc, après avoir écouté avec dévotion, en compagnie de sa famille, la messe dite par son chapelain, vint, le long des ruelles et impasses, chercher rue da Rosa la réponse à son ultimatum.

Anacleta, avant même qu'il ne l'interroge sur l'effet de son discours, haussa les épaules pour lui signifier que ça n'avait pas marché.

— Elle résiste ? demanda le gentilhomme.

— Ne l'avais-je pas dit à Votre Excellence ?!

— Allez, arrête tes simagrées, Anacleta… Je n'avale pas ça, moi… Ce que tu veux, c'est que je monte le prix… Eh bien, soit… Jusque-là, c'était cinquante… Maintenant ce seront cent pièces… Ça te va ?

— Votre Excellence veut que je lui dise quelque chose ? dit Anacleta, les yeux brillants de cupidité, le cœur avide des cent pièces.

— Dis-moi.

— Ce qu'on ne fait pas de bon gré…

— … on peut le faire par la force… C'est ce que tu veux dire ?

— Bien vu.

— Ça peut se faire aussi… Que crois-tu ?… Elle criera ?…

— Qu'importe ?… La servante est sortie… Et moi… je serai sourde et aveugle…

— Mais si la résistance s'avère invincible… Tu sais que pour tes cent pièces… le contrat sera nul… Tu comprends ?

— Je comprends…

— Alors, quand ?

— Elle est dans la chambre de la servante, à côté de la cuisine, sur la gauche.

— Que fait-elle ?

— Je n'en sais rien… je crois qu'elle est en train de dire son chapelet…

— Ah, elle prie ?!

— Tout le temps… Comme elle n'a rien d'autre à faire…

— Alors je doute que tu gagnes tes cent pièces, Anacleta !

— Qui ne tente rien n'a rien…

— Tu crois ? Alors… va pour l'adage… Allons-y…

Anacleta eut un instant de terreur. Elle se demanda si cette jeune fille qu'elle vendait était la fille qu'elle chérissait au point de perpétrer un homicide… Si c'était bien celle-là qu'elle avait confiée aux soins d'une pieuse préceptrice et d'une éducation raffinée. Elle devait être bien amère, cette rumination du passé ! Qui saura imaginer la perdition d'une femme capable de se souvenir de cela un instant et de tendre l'oreille, l'instant d'après, pour écouter le fracas de la scène révoltante qui allait se dérouler tout près d'elle ? Le duc entra sur la pointe des pieds dans la chambre où Maria Amália, assise sur le lit, le menton appuyé sur ses mains jointes, les yeux fixés sur une image de la Très Sainte Marie, semblait prier comme appelant la mort.

Le grincement de la porte la fit tressaillir. Voyant entrer un étranger, elle poussa un cri et bondit du lit.

— Eh bien donc, Mademoiselle ? dit le duc, reculant vers la porte. Je ne veux pas vous agresser...

Maria s'adossa à une commode, les mains jointes.

— Ne craignez rien, Mariquinhas... Je ne suis pas un jacobin qui s'amuse à dévorer de galantes demoiselles... J'ai voulu vous voir de près, parce que vous me sembliez si belle vue de loin, et j'ai la satisfaction de vous dire que je ne m'étais pas trompé... Tant mieux pour vous, ma chère ingrate... Allez, venez là... Bavardons ici, comme le nostalgique tourtereau bavarde avec la femelle dans les bois paisibles.

Maria Amália, sans baisser les mains de l'anxieuse posture de celle qui implore la compassion, recula vers le fond de la chambre.

— Entendons-nous, dit-il, sans avancer d'un pas vers elle, savez-vous qui je suis ?

— Non, Monsieur.

— Je vais vous le dire... Tout d'abord, comme vous le voyez, je suis un homme bien élevé et prévenant. Deuxièmement, j'ai un cœur qui ne m'appartient plus, car, dès l'instant où je vous ai vue, j'ai eu le malheur de le perdre. Troisièmement, je suis l'un des hommes les plus riches du Portugal. Quatrièmement, je suis duc. Et enfin, cinquièmement, je fais tout ce que je veux.

Amália sentit ses genoux se dérober et se maintint difficilement debout.

— Je vous offre mon cœur, ma fortune et ma tendresse... Si vous ne les acceptez pas... cela ne va pas bien se passer... je le crains... Allez, approchez, Maricas... Une si jolie jeune fille ne doit pas pleurer, cela l'enlaidit... Venez là... Asseyez-vous sur mes genoux, que j'essuie ces larmes...

Maria eut une idée qui lui fit se dire dans le fond de son cœur : « Je suis sauvée ! » Elle s'avança vers le duc sans hésiter, et lorsqu'il lui tendit les bras, les yeux embrasés, la malheureuse courut vers la porte, qui n'était pas fermée à clef, traversa la cuisine jusqu'à la fenêtre donnant sur la courette intérieure et se précipita dans le vide, s'écriant : « Pardonnez-moi, mon Dieu ! » Anacleta, entendant ce cri, alla à la cuisine et y trouva le duc, pâle et raide, sur le seuil de la chambre, comme frappé par la foudre.

— Ma fille ? demanda-t-elle.

Le duc indiqua la fenêtre. La mère y courut, s'y pencha et la vit, le visage tourné vers elle, toute blanche sur les dalles noires où se croisaient des rigoles de sang.

Que ressentit-elle ? Les plus profonds connaisseurs du cœur humain eux-mêmes n'auraient pas su le dire. La science de la douleur est presque un art, capable de jugements rigoureux ; mais Anacleta était une exception monstrueuse.

Il est cependant avéré que l'infortunée, levant les yeux du cadavre de sa fille, les fixa sur le ciel, perdit les sens et tomba aux pieds du duc.

Revenant à elle, Anacleta trouva à ses côtés la vieille servante qui lui demanda :

— Mademoiselle s'est enfuie ?

— Vous me demandez si elle s'est enfuie !… Aurais-je rêvé ?

— Quand je vous ai trouvée dans cet état, j'ai cru que vous vous étiez évanouie en remarquant son absence.

Anacleta dévisagea la servante, l'air hagard. Puis elle se serra la tête comme si elle voulait retenir une idée salvatrice qui voulait lui échapper. Elle saisit le bras de la servante, l'emmena à la fenêtre, lui indiqua sa fille et murmura sur un ton d'indicible terreur :

— Elle est là… morte… c'est moi qui l'ai tuée… Ne me dénoncez pas tout de suite… laissez-moi m'enfuir… Puis dites que c'est sa mère qui l'a tuée… Vendez le peu qui reste dans cette maison pour qu'on lui donne une sépulture… Adieu.

Anacleta disparut.

Cette nuit-là, les croque-morts de la Misericórdia prirent

livraison d'un cadavre disloqué, qu'on avait posé sur deux chaises.

XVI

Neuf ans plus tard, Sebastião de Melo, lors d'une de ses excursions en des pays étranges, rentrait au Portugal par la frontière nord. En ce temps-là, un étranger dans la province de Trás-os-Montes risquait de se faire tirer dessus, pour peu que le mot « jacobin » fût prononcé et qu'un doigt pointât la victime.

Sebastião de Melo, par de tortueux chemins de traverse, cherchait à gagner les hauteurs d'Alvão, pour redescendre au pont de Cavez, où les troupes portugaises auraient assuré sa sécurité.

Égaré au milieu de monts âpres et impraticables, il fut surpris par la nuit dans la désolation d'un vaste plateau agreste, entouré de noirs rochers escarpés, de ronces et de genêts épineux, parmi lesquels s'élevait un tas de masures couvertes de chaume, qui auraient presque été invisibles si des colonnes de fumée, fouettées par le vent nocturne, ne révélaient que, même sous ce ciel, l'existence était possible.

À l'entrée du hameau se trouvait une chapelle à moitié écroulée, entourée des sept croix du chemin de la Croix. Au moment même où le voyageur égaré y passait, à l'angélus, une silhouette surgit sur le seuil de la chapelle et, tirant sur une corde, fit sonner les trois coups de cloche.

Sebastião de Melo se découvrit et pria. Dans la situation où il se trouvait, ces sons perdus dans l'immensité de la cordillère de montagnes lui parlaient davantage de piété que toute la philosophie chrétienne des docteurs de l'Église.

Le voyageur s'arrêta pour demander à l'ermite de la petite

chapelle quelle était cette contrée et qui pourrait lui offrir une tranche de pain et un peu de paille pour sa monture.

Il vit s'approcher de lui une silhouette dans laquelle il reconnut une femme en haillons, qui lui demanda :

— Voulez-vous quelque chose, Monsieur, ou attendez-vous quelqu'un ? Que Dieu vous donne une bonne nuit.

— Que Dieu vous en donne de même. Je n'attends personne… Je voulais savoir comment s'appelle ce pays…

— Viduedo. C'est une terre très pauvre, n'est-ce pas ?

— À ce qu'il semble… Mais peut-être n'est-elle pas si pauvre qu'elle ne puisse offrir un abri à un voyageur qui s'est perdu ?

— Dieu ne permettra pas que vous restiez à la rue. Je vais vous indiquer la meilleure maison du village, personne n'y a jamais frappé sans y trouver l'hospitalité.

Sebastião de Melo, qui connaissait l'accent des provinces, avait remarqué la propriété avec laquelle son guide déguenillé s'exprimait.

— Vous allez loin, Monsieur ? demanda-t-elle, arrachant de sa joue une épine de ronce qui lui avait ouvert une rigole de sang.

— Vous vous êtes blessée ? s'enquit le voyageur en se penchant pour mieux voir.

— Ce n'est rien… On en a l'habitude…

— Vous m'avez demandé si j'allais loin ?

— C'est vrai, mais je le regrette… Ne faites pas attention à ma curiosité… C'est un défaut de vieille femme.

— Je vais à Lisbonne.

— Ah, oui ! dit la vieille, dissimulant un sursaut. Vous avez encore du chemin !… C'est très loin, d'après ce qu'on dit…

— Un peu plus de soixante-dix lieues…

— Tant que ça… Dieu vous mène à bon port… Voici la maison… Demandez monsieur le capitaine, et vous passerez une nuit en bonne compagnie… Portez-vous bien, Monsieur.

— Attendez… Acceptez ce souvenir de ma reconnaissance.

Sebastião de Melo lui tendit quelques pièces en argent. La vieille femme refusa avec courtoisie.

– Je vous remercie infiniment… Il ne vous manquera pas l'occasion de mieux l'employer… Moi, je n'en ai pas besoin…

Sebastião de Melo frappa à la porte du charitable capitaine de Viduedo, tandis que son drôle de guide s'asseyait sur une pierre, secoué par des sanglots étouffés.

Le capitaine de Viduedo était réellement l'homme que l'on avait dépeint au cavalier. Le large portail lui fut ouvert par monsieur le capitaine lui-même, portant un tablier de drap grossier en laine brune et des jambières du même tissu qui lui remontaient jusqu'à la taille. L'hôte fut introduit de plain-pied dans l'écurie, où le capitaine gardait une jument, selon lui la crème des juments, qu'il avait achetée pour six pièces un quart à la foire de São Miguel. Une fois le cheval approvisionné en abondance de maïs et de foin, le voyageur monta à la cuisine, où il trouva, assise sur des escabeaux, la nombreuse famille de monsieur le capitaine, qui avait le plaisir de voir autour de son âtre quatre grands-parents : deux paternels, deux maternels, dont le plus jeune avait quatre-vingt-cinq ans.

Sebastião de Melo fut accueilli par une salve de crépitements de châtaignes qui tressautaient sur une vaste poêle, tenue par un roseau au-dessus d'un feu de billots de chêne.

L'hôte s'assit à la meilleure place, à côté du grand-père paternel de monsieur le capitaine. Le visage du vieillard était véritablement sillonné par ce que, dans ces contrées, on appelle la « mousse ».

– Quel âge a votre grand-père ? demanda Sebastião de Melo.

– Quatre-vingt-douze ans, accomplis lors des semailles, pour vous servir.

– Comme elles sont longues, les vies, ici ! dit le voyageur, observant attentivement les vénérables cheveux blancs de tout un siècle.

— Eh bien, là où vous le voyez, dit le capitaine, il est solide comme une arme… Demandez-lui de vous raconter…

— Vous ?! coupa le vieillard. Tiens ta langue… Tu ne sais pas avec qui tu parles… Si tu avais été jusqu'à la capitale du royaume comme moi, tu aurais appris la courtoisie…

— Traitez-moi comme un ami, Monsieur le Capitaine, et laissez dire votre grand-père… Alors, vous avez déjà été à Lisbonne ?

— Eh, oui, Monsieur… Il y a soixante-dix-huit ans, accomplis à la Saint-Michel.

— Racontez donc cette histoire-là à ce monsieur, ça va lui plaire.

— Eh, bien, allons-y… Avez-vous remarqué, sur le portail, des armoiries avec quatre chèvres surmontées d'un tambour ?

— Il faisait nuit quand je suis entré…

— Eh, bien, je vais vous raconter… J'avais treize ans… J'étais un marmot, à peu près comme mon arrière-petit-fils, celui qui est là-bas en train de griller les châtaignes. C'était du temps des guerres du seigneur roi Dom Pedro II avec le roi d'Espagne. Ces chiens d'Espagnols étaient entrés à Chaves, et ils campaient dans la vallée d'Aguiar, à une lieue et demie d'ici. Moi, quand je l'ai su, ça a commencé à me bouillir dedans, et j'ai dit à mon père, que Dieu lui pardonne : "Je vais faire fuir ces démons." Ils se sont tous mis à rire de moi, et alors moi, qu'est-ce que je fais ? Je fais le tour du village, et de l'autre aussi, celui qui est à l'autre bout de la montagne et qui s'appelle Póvoa, et je demande les lanternes dont on se sert la nuit pour aller arroser. Je les ai allumées, entre chien et loup, et j'ai fait sortir le troupeau. Je leur ai attaché les lanternes, avec votre permission, aux cornes et j'ai dit au berger : "Fais-moi avancer ce bétail." À la maison, il y avait un tambour pour les farces de carnaval. Je me le suis pendu au cou et j'ai marché, marché jusqu'à ce que je voie le campement de ces chiens. À peine arrivé là-haut, je me suis mis à taper sur le tambour, tandis que les chèvres dévalaient la pente devant moi, les lanternes pendues aux cornes, avec votre permission. Sur ces entrefaites, on a entendu sonner des tambours et des trompettes qu'on aurait dit qu'on était en enfer. Et moi, je continuais à descendre la montagne avec le troupeau… Je ne vous dis pas… Les Espagnols ne se sont arrêtés qu'à Chaves et ont pris là-bas une raclée de toute beauté, parce qu'ils ont été encerclés sur la place par les troupes qui descendaient de Guimarães. Et voilà le travail. Et puis il est venu ici un du gouvernement avec un chapeau à pointes, et il m'a dit que le seigneur roi voulait me voir à Lisbonne. J'ai sauté sur ma jument et je me suis pointé au Palais royal. Le seigneur roi est venu parler avec moi dans un endroit comme une espèce d'autel, où il y avait un tas d'importants qui me disaient tout plein de choses et d'autres et cætera. Et alors après, il en est venu un du gouvernement qui s'est mis à genoux devant le seigneur roi, et moi, je me suis mis à genoux aussi, et le roi s'est mis à rire et les autres se sont mis à rire aussi. Je me suis dit que c'était là une obligation que, quand le roi riait, tout le monde devait rire avec lui, et alors, je me suis mis à rire aussi, et Dieu me garde si je savais pourquoi ! Et alors après, mon petit ami, le roi m'a mis un papier dans la poigne et m'a envoyé au Trésor, où l'on m'a remis deux cents pièces jaunes et où l'on m'a dit que j'étais un gentilhomme de la maison royale et chevalier de l'ordre du Christ, moi et mes descendants, et que je fasse faire des armoiries comme c'était sur le diplôme que j'ai là-haut dans le bahut. Voilà toute l'histoire… Et maintenant occupons-nous du dîner qui est déjà sur la table.

Sebastião de Melo, émerveillé par l'obscure grandeur de cet homme, ne manqua pourtant pas de rendre hommage à la grasse poule, escortée de tranches de jambon, qu'on posa devant lui. Il mangea et vit manger admirablement.

Il rendit grâces à Dieu, récitées par le gentilhomme de la maison royale, et entendit parler à cette occasion de saints et saintes dont il n'avait pas connaissance. Une fois la bonne nuit souhaitée et baisées les mains d'oncles, mères, pères, grands-pères et arrière-grands-pères, on s'assit à table où des jeunes filles du village, portant à la ceinture des quenouilles et sur leur tablier le lin à filer, se préparaient à la veillée.

Sebastião de Melo était en train de penser à la vieille femme qui sonnait l'angélus, quand il entendit un tintement de cloche qui fit interrompre le travail et joindre les mains à tout ce beau monde. Aussitôt, venue de la colline toute proche, arriva cette exhortation :

— Dites un *Pater noster* et un *Ave Maria* pour tous ceux qui demandent à la miséricorde infinie le pardon de leurs crimes.

Ils prièrent.

— Dites un *Pater noster* pour ceux qui sont morts sans pouvoir demander à Dieu le pardon de leurs crimes.

Peu après :

— Dites un *Pater noster* pour la malheureuse pénitente qui n'ose pas demander à Dieu le pardon de ses crimes.

Il se fit un profond silence. Puis, dite la prière, tous ajoutèrent :

— Pauvre femme… C'est une sainte !

— C'est une coutume du pays ? demanda l'hôte.

— Ça l'est devenu, depuis huit ans, toutes les nuits, répondit madame Ana, la digne épouse du capitaine, essuyant ses larmes à son tablier de grossière étoffe de laine.

— C'est une dévote d'ici ? s'enquit Sebastião de Melo.

— Non, Monsieur. C'est une pénitente. Personne ne sait d'où elle est venue, il y a huit ans.

— Quand je suis entré dans le village, j'ai rencontré une femme en haillons qui sonnait la cloche de la chapelle…

— C'est celle-là… C'est la sainte… dirent plusieurs voix en chœur.

— Et depuis tant d'années, dit l'hôte, il n'a pas été possible de savoir d'où est venue cette femme ?

— Non, Monsieur, répondit madame Ana, faisant siffler sa quenouille et humectant le lin avec sa salive. Cette créature de Dieu est apparue ici en guenilles, tremblant de froid, pieds nus, les jambes enfouies dans la neige jusqu'aux genoux. Ça faisait mal au cœur. Elle a frappé à notre porte et a demandé un petit peu de pain de maïs et un bol d'eau. Nous l'avons invitée à entrer, elle a répondu qu'elle n'entrerait pas. Nous avons voulu lui donner un peu d'eau de la cuisson du lard, elle n'a pas voulu la boire. Elle a mangé son morceau de pain de maïs, nous a remerciés beaucoup et elle est partie. J'ai dit à mon João de la suivre, de peur que la pauvre créature ne meure en chutant d'une fondrière. Il l'a trouvée à genoux, sous l'auvent de la chapelle, pleurant et gémissant, tant et si bien que mon João est rentré à la maison en larmes et nous a fait tous pleurer. J'y suis allée, moi, avec ce grand-père de mon João, qui sait dire les choses avec le plus qu'il faut, nous l'avons priée et priée encore, mais il n'y a pas eu moyen de l'amener près de l'âtre. Le soir, nous y sommes retournés, et elle nous a demandé une vieille couverture et rien d'autre. Elle a dormi sous l'auvent de la chapelle, qui est une espèce de porche. Le matin, nous sommes allés voir si elle n'était pas morte et nous l'avons croisée déjà en route pour venir nous rendre la couverture. Nous l'avons invitée à venir manger un petit bouillon, elle n'en a pas voulu. Nous lui avons donné un morceau de pain de maïs, elle ne l'a pas accepté, ajoutant qu'elle allait frapper à une autre porte.

» Elle est allée frapper chez une pauvre femme qui habite juste derrière notre maison et elle l'a trouvée au lit tremblant d'une fièvre qu'on a beaucoup eue par ici cette année-là. Elle s'est assise au chevet de la malheureuse, l'a bien couverte, a soigné ses tremblements et, à la fin, a mangé une miette de pain de maïs et bu une gorgée d'eau. Les gens ont commencé à la considérer comme une sainte, mais elle, elle disait qu'elle était la plus grande pécheresse que Dieu eût mise au monde. Là où il y avait un malade, elle y passait la journée pour le soigner, mais la nuit venue, elle retournait dormir sous l'auvent de la chapelle. Le dimanche, quand monsieur l'abbé Januário venait de Póvoa dire la messe, la pauvre femme n'entrait pas dans la chapelle, elle restait dehors, sous l'auvent, le visage à même la pierre nue. Quand ses habits étaient en lambeaux, laissant voir la chair, elle en acceptait de nouveaux, mais il fallait qu'ils soient de laine grossière, qu'elle portait à même la peau, été comme hiver. Monsieur l'abbé Januário disait que c'était une pénitente, mais un frère du couvent de Varatojo, qui est venu ici en mission, a dit que c'était une sainte.

— Mais alors, dit le capitaine, je vais quand même poser à Votre Seigneurie une question qui nous tourne dans la tête, dans la famille. Pourquoi ne se confesse-t-elle pas et ne veut-elle même pas dire son nom ?

— Seul Dieu le sait ! répondit le voyageur, profondément absorbé par ce prodigieux secret.

— Eh bien, voilà ! dit triomphalement le chevalier de l'ordre du Christ. C'est ce que je dis toujours à ces rustauds, qui veulent toujours tout savoir, que même les hommes comme nous autres, qui avons vu le monde, on n'ose pas se prononcer... Seul Dieu le sait... Voilà tout.

L'histoire terminée, les jeunes filles commencèrent à réciter la litanie à Notre-Dame, avec une admirable harmonie vocale, qui rendait triste et, en même temps, adoucissait les peines occultes de Sebastião de Melo. À minuit, chacune de celles qui étaient venues participer à la veillée saisit sa torche allumée et prit congé avec la phrase rituelle : « Passez une bonne nuit. » Le capitaine conduisit l'hôte à sa chambre et, tandis qu'il tâchait de ficher le crochet de la chandelle dans une fissure du mur, Sebastião de Melo, assis sur un bahut, le cœur soucieux de tout ce qui était mystérieux et extraordinaire, l'interpella :

— Mon ami, vous devez me rendre un immense service.

— Votre Seigneurie n'a qu'à demander.

— Emmenez-moi à la chapelle où la sainte dort sous l'auvent. Je crains de ne pas la trouver, si j'y vais tout seul.

— Allons-y, Monsieur… Tout de suite.

— Vous devez me rendre une autre faveur… Quand nous serons arrivés à la chapelle, vous devez me laisser seul avec cette femme.

— Tout ce que Votre Seigneurie voudra.

Ils sortirent. Les ténèbres étaient profondes. Le vent, balayant la végétation de ce sol ingrat, faisait entendre un rugissement étouffé. Les parois rocheuses, noires dans l'obscurité, semblaient les entrailles de la terre éclatant dans un éternel chaos. La cloche de la chapelle, secouée par les rafales, vibrait avec des sons amortis, comme les derniers coups du glas.

Le capitaine, habitué à cette atmosphère, ne remarquait pas l'extase, mélange de terreur et de fascination, où était plongé Sebastião de Melo, qui semblait tout oublier devant ce tableau d'épouvante.

Le capitaine indiqua la chapelle à son hôte et s'en alla, le prévenant qu'il laisserait le portail de sa maison ouvert, pour quand il voudrait rentrer.

XVII

Sebastião de Melo s'arrêta à l'entrée de l'auvent et aperçut une silhouette immobile, un paquet informe collé à la façade de la chapelle. Il s'en approcha. On n'entendait que le crissement du sable sous ses pieds. La pénitente dormait, le visage posé sur la marche de l'ermitage. Melo croisa les bras et plongea son regard dans ce tableau de souffrance nouveau pour lui.

Des rafales de pluie glacée, fustigées par le vent du nord, pénétraient sous l'auvent et cinglaient le visage du fils de Frère Baltasar da Encarnação. Dissimulé derrière un pilier de l'auvent, il espérait s'imprégner, sous la morsure du froid, du sens de la souffrance de cette femme durant ces huit années.

Il méditait à cela, demandant à son imagination de lui révéler ce mystère, quand la pénitente laissa échapper un gémissement tremblant et prolongé. La malheureuse grelottait, tout en essuyant avec la couverture son visage trempé par la pluie.

– Quel froid, mon Dieu ! s'exclama-t-elle.

Il y eut un quart d'heure de silence.

« S'est-elle rendormie ? », se demanda Sebastião de Melo. « Comment est-ce possible ? La douleur est-elle capable de pétrifier le corps comme elle pétrifie l'âme ? » Une deuxième exclamation de la femme sans nom interrompit les réflexions du voyageur :

– Très Sainte Marie ! Quand mes jours seront comptés, accordez-moi une agonie moins tourmentée que cette vie !

Ce langage renforça les soupçons de Melo, qui, dès les premiers mots prononcés par cette femme, avait imaginé que ces haillons ne recouvraient pas une souffrance ordinaire ni une femme commune.

– Mon Dieu !… poursuivit la pénitente avec un débit haché. Je ne me plains pas. Mon âme accueille avec plaisir les souffrances du corps. Mais le corps est faible… Je ne Vous demande pas, Dieu de miséricorde, de raccourcir d'un seul jour le temps de mon expiation ! Ce que Vous demande cette pécheresse, Seigneur, c'est de recevoir, à l'heure de la mort, un signe de Votre pardon.

La pénitente, en prononçant cette dernière prière, était à genoux, les yeux fixés sur la lampe de l'autel, à travers le soupirail latéral de la porte. Le son convulsif de sa voix résonnait dans l'enceinte étroite de la petite chapelle.

– Jésus crucifié, ne me laisse pas mourir sans que j'entende le pardon de ma fille, de mon ange, de ma victime, de ma malheureuse petite fille…

Elle fut étouffée par des sanglots qui ressemblaient aux cris sourds d'une gorge comprimée par la violence de l'asphyxie. Sebastião de Melo, malgré toute sa vaillance morale, eut peur, cette peur superstitieuse que les petites âmes n'ont jamais éprouvée et qui peuple l'obscurité de fantômes.

La pénitente poursuivit :

— Si j'ai fait des victimes, Seigneur… si sur mon âme ne pèsent pas seulement trois cadavres… si les deux filles que j'ai laissées dans le monde gagnent leur vie avec le pain du déshonneur, faites que je connaisse mon infortune, car il faudra que, sur ma tête, soit versé davantage de sang !… Envoyez-moi, mon Dieu, envoyez-moi une voix qui me dise le nombre des victimes qui maudissent leur bourreau…

— Je ne suis pas la voix envoyée par Dieu, mais je peux vous dire, Madame, que ma voix n'a jamais blasphémé la miséricorde divine ! dit Sebastião de Melo en s'avançant d'un pas vers elle.

La pénitente se redressa d'un bond, comme si elle venait de se réveiller d'un rêve. Elle fixait l'homme qu'elle avait devant elle avec le regard épouvanté d'une démente ; elle reculait, tendant les bras comme pour éloigner un spectre ; elle semblait vouloir lui échapper, mais le voyageur, s'empressant de l'empêcher de sortir de l'auvent, lui saisit la main.

— Je suis un homme, Madame. N'ayez pas peur, je ne suis pas venu troubler le secret de vos tribulations pour les rendre plus amères qu'elles ne le sont déjà. Ne reconnaissez-vous pas le cavalier qu'il y a quelques heures vous avez conduit chez le capitaine ? Vous voyez bien que je suis un homme…

— Vous me connaissez ? demanda-t-elle en lâchant la main de Sebastião de Melo.

— Je ne vous connais pas davantage que ces pauvres gens qui vous voient souffrir… Je ne pourrais pas vous donner de plus douces consolations que ces gens-là ne vous donnent… Mais moi, j'ai ce qu'ils n'ont pas… Un cœur éprouvé par mes propres souffrances et une intelligence affinée par la douleur, capable de reconnaître les peines d'autrui.

— Dites-moi, Monsieur… dit-elle, se jetant à ses pieds, dites-moi… C'est Dieu qui vous a envoyé ici ?… C'est le hasard qui vous a mené dans cette contrée ignorée de tous ? Ou c'est une main divine qui vous a conduit ici ?

— Les desseins de Dieu empruntent des voies occultes. Je n'ai jamais eu l'intention de venir ici et, cependant, je m'y suis trouvé au moment même où une malheureuse implorait Dieu qu'une voix lui révèle…

— Vous savez donc ?… Vous savez ce que je demandais à Dieu ? Pouvez-vous me répondre, Monsieur ?!

— Je ne peux, mais qui sait si je ne pourrai pas bientôt ?… Qui sait si je ne le peux déjà en ce moment ? Comment aurais-je pu, sans l'inspiration du Ciel, connaître la malheureuse qui me cache sa vie ?

— Ma vie ! s'écria-t-elle. Ma vie !… Peut-on la raconter ?… Non, personne ne l'écouterait sans secouer ses habits tachés du sang qui coule goutte à goutte des miens… Oh, Monsieur !… Allez… Allez… Fuyez cette femme… Si quelqu'un m'écoutait… Si ces gens qui me donnent un morceau de pain savaient qui je suis… Ils me jetteraient des pierres… Raconter ma vie !… À quoi bon ?… À Dieu, oui… Seulement à Lui… Et je la Lui raconte tous les jours, parce qu'il faut que je me tourmente chaque jour avec les souvenirs toujours vivants de mes crimes.

— Madame ! Au nom de Dieu qui nous écoute, au nom de Dieu qui vous écoute à toutes les heures, ouvrez votre cœur à un homme qui peut vous rendre service en ce monde… Agenouillez-vous de nouveau sur cette marche… Il est impossible que Dieu ne vous écoute pas… Moi, je prierai aussi… Demandez-Lui qu'Il vous touche le cœur, s'Il veut que je vous écoute ; moi, je Lui demanderai qu'Il glace dans mon âme la ferveur que je mettrai dans ma prière si je ne suis pas digne de votre confiance, Madame.

— Moi ! Entendue par Dieu !… Moi, qui n'ose pas dépasser cette marche, de peur d'attirer la foudre de la vengeance sur des innocents qui m'appellent sainte !

Tandis qu'elle tombait à genoux en prononçant sourdement ces mots, Sebastião de Melo, touché par l'étincelle de l'enthousiasme religieux, s'était lui aussi agenouillé. Ce faisant, il vit derrière lui la pénitente, les mains jointes, plongée dans une extase qu'accrut la terreur religieuse du futur ministre de l'autel.

— Vous êtes un homme bon, Monsieur !… dit-elle, se redressant et lui prenant la main. Mon cœur, il fallait s'y attendre, n'a pas été touché ; mais soudain je me sens attirée par un homme dont j'ai à peine aperçu le visage… Il est impossible que vous ne soyez pas un juste…

— Je ne le suis pas… Si je l'étais, j'aurais deviné qu'il y avait dans ce désert une malheureuse ignorée de tous ceux qui vivent, comme moi, dans le tumulte des passions mondaines… Je vous sens trembler… Prenez cette cape.

— Je ne l'accepte pas, Monsieur. Prenez soin de mon âme, car mon corps ne me fait pas souffrir.

— Dites… Qu'est-ce qui vous attache à ce monde ?

— Le châtiment…

— Vous avez commis des crimes…

— Immenses.

— On vous persécute…

— Les spectres de mes victimes… Ils sont nombreux…

— Vous avez tué…

— Oui…

— Avec du chagrin, peut-être, involontairement…

— Avec du poison, avec ma complicité, avec le déshonneur…

— Assez… Je ne suis pas confesseur… Ceux qui sont morts sont devant leur Juge ; mais si leur sang retombe sur ceux qui sont restés, cherchons à les sauver. Je vous ai entendue dire que vous aviez laissé dans le monde…

– … deux filles.

– Où ?

– À Lisbonne…

– Lisbonne ?!…

– Oui… vous me connaissez… Vous savez déjà quelle âme damnée vous avez devant les yeux ?

– Je ne peux pas encore vous répondre… dit Sebastião de Melo, essuyant la sueur brûlante de son front glacé. Votre nom ?

– Qu'importe mon nom ?… Je suis une condamnée !

– Votre nom, Madame !…

– Si vous me connaissez, vous n'avez pas besoin que je vous le dise… Criminelle comme moi, il n'y a que moi… Si vous ne me connaissez pas, peu importe que vous ne le sachiez pas…

– Écoutez… Je vis depuis des années à Lisbonne…

– Neuf ans ?

– Douze…

– Vous me connaissez, n'est-ce pas ?

– Je ne sais pas… J'ai entendu parler d'un malheureux accident…

– Lequel ?

– J'ai connu un homme appelé Teotónio de Mascarenhas.

La pénitente poussa un cri, elle se précipita sur Sebastião de Melo avec une impétueuse véhémence et mit une main sur sa bouche.

– Ne prononcez pas ce nom qui me tue, par pitié… Oh, Monsieur ! Si vous me connaissez, ayez compassion de moi…

– Je vous connais, Madame… Je connais votre vie… Elle a été trop retentissante pour que le fracas de vos infortunes n'arrive pas aux oreilles d'un homme qui étudie la société dans les plus répugnantes de ses plaies… Je vous connais… Anacleta…

La malheureuse laissa tomber ses bras et sa tête. Il n'y avait plus, dans cette machine de douleur, déjà débilitée, assez de forces pour supporter l'exaltation. L'instant le plus tourmenté de sa pénitence fut certainement celui-là.

Depuis neuf ans, c'était la première fois qu'on lui disait : « La société n'a pas oublié tes infamies. »

— Anacleta, poursuivit Sebastião de Melo, saisissant ses mains, si c'était Dieu qui m'avait envoyé ici ?... J'ai prononcé un nom qui vous a remplie de frayeur... Écoutez, si ma vie avait été immaculée, si je pouvais me croire éclairé sur les jugements humains, je vous dirais que Teotónio de Mascarenhas vous a déjà pardonné...

— Et ma fille ? cria-t-elle, tombant à genoux aux pieds de l'inconnu qui lui rappelait ses crimes.

— Votre fille a été l'ange de votre vie... C'est un ange appelé par Dieu ; et aux côtés de Dieu, il n'y a ni haine ni vengeance.

— Mais je l'ai tuée...

— Vous l'avez vendue...

— Quelle infamie, mon Dieu !

— Il y a trois ans, est décédé un duc qui, à l'heure de la mort, a demandé que l'on éloigne de son lit le visage ensanglanté d'une malheureuse jeune fille qu'il avait fait se précipiter d'une fenêtre pour fuir le déshonneur.

— Tout s'est su, juste Dieu !

— Tout... On a cherché la mère de cette malheureuse sur les rives du Tage... La populace de Lisbonne voulait connaître la mère qui avait précipité sa fille du haut d'une fenêtre dans la cour...

— Et c'est moi, miséricorde divine, c'est moi qui l'ai tuée !... Et tous me maudissaient, n'est-ce pas ?

— Pas tous. Quelqu'un a écrit des pages de la vie de cette malheureuse et ne l'appelait que par ce nom-là...

— Épargnez-moi, Monsieur, par compassion... Sans que j'aie à vous le demander, racontez-moi tout ce que vous savez de ma vie...

— Anacleta avait deux filles...

— Oui… oui… deux filles… dans un collège.

— Emília a épousé un pauvre maître de musique, qu'elle aidait dans ses cours, au collège. Elle vit avec beaucoup d'honneur et de pauvreté. Elle regrette sa sœur, mais n'ose se souiller avec les taches dont elle a involontairement sali sa réputation…

— Pauvre Emília !… La malheureuse ! Ma fille, pauvre… elle qui était née si riche… Une autre victime, Dieu inexorable !

— Ne blasphémez pas, Anacleta…

— Pardon, Monsieur !…

Et elle laissa retomber son visage sur les dalles, murmurant :

— Et Antónia ?…

— Antónia, quatre ans après la disparition de sa mère, emportée par une passion invincible, s'est donnée à un homme qui a changé de nom et défiguré sa position sociale pour, en l'épousant, l'arracher aux bras de l'honneur et du travail… Cet homme était général, il s'appelait Gervásio Faria et il a été fusillé il y a un an… Je ne sais pas ce qu'elle est devenue…

— Malheureuse fille… Une autre victime, mon Dieu… Il n'y a pas de pardon pour moi !…

— Levez-vous, Anacleta… Voulez-vous suivre les pas que fit, en ce monde, l'ange invisible du châtiment ? Deux jeunes filles pauvres, une mère prostituée à ceux qui passaient, une vierge au visage broyé sur une dalle… Tout cela a été l'œuvre d'un homme qui a volé à l'amante l'argent qu'elle avait volé au père de ses filles, en l'assassinant. Mais Dieu s'est servi de cet instrument et l'a ensuite écrasé. Azarias a quitté Lisbonne avec l'or de la faible femme qui allait être punie. Il a vagué pendant trois jours de paisible navigation, en route vers une lointaine contrée. Au quatrième, une tempête a emporté l'embarcation vers des mers méconnues. Au cinquième jour, l'or volé se trouvait au fond de l'abîme en compagnie des trente vies qu'il avait soudoyées. Au sixième, les vagues jouaient avec un petit canot sur lequel on distinguait trois silhouettes, devenues deux, au septième jour. Au huitième jour de voyage, le canot s'est brisé sur les rochers. Deux hommes en sortirent avec un cadavre. Un des hommes est tombé à terre, évanoui, pour ne jamais plus se relever. On a retrouvé Azarias sur la grève de Tanger, creusant avec ses ongles un fossé pour ensevelir la jeune fille qu'il avait enlevée à son père et qui était morte deux mois plus tard.

— Oh ! Justice de Dieu !... Et lui ?

— Je ne sais pas... Alors qu'il allait s'enfoncer un poignard dans la poitrine, le fer lui est tombé des mains ; il s'est agenouillé et a demandé au Dieu de Moïse, qui est le Dieu de tous, de le punir. Si vous le revoyiez, Anacleta, lui pardonneriez-vous ?

— Oh ! Oui, oui, je lui pardonnerais !...

— Cette réponse exprime bien l'état de votre âme ! Femme !... Il est impossible que Dieu ne vous ait pas pardonné... Dites-moi... Quel sera votre avenir ?

— Ce que vous voyez là... Je suis agenouillée sur ma sépulture...

— Dieu est partout, bénissant la mort qui lave les iniquités de la vie... Venez à Lisbonne... Je vous y donnerai une chambre et un crucifix et un lit pour mourir...

— Jamais, si la voix de Dieu ne me l'ordonne pas.

— N'y a-t-il rien que je puisse faire pour vous ?

— Vous avez fait tout ce que vous pouviez...

— Rien, absolument rien ?

— Beaucoup encore... Venez avec moi... Agenouillez-vous là... Faites un serment... Répétez... « Je ne dirai jamais à personne au monde, tant qu'Anacleta sera en vie, que j'ai vu cette femme. Je le dirai après sa mort, pour que le monde pardonne sa mémoire. »

Sebastião de Melo jura.

— Maintenant... laissez-moi... J'ai besoin de pleurer...

Allez... dites à tout le monde de prier Dieu pour la plus grande des pécheresses... Vous allez à Lisbonne ?

— Oui.

— Vous êtes riche ?

— J'ai de quoi aider les pauvres...

— Si vous rencontrez mes filles affamées, donnez-leur un morceau de pain... le morceau que vous me donneriez à moi, si je vous le demandais... Adieu.

Ce dernier mot, elle le prononça les yeux déjà fixés sur l'image du Christ, dont la lampe était en train de s'éteindre.

Sebastião de Melo, comme étranger à lui-même, fiévreux et épuisé, s'en alla machinalement.

À portée de fusil, il distingua une silhouette. C'était le capitaine de Viduedo.

— Monsieur, dit-il, je vous ai attendu deux heures ; ne vous voyant pas venir, j'ai cru qu'il vous était arrivé malheur. Hier encore, les loups sont entrés dans la cour de la Teresa do Quinchoso, et lui ont mangé, si on peut dire, trois chèvres. Je me demandais si les loups ne vous avaient pas trouvé. Pour en avoir le cœur net, j'ai pris le fusil et je me suis mis en chemin. Quand je suis arrivé ici, j'ai entendu comme un bourdonnement et je me suis dit que Votre Seigneurie était en train de parler avec la sainte...

— Vous avez entendu ce que nous disions ?

— Pas un mot... Je ne suis pas de cette race-là... Alors, elle est sainte ou pas ?

— Dieu seul le sait...

— Comme dit mon grand-père... Ceux qui ont couru le monde, c'est tout le contraire des gens de la campagne.

— Quelle heure est-il, Monsieur le Capitaine ?

— Les sept étoiles sont déjà hautes... Quoi qu'on dise, ça ne doit pas être loin de quatre heures du matin. C'est l'heure de dormir... Que Votre Seigneurie ait une bonne nuit. Votre cheval peut manger jusqu'à ce qu'il dise "assez".

Sebastião de Melo ne ferma pas l'œil de la nuit. Il avait

pris le thé chez Dona Anacleta du temps de son opulence, il avait parlé de vertu chez la courtisane de la rue da Rosa das Partilhas, il lui avait envoyé secrètement une pension mensuelle qui aurait pu nourrir deux familles nombreuses, et il avait, finalement, trouvé la pénitente sous l'auvent de l'ermitage de Viduedo. Trois reflets d'une même image ! Quel tumulte de sensations pour une imagination passionnée !...

Le soleil devait déjà être levé quand il prit congé du gentilhomme de Viduedo qui l'avait si obligeamment hébergé ; mais le ciel était noir et les rochers étaient couronnés de nuages qui tournoyaient au-dessus du plateau, poussés par le vent, prêts à se précipiter dans l'abîme.

Sebastião de Melo était conduit par un guide avec lequel il bavardait sur la sainte et les miracles qui lui étaient attribués. À un quart de lieue de Viduedo, le long du sentier, au-dessus des précipices, qui relie les pittoresques rives de la rivière aux pentes escarpées de ces monts maudits, le guide s'arrêta et s'écria avec étonnement et dévotion :

– La voilà !

– Qui ?

– La sainte.

– Où ?

– Regardez dans cette direction, entre ces deux cimes de rochers ; ne voyez-vous pas là-haut un peuplier à peu près comme qui dirait une coiffe, et plus haut encore un caillou ?

– Je ne vois pas.

– C'est parce que le brouillard s'est mis devant... Laissez-le passer... Regardez, la voilà, vous ne la voyez pas agiter son tablier ?

– Je la vois...

Sebastião de Melo, les yeux emplis de larmes, figé dans une angoissante extase, lui fit un signe d'adieu de la main. Les cheveux de la malheureuse voletaient autour de son visage, balayés par le vent. Le voyageur lui fit signe de venir à leur rencontre ; mais elle resta là, immobile comme le rocher sous ses pieds, comme pétrifiée. Melo, comprenant la volonté d'Anacleta, poursuivit son chemin. Avant de tourner derrière une paroi qui l'aurait cachée à sa vue, il se retourna une dernière fois, et la vit là-haut, agitant son tablier. C'était l'ultime adieu.

Le guide n'entendit plus un mot du cavalier.

Livre troisième

I

Sebastião de Melo, les suppliques de la pénitente résonnant dans ses oreilles et dans son cœur, hâta autant qu'il put son arrivée à Lisbonne.

Il avait quitté le Portugal trois ans auparavant. À cette époque, les filles de Dona Anacleta, généralement reconnues comme les filles de Dom Teotónio de Mascarenhas, vivaient, comme il l'avait dit à leur pitoyable mère, l'une mariée et pauvre, l'autre dans le déshonneur mais opulente. Ainsi le croyaient ceux pour qui les scandales sont des faits consumés, bien qu'ils ne renoncent pas à faire entendre leurs observations moralisatrices sur chaque scandale dont ils ont connaissance.

Melo connaissait l'adresse des deux sœurs. Il chercha Emília, sous prétexte de commander à son mari des copies de musique pour flûte. Il la trouva seule et amena aisément la conversation sur le véritable sujet qui l'avait conduit là.

— L'art de votre mari est-il lucratif ?

— Non, Monsieur, mais l'argent ne fait pas le bonheur. Nous vivons modestement. Si nous n'avions pas d'autres soucis, nous vivrions heureux dans la pauvreté. Mon mari a quelques élèves de piano, et moi j'enseigne à la maison ce qu'on m'a appris au collège où j'ai été élevée, et à mes heures libres, pour passer le temps, je fabrique des hosties que je vends aux moines paulistes.

— Et pourtant, vous n'êtes pas heureuse...

— Qui l'est, mon bon Monsieur ? Certaines affaires de famille causent plus de chagrin que la misère et la faim.

— Ne regrettez pas ces petites confidences par crainte que je les prenne pour ce qu'elles ne sont pas... Je connais vos malheurs.

— Cela se peut... mais moi, je ne connais pas Votre Seigneurie, ou peut-être l'ai-je oubliée.

— Vous ne me connaissez sans doute pas... à moins que nous ne nous soyons croisés un jour.

— Où donc ?

— Chez votre mère.

— Oh ! Mon Dieu ! Je pensais que personne ne se souvenait plus de cette pauvre femme.

— C'était il y a tant d'années ! Vous deviez avoir quinze ans, Dona Emília... C'était il y a dix ans... Votre sœur Antónia était une fillette qui semblait ne pas devoir vivre longtemps en ce monde.

— La malheureuse ! Ç'aurait été mieux pour elle si elle était morte alors... Vous nous avez vues par la suite ?

— De rares fois... J'ai connu votre sœur quand elle habitait près de chez vous... presque votre voisine.

— C'est vrai... je ne sais quelle fatalité l'a amenée par ici... Elle habitait cette maison de trois étages. Elle a vécu là-bas trois ans, mais ni elle ne nous a vus ni nous ne l'avons vue.

— Elle n'y vit plus ?

— Non, Monsieur. Cela fait un an que le calvaire de cette malheureuse a commencé.

— Je sais ce que vous voulez dire... L'homme qui lui a fait quitter le collège a été fusillé.

— Dieu ait pitié de son âme.

— Et votre sœur ?

— Le lendemain de la mort de cet homme, le propriétaire de la maison a reçu les clefs avec l'ordre de vendre tous les objets qui se trouvaient à l'intérieur et de faire dire des messes pour l'âme du malheureux avec le produit de cette vente.

— Et elle, qu'est-elle devenue ?

— Je l'ignore, Monsieur. Mon mari s'est épuisé en vaines recherches. Dans une ville comme celle-ci, allez donc savoir où se cache une femme obscure dont personne ne remarque la disparition !

— Vous avez raison… je vois bien qu'il n'y a pas moyen de savoir…

— Où elle est ? Aucun moyen, assurément… Dieu sait si elle n'a pas connu la triste fin de notre malheureuse mère.

— Quelle fin ?

— On dit qu'elle s'est noyée.

— Dieu ne permettrait pas que votre sœur commette le crime impie du suicide… Celui qui vend tout ce qu'il possède pour racheter les peines éternelles de son amant ne se tuerait certainement pas. La religion offre des consolations à toutes les amertumes. Maintenant dites-moi, ne connaissez-vous pas un domestique ou une domestique qui ait servi votre sœur, ou une personne qui lui ait rendu visite, enfin… quelqu'un qui ait eu plus de contacts avec elle ?

— Personne… J'ai déjà dit à Votre Seigneurie qu'entre moi et ma sœur, depuis le moment où elle a quitté le collège, il n'y a plus eu de parenté ni la moindre relation.

— Il me semble, Dona Emília, que vous avez été trop sévère avec votre sœur.

— Je l'ai été, et de ma superbe, j'ai souvent demandé pardon à Dieu. Mais, Monsieur, la femme mariée est esclave de son mari. Mon mari me l'a interdit, et j'ai pensé que désobéir à mon mari serait un plus grand péché.

— Dieu seul nous juge… Veuillez pardonner ces questions impertinentes. Voici les musiques que j'aimerais voir copiées, et le paiement… Je suppose que ce doit être plus ou moins ça.

Il laissa une liasse de papiers ainsi qu'un rouleau d'argent, que Dona Emília ouvrit. Il contenait cinquante pièces, qui la laissèrent étourdie, physiquement et moralement, jusqu'à ce que son mari conclue, ayant épuisé toutes les autres hypothèses, qu'il s'agissait là du remboursement d'une dette. Parmi mille conjectures, l'honorable maître de solfège alla jusqu'à imaginer que le visiteur inconnu était le juif Azarias Pereira.

Sebastião de Melo, malgré sa volonté de fer et ses vastes ressources, se découragea, devant l'inefficacité de toutes les démarches entreprises pour trouver Antónia. Il en était mortifié. La mission dont l'avait chargé la pénitente de Viduedo ne serait pas accomplie. Chaque matin, il se levait avec un nouveau plan de recherche et voyait tomber la nuit comme un voile, toujours plus épais, sur ce secret impénétrable.

Un jour, Sebastião de Melo se présenta chez l'intendant général de la police, lui demandant s'il serait possible de faire une enquête pour obtenir des éclaircissements sur l'existence d'une femme qui, un an auparavant, avait disparu sans laisser de traces.

— Elle a dû mourir, dit l'intendant, en avalant distraitement un bonbon.

— C'est possible, mais il doit bien exister dans une paroisse quelconque un certificat de décès.

— Eh bien, dans ce cas, adressez-vous au grand vicaire ou je ne sais pas qui.

— Mais s'il n'y a pas de certificat ?

— Alors elle n'est pas morte.

— Elle pourrait être morte, pourtant…

— Je ne vois pas comment.

— En se suicidant.

— Ah ! C'est vrai ! dit le magistrat imbécile, se réjouissant comme quelqu'un qui vient d'assister à la résolution d'un problème épineux. Dans ce cas, si elle s'est suicidée, que les croyants prient pour son âme.

— C'est juste, mais si nous pouvions obtenir la certitude du suicide, ou du moins sa probabilité…

354

– Cette femme était une femme de bien ?

– Je ne saisis pas la question.

– Était-elle une dame bien née ?

– Vous voulez dire... noble ?

– Oui, une personne illustre...

– Elle était la fille d'un Mascarenhas.

– Mascarenhas ? Dom Teotónio, celui qui est mort il y a de cela douze ans ?

– Tout à fait.

– Cette personne, je peux vous affirmer qu'elle n'est pas morte.

– Sérieusement, Monsieur ?!

– Sérieusement, vous pensez que je me moquerais de Votre Excellence ?

– Où vit-elle ?

– Je ne le sais pas... Mais je vais vous dire pourquoi je peux vous certifier que cette dame est vivante, ou du moins l'était-elle il y a deux mois, tout au plus... Un jour, est apparue ici une femme criant comme une possédée contre les vauriens qui avaient volé sa fillette. Je l'ai fait taire en la menaçant de prison, et la femme, calmée, m'a expliqué de la sorte la raison des cris qui m'avaient assommé. Elle m'a dit qu'elle était la nourrice de lait de la fille du général Gervásio Faria et de la maîtresse de l'infortuné jacobin. Le père avait reconnu la fillette la veille d'être fusillé et des hommes masqués, sans doute pour empêcher que l'enfant ne prétende à l'héritage de son père, la lui avaient volée pour la tuer. Avec des déclarations aussi vagues, je ne pouvais rien faire. J'ai pris le nom et l'adresse de la femme.

– Vous avez conservé ces renseignements ?

– Oui. Les voilà dans le registre : "Rosa de Jesus, place des Flores, numéro 10."

– Veuillez continuer, je vous prie.

– J'ai noté le nom de la mère. J'ai voulu savoir son adresse, mais la femme ne me l'a pas donnée. Comme je ne pouvais pas l'y obliger, je l'ai laissée partir. J'ai interrogé des témoins. Tous ont dit qu'ils avaient vu entrer, à la tombée de la nuit, des hommes déguisés chez cette Rosa, ils ont entendu la petite crier et la femme appeler à l'aide. Mais tout cela n'était une preuve contre personne, à supposer que ça en soit une. Voilà tout ce que je peux vous dire à ce sujet, et excusez-moi si je vous donne congé, mais je suis très pris par des plaintes contre un certain Roberto Fajardo, dit Malasartes, qu'on accuse d'avoir écrit une satire en vers sur la vicomtesse de Jerumina, personne très chère à Son Excellence le général Beresford.

Sebastião de Melo prit congé en remerciant et courut, le cœur bondissant de joie, chez Rosa de Jesus. Heureusement, tout était vrai. La nourrice consternée décrivit minutieusement l'histoire du vol. Elle finit par implorer l'aide de l'inconnu en sa faveur et en faveur de l'inconsolable mère.

— Combien doit être amère la vie de cette malheureuse ! dit Melo.

— Aïe, Monsieur ! Vous l'avez connue ?

— Oui.

— Alors vous ne la reconnaîtriez pas si vous la voyiez. C'est à faire pleurer les pierres. Elle n'a que la peau sur les os, plus de joues et le peu de cheveux qui ne lui sont pas tombés commencent à devenir blancs. Elle fait peine à voir, ma chère dame !

— De quoi vit-elle ?

— Elle travaille, mais gagne à peine de quoi vivre. Elle fait des chemises d'homme et du repassage. Je lui trouve ses commandes moi-même, parce que personne en ce monde, si ce n'est moi, ne monte les escaliers de sa maison.

— Personne ?

— Que je perde la vue si je mens, Monsieur. Plaise à Dieu qu'elle ne se tue pas, sans accepter ni remède ni consolation. Je la trouve en train de pleurer quand j'arrive et, quand je pars, elle pleure toujours. Depuis qu'on m'a volé la petite, que je lui amenais tous les jours, depuis que ce maudit Anglais a fait tuer son père, depuis lors, la pauvrette attend que le temps fasse son œuvre. Un de ces jours, je la trouverai morte.

— Si vous lui disiez qu'il y a un homme qui lui promet de chercher sa fille, vivante ou morte, croyez-vous qu'elle accepterait que cet homme lui rende visite ?

— Je ne sais, Monsieur ! Elle n'a plus aucun espoir, ni moi, pour vous dire la vérité. Et cette personne dont vous me parlez, est-elle certaine de retrouver notre petite ?

— Certaine non, elle en a la volonté, la force et l'argent. Elle vaincra toutes les difficultés. Elle sera capable de l'arracher aux bras d'un géant si elle est en vie ; et, si elle est morte, elle punira ses assassins.

— Eh bien, alors, laissez-moi d'abord parler avec elle.

— Quand ?

— Aujourd'hui même, j'y vais tout de suite. Que Votre Seigneurie vienne ici ce soir, elle aura sa réponse.

— À ce soir.

Rosa de Jesus, en prenant une clef sur la coiffeuse, y vit une pièce d'or. La surprise fut agréable et merveilleuse. C'était un argument supplémentaire pour appuyer son éloquence.

Sebastião de Melo, tandis que Rosa savourait cette sensation, héla un gamin qui courait derrière un cavalier, et entra avec lui sous un porche.

— Attends… Tu vois cette femme au manteau brun rouge et au foulard blanc ?

— Oui, Monseigneur.

— Suis-la… et vois où elle va… Tu sais lire ?

— Le nom des rues et le numéro des portes, oui, Monseigneur.

— Retiens bien l'adresse de la maison où tu la verras entrer et reviens me le dire à l'auberge Peninsular, au 40 de la rue de l'Arsenal.

— Je sais où c'est, Monseigneur.

Une demi-heure plus tard, le gamin revenait.

— Tu as vu ?

— Elle est entrée au numéro 87 de la rue du Carvalho, dans le Bairro Alto. Elle a ouvert la porte.

— Elle a ouvert la porte ?! Tu te trompes ou tu me trompes.

— Que je tombe raide foudroyé, que je devienne aveugle des deux yeux et que rien ne me réussisse si ce n'est pas vrai. Je me suis glissé derrière le portail du comte de Ficalho. La femme est arrivée, elle a ouvert la porte de la rue et l'a refermée tout de suite derrière elle, et je suis allé voir le numéro avant de ficher le camp.

— Tu es bien certain que c'était au numéro 87 de la rue du Carvalho ?

— Juste en face du jardin du comte de Ficalho, à droite en montant.

Le gamin partit, ravi de sa commission. Sebastião de Melo monta dans une voiture et s'arrêta, à faible distance de la rue des Flores. Il se dirigea vers le numéro 10, dont la porte était fermée.

Peu de temps après, arriva madame Rosa de Jesus. Elle entra, suivie par son généreux bienfaiteur.

— Je reviens bien triste, Monsieur ! Je n'ai rien pu faire.

— Pourquoi ?

— Elle dit que seul le prêtre qui lui donnera l'extrême-onction entrera chez elle.

— Rien ne pourra donc la faire changer d'avis ? Pas même l'espoir de retrouver sa fille ?

— Elle a beaucoup pleuré quand je lui ai dit ça, et m'a répondu : "Mes ennemis ont tué ma fille... et ils veulent tuer sa mère..." J'ai insisté, je lui ai dit que Votre Excellence m'avait laissé une pièce sur la commode. C'est quand je lui ai dit ça qu'elle est devenue de marbre. "Mes ennemis sont riches... Si j'avais le moindre ami, il serait pauvre comme moi." Voilà ce qu'elle m'a répondu, j'ai eu beau batailler tant que j'ai pu.

– Et vous, vous ne voulez toujours pas me dire où habite cette dame ?

– Je suis pauvre. Quand Votre Excellence m'a laissé cet argent, il y a peu, je n'avais pas un sou pour mon souper. Mais vous pouvez m'offrir toute la richesse de Quintela, je ne vous dirai pas où habite la mère de ma petite fille chérie. Si vous voulez votre argent, reprenez-le.

– Je ne le veux pas. Je me réjouis de votre honnêteté. Et pour que vous sachiez quelle valeur j'accorde à votre conduite, acceptez ce petit souvenir d'un homme qui, s'il a essayé de mettre à l'épreuve votre fidélité, ne l'a fait que dans l'intention d'être utile à votre malheureuse maîtresse.

Rosa se voyait à la tête d'un capital qu'elle n'avait jamais tenu entre ses mains. Pendant la nuit, quand le sang ne parvient pas à se calmer ni les paupières à se fermer, elle évoqua tout ce que l'on pouvait faire avec vingt pièces, et finit par imaginer une petite quincaillerie avec un bureau de tabac, où elle puiserait, sans qu'Antónia le sache, les moyens d'adoucir son travail d'obscure couturière, toujours mal payé.

Sebastião de Melo entra dans la rue du Carvalho, en pleine nuit, et frappa à une porte attenante au mur du jardin du comte de Ficalho.

– Qui est-ce ? demanda une voix depuis le troisième étage.

– C'est ici qu'habite monsieur André Teixeira ?

– Non, ce n'est pas ici.

– Je ne suis pas au numéro 87 ?

– Non. Vous êtes au 89.

Voilà une astuce pour déchiffrer le numéro des portes dans le noir.

– Merci beaucoup.

– Mais au 87, dit la même voix, il n'y a aucun André.

– Je crois que si, dit Melo, impatient d'en finir avec cet échange. Il est arrivé cette nuit… Bonne nuit.

– Ah, dans ce cas… Parce que, jusqu'à aujourd'hui, il n'y avait qu'une femme en manteau et foulard qui venait. Elle entrait, ouvrait, refermait la porte et ressortait immédiatement.

— Bonne nuit, merci beaucoup.

Sacrée curiosité ! Malgré le froid, l'importune informatrice de l'improvisé André s'attarda à la fenêtre. Craignant que sa halte silencieuse à cette porte ne fût suspecte, Sebastião de Melo s'en alla et ne revint qu'une fois refermée la fenêtre du 89, au grand regret de la confiante maîtresse de maison.

Collé contre la porte, Melo s'attarda quelques instants pour mouler l'orifice de la serrure dans de la pâte de cire. Puis il traversa la rue et s'y posta, les yeux rivés sur l'unique étage de la maison.

Minuit sonna. Cela faisait une demi-heure que l'homme, dissimulé sous sa cape, plongé dans il ne savait quelles vagues pensées, se trouvait là, attendant il ne savait quoi.

Quelques minutes plus tard, il vit comme le scintillement d'une lumière entre la jointure des volets intérieurs de la fenêtre à parapet. Son cœur frémit. Toutes les émotions qui agitaient alors son âme avec un excès de vie étaient reliées, elles étaient la continuation de cette nuit de l'ermitage de Viduedo. Dans cette maison, se trouvait la fille de la pénitente, captive d'une poésie funèbre, une poésie que sa sœur ne connaissait pas, car elle vivait une vie triviale, un mélange de misères et de jouissances, comme le reste du genre humain. Dans cette pauvre maison se trouvait une femme de vingt-cinq ans, symbole de malheurs enfouis, tandis qu'à la même heure, à soixante-dix lieues de là, la mère de cette femme, le visage posé à même la pierre et les membres fouettés par la neige, demandait à Dieu qu'il ne la laissât pas expirer sans boire, converties en fiel, les larmes de déshonneur que versait là une de ses victimes.

Une heure sonna. L'étincelle de lumière disparut et, peu après, la fenêtre fut ouverte. Dans le recoin sombre où il s'était caché, Sebastião de Melo ne pouvait être vu. Il distingua une silhouette debout et entendit le bruit de quelqu'un qui aspire une bouffée d'air. On aurait dit des soupirs mal réprimés, ou des sanglots que l'on cherchait à dissoudre en larmes.

Melo se sentait fébrilement excité. Les plus fortes constitutions connaissent des faiblesses infantiles. Le confident d'Anacleta ne pouvait réfréner la fougue qui le poussait à adresser la parole à cette femme. La lumière brilla de toute son intensité, un instant, par une faille ouverte entre les nuages. Melo vit le visage de cette femme comme à la lumière d'un éclair. Il était fait de l'albâtre des tombeaux, la tête d'un ange cherchant dans le ciel une âme. Le cœur de Melo aussi bien que son caractère exacerbèrent sa crainte. Un nouveau rayon de lune lui montra Antónia, les mains levées au ciel. Melo, sans bouger, murmura d'une voix qui trahissait l'émotion et les larmes :

— Antónia ! Ces prières sont entendues au Ciel.

— Oh ! Mon Dieu… balbutia la fille de Dom Teotónio, reculant comme pour fermer la fenêtre.

Melo pressentit, dans son cœur, ce mouvement et dit :

— Ne fuyez pas, Madame ! Le malheur est timide, mais Dieu ne veut pas que nous dédaignions la voix amie qui nous commande de prier, Antónia !

— Je ne connais pas la voix qui m'appelle, dit-elle en tremblant, se sentant attachée par des forces supérieures à cette fenêtre.

— Si vous ne la connaissez pas, écoutez-la, car c'est la voix d'un ami… Vous parliez à votre fille ?

— Oui, oui, à ma fille… Est-elle morte ?

— Il y a un homme qui demande à Dieu la force, l'énergie et le pouvoir du miracle pour remettre vivante ou morte cette enfant à sa mère.

— Monsieur, qui que vous soyez, j'arroserai vos pieds des larmes de ma gratitude.

— Mais cet homme a d'autres devoirs à accomplir, Antónia.

— Êtes-vous un parent ou un ami, Monsieur ?

– Un ami.

– Je vous connais ?

– Vous pourriez me connaître. Je vous ai déjà dit une fois, dans le salon de votre mère : "Votre vie est triste comme le pressentiment de la mort proche."

– Ah !… Je n'ai jamais oublié ces mots… Je me souviens de celui qui me les a dits… C'était un gentilhomme très pâle, que je n'ai plus jamais revu. Et cette personne… c'est…

– C'est moi, Antónia. Si vous me voyiez à la lumière du jour, peut-être ne me reconnaîtriez-vous pas, mais c'est moi.

– Et cette personne, ce même soir, m'a donné…

– Une rose blanche… et je vous ai dit : "Elle est comme le cœur de la femme triste, quand l'entourent les joies des âmes superficielles. Cette fleur vivait mieux dans son pauvre jardin. La femme de cœur, enfermée entre les quatre murs de sa chambre, éprouverait des plaisirs qui ne sont pas ceux que l'on travestit dans les salons."

– Oui, oui, c'étaient ces mots mêmes ! Oh ! Monsieur, quel esprit vous a conduit ici, après dix ans ?

– L'esprit de votre mère.

– De ma mère… Dieu du Ciel, vous me faites trembler de peur ! Monsieur, je suis faible et je suis seule… Ne me dites pas que ma mère est revenue en ce monde parler de l'infortunée fille de Teotónio de Mascarenhas.

– Je comprends l'idée que vous attachez au nom de votre père, Antónia… Si vous avez voulu blesser la mémoire de votre mère, demandez-lui pardon.

– Non, je ne l'ai pas voulu… que je sois damnée… je n'ai pas voulu cela… Je tremble… je ne pourrai pas vous écouter bien longtemps.

– Rentrez, Antónia. À dix heures du matin, je trouverai cette porte fermée à tous, ouverte pour moi. Si je la trouvais fermée, je l'ouvrirais. Un homme chargé d'une mission qui lie les morts aux vivants vainc toutes les résistances… Vous m'avez entendu, Antónia ?

– Oui… mais c'est impossible… la porte ne s'ouvre qu'en milieu de journée… je n'ai pas la clef.

– À dix heures.

Ce furent ses dernières paroles. Fascinée par la grandeur de l'homme, par les réminiscences qu'il avait gravées dans son esprit et par la terreur impérieuse avec laquelle il lui ordonnait d'obéir, Antónia ne savait ni ne pouvait résister. Elle passa la nuit tremblant de frayeur. Au moindre bruit, elle cachait son visage, pour ne pas voir, ou pour voir plus clairement encore, le fantôme de sa mère. Elle pria beaucoup, car la peur sèche les larmes. Elle redouta la lumière du matin et se sentit d'autant plus angoissée que dix heures approchaient.

Au point du jour, Sebastião de Melo entrait dans l'atelier d'un serrurier, et attendait qu'il lui fît une clef d'après le moule gravé dans la cire.

À dix heures précises, il ouvrit la porte du numéro 87, monta les marches et, poussant la porte de l'unique salle, découvrit une dame qui tremblait.

– Reconnaissez-vous dans ce visage un seul trait de l'homme d'avant ? demanda Melo, souriant.

– Presque… tous… dit Antónia, forçant les paroles retenues dans son sein haletant.

– Alors… je me suis trompé… tant mieux, vous ne douterez pas de ma personne. Vous avez passé une triste nuit, n'est-ce pas ?

– Il devait en être ainsi.

– Ce sera la dernière des plus tristes de votre vie.

– La dernière, si Dieu le permet…

– Vous croyez en Dieu ?

– Oh ! Combien je serais plus malheureuse, si je ne croyais pas !

– Vous croyez en la vertu ?

– Mon Dieu !

– Pourquoi pleurez-vous, Antónia ?!

— Si j'étais vertueuse, je ne…

— Vous ne pleureriez pas ainsi ? Bien sûr que vous pleureriez… Ces larmes, que sont-elles sinon de la vertu ? Ma fille,
la tranquillité que vous voyez dans toutes ces existences que
le monde nomme vertueuses est l'enseigne d'une vertu au
rabais, sans sacrifices, sans découragements, sans triomphes.
La vertu est une fleur arrosée par les larmes qu'une main
ensanglantée cueille parmi les épines. Encore une question,
Antónia… Voulez-vous être maîtresse de vos actions ou
obéirez-vous à celui qui vous dira : "Au nom de Dieu et de
la vertu, je veux te dominer" ?

— J'obéirai.

— Sans volonté propre.

— Oui, sans volonté propre, car au nom de Dieu et de la
vertu, personne ne voudra accroître mes infortunes.

— Bien. Aujourd'hui à quatre heures, vous quitterez cette
maison.

— Oh ! Monsieur ! Par pitié ! Dites-moi si je dois m'abandonner ainsi à une personne presque étrangère… Jésus !…
Tout dans ma tête est si confus, je ne sais même pas ce que
je dois vous demander.

— Demandez-moi de venir vous chercher à quatre heures
de l'après-midi.

— J'obéis, Monsieur, j'obéis.

— Bien. Après l'obéissance, vient la consultation. Jusqu'ici,
le père vous a ordonné ; maintenant, c'est l'ami qui vous
consulte. Voulez-vous entrer au couvent comme séculière ?

— Oh ! Mon Dieu ! Un couvent ! Je vois, maintenant, que
vous êtes mon ange salvateur… Oh ! Oui ! Oui ! À l'instant,
dit-elle en s'agenouillant.

— Pas tout de suite. À quatre heures de l'après-midi.
Levez-vous, ma fille… Avant cela, il faut que nous fassions
un pacte. Antónia, à compter de cet instant, tous vous
connaîtront comme ma sœur. Si l'on vous questionne au
sujet de votre passé, vous direz que vous n'en avez pas ;

si l'on vous questionne au sujet du mien, vous direz que mon cœur est fermé à tous. Vous comprenez, ma sœur ?

– Oui... je ferai en sorte que personne ne me demande rien au sujet de ma vie... Le silence et la prière...

– Le silence et la prière... sont l'aliment de l'esprit, mais la matière a besoin de respirer. Dans les couvents, on ne recherche pas la grotte de thébaïde. On se rapproche de l'autel, mais sans tourner le dos au monde. Je vous l'ai déjà dit... sans sacrifices, toutes les vertus sont faciles. Il est nécessaire que vous connaissiez les misères de la Terre, pour élever avec plus de ferveur vos suppliques vers Dieu. Les bons prient pour les mauvais, et les mauvais, avec leurs crimes et leurs expiations, sont la meilleure école pour les bons. À quatre heures, Antónia.

Melo fit voler son cheval jusqu'à São Vicente de Fora. Grâce à un peu d'or, avec lequel on triomphe des résistances ecclésiastiques, de Rome au plus obscur des presbytères ruraux, le généreux gentilhomme fit établir une licence d'entrée au nom de Dona Antónia de Mascarenhas au monastère de Encarnação.

De là, il partit au couvent, où il lâcha dans les coffres imposants de la maison le prix d'une cellule et les mensualités d'une année, destinées à être remises par la supérieure à la séculière. Peu après, arrivaient les meubles de la cellule, ainsi que Rosa de Jesus, qui allait y rester comme servante à la grande surprise de Dona Antónia.

À quatre heures, une voiture s'arrêta au 87 de la rue du Carvalho, d'où les voisines, stupéfaites, virent sortir une dame que les plus facétieuses décrivirent comme une défunte debout. Celle du troisième étage du numéro 89 gaspilla deux heures en bavardages animés, racontant avec les fioritures d'une rhétorique mensongère l'histoire d'André Teixeira, qui donna beaucoup à penser depuis la rue du Carvalho jusqu'à Cunhal das Bolas.

Celles qui disaient que Dona Antónia semblait une défunte

debout n'avaient pas tort. À vingt-cinq ans, de tels dégâts semblaient incroyables sur un visage où l'art ne trouvait pas un trait juvénile.

Dans son langage dépouillé mais rudement expressif, Rosa de Jesus avait dépeint à Sebastião de Melo un portrait fidèle de sa maîtresse. De rares cheveux, dont certains déjà blancs, s'enroulaient sur ses tempes en deux boucles, comme pour laisser bien visibles les rides profondes qui se croisaient sur son front. Sa vue était brumeuse, et la couleur de sa pupille était pâle comme la lumière ternie par les rayons du soleil. Le foulard noir serré autour de son cou ne cachait pas les marques de la maigreur. Sa robe noire était comme un linceul d'où pointaient ses mains effilées et jaunies. Sebastião de Melo sentit, en lui donnant la main jusqu'à la voiture, le contact d'un mort. Cette main était de glace… Si ce n'était un frémissement, on aurait pu croire que le sang s'était retiré de ces veines ou que cette femme s'était tout juste levée de sa tombe, comme la fille de la veuve de Naïm, ressuscitée par le Christ.

Antónia entra au couvent. Elle se trouva entourée par d'affectueuses dames, qui se demandaient les unes aux autres si ce monastère n'allait pas devenir un cimetière.

Une fois dans sa cellule, elle y trouva son amie, seule confidente de ses larmes, la nourrice de sa fille, qui devait mourir, un an plus tard, emportant avec elle le secret de sa maîtresse. Elle y trouva aussi, si ce n'était l'opulence, tout ce qui était agréable au cœur d'une femme qui n'avait eu d'autre espoir que mourir, attendant toujours sa fille, et craignant que la faim ne la surprît sans pouvoir gagner avec son aiguille un peu de pain qui la réconfortât.

La voilà donc, la sœur de Père Dinis, la confidente intime des secrets d'Ângela de Lima, la deuxième mère du fils de la comtesse de Santa Bárbara.

Maintenant, si la lectrice ne se formalise pas du traitement qui fut donné à Dona Emília, demeurant place da Alegria, revenons au chapitre où nous l'avons laissée, résignée aux austérités du copiste de musique. Attardons-nous sur une voiture qui s'arrêta devant une maison toute proche, quinze ans après que Sebastião de Melo eut laissé cinquante pièces à Dona Emília, que son mari comptait tous les mois, et conservait en gage d'une vieillesse tranquille.

II

Bien que l'épouse résignée de monsieur Joaquim dos Reis ne donnât pas à son mari une raison justifiant sa curiosité, celle-ci était, d'une certaine façon, fort plausible. La maison devant laquelle s'était arrêtée la voiture était exactement la même où, seize ans auparavant, vivait sa sœur, Antónia. Y habitait maintenant, comme elle jadis, une femme mystérieuse ; et comme cette voiture qui venait de s'y arrêter, s'y était arrêtée très souvent celle du général Gervásio Faria. Ces coïncidences, où la raison n'entrevoit rien de merveilleux, impressionnaient l'esprit de Dona Emília, qui, ayant été superstitieuse toute sa vie, devint, après ses quarante ans, assommante à force de voir des phénomènes surnaturels là où son mari ne voyait que des choses aussi concrètes qu'une mesure à quatre temps et la durée de seize quadruples croches.

Ce fut Alberto de Magalhães, le fils de Dom João VI, espion de Dom Pedro, chevalier d'industrie, contrebandier, négrier, corsaire, enfin… tout ce que la bonne société de Lisbonne voulait qu'il fût, qui sauta de la voiture.

Alberto était attendu sur la dernière marche du premier étage par une femme d'une rare beauté, avec un sourire à rendre fou, et un baiser à fleur de sourire qui eût redonné la chaleur de la vie aux lèvres d'un mort.

Ceignant de son bras la ceinture d'Alberto, la

jeune ensorceleuse se laissait aller, languissante, penchée sur l'épaule de son compagnon, comme si elle s'abandonnait à la merci d'une étrange volonté.

Alberto s'assit sur une dormeuse aux coussins en damas carmin. Les spirales inquiètes des courts cheveux de la belle jeune fille touchaient son visage comme des plumes, tandis que dans ses yeux embrasés de je ne sais quel feu, il sentait la douceur du contact de ses cils satinés.

— Tu m'aimes beaucoup, Eugénia ?

— Si je t'aime, Alberto ! Je ne sais même pas si c'est de l'amour… Ce que je voudrais, ce serait mourir pour toi ! Tu vois ce que je ressens ! Est-ce une extravagance ?

— Je veux que tu vives, et que tu vives sans nostalgie.

— Nostalgie de qui, de quoi ?

— Tu as donc oublié, vraiment oublié cet homme ?

— Alberto, ce n'est pas possible que tu me poses cette question pour me mettre à l'épreuve… Tu sais bien ce que je pouvais ressentir pour lui… L'amour d'une esclave… n'est jamais de l'amour.

— Tu n'as pas été esclave, Eugénia… Cet homme t'aimait, te voulait à ses côtés, et si la mort ne l'avait pas surpris, tu serais toujours la reine et non l'esclave de son cœur.

— Si, l'esclave ! Tu as bien vu qu'il ne m'a laissé qu'une aumône en récompense de ma servitude !

— Ce n'était pas une aumône, c'était le prix de ce qu'il croyait qui pouvait faire ton bonheur.

— Un couvent ?! Laisse-moi rire, Alberto… Un couvent pour moi qui avais dix-sept ans et le cœur rempli d'un amour, que toi seul… seulement toi… pour toi, mon chéri, je devais ressentir… Et… cela ne te fait pas rire, Alberto ? Le comte m'imaginait à ce point son esclave, qu'après avoir donné des ordres au sujet de mon corps il voulait décider des messes qu'on dirait pour mon âme… Quelle mièvrerie de la part de ce pauvre homme qu'on a fanatisé à Santarém !

— Tu n'as jamais eu pour lui un intérêt du cœur ?

— Aucun. J'avais dix ans quand je suis entrée dans cette maison, comme servante de la comtesse. Cette dame, à qui je ne veux aucun mal, me traitait bien et éprouvait du plaisir à m'avoir en sa compagnie, dans cette chambre d'où elle ne sortait jamais, si ce n'était pour aller au chœur de la chapelle, les jours de fête. Quand je suis arrivée en âge de plaire, j'ai trouvé bien des affabilités chez le comte, pourtant peu porté aux tendresses. J'étais surprise de toutes ces cajoleries, mais ce ne fut qu'au moment d'être violée, sans bien comprendre quel genre de violence on me faisait, que j'ai su que je n'étais qu'une enfant de treize ans obligée de céder aux passions sans âme du maître de maison. Le comte, pour récompenser l'esclavage que, laisse-moi te le dire, j'acceptai stupidement, ne se cachait pas de la comtesse. Bien au contraire, il affichait son immoralité et me disait de regarder la pauvre dame avec hauteur. Je ne l'aurais jamais fait si la comtesse ne m'avait pas poussée brutalement hors de sa chambre, quand je commençai à lui raconter la violence que j'avais subie, pour lui demander pardon et m'enfuir avec elle de cette maison. J'avais mauvais caractère, et de l'orgueil, je ne sais pourquoi... À dater de ce jour, je la traitai mal, mais ce n'est pas pour autant que j'ai ressenti ce qu'était l'amour ! L'amour ! Ah, Alberto ! L'amour, c'est ce que je ressens pour toi ! Ce que j'avais pour lui, ce n'était même pas l'ombre de ce qui se passe maintenant dans mon cœur... Si la tendresse et la passion ressemblent à ce que tu me donnes, mon chéri, ce que je sentais pour lui était de la haine.

Et elle colla avidement ses lèvres contre les siennes, lui faisant sentir les battements de son cœur et le frémissement nerveux de son bras nu autour de son cou.

— Mais dis-moi, Eugénia, tu ne m'as pas encore raconté comment s'est passé ton départ de Santarém.

— Ah ! Non ? Je vais te le dire... Ça s'est passé très simplement... J'étais au chevet du comte, parce qu'il n'y avait que moi pour lui faire boire ses médicaments... Là-dessus, sont entrés un prêtre et un greffier. Le prêtre m'a lancé un regard qui semblait aveugler le mien... Je ne sais ce que j'ai vu dans ce visage, qui n'éveillait pas chez moi de l'aversion, mais plutôt de la terreur ! Jamais je n'oublierai cet homme !... En plus, le greffier a commencé à parler de citations, de tribunaux, d'imbroglios qui m'ont fait penser qu'on allait arrêter le comte et moi avec, sur l'ordre de la comtesse de Santa Bárbara. Je me suis réfugiée dans ma chambre, me demandant ce que je devais faire, quand la patronne de l'auberge, qui m'a semblé une brave femme, est venue me dire qu'il valait mieux pour moi que je m'en aille, car elle soupçonnait qu'on se préparait à me faire des misères. Je t'ai déjà dit que je ne sentais aucune affection pour cet homme... Je l'accompagnais, je ne sais pas pourquoi... parce qu'il était mon maître, et qu'il m'avait dit : "Viens !" Alors voilà... qu'est-ce que j'ai fait ? Ce que n'importe quelle autre femme aurait fait dans ma situation : j'ai fait préparer deux chevaux. Sur l'un, j'ai fait charger mes affaires, sur l'autre une selle pour femme ; j'ai sauté dessus avec le plus grand sang-froid et j'ai dit au revoir de loin au comte de Santa Bárbara, qui était finalement une si bonne personne qu'il m'a laissé une poignée de cruzados flambant neufs à la condition que je devienne servante d'une nonne, dans la mansarde d'une cellule ! Dieu nous garde des bigots de la dernière heure ! Serait-ce le prêtre qui lui avait mis cette idée en tête ? L'homme, quoi qu'on dise, délirait de fièvre... Sais-tu ce que j'ai dit à ce prêtre quand je l'ai croisé il y a quelques jours ?

— Non.

— Qu'il vienne me rendre visite.

— Pourquoi ?

— Je veux lui montrer mes chapelets, mes coiffes de bonne de nonne, mes reliquaires et mes scapulaires... Enfin, je veux rire du visage qu'il fera, si je n'ai pas peur de ses yeux.

— Tu n'as pas bien fait.

– Pourquoi ?

– Cet homme n'est pas un homme comme moi et les autres.

– Je ne savais pas ! Qu'a-t-il donc de plus ou de moins ?!

– Il a de moins les faiblesses des autres hommes, et de plus le pouvoir d'assujettir sous son pied ses propres passions et celles des autres. Il sonde l'insondable, abat l'inébranlable et ignore ce qu'est l'impossible.

– Tu te moques de moi ? Ne sois pas jaloux… Il est vieux.

– Tu veux toujours le recevoir ?

– Comme tu voudras.

– Reçois-le, mais ne lui parle pas de moi.

– Soit. Mais sait-il que je suis à toi ?

– Il doit le savoir, car il sait tout.

– Tout ?

– Je le crois.

– Je lui poserai une question qui fera de toi un menteur, mon Albertinho.

– Laquelle ?

– Je lui demanderai de qui je suis la fille.

– Tu ne le sais pas ?

– Moi non. Le comte m'a dit que j'étais une enfant trouvée… S'il me disait qui étaient mes parents, alors là oui !… Je me jetterais de l'aqueduc des Águas Livres, s'il me l'ordonnait.

– Il ne saura peut-être pas ça, car le crime a des secrets que la vertu ne sait démêler.

– Ah, tu m'en diras tant ! Ce prêtre sait ce que tout le monde peut savoir en se donnant un peu de peine et avec un peu de finesse. Je parie qu'il ne sait pas que je te donne maintenant deux, trois, quatre, cinq, six baisers ? Je t'en parie encore six, veux-tu ?

– Parlons d'autre chose, Eugénia. Que voulais-tu donc me demander hier ?

– Quand ?

– Ne m'as-tu pas dit que tu avais quelque chose à me demander ?

– Si, mais je n'ai pas encore assez confiance en ton amour pour oser.

– Si c'est osé, tu me dispenseras de l'écouter, n'est-ce pas ?

– Ce n'est pas osé… c'est de la jalousie.

– De la jalousie ! Tu commences tôt, ma gentille égoïste.

– Tu trouves que c'est tôt ? Il me semble, à moi, vu l'amour que je te porte, que nous nous sommes connus dans un autre monde avant celui-ci.

– Tu as lu les nouvelles d'Harlincourt ?

– Je ne sais pas.

– Ces propos galants semblent tout droit sortis de là.

– Tu te moques de moi ? dit Eugénia, deux larmes perlant sur ses longs cils.

– Non, ma petite… c'était une boutade de mauvais goût… Tu veux que je te dise ? Je t'ai acheté une voiture et deux chevaux noirs, de la couleur de tes cheveux. Tu auras une voiture à tes ordres… et deux laquais anglais avec des guêtres en tapir couleur fleur de romarin… Ça ne te fait pas plaisir ?

– Non, ce que je voudrais, c'est ton amour.

– Et quoi d'autre ?

– Ta présence toujours ici… J'aimerais vivre avec toi à la campagne, seuls, avec un jardin, une forêt et une petite fontaine et plein d'arbres, et un lac avec une petite barque. J'aimerais vivre dans ton pavillon oriental, là où je t'ai vu pour la première fois et me suis perdue d'amour pour toi.

– D'amour !… Ce fut une émotion mortelle pour toi, à ce que je vois !

– Tu ne me crois pas ?

– J'ai du mal.

– Alors… laisse-moi !

Eugénia se leva, boudeuse, et alla s'asseoir au piano, où elle joua la gamme qu'elle avait apprise en trois leçons.

Alberto, qui n'était ni tout esprit ni tout matière, se réconcilia avec un baiser volé. La galante créature tourna son cou d'aigle, comme la colombe en entendant le roucoulement de son compagnon, et oublia son chagrin momentané.

L'aimait-elle ? Oui, de cet amour capable de toutes les vertus et de tous les crimes.

— Alors… Alberto… tu veux bien écouter ma demande ?

— Je t'écoute… que veux-tu ?

— Ne va pas à Odivelas.

— Pourquoi ?

— Tu y aimes une femme.

— Qui est-ce ?

— Je ne le sais pas et je ne veux pas le savoir… je serais capable de lui tirer dessus… Mais ne l'aime pas, Alberto ! Elle est certainement plus belle, plus tendre, plus noble, mais elle ne sent pas comme moi… Si tu m'abandonnais… Alberto, tu réfléchis ? C'est donc vrai que tu en aimes une autre, ingrat ?

— Non.

— Alors va… je te crois… va… Mais, écoute-moi bien, si le coup de poignard de la certitude me perce un jour le cœur, tu me trouveras morte quand tu viendras me chercher.

— Eugénia ! Serais-tu un ange ?

— Fais que je le paraisse aux yeux de tous… Mon cœur commence aujourd'hui à aimer et à souffrir… Si tu crois qu'à cause de mon passé je ne vaux pas autant à tes yeux, pardonne-moi et régénère-moi…

— Tu m'épates, Eugénia !

— Qu'est-ce qui t'épate en moi ?

— À dix-sept ans, il semble que tu aies appris du monde toute l'éloquence des passions pratiques ou des théories du calcul… Ne blêmis pas, Eugénia ! J'ai besoin d'avoir ces épanchements avec toi… Le soupçon est un démon qui entre dans le cœur et étouffe l'ange de la bonne foi. Le savoir que tu as dans l'âme m'est nécessaire. À près de quarante ans, je viens de trouver en toi un genre nouveau ! Tu as un grand cœur et une grande intelligence, Eugénia ! À ton âge, on ne feint pas de la sorte ! Je te supposais jolie femme et rien d'autre. Maintenant, je regarde ton front et j'y vois la promesse d'un destin supérieur ! Je t'ai d'abord écoutée avec indifférence, puis avec admiration, et enfin… avec dévotion ! Si tu étais assoiffée de richesses, tu pourrais subjuguer les cœurs comme un ange et les écraser comme un démon. Quelle idée te fais-tu de moi, Eugénia ?

— Je ne sais pas !… Cette façon de me parler est nouvelle pour moi, Alberto ! Je te méconnais… Je voudrais plus de tendresse dans ces paroles… Je les trouve froides et trop fortes pour une femme qui ne sait qu'aimer.

— Je veux t'habituer à ce langage. Ton caractère conspire contre tout ce qui est trivial… Tu ne peux être une femme ordinaire, Eugénia… Je vais t'éduquer.

— M'éduquer ? Tu auras cette patience ?

— Tout ce que tu seras, tu né le devras qu'à toi-même. Je veux que tu sois une femme comme j'en ai connu certaines en France et n'en connais pas deux au Portugal. Ton cœur se nourrit d'amour, mais ton esprit a besoin de mets que l'amour ne lui donne pas. Je te veux instruite, cultivée, enrichie de tout ce que l'on peut savoir et comprendre… Tu acceptes ?

— Si j'accepte ?! Ne vois-tu pas que je suis une fille qui a seulement appris à lire, et qui ne comprend même pas tout ce qu'elle lit ! Et tu seras mon maître ?

— Ton guide dans la science des êtres. La science des choses, tu l'apprendras dans les livres.

— Eh bien, soit… tout ce que tu voudras, à condition que tout ce que j'apprendrai se convertisse en notre bonheur ; sinon je veux tout ignorer… Il me suffit de savoir que je dois vivre et mourir en t'aimant.

On sonna à la porte.

— C'est le maître de musique, dit Eugénia, ne pars pas

sans voir mes progrès… Cette vanité est de l'ironie, Alberto !
Je crois que ma tête est fermée à la perception de la musique,
comme les têtes de ces croches disgracieuses.

III

Qui fit se rencontrer Alberto de Magalhães et la favorite du
comte de Santa Bárbara ? Le hasard. Quand Eugénia rentra
de Santarém, Alberto de Magalhães se tenait négligemment
penché à la fenêtre de son pavillon oriental, surplombant
la route, au Beato António. La fugitive rivale d'Ângela de
Lima était triste. On ne pouvait s'empêcher d'éprouver de
la sympathie pour ce visage angélique, où la fraîcheur ternie
avait l'aspect maladif de la fleur cueillie par grande chaleur
et flétrie par les ardeurs de la sieste. Alberto, dès que sa silhouette se dessina, avant même que le visage ne s'en détachât,
pressentit une femme belle. Il l'appelait de loin, du regard,
avide d'une lueur de ces yeux qui paissaient, indifférents, le
long des rives agrestes du Tage. À quelques pas du pavillon,
la passante, fixant l'inconnu, rougit, surprise, mais ne put,
bien qu'elle le voulût, laisser sans réponse le regard fascinant
qui lui ordonnait impérieusement de se tourner vers lui.

Alberto était un bel homme, autant que puisse l'être
l'homme qui ne porte pas sur son visage le rosé féminin et
le regard somnolent des femmes allongées sur des coussins,
comme lassées d'un bal et d'un amant déjà importun au
bout de quatre mois… Si c'est cela, la beauté, l'ami de l'ancien gitan était un homme laid. Son nez, ni grec ni romain,
était un nez cosmopolite, majestueux partout et presque
toujours préféré dans les physionomies fantastiques chez
les inventeurs d'êtres extraordinaires. Sa moustache noire
et broussailleuse se détachait à peine sur son teint pâle, si

tant est que la couleur du plomb puisse, sans injurier l'art, être qualifiée de pâleur.

Aimeriez-vous un homme comme cela ? Eugénia sentit, en le voyant, une oppression, une crainte, une anxiété, une… comment l'appellent les physiologistes du sentiment ?… Une passion. Est-ce possible ? Ça l'est. Ce sont des émotions qui se ressentent. Alimentées quelques instants, elles décident de toute la vie chez certains tempéraments ; méprisées ou non correspondues, comme il arrive heureusement presque toujours, quelques jours suffisent, si ce ne sont des heures, à les faire complètement oublier.

Eugénia regarda et passa son chemin, mais son cœur resta là-bas. Alberto disparut, et l'instant d'après il éperonnait son cheval presque à sa hauteur. Eugénia n'était plus la même. Elle tremblait et n'osait pas le regarder. Le cavalier ne se découragea pas, contrairement à ce qu'aurait fait un novice dans ce genre d'entreprise.

— M'accorderez-vous l'honneur de vous accompagner, dit-il, son chapeau baissé jusqu'au genou.

— J'aurai grand plaisir à être en si bonne compagnie, dit Eugénia, avec une sorte de désinvolture forcée, qui ferait se signer une dame de province voyageant sur ces routes depuis vingt ans.

— Vous allez à Lisbonne ?

— Oui.

— Vous êtes d'ici ?

— Oui, Monsieur.

— Vous revenez d'un séjour à la campagne ?

— J'en viens… dit-elle en souriant, mais je n'y étais pas, comme on dit, en villégiature. Je viens de Santarém.

— Vous permettez que je vous pose quelques questions ?… Si elles sont indiscrètes, n'y répondez pas… Vous êtes célibataire ?

— Oui.

— Absolument libre ?

– Le plus que je puisse l'être.

– Vous n'avez pas de famille ?

– Aucune.

– Mais vous devez occuper une position.

– J'ai été servante dans une maison.

– Servante !... Et vous êtes heureuse ?

– Moins qu'il n'est habituel dans ma condition.

– Vous changeriez volontiers de condition ?

– Pour laquelle ?

– Si vous aimiez... si vous trouviez un bonheur imprévu.

– Si c'était un bonheur, je l'embrasserais.

– Voudriez-vous rencontrer un homme qui vous attacherait au bonheur par le cœur ?

– Oui, mais je ne peux être aimée.

– Pourquoi ?

Eugénia ne répondit pas.

– Où habiterez-vous à Lisbonne ?

– Chez le comte de Santa Bárbara pour quelque temps.

– Le comte de Santa Bárbara ?! Cet homme n'est pas à Santarém ?

– Il y est resté.

– Je vous connais... Vous n'êtes pas une simple servante du comte de Santa Bárbara, Mademoiselle.

Eugénia rougit et baissa vivement les yeux.

– Excusez-moi... une autre question : vous êtes Eugénia ?

– Je suis Eugénia.

– Je n'ai plus aucune question à vous poser... Vous voyez bien que je connais le secret de votre vie. Vous aimez cet homme ?

– Comment le pourrais-je... Aucun forçat n'aime les galères.

Alberto s'émerveilla.

Il lui fallait entendre des réponses de ce genre sur des lèvres de dix-sept ans pour sortir de l'apathie morale dans laquelle le paralysait la fatigue.

– Eugénia… regardez-moi… Vous me trouvez repoussant ?

– Ce serait impossible.

– Si vous m'aviez rencontré dans une situation où j'aurais pu vous dire que je vous adorais et vous demander de me suivre… qu'auriez-vous fait ?

– Je vous aurais prié de ne pas me rendre plus malheureuse que je ne le suis déjà.

– Et si vous aviez le pressentiment d'avoir trouvé un homme digne de votre âme ?

– J'aurais été fière d'être malheureuse.

– Eugénia ! Notre conversation a été extraordinaire… Qu'elle le soit jusqu'au bout… Voulez-vous me suivre ?

– Je vous suis… et je vous suis sans réfléchir… Vous me protégerez ?

– Comme on protège sa fille. Vous avez à faire chez le comte de Santa Bárbara ?

– Retirer des malles qui m'appartiennent.

– Ce sont des choses chères à votre cœur ?

– Non, ce n'est rien… des robes.

– Laissez-les. Suivez-moi comme vous suivriez un frère…

Peu après, Eugénia entra chez Alberto de Magalhães. Quand elle se vit toute seule dans un vaste salon, elle serra sa tête dans ses mains et murmura :

– Ou c'est un rêve, ou je suis folle ! Que s'est-il passé dans ma vie depuis une heure ?

Alberto rentra. Il s'assit sur un canapé et bavarda deux heures avec Eugénia, comme il aurait bavardé avec sa fille.

Deux mois plus tard, place da Alegria, le lien de parenté semblait tout autre, mais leur cœur, à l'encontre des lois chimiques de ce genre de réaction, gagnait en calories ce qu'il perdait, naturellement, en pureté.

IV

Revenons en arrière, car cela est nécessaire.

Depuis l'instant où Dona Antónia de Mascarenhas était entrée au couvent d'Encarnação, Sebastião de Melo avait fait tous les efforts que lui suggérait son cœur pour trouver l'enfant arrachée à trois ans aux bras de Rosa de Jesus. Ses démarches avaient été vaines. Les parents de Gervásio Faria semblaient étrangers à cet attentat, et cherchèrent à détourner les soupçons de Melo, en l'aidant astucieusement dans ses recherches.

Antónia avait perdu tout espoir, mais, aidé par son caractère énergique, l'amant passionné de Francisca Valadares garda le sien. La terrible crise que traversait son esprit, frappé par une passion malheureuse, aiguisait sa sensibilité et lui inspirait le plus grand dévouement pour adoucir l'infortune d'autrui.

De la vie de cet homme, amplement décrite dans le *Livre noir*, nous n'avons transcrit que quelques pages, qui en sont le noyau, l'intrigue de ce long drame d'infortunes. Il n'est pas dans notre plan de faire le récit détaillé de la passion fatale qui le fit prêtre et qu'Adelaïde, la nonne de Santa Apolónia, raconta succinctement à son amie Ângela, à Odivelas.

Il est certain, pourtant, que Sebastião de Melo, lors de son retour au Portugal, fin 1817, affermit les liens de cet amour qui le rattachaient à une tombe. L'année suivante, Francisca Valadares mourut et, quelques mois plus tard, Sebastião de Melo devenait père Dinis Ramalho e Sousa. Cette même année, entra à Encarnação la fille du marquis de Montezelos.

Trois jours plus tard, le prêtre arrivait à la propriété des Alcáçovas habillé en gitan, pour sauver le fils d'Ângela de Lima. Et, cependant, à un certain moment, Père Dinis réapparut en tant que Sebastião de Melo, pour prédire un avenir malheureux au comte de Santa Bárbara.

Ces prodigieuses métamorphoses qui, si elles n'étaient pas expliquées, brouilleraient la chronologie des faits, sont formellement consignées et rigoureusement certifiées dans le *Livre noir*, qui se trouve déjà publié dans sa plus grande extension.

Avant, toutefois, que nous n'accompagnions le déroulement des scènes qui eurent lieu en 1832, suivons Père Dinis dans son voyage à la province de Trás-os-Montes en mars 1819.

Où se rend cet homme, qui a dit au revoir pour quelques jours à la tombe de la religieuse de Santa Apolónia ? Il va à Viduedo. Il va rendre compte de sa mission à la pénitente qui, fatiguée de neuf longues années de martyre, dort peut-être déjà d'un sommeil éternel sous la pierre qu'elle lui avait désignée du doigt.

— Nous sommes proches de Viduedo ? demanda le prêtre au guide qu'il avait emmené de Cabeceiras de Basto.

— À une demi-lieue, Monsieur. Du piton de cette montagne, on peut déjà voir le hameau.

— Tu es déjà venu ici, mon ami ?

— Oui, Monsieur, avec ma mère, consulter la sainte. C'est pour elle que vous venez ici, pas vrai ?

— Dis-moi, pour quelle maladie es-tu venu voir la sainte avec ta mère ?

— C'était pour ma compagne, elle avait le Diable au corps, Dieu me pardonne…

— Et que vous a dit la sainte ?

— Elle nous a dit de parler avec le médecin, qui est le maître de la santé du corps, et, si le médecin ne pouvait pas la soigner, elle nous a dit de parler à un prêtre, qui est le maître de la santé de l'âme.

— Et après ?

— Elle nous a congédiés et n'a pas voulu prendre ce que nous lui apportions.

— Alors pourquoi l'appelez-vous sainte ?

– Ça, je ne peux pas vous le dire. Elle ne soigne pas le mauvais esprit, elle n'est pas guérisseuse, elle n'appelle pas les âmes, ne défait pas les sortilèges, ne fait pas disparaître les vers, ni ne redresse les os… à dire vrai, je ne sais pas pourquoi on l'appelle sainte. C'est la dame d'Arco qui nous a envoyés ici. À ce qu'il paraît, elle aurait eu des problèmes, et elle est venue voir la sainte de Viduedo, lui a raconté je ne sais quoi qui lui portait sur le cœur, à cause du seigneur d'Outeiro, qui lui devait… Enfin, vaut mieux que je me taise… Le fait est, mon bon Monsieur, que la dame est venue jusqu'ici et, peu de temps après être rentrée au pays, voilà que le seigneur d'Outeiro l'a demandée en mariage. Tout le monde a dit que c'était de la sorcellerie. Et c'est là que ma mère est allée la voir, parce qu'on est ses locataires, et elle lui a raconté l'histoire de ma Marie. La dame a écouté, écouté, et finalement, elle a dit à ma mère : "Ana, allez donc à Viduedo, et cherchez une femme qui est presque toujours sous l'auvent de la chapelle ; racontez-lui les malheurs de votre belle-fille et faites ce qu'elle vous dira." Et voilà, vous savez déjà ce qui s'est passé. Le médecin a dit qu'il ne soignait pas l'ivrognerie et le prêtre m'a dit de lui enfoncer un pieu dans les fesses pour lui faire sortir le Diable du corps, sauf par ce bout-là. Ma mère est allée voir la dame et lui a tout raconté, en disant que la sainte de Viduedo n'était pas guérisseuse ni ne savait défaire les sortilèges. La dame s'est mise à rire, et a répondu que la sainte de Viduedo, quand on venait la chercher avec le vague à l'âme, demandait au Seigneur de délivrer la créature de son affliction. Voilà comment ça s'est passé. Ma mère n'est jamais revenue ici, et si l'on me demandait, je dirais que la femme s'y connaît autant en exorcismes que moi en latin.

La conversation continua sur ce ton, jusqu'à ce que Père Dinis, en franchissant la cime d'un mont, aperçût Viduedo. Son cœur se dilata. Un demi-cercle du soleil, plongeant dans la mer, teignait de pourpre la végétation à moitié fleurie des genêts et des cytises qui formaient la ceinture du hameau ouvert à tout vent. La petite chapelle se dressait là, sur la butte la plus élevée de cet amas de rochers. La croix en pierre brute était comme la vigie solitaire de cette auguste douleur qui, depuis dix ans, se purifiait à ses pieds à force de larmes. Le prêtre voulait être seul.

Il prit congé du guide, et ralentit le pas de sa mule, comme cherchant à prolonger une impression qui embrassait mille sensations diverses.

Pour certaines âmes, l'extase du prêtre, face à la grappe des pauvres cabanes, les yeux rivés au reflet du soleil miroitant sur les ardoises polies qui ornaient le chaume de la chapelle, pour certaines âmes, répétons-nous, le ravissement de Sebastião de Melo sera un encouragement à méditer sur ce que pouvait bien être cet homme en ces instants de solitude.

Le passé d'Anacleta, semé de crimes, de faste et de dégradation ; la fille d'Anacleta priant Dieu, à cette heure, pour la vie de son bienfaiteur et pour que soit percé le secret de la destinée de sa fille ; Ângela de Lima, la mère du garçon acheté au poignard d'un infanticide ; la comtesse de Santa Bárbara, attachée à un poteau de douleur et d'infamie que son mari lui jetait au visage ; Pedro da Silva, agonisant dans les derniers déchirements d'une malheureuse passion ; Francisca Valadares gisant depuis un an dans la tombe, et cette tombe fermée à jamais... et puis... comme un démenti à tout ce qu'est la vie, comme le désenchantement de toutes les illusions... cette malheureuse, là-bas, à l'écart du monde, lentement déchirée dans chacune de ses fibres, vivant en attendant la mort rédemptrice.

Père Dinis levait machinalement les mains et les yeux vers le ciel, quand le son suave de la cloche sonnant l'angélus réveilla son cœur.

« Cette cloche, est-ce encore elle qui la sonne ? Douleur bénie, qui m'ouvre le Ciel en ce moment ! Femme prédestinée, à qui le Seigneur a confié la mission de me sauver des dernières illusions de ma misérable existence ! Bénie sois-tu, sainte, qui t'en vas de ce monde, laissant un homme que le monde a admiré publiquement, et dont toutes les actions de sa vie ne valent pas un seul de tes instants de repentance ignorés de tous ! » Ses yeux pleuraient, et ses lèvres gémissaient cette véhémente invocation. La nuit tombait quand le prêtre entra dans le hameau.

Il s'arrêta devant la chapelle et vit, comme un an auparavant, Anacleta se diriger vers lui.

— Monsieur, voulez-vous que je vous indique l'auberge des voyageurs ?

— Je sais déjà où elle est. Approchez-vous… Donnez-moi votre main, Anacleta… Vous me connaissez déjà.

— Oui !… La voix ! balbutia-t-elle, arrosant de larmes la main du prêtre et voulant s'agenouiller.

— Vous voyez mon visage ?

— Je le vois… ce n'est pas celui de la personne à qui je pensais… Je me suis trompée… pardonnez-moi… dit-elle en reculant.

— Vous ne vous trompez pas… Le visage de l'homme du monde n'est pas celui du prêtre… Regardez… Mes cheveux ont blanchi… J'ai vieilli. À tout à l'heure, ma sœur ! Je viendrai vous rendre compte de ma mission. Priez Dieu pour moi, et pour l'âme d'une martyre que j'ai laissée, dormant dans sa sépulture, tandis que je venais ici moi-même pour ne confier à personne vos confidences.

Père Dinis frappa à la porte du capitaine de Viduedo. Il s'assit sur l'escabeau où il s'était assis autrefois ; personne ne le reconnut.

— Monsieur le Révérend Père est en route pour prêcher la Semaine sainte à Ribeira da Pena, à Vila Pouca ou à Ermelo, n'est-ce pas ?

— Non, mes amis. Je suis venu dans votre village chercher des prières.

— Celles de la petite sainte ?… Grand bien vous fasse !

C'est notre ange gardien... Depuis qu'elle est ici, on dirait même que c'est dans nos celliers qu'il y a le plus grand changement. On a eu beaucoup de gens venus de loin. Ça va faire presque un an qu'un gentilhomme est venu de Lisbonne, et depuis lors, la petite sainte, quand elle recommande les âmes, demande un Notre-Père et un *Ave Maria* en plus pour que Dieu Notre-Seigneur guide les pas d'un homme bon qui cherche les victimes de la plus grande des pécheresses.

— La pauvrette ! murmura le prêtre, cachant son émotion. Dites-moi, reprit-il pour changer de sujet, j'ai déjà séjourné chez vous, Monsieur le Capitaine... et j'ai vu ici bien des gens que je n'y vois plus. Il manque un vieillard qui était assis là-bas et racontait l'histoire de ses armoiries.

— Il est mort... c'était mon grand-père. Et quelques heures après lui, mourait ma grand-mère... Ils avaient vécu soixante et onze ans ensemble, ils sont morts ensemble, et ils sont morts dans les bras de la sainte de la chapelle : c'est obligé qu'ils soient au Ciel.

— Et elle... la pauvre femme, elle mène toujours la même vie austère ?

— Toujours la même. La seule différence, c'est qu'elle a pris l'habitude de monter à un piton de la butte, là-bas, d'où on voit la route. De temps en temps, on l'y voit comme si elle attendait quelqu'un. Autrement, elle se nourrit de pain et d'eau, et son lit est toujours sous l'auvent, sur la pierre nue. Il y a de ça quelques mois, est venue une dame de Basto, avec un domestique en livrée, sur un grand cheval. Une vraie virago. Elle est entrée dans notre enclos et nous a demandé d'aller chercher la sainte. Je suis allé la chercher moi-même chez un malade, je lui ai dit qu'il y avait là une dame, elle est devenue de la couleur de cette chemise, mais est venue avec moi après avoir enlevé les cautères au malade. Quand elle a vu la dame, on aurait dit qu'elle en avait peur. L'autre l'a très bien traitée, et elle l'a emmenée

dans ma nouvelle maison, où j'ai mis du parquet, et elles y
sont restées un bon bout de temps à parler. Quand elles sont
sorties toutes les deux, je me suis dit : "Il faut que je sache
ce que c'est que cette affaire. Ça m'a l'air d'une intrigue de
sorcellerie ou d'incantation." Je me suis collé au mur de la
chapelle, du côté du bois, pour voir ce qu'elles faisaient… Et
voilà-t-il pas que d'un coup, Mon Révérend Père, la petite
sainte s'est agenouillée, la dame s'est agenouillée aussi, et elles
sont restées comme ça un moment. À la fin, j'ai entendu
la dame dire :

» — Vous ne me faites rien d'autre ?!

» — Rien, a répondu la sainte, ce que Votre Excellence a
fait ici, elle peut le faire chez elle. Ayez foi dans le remède,
qui pourrait vous venir de Dieu ; de moi, misérable pécheresse, vous n'avez rien à attendre.

» Ces mots me sont restés gravés dans la mémoire. Toujours
est-il que, deux mois plus tard, la dame est revenue, est allée
la trouver à la chapelle, et l'oncle António da Poça m'a dit
qu'il l'avait vue serrer la sainte dans ses bras. Ce que c'était,
je n'en sais rien, mais qu'il y avait une histoire de sorcellerie
là-dessous, c'était clair comme de l'eau de roche.

Père Dinis ne le contredit pas. Il avait compris que l'histoire du capitaine était la même qu'on lui avait déjà racontée
sur le mari incrédule de la femme possédée.

Le souper terminé et les grâces rendues à Dieu par le
prêtre qui, selon l'usage, en avait la primeur, ils s'assirent
sur l'escabeau, alors que la voix de la pénitente faisait l'appel
aux prières habituelles. Le sauveur d'Antónia Mascarenhas
frémit quand il entendit le dernier appel : « Un Notre-Père
de plus, et un *Ave Maria* pour que Dieu Notre-Seigneur
guide les pas d'un homme bon, qui cherche les victimes de
la plus grande des pécheresses ! »

— Maintenant, demanda l'hôte, permettez-vous que j'aille
trouver cette femme sous l'auvent ?

— Je vais vous montrer le chemin, mon Père.

— Je le connais, mon ami ; restez, et, au lever du jour, accordez-moi la faveur de m'aider à la messe dans la petite chapelle.

— Alors, mon Père, laissez-moi en faire part aux voisins, car demain c'est Jeudi saint.

La lune baignait les montagnes d'un éclat d'argent. Le souffle du vent, toujours fort dans ces hauteurs, agitait les bruyères, donnant à la vaste broussaille l'aspect d'une mer tempétueuse par une nuit de clair de lune. Cette lueur éclairait tout, autour du prêtre. Un an plus tôt, la nuit était tout autre pour Sebastião de Melo. Il avait à peine distingué alors le visage d'Anacleta, si proche de lui, car, bien que grands ouverts, les yeux étaient aveugles dans les ténèbres profondes de cette nuit de décembre.

En mars, il n'en allait pas de même. Père Dinis allait voir la femme qu'il avait vue dix ans auparavant, sinon verte, aimable encore, exubérante de vie, le feu dans les yeux, avec une désinvolte et lascive palette de manières, qui la rendaient, si c'était possible, encore plus fascinante que belle.

Il la vit près de la chapelle, assise, hors du bâtiment en ruine. Son cœur battait comme celui de l'homme, non habitué au crime, qui va affronter le premier abîme. C'est que les sentiments de l'âme excitent dans la matière des sensations identiques, qu'ils soient répugnants ou leur contraire.

Anacleta se leva et vint l'attendre sur le chemin. Le prêtre, pour se donner une contenance, la reçut par une boutade.

— Vous n'avez pas encore perdu les usages de la bonne société… Vous venez me recevoir à l'entrée de votre palais.

— En effet… Mon palais, le voilà ; mais il n'y a qu'une pierre que je vous offre comme canapé.

— Eh bien, Anacleta, donnez-moi cette pierre, et asseyez-vous auprès de votre ami de douze ans… Écoutez… parlons tranquillement… Pas de pleurs ni d'évanouissements… Laissez-moi vous voir de près, ma pénitente… Je vois que vous n'avez guère de cheveu qui ne soit blanc. Nous voilà bien vieux, ma sœur ! Je ne vois rien en vous qui rappelle ce que vous avez été.

– Je n'en doute pas… Cela fait dix ans que je ne me suis vue… je mourrai en ignorant ce que je suis.

– C'est mieux ainsi… J'ai quarante ans… que voyez-vous ?

– Quarante ans !

– Oui, Anacleta… Je comprends votre silence… Cela vous semble incroyable… Eh bien c'est vrai… la douleur fait cela ! Ne me trouvez-vous pas très différent ?

– Je ne peux pas comparer… Je ne me souviens pas de vous avoir vu.

– Vous m'avez vu, Anacleta.

– Quand… où ?!

– Il y a douze ans, chez vous… Il y a dix ans… chez vous encore.

– Dix ans ! Mon Dieu !

– Que vous ai-je demandé, Madame ?! Je ne veux pas d'émotions… J'avais un immense désir de vous montrer en moi l'homme du passé… Puisque vous pleurez, je ne dirai plus rien… à ce sujet.

– Dites, dites… tout ce que vous me direz me sera doux.

– Eh bien… souvenez-vous de Sebastião de Melo !

Anacleta se redressa impétueusement… prit le bras du prêtre et l'entraîna là où tombait un rai de lumière sans aucune ombre.

– Sebastião de Melo ! Sainte Marie ! C'est incroyable… Laissez-moi rassembler mes idées… Quand j'étais riche… un jeune homme a passé quelques soirées chez moi, amené… par je ne sais qui.

– Par Azarias.

– Oui, oui… et il s'appelait…

– Sebastião de Melo.

– Attendez… ayez pitié de moi, car je vais vous poser une question qui me coupe le souffle et le cœur… mais il le faut… Quand j'étais une femme publique… laissez-moi m'exprimer ainsi, car c'est un mérite devant Dieu que de me punir… quand j'étais une femme publique, dans la rue da Rosa das Partilhas, est venu chez moi… un jeune homme, qui a voulu m'arracher à l'abîme, qui a voulu me convaincre que je pouvais être une femme honnête et vertueuse, qui m'a versé, tant que j'ai vécu là, une mensualité… qui n'a pas voulu dire son nom… qui venait toujours le visage dissimulé… et la nuit très tard.

— C'était Sebastião de Melo… Calmez-vous, Anacleta… Vous me blessez… Maintenant, avoir oublié cet homme… Je vois bien qu'il n'y a dans ce que vous voyez rien qui vous rappelle l'autre ; mais croyez que c'est le même. Eh bien, ma sœur de souffrance, vous voyez qu'il y a bien des angoisses qui se croisent, veillées par le même Dieu et emplies d'espérance dans la même éternité… Nous sommes dignes l'un de l'autre par la force attractive de la souffrance. Soyons égoïstes avec nos cheveux blancs, n'est-ce pas ? Devant nous se dresse l'infini… La vie est là-bas… Ici, c'est un long paroxysme dans une courte journée… Changeons de conversation, Anacleta. Parlons de vos filles et de vous, d'accord ?

— D'elles… De moi, à quoi bon ? Je ne vis plus.

— On le croit… on pense que vous êtes morte.

— Je vous en remercie, mon Dieu !

— Vos filles, je les ai trouvées. Une, Emília, est vivante… je vous l'ai déjà dit… mariée, et se croit heureuse. L'autre allait clore la courte carrière de ses souffrances quand je l'ai trouvée. J'en ai fait ma sœur… Je l'ai emmenée dans un couvent… Elle n'est pas heureuse, mais elle a une cellule pour ses larmes, un autel pour ses prières et une sépulture près des sépultures où dorment d'un sommeil éternel bien des femmes vertueuses… Je vous l'ai déjà dit, Anacleta… je ne vous veux pas ainsi, à genoux.

— Mais, Monsieur ! Laissez-moi satisfaire cet élan de mon cœur.

– Pas ici… là, au pied de cette croix… Allez-y et agenouillez-vous, je veux prier avec vous.

Et tous deux s'agenouillèrent.

– Anacleta ! Dites avec moi : "Dieu de justice et de miséricorde ! Depuis dix ans mes larmes n'ont pas été pleurées en vain au pied de la croix de Votre Fils ! Mes crimes étaient grands, ma pénitence a été petite, mais je suis un ver, et vous êtes Dieu. Pardonnez-moi pour la goutte de sang que Jésus-Christ a versée sur les taches de Madeleine ! Pardonnez-moi, pour que je puisse poser sur cette pierre ma tête moribonde, bénissant la douleur… Pardonnez-moi."

La voix d'Anacleta fut étranglée par les sanglots. Père Dinis se leva, s'inclina vers la pénitente et lui dit d'une voix entre-coupée par la ferveur des dernières paroles :

– Agenouillez-vous au pied du ministre de Dieu, ma sœur !

Anacleta se retourna, les yeux emplis de fièvre, fixés sur le visage du prêtre.

– Dans votre vie, y a-t-il des crimes que j'ignore ?

– Aucun… je pense qu'il n'y en a aucun !

– Pardonnez-vous à ceux qui vous ont rendue malheureuse ?

– De tout mon cœur.

– Je vous absous, au nom du Père, du Fils et du Saint-Esprit… Priez… Il est minuit… À quatre heures, je serai avec vous.

À l'aube, celui qui alla sonner la cloche de la chapelle pour appeler à la messe trouva la pénitente, chose extraordinaire, plongée dans un sommeil profond. Il palpa ses mains et les trouva brûlantes. Père Dinis arriva. Il prit Anacleta dans ses bras, elle ouvrit les yeux, souriant, et baisa sa main. Une fois ouverte la porte de la chapelle, le prêtre se para, vint sur le seuil et tendit la main à la pénitente :

– Entrez, ma fille !

Anacleta entra. Elle pleurait et riait à la fois, mais ses jambes ne la soutenaient pas. Le prêtre la conduisit au pied de l'autel.

Le sacrifice sans effusion de sang commença. Chaque fois que le prêtre tournait son visage, les villageois pleuraient, sans comprendre les larmes qui inondaient le visage du religieux.

Pour la communion, l'aide prit une serviette qu'il mit au cou d'Anacleta.

— *Ecce Agnus Dei...* dit le prêtre en frémissant, les yeux fixés sur la pénitente.

En prononçant les paroles : « *Corpus Domini nostri Jesu Christi...* », les lèvres d'Anacleta étaient violacées, son visage de la couleur de la serviette ; seuls ses yeux, emplis de larmes et rivés sur l'ecclésiastique, exprimaient... une dernière étincelle de vie.

Le prêtre se retourna vers l'autel et se dit dans son cœur : « Seigneur ! Emportez cette malheureuse si vous lui avez pardonné ! »

La supplique fut coupée par le cri de l'assemblée.

— Que se passe-t-il ? demanda sereinement le prêtre à son aide.

— La sainte est morte.

En prononçant « *Dominus vobiscum* », le religieux se retourna à temps pour saisir le dernier regard d'Anacleta.

Le sacrifice consumé, il prit le cadavre dans ses bras et le plaça sur la commode des chasubles. Il appela le capitaine et lui demanda de l'aider à creuser une sépulture sous l'auvent de la chapelle. Tous voulurent emporter de la terre de la sépulture de la sainte. Deux heures plus tard, quelques femmes priaient autour de la pierre qui la recouvrait et demandaient à l'esprit béni de la prédestinée de ne pas les abandonner. Peu de temps après, Père Dinis franchissait la colline d'où, un an auparavant, il avait dit adieu à la pénitente qui lui faisait signe de la crête des rochers. Il regarda dans cette direction.

— C'était là-bas... dit-il, et il pleura.

V

Treize années plus tard, nous retrouvons Frère Baltasar da Encarnação, recouvrant le sentiment de la vie et la conscience de la mort pour demander à son fils d'unir les cendres de Silvina à son cadavre. Nous voyons Père Dinis s'élever au-dessus de la condition humaine, pour tenter un dernier acte héroïque en récitant une oraison funèbre sur la bière de son père, et succomber, pour la première fois de sa vie, aux bouleversements de l'émotion.

Cet homme devait être arrivé au terme de son parcours. La nature humaine, sans protection divine, ne peut en endurer autant. Cette ultime vicissitude devait épuiser ses forces affaiblies par de longues années de drames, dont la conclusion ne pouvait être qu'une mort répétée à plusieurs reprises. Le dénouement ne pouvait tarder.

Le fils du dominicain se retira dans sa maison de Junqueira et, à compter de ce jour, s'enfonçant dans la mélancolie, sans la voix d'un ami qui vint l'en distraire, la solitude, un quasi-oubli de lui-même et des autres, transforma l'homme de fer en un être qui semblait craindre la parole des hommes. Bien des fois, il passa la main sur son front et le trouva embrasé ; d'autres encore, il sonda l'état de sa conscience, et se jugea criminel. Mais la conscience, les moments de fièvre passés, réagissait, et le malheureux se croyait dément.

Les suppliques de la comtesse de Santa Bárbara appelaient sa présence. La tombe de Francisca Valadares lui demandait une larme. Les derniers mots de son père lui parlaient de Silvina... puis la mémoire, les souvenirs d'un long passé où la moindre de ses tribulations serait, pour un homme faible, l'aliénation mentale !

Quinze jours s'étaient écoulés depuis que le prêtre avait pris congé d'Ângela de Lima pour satisfaire la promesse faite au moine de Santarém. Ce temps passé sans nouvelles avait mortifié les deux protégées d'Odivelas. Antónia, qui sentait pour cet homme un amour allant jusqu'à la dévotion, une affection filiale, pleurait et ne pouvait révéler à son amie les chaînes sacrées qui la liaient à Père Dinis. La comtesse, même convaincue qu'il n'y avait aucun lien de parenté entre Antónia et Sebastião de Melo, n'osait pas la moindre parole indiscrète qui obligerait son amie à des révélations qui, pour des motifs justes, quels qu'ils fussent, lui étaient occultés.

Au bout de huit jours, elles envoyèrent quérir des nouvelles du prêtre à Junqueira, et apprirent qu'il était rentré très malade depuis cinq jours et n'était pas sorti de sa chambre ni n'avait autorisé les visites. Les instances de la comtesse redoublèrent, les lettres se multiplièrent, les suppliques devinrent un nouveau supplice pour le penseur solitaire des conflits orageux de sa vie.

Père Dinis alla à Odivelas. En le serrant dans leurs bras à son arrivée, les deux comprirent qu'il n'était plus l'homme d'il y avait quinze jours. Il les écoutait, il semblait les écouter, mais ne répondait pas, ni n'enchaînait deux idées sans se tenir le front, comme cherchant à se souvenir des termes pour exprimer son idée. Aussitôt qu'Ângela ou Antónia se taisaient, la tête de l'ecclésiastique retombait lentement sur sa poitrine, et seule une question vivace et inattendue le réveillait de cet abattement, le faisant sursauter.

Les deux amies se regardaient, atterrées.

— Mon père, mon bon ami ! disait Ângela. Qu'avez-vous donc ? Nous ne méritons pas votre confiance ? Par Dieu, dites-nous quelles nouvelles souffrances vous mortifient ! Votre voyage à Santarém vous a transfiguré !… Il est arrivé un malheur !

— Vraiment, Madame la Comtesse ? demanda-t-il avec un air enfantin, proche de l'idiotie.

— Sans doute… Sinon dites-nous… dites à vos amies ce qui vous est arrivé ?

– Serrer dans ses bras un homme mort… poser sur son visage jauni un baiser filial… lui demander de me faire accorder par Dieu un temps de répit… ou la mort.

– Eh bien… Dieu accordera tout à Père Dinis, le bienfaiteur de tant de malheureux… Mais qui avez-vous serré dans vos bras ? Était-ce ce saint homme qui a confessé mon mari ?

– Oui… lui-même… Cela fait quatorze jours qu'il est tombé, épuisé par sa longue marche… et il ne se relèvera plus jamais.

– Il n'est pas tombé, mon père ! Il s'est élevé à la présence de Dieu… Si une sainte jalousie n'est pas coupable, envions-lui sa destinée.

– Soit, mes filles, envions-lui sa destinée… Comment va Antónia, qui est si triste, si maigre, et plus vieille que moi ?!

– Elle va bien, mon frère…

– Ne la croyez pas, l'interrompit Ângela, elle est très malade et soucieuse, elle dit qu'elle mourra bientôt… Je lui demande de dire ses souffrances aux médecins, mais elle ne veut pas. Tous les matins, elle crache du sang, et le soir, elle a de la fièvre.

– Ma pauvre sœur ! Tu ne dois rien au bonheur… Tu t'en vas de ce monde sans avoir goûté à la joie.

– Ne parlez pas ainsi, mon frère… Ne suis-je pas si heureuse ? Que demanderais-je encore à Dieu, maintenant que j'ai tout… que j'ai tout réussi ?

– Pas tout, Antónia… J'ai une dette envers toi, et je pense ne pas pouvoir l'honorer.

L'amante de Gervásio Faria baissa les yeux et ne put cacher à la comtesse un tremblement soudain.

– Madame la Comtesse… Votre fils vous écrit ?

– J'ai reçu deux lettres. Et vous, Père Dinis ?

– Quatre… Il me dit que les études l'ennuient… Je ne l'ai jamais connu très porté sur les sciences… Il pensait beaucoup, se plongeait en de grandes abstractions impropres à ses quinze ans. Il est devenu poète très tôt. Il n'apprendra jamais les sciences de la vie réelle… Enfin, que Dieu le guide. Vous avez été très seule ces derniers temps, Madame la Comtesse ?

— Avec ma chère António et Adelaïde Maldonado.

— Comment va cette dame ? Je crois que vous me l'avez déjà dit… triste…

— Oui… très triste… Elle aimerait beaucoup vous voir.

— Appelez-la, Madame la Comtesse.

Dona Ângela sortit avec un empressement joyeux. Entre-temps, Père Dinis, à voix basse, dit à António :

— Ma fille… Vous avez un devoir à accomplir… Ouvrez votre cœur à cette amie, qui le mérite. Racontez-lui l'histoire de votre passé, car elle s'efface de mon souvenir. Écoutez, António, ne lui cachez pas l'histoire de cette martyre qu'était votre mère.

La porte du parloir s'ouvrit et apparut, suivie de la comtesse, la bénédictine Adelaïde Maldonado. Père Dinis se leva, la salua avec la réserve que l'on manifeste à quelqu'un que l'on voit pour la première fois. La nonne eut envers Père Dinis presque la même gêne.

— Monsieur Sebastião de Melo… dit-elle avec difficulté.

— Votre Excellence est Dona Adelaïde Maldonado ?

— Pour vous servir.

— J'aurais eu du mal à vous reconnaître… Il semble que quelques siècles soient passés sur nous… Cela fait seize ans que nous ne nous sommes vus.

— C'est vrai… et j'ai cru que je serais morte avant cette rencontre.

— Vous avez ici deux bonnes dames pour en faire des amies, Dona Adelaïde. Toutes deux ont connu ces morsures de l'infortune qui, si elles ne vous tuent pas, rendent votre cœur plus sensible.

— Ce sont de véritables amies… Grâce à elles, je commence à sentir, depuis quelques jours, la tranquillité et la joie dont on peut jouir dans un couvent où la nécessité m'a forcée à vivre.

– La nécessité ? C'est une douloureuse contrainte…
Viendra bientôt le jour où Votre Excellence trouvera grandes
ouvertes les portes de cette maison, si vous voulez la quitter.

– Quelle triste prophétie !

– Ne lui donnez pas ce nom… Le monastère est une
excroissance des siècles, aujourd'hui convoqué devant la civilisation pour se voir condamné sous l'inculpation de barba-
risme. Le monastère sera mis en partage par les apôtres de
la nouvelle loi… qui ne sont pas de ceux qui secouent leurs
sandales en sortant des hameaux… Préparez-vous, ma bonne
dame, car demain vous trouverez le monde les bras ouverts
pour vous recevoir. Si alors vous voulez vous rendre intéressante, vous direz qu'on vous a fait prononcer vos vœux de
force… Vous verrez quelle pitié compatissante vous éveillerez
en votre faveur… Soyez parmi les premières à sortir, car la
dernière y sera contrainte par la faim.

– Ni la première ni la dernière, Monsieur Sebastião
de Melo.

– Père Dinis, Père Dinis… donnez-moi ce nom, qui
est le mien, Dona Adelaïde… Donc, ni la première ni la
dernière ?

– Non, Monsieur. Là où les fleurs de ma jeunesse se sont
fanées, tombera aussi ma couronne d'épines… Je mourrai…
c'est-à-dire… je veux être enterrée là où je suis morte…

– À Santa Apolónia… interrompit le prêtre, comme poursuivant la pensée de la religieuse.

La vivacité empruntée, qui avait momentanément donné
à ses gestes la brillance d'antan, s'éteignit. Il retomba dans
l'apathie d'où l'avait arraché l'affection de ses amies.

Une voiture arriva dans le patio. Puis la sœur concierge
appela :

– Santa Bárbara.

Une servante vint annoncer monsieur Alberto de Magalhães.

– Qu'il vienne au parloir.

Père Dinis se réveilla de son apathie, quand Alberto apparut sur le seuil. Il se leva, lui serra la main et l'invita à occuper la place d'honneur selon les préséances raffinées d'un parloir.

— Je trouve Votre Excellence ici alors que je venais chercher de ses nouvelles ?! J'ai bien de la chance.

— En quoi puis-je vous être utile, Monsieur Alberto de Magalhães ?

— En m'accordant l'honneur de venir vous voir chez vous… Nous verrons si je suis plus chanceux à la quatrième fois. Bien que sachant Votre Seigneurie dans sa chambre, je n'ai pas réussi à me faire annoncer par votre domestique.

— C'est ma faute. J'en ai donné l'ordre. Pardonnez mon ignorance de votre visite. Je réparerai ma faute, si vous me donnez l'occasion de vous rendre service.

— Je n'en demande pas tant… Je peux, sans indiscrétion, dire en présence de ces dames la raison pour laquelle je vous cherchais. Il y a quelques jours, sortant de chez le marquis de Sesimbra, à dix heures du soir, en montant dans ma voiture, j'ai été abordé par un inconnu qui a éveillé ma suspicion. Je me préparais à le recevoir grossièrement, quand l'homme, dissimulé sous sa cape, me dit :

» — Je ne sais pas qui vous êtes, je ne vous cherche pas, vous, plutôt qu'un autre individu qui sortirait de cette maison. En passant par hasard, j'ai reconnu le propriétaire de ce palais, j'ai vu des gentilshommes à la fenêtre et des voitures devant la porte ; j'ai décidé d'attendre le premier qui sortirait pour lui poser une question qui ne le retiendrait pas longtemps.

» — Ayez la bonté de parler, lui dis-je, et s'il vous sied de monter dans cette voiture, je vous écouterai chez moi.

» — Non, Monsieur. Je promets de ne pas être importun. Dites-moi : connaissez-vous la vie intime de la haute société de Lisbonne ?

» Cette question me pétrifia. Il n'y a rien de plus vague,

Mesdames. Je méditai un peu sur la gravité de ma réponse, avant de dire :

» — J'en connais quelque peu, mais il est probable que j'en ignore presque tout.

» — Quel âge avez-vous ?

» — Trente-huit ans.

» — Avez-vous connu, il y a un certain temps, dans la société de Lisbonne, un gentilhomme de province appelé Sebastião de Melo ?

» — Non… je ne me rappelle pas ce nom.

» — Pardonnez-moi, je n'ai plus rien à vous dire… Merci beaucoup, Monsieur.

» Au premier abord, je pris cet homme pour un fou. Je ne voulus pas le quitter sans approfondir la véritable signification de ce dialogue extraordinaire. Je le rappelai et lui dis, avec l'intention maligne de m'amuser :

» — Imaginez que j'aie connu Sebastião de Melo.

» — Il ne s'agit pas d'imaginer. La question, même si elle vous paraît fantastique, mérite une réponse réelle, et non imaginaire. Avez-vous connu, Monsieur, la personne que je vous ai nommée ?

» — Bien que je ne l'aie pas connue personnellement, je peux en un instant récolter toutes les informations que vous me demanderez.

» — Eh bien donc, remontez demander à ces messieurs si l'un d'eux a connu Sebastião de Melo et s'il est encore vivant.

» J'entrai dans le salon et demandai à voix haute :

» — L'un d'entre vous connaît-il Sebastião de Melo ?

» — Presque tous, répondirent plusieurs voix.

» Cette réponse modifia entièrement l'idée que je me faisais de mon tragédien à la cape.

» — Est-il vivant ?

» Les uns répondirent "Non", les autres "Nous ne savons pas". Une voix, la dernière, dit : "Il l'est."

» Je revins rendre compte de ma mission à mon ami sans nom.

» — Ayez la bonté de demander au gentilhomme qui vous a répondu que Sebastião de Melo était vivant si quelqu'un qui a grand besoin de le voir pourrait le rencontrer.

» J'y suis retourné et j'ai interrogé cette personne.

» — Cet homme est aujourd'hui prêtre. Il se fait appeler Dinis Ramalho e Sousa. Il vit à Junqueira.

» — Votre Excellence est sûre de cela ?

» — Certain… Ne savez-vous pas que je suis l'intendant général de la police ? Maintenant, suivez mon conseil… Ne répétez pas à cet homme ma dernière réponse. Père Dinis est un être mystérieux. Je sais qu'il a eu des problèmes dans sa jeunesse, parce que je l'ai rencontré souvent hors du Portugal en danger de mort. Qui sait si cet homme, qui le cherche, n'est pas le poignard d'une vengeance occulte ?… Ça me fait penser à un coup monté… Je vais faire arrêter cet homme.

» — Non, l'ai-je coupé, Votre Excellence ne fera pas ce pas par-dessus mon honneur. Quelle que soit l'intention de cet homme, c'est une affaire privée, dans laquelle l'intendance de la police ne peut s'ingérer despotiquement. En revanche, je peux lui cacher la résidence actuelle de Sebastião de Melo.

» — Comme il vous plaira.

» Je suis descendu, la tête pleine de doutes. Je remarquai que j'étais attendu avec impatience.

» — Alors ? Vous avez une bonne nouvelle à m'annoncer ?

» — Je pourrais vous l'annoncer, mais je ne vous connais pas.

» — Que vous importe qui je suis, Monsieur ?! Vous êtes moins courtois que vous ne me sembliez… Adieu, Monsieur.

» — Attendez, ai-je dit en marchant à ses côtés, je connais Sebastião de Melo.

» — Vous voulez *que je l'imagine ?* répondit-il, en souriant.

» — Non, croyez-moi, je vous donne ma parole d'honneur que je connais l'homme qui s'est appelé Sebastião de Melo. Je peux vous rendre service. Donnez-moi quelque chose que je puisse présenter à ce monsieur. S'il me dit qu'il vous reçoit, je vous indiquerai sa résidence.

» – Où donc ?

» – À Lisbonne.

» – Attendez.

» Il entra dans un estaminet, s'attarda quelques instants et revint :

» – Vous engagez votre parole sur la prompte remise de cette lettre à Sebastião de Melo ?

» – J'engage ma vie. Venez chercher la réponse ici demain, à la même heure.

» L'inconnu disparut. La lettre, qu'il m'a remise, la voici, Monsieur Sebastião de Melo.

Père Dinis ouvrit sereinement la lettre. Il en sortit une carte de visite. À peine la vit-il qu'il se redressa d'un bond. On aurait cru que ses yeux allaient jaillir de ses orbites sur cette carte, qui tremblait entre ses mains convulsées. Sur toutes les physionomies, s'imprima une stupeur identique ; l'anxiété de ces dames n'était pas moins angoissante que celle du prêtre, si tant est que ces émotions fussent de l'angoisse.

Personne n'osa l'interroger et tous attendaient un mot de lui.

Père Dinis, soudain ramené à sa sombre tranquillité, se tourna vers Alberto avec une voix ferme :

– Monsieur ! Dites à cette personne de venir me voir quand elle le voudra. Je vous remercie de la part que vous avez prise dans cette affaire, Monsieur Alberto… Mesdames, permettez-moi de me priver de votre compagnie. Je vous laisse avec Monsieur Alberto, qui partira plus tard, puisqu'il a sa voiture.

Les dames en prenant congé étaient en larmes. Leurs paroles disparaissaient sous leurs sanglots.

VI

Il était onze heures du soir, ce même jour. Père Dinis, courbé sur son écritoire, lâcha sa plume, appuya sa tête sur sa main gauche, tenant dans la droite la carte de visite qu'il avait reçue à Odivelas.

Quel nouvel épisode vient perturber l'existence tempétueuse de cet homme supérieur dans la vertu et dans l'infortune ? Quand soldera-t-il ses comptes avec la Providence, ce vieillard qui, dès sa jeunesse, entama l'expiation d'une énorme faute ? Quand le Très-Haut concédera-t-il deux heures de tranquillité à l'ange protecteur de tant de criminels, de tant d'innocents et de tant d'âmes arrachées à la perdition, restituées à l'honneur et au service de la vertu ?

Étaient-ce là les réflexions du prêtre ? Non. Jamais il n'osa, comme Job, interroger la Divinité. Comme le Christ au jardin des Oliviers n'a jamais demandé à l'ange du Seigneur d'éloigner son calice, si la volonté de l'Éternel lui ordonnait de le boire. Implorant la mort, il disait : « Quand vous verrez, Seigneur, que l'expiation dépasse le crime, emportez-moi ! »

Cette nuit, pourtant, ses pensées étaient autres. Une heure de silencieuse méditation sur cette carte qui annonçait une rencontre inespérée, une surprise des plus extraordinaires au vu de la grande impression qu'elle éveillait.

La tour des Hiéronymites sonna minuit. Au même moment, le domestique de Père Dinis dit hors de la chambre :

– Il y a là un inconnu qui demande si l'individu qui vous a fait remettre un message peut monter.

– Qu'il monte.

– Au salon ?

– Non. Dans ma chambre.

Quelques minutes plus tard, entra l'homme à la cape,

qu'il laissa tomber de ses épaules une fois arrivé dans l'anti-chambre du cabinet.

— Sebastião de Melo… dit-il en tendant la main à l'ecclésiastique.

— Azarias… dit placidement le prêtre en serrant avec froideur la main offerte.

— Si je ne t'avais pas fait remettre ce message, tu ne m'aurais sans doute pas reconnu.

— Non… Cela fait vingt ans que je ne t'ai vu.

— La dernière fois, c'était en Afrique.

— Exactement.

— Depuis, comment s'est passée ta vie ?

— Remplie de peines.

— La mienne… je laisse mes rides te répondre. Accorde-moi le privilège d'être le premier malheureux sous ce ciel.

— Je te l'accorde.

— Ton caractère moral est plus transfiguré que ton physique.

— Tu as raison… il ne pouvait en être autrement.

— Je dois cependant te demander quelques moments amènes. Si ton cœur est dur comme tes paroles, dis-moi de partir.

— Que veux-tu de moi, Azarias ?!

— De l'amitié.

— Je ne peux pas. Tout au plus ta présence peut éveiller ma compassion.

— Donne-moi cela, au moins… Écoute-moi : j'ai débarqué il y a quatre jours à Lisbonne. Cela fait quinze ans que je vis à mille cinq cents lieues de ce pays. Je ne sais pas quel souvenir j'ai laissé au Portugal ! Peut-être mon nom ne figure-t-il même plus au catalogue des grands pervers… Te rappelles-tu, Sebastião de Melo, que je t'ai emmené chez une dame qui vivait à Conceição Velha ?

— Je m'en souviens… Dona Anacleta dos Remédios, c'était son nom.

— C'est exact. Sais-tu quelque chose au sujet de cette femme ?

— Oui… mais laisse-moi te donner de ses nouvelles sans m'interrompre. Elle a aimé un homme qui s'appelait Azarias. Cet homme, abandonné par son père, dont sa vie dissolue avait fait la honte et la ruine, chercha cette femme, dont il raillait la passion avec ses amis, et se vendit à elle pour quelques soupes, un habit et un cheval, qu'elle lui donna. Azarias tramait la perdition d'une pauvre jeune fille, et n'aurait pu l'attirer sans les soupes, la veste et le cheval qu'Anacleta lui avait donnés.

» La marchande de morue eut l'ingénuité de montrer à son amant un trésor. Azarias conçut un plan audacieux. Il la vola, comme il vola à son père la femme qu'il devait, quelques jours plus tard, enterrer sous les sables de Tanger. Cette aventure, tu la connais sûrement mieux que moi… mais celle d'Anacleta, je la connais mieux que toi.

» La marchande de morue a été ruinée. Ses créanciers lui saisirent tout. Elle se réfugia dans une pauvre maison, et se retrouva entre quatre murs avec sa fille, la faim et le dénuement pour compagnons.

» Anacleta se regarda dans un miroir, se mit à la fenêtre et héla le premier homme qui passait.

» Peu de jours plus tard, elle était devenue une courtisane renommée. Mais son prestige déclina et ses besoins augmentèrent avec le commerce avantageux auquel elle s'adonnait.

» La fille d'Anacleta… essaie de te rappeler… était une jolie fillette quand nous l'avons connue. Un duc s'en amouracha et estima sa passion à cent pièces. Il proposa le marché à la mère, vint à bout des faibles hésitations de sa conscience et ils conclurent l'affaire. Anacleta exposa à sa fille les raisons du duc et les siennes, mais ne la convainquit pas. Le duc, plus athlète qu'orateur, songea à recourir à la violence. La mère appuya le procédé, car elle craignait la faim et Azarias ne lui envoyait pas un sou de ses cent mille cruzados.

Maria Amália, je crois qu'elle s'appelait ainsi, sous la menace du viol, se suicida.

» La mère disparut et on la crut morte. Toutes les mères et toutes les filles la maudirent, parce qu'elles pensèrent qu'elle avait tué la pauvre fillette. Il a fallu que le remords tourmente le duc, à la fin de sa vie, pour qu'il avoue le suicide de Maria Amália, que les anges ont reçue dans sa chute. La malédiction sur la mémoire d'Anacleta en fut ravivée, avec une indignation encore plus rancunière.

» L'amante d'Azarias ne se tua pas. Très loin de Lisbonne, elle embrassa un martyre dix années durant. Son lit était une pierre, son drap le gel de la nuit, sa maison l'auvent d'une chapelle, sa pitance un quignon de pain et un bol d'eau par jour. Au bout de dix ans, cette femme pardonna à Azarias Pereira, pour que ses victimes lui pardonnent à elle et, comme la dernière fibre de sa souffrance s'était rompue, Anacleta mourut. Elle gît sous une pierre où les gens, qui la tiennent pour une sainte, viennent s'agenouiller… Je n'ai rien d'autre à te dire sur cette dame.

– Cela suffit. Regarde-moi, Sebastião de Melo ! Je t'ai écouté sans une larme. L'homme que tu vois est mort ! Au-delà de certaines amertumes, la sensibilité s'assèche. Je viens ici comme un automate, poussé par une force qui m'a réduit à la condition d'un être irrationnel. Je suis venu attiré par l'odeur du sang, comme un tigre. Je n'ai ni âme, ni raison, ni conscience. Je suis une machine. Cela fait vingt-huit ans que je suis puni… par qui ? Pendant un certain temps j'ai pensé que c'était Dieu qui me punissait. Après d'autres malheurs, j'ai cru en l'existence du Lucifer de la fable chrétienne, parce que je me suis cru livré aux caprices d'un démon. Dieu – le Dieu de mes grands-parents – a été vindicatif avec Caïn, a mis la souffrance humaine à l'épreuve avec Job, mais Il a pardonné à David. Les dernières lueurs de ma raison m'ont montré que la fortune et le malheur sont des éventualités qui ne connaissent de sanction ni au Ciel ni en Enfer. Toutes les religions mentent, toutes les misères sont le fruit du hasard, et il n'y a pas de juge qui bénisse ou condamne, hormis l'homme. Enlevez-lui sa conscience, et l'homme embrassera les fauves, et ira avec eux dévorer son semblable. De conscience, je n'ai point. La souffrance l'a anéantie… Je te l'ai déjà dit, je suis revenu au Portugal machinalement. Au bout de vingt ans de faim et de pénuries, et d'abjections qui m'ont avili à mes propres yeux, un homme a fait de moi son héritier si toutefois j'étais toujours vivant. Cette nouvelle m'a trouvé au fin fond de la Tartarie. Je suis allé en Hollande toucher cet héritage avec lequel j'aurais pu acheter le bonheur, mais je n'avais plus aucune ambition, aucun désir, aucun espoir à réaliser ni en ce monde ni en dehors de lui. Je voulais restituer l'argent volé à cette femme que j'ai entraînée avec moi dans l'abîme, et je la découvre morte ! Je n'imaginais pas la retrouver heureuse… Mais les deux filles qu'Anacleta avait au collège, elles sont toujours vivantes ?

– Oui.

– Eh bien, c'est à elles que je ferai cette restitution… Je n'ai plus de devoir à accomplir. Je l'ai volée… Cet or, tu sais parfaitement que je l'ai vu disparaître entre deux vagues, tandis que je tenais entre mes bras cet ange qui avait fait de moi un démon, ce cadavre livide sur lequel tu as vu tomber les larmes d'un grand pervers… Demain, comme première et dernière supplique d'Azarias, tu recevras cet argent, et je ne t'interdis pas de dire aux filles d'Anacleta que son voleur est revenu au Portugal, après vingt-trois ans, restituer l'argent avec lequel il a acheté son infamie perpétuelle. Qu'elles ne remercient pour cet argent ni Dieu ni la vertu… C'est le hasard qui a guidé ici cette machine… Si un autre hasard me plaçait demain dans la nécessité de voler les filles d'Anacleta, je les volerais.

– Azarias… dit sereinement le prêtre, qui t'a perverti ainsi ?

– Le malheur.

– Combien de victimes as-tu faites d'un coup ? La femme que tu as emmenée avec toi. Le père de cette femme, qui est mort fou. Anacleta, qui est passée de la prostitution au martyre. Une de ses filles, qui s'est suicidée. L'autre, qui s'est livrée à un homme que d'autres hommes ont fusillé. Tu as ouvert et fermé quatre tombes. Et tu as mis au bord de la cinquième une malheureuse qui attend, avant que ton pied ne l'y pousse, de retrouver une fille qu'on lui a arrachée, par crainte qu'elle ait pu, dans l'avenir, lui donner une bouchée de pain sur l'héritage de son père. Azarias ! Voilà ton œuvre ! Si on éclaire ce tableau, les traits que l'on distingue le mieux, ce sont les tiens. Il était puissant, le bras qui a pu autant ! Et la justice de Dieu, qui n'a pas confié à ton bras la mission de tuer, l'a cassé. Toi seul as expié les tourments de toutes les brebis que tu as immolées à la sensualité. Tu ne peux, dans ce drame noir, trouver la lueur d'une pensée noble. Tu as employé la turpitude pour satisfaire d'infâmes vocations. Que voulais-tu ? Souffrir quelques contrariétés et ressurgir d'un abattement de quelques jours, la paix au cœur et les bras du monde ouverts pour t'accueillir ? Qu'as-tu donc souffert ? Qui expierait les tortures d'un père qui se voit privé de sa fille unique, de la compagne de ses vieux jours, de tout l'espoir d'un cœur perclus d'amertumes… Un père, Azarias ! Sais-tu ce qu'est un père, qui compte les soupirs de sa fille, de son berceau jusqu'à ses dix-sept ans, et qui, en l'appelant, s'entend répondre : "Ta fille, on te l'a volée" ?! Sais-tu ce qu'est la faim, qui fait descendre une femme d'une position élevée à la strate répugnante où l'obscénité est une condition pour ne pas mourir d'indigence ? Ne vois-tu pas ta part d'infamie dans la violence imposée à sa fille par Anacleta ? Serais-tu, aux yeux de Dieu, un homme puni et racheté, alors que la femme qui t'a aimé et t'aurait donné ce trésor si tu le lui avais demandé se réveille sur une pierre sans pouvoir lever ses bras raidis pour remercier la miséricorde divine d'un jour de plus de martyre et de repentance ? Tu te révoltes contre la Providence, toi qui vois passer sans une larme la procession de spectres qui te ferait tomber face contre terre, si ne dominait en toi le plus révoltant de tous les orgueils… l'orgueil du crime ! "La fortune ou le malheur sont un hasard", as-tu dit, homme faible ! La conscience du juste, du bon fils, du bon frère, du bon mari et de la bonne mère, pourquoi n'est-elle pas troublée par les passions enflammées qui brûlèrent dans ton âme l'instinct de la vertu ? Moi, qui ai commis un crime, pourquoi ne suis-je pas heureux par hasard ? Anacleta, qui a assassiné le père de ses filles pour enrichir Maria Amália, pourquoi s'est-elle vu voler ce trésor riche en infamies, et pourquoi a-t-elle vu sa fille la tête brisée contre une pierre ? Regarde comme s'enchaînent les expiations !

– Attends ! J'ai donc été l'instrument de la vengeance de Dieu… Je n'ai pas la responsabilité de mes crimes…

– Le bourreau lui aussi est obligé par la loi à serrer le nœud autour du cou de ses victimes… Le bourreau n'est pas responsable. Mais les crimes qui l'ont amené à la position qu'il occupe parmi ses semblables… qui en est responsable ? Combien de passions ignobles t'ont perverti jusqu'au moment où tu as volé Anacleta ? Combien de tourments as-tu causés à ton vieux père, obligé de fuir le déshonneur et la pauvreté que tu lui préparais au Portugal ? Combien de tes immoralités ont agité Lisbonne, avant que la dernière ne couronne ton abjecte réputation ? Tu vois ! Ce n'est pas le hasard qui t'a choisi pour punir Anacleta. La société entre dans le cachot et offre le gibet ou la hache du bourreau à l'un des condamnés. Le condamné choisit la hache parce que l'infamie l'a rendu couard face au gibet. La Providence aussi choisit ses fléaux parmi les déjections sociales. Tu ne verras jamais l'honnête homme servir de fouet au criminel. Les tigres s'entretuent les uns les autres… Azarias ! Si ton âme est de fer, va en paix ! Que Dieu te donne la conscience, car je ne connais pas les mots capables d'arracher la première larme de contrition au criminel qui, au bout de vingt ans, a inventé le hasard pour réfuter le remords.

Azarias se leva, étreignit Père Dinis et bredouilla en partant des mots presque inintelligibles. Le prêtre comprit, avec étonnement, la résolution inattendue du juif, mais il n'ébaucha aucun geste pour lui barrer la sortie.

Le lendemain, quatre-vingt mille cruzados étaient remis à Père Dinis par monsieur Salema.

— Puis-je savoir où trouver la personne qui m'envoie cet argent ?

— Je ne sais pas, répondit le capitaliste. Azarias a quitté Lisbonne dans la nuit. Je ne connais pas sa destination.

— Faites-moi une faveur et vous aiderez votre ami… je crois qu'Azarias est votre ami ?

— Je ne le connais pas. Il m'a présenté une lettre de deux cent mille réaux, émise à Londres.

— Eh bien, Monsieur, ayez la bonté de diviser ces quatre-vingt mille en deux parts égales. L'une devra être remise à Dona Antónia Mascarenhas, séculière au monastère d'Odivelas, l'autre à Dona Emília Mascarenhas, habitant au numéro 22 de la place da Alegria.

— Et les reçus, à qui dois-je les présenter ?

— À Azarias Pereira. Il est naturel que Votre Seigneurie reçoive des ordres d'un endroit quelconque, vu qu'il a laissé entre vos mains…

— La différence entre quatre-vingt mille cruzados et deux cent mille réaux.

— Monsieur Salema… Vous jouissez d'une bonne réputation, et personne n'hésiterait à vous demander une faveur.

— Je peux vous être utile en quelque chose ?

— Ne dites pas mon nom aux dames à qui vous remettrez les quatre-vingt mille cruzados. Mon intervention n'est pas nécessaire dans cette affaire.

— Soyez tranquille, vos souhaits seront exaucés. Je ne vois

là aucune faveur… Dites-moi, Père Dinis, avez-vous vu notre ami Alberto de Magalhães ?

— Parfois, rarement. Vous pensez donc qu'il est mon ami ?

— Il m'a parlé de Votre Seigneurie avec enthousiasme, ce qui est rare chez lui… Savez-vous qu'il est amoureux ?

— Je l'ignorais.

— Si je ne me trompe pas, ce doit être la première fois de sa vie. La fille qui lui a tapé dans l'œil était très intime avec le comte de Santa Bárbara.

— Une certaine Eugénia ?

— Elle-même. Il se trouve que le jeune homme – ce n'est plus un jeune homme, il ne doit pas avoir loin de trente-huit, quarante ans… Toujours est-il qu'il s'en est amouraché, qu'il ne vit que pour elle, et qu'il se moque du commerce compliqué auquel il doit la grosse fortune qu'il possède.

— Ce monsieur est très riche ?

— Richissime. Il peut disposer de douze millions à n'importe quel moment.

— C'est beaucoup, au Portugal… Eh bien, Monsieur, je souhaite à votre ami tous les bonheurs que sa passion pourra lui apporter.

— Puis-je vous être encore utile, Père Dinis ?

— Je serais honoré de pouvoir vous rendre service, Monsieur Salema.

VII

Monsieur Salema se fit conduire au 22 place da Alegria. Dona Emília, comme à son habitude, vint à la fenêtre, attirée par le bruit de l'attelage, et se recula, étonnée, quand elle le vit s'arrêter à sa porte. Son mari eut à peine le temps de retirer sa veste en drap grossier et d'enfiler un habit noir qui pouvait, sans conteste, rivaliser en antiquité avec la veste, sa sœur cadette.

Salema frappait pour la troisième fois à la porte de la petite et unique pièce du maître de solfège, quand il se trouva nez à nez avec le personnage inattendu de monsieur Joaquim dos Reis.

— Je cherche Dona Emília Mascarenhas.

— C'est ma femme, je suis son mari.

— Je vous remercie de cette précision, mais ce n'est pas avec vous que je dois m'entretenir, Monsieur.

— Eh bien la voici… Emília, ce monsieur te demande.

— Je n'ai pas l'honneur de vous connaître, dit timidement Emília.

— Moi non plus, je ne vous connais pas, Madame, mais d'après les renseignements que l'on m'a donnés, la personne à qui je parle est bien Dona Emília Mascarenhas.

— Pour vous servir… Je ne sais pas à qui j'ai l'honneur de parler, et je vous demande pardon si j'ai été impolie, car j'ignore comment je dois m'adresser à vous.

— Allons, Madame, laissons là ces bagatelles. Je suis là pour vous remettre quarante mille cruzados.

— À ma femme ? balbutia le maître de musique, retenant ses lunettes qui dévalaient la pente de son nez.

— À moi ! s'exclama-t-elle, se désignant du doigt et cherchant en un éclair un souvenir qui justifiât une telle surprise.

— Tout à fait. À moins que vous ne soyez pas Emília Mascarenhas. Je vais m'en assurer en vous posant une question.

— Je suis Emília do Loreto Mascarenhas… mais il pourrait y avoir un autre nom comme ça.

— Laisse parler ce monsieur, Emília, dit monsieur Joaquim dos Reis, disposant son mouchoir rouge pour recevoir la distillation du tabac, qu'il faisait tomber à grosses gouttes, dans la juste extase d'une telle surprise, sur les plis de sa chemise.

— Vous connaissez Azarias Pereira ?

— Qu'est-ce que je t'avais dit, Emília ? coupa le conjoint inquiet, forçant son nez déjà plein à aspirer une nouvelle prise en un fracas solennel.

— Oui, je l'ai connu, Monsieur ! répondit en titubant de honte la fille d'Anacleta.

— Vous l'avez connu, oui ou non ? Je sens de l'embarras dans votre réponse.

— Elle l'a parfaitement connu... C'est bien les femmes, ça, répondit le mari, prudent. Elles ont honte de dire certaines choses... Mais enfin, il faut bien les dire... C'est une longue histoire, mais la voilà...

— Ce monsieur, dit Emília en rougissant, ne t'a pas encore demandé de lui raconter d'histoire.

— Je ne l'ai pas demandé et je ne le veux pas. L'affaire est très simple : Azarias Pereira fait remettre à Dona Emília Mascarenhas quarante mille cruzados. Avez-vous une raison de croire que cet argent doive vous être remis, Madame ?

— Elle en a une, elle en a une, dit avec un enthousiasme véhément monsieur Joaquim dos Reis.

— J'en ai une... confirma Emília, voyant que Salema attendait sa réponse.

— Eh bien, veuillez me signer un reçu... Je m'appelle José de Campos Salema.

Tandis qu'Emília signait, le millionnaire appela de la fenêtre son valet, qui entra en portant un sac de pièces d'or, auquel le négociant ajouta une liasse de billets de banque et des bons du Trésor. Une fois l'argent déposé sous les yeux vacillants du pianiste en disponibilité, Salema se retira avec le reçu, monta dans la voiture et ordonna au cocher de prendre la direction d'Odivelas.

Emília entra dans sa chambre et alluma un cierge à Notre-Dame da Rocha, à qui elle adressa toutes les prières qu'elle connaissait. Son mari, moins porté aux ferveurs religieuses, regardait stupidement cet argent, craignant une attaque apoplectique, crainte qui ne l'avait jamais inquiété aux heures les plus chaudes de ses créations d'arpèges d'antan.

Suivons Salema à Odivelas. Antónia Mascarenhas y était demandée pour la première fois par un inconnu. Cette visite coïncidait avec le moment où la sœur adoptive de Sebastião de Melo racontait les mésaventures de sa mère et les siennes à la comtesse de Santa Bárbara. Les yeux portant encore des traces de larmes et le cœur haletant, Antónia demanda à son amie de l'accompagner.

La comtesse arriva avec elle au parloir.

— Laquelle de ces dames est Dona Antónia Mascarenhas ?

— C'est moi, Monsieur.

— Je suis chargé de vous remettre quarante mille cruzados.

— Qui les envoie ?

— Azarias Pereira.

— Ce malheureux vit toujours ?

— Il vit, oui, Madame. Je ne crois pas cependant qu'il soit malheureux. Celui qui tire une traite de deux cent mille réaux sur ma maison… est tout sauf malheureux.

— Dieu permette que son bonheur ne lui vienne pas que de l'or.

— Sûrement, Madame… Veuillez me signer un reçu et recevoir la somme.

— Je ne la recevrai pas, Monsieur.

— Vous ne la recevrez pas ? Elle est bien bonne, celle-là ! Je viens de remettre la même somme à Dona Emília Mascarenhas, qui, naturellement…

— Est ma sœur… Cet argent ne m'appartient pas. Si Votre Seigneurie est chargée d'effectuer une restitution au nom d'Azarias, qu'elle s'adresse au marquis du Val, à qui cette somme appartient.

— Je ne m'adresserai à personne d'autre. Que celui qui le veut vienne me quérir chez moi. J'ai déjà satisfait, à la demande de quelqu'un d'autre, à des obligations que je n'avais pas et à des engagements étrangers aux ordres qui m'ont été donnés. Je peux en revanche, Madame, vous laisser ici mon nom, mon adresse et l'assurance que cet argent sera remis sur ordre de Dona António Mascarenhas à qui elle voudra.

— Votre Seigneurie peut me faire une faveur… Vous ne refuserez certainement pas cela à une femme qui vous le demande avec angoisse.

— Je vous écoute, Madame.

— Au numéro 44 de la Travessa da Junqueira, habite un homme appelé Père Dinis Ramalho e Sousa. Ayez la bonté de lui dire, à ma demande, de faire remettre cette somme au marquis du Val. Je sais qu'il s'exécutera. Est-ce que je mérite ce sacrifice de votre part ?

— Je m'en chargerai sans la moindre réticence.

Salema sortit et la comtesse, comme transportée de respect et d'admiration, serra Antónia dans ses bras.

— Ah ! Quel ange vous êtes, ma chère amie !

— En quoi, Madame la Comtesse ? Qu'ai-je fait, sinon mon devoir ? Cet argent appartenait à mon père, mais mon père était un ecclésiastique.

— Qu'importe ? Ne vous a-t-il pas reconnue, Dona Antónia ?

— Il l'a fait, mais, dans les affres de la mort, comprenant qu'il avait été empoisonné par la mère de ses filles, il maudit cette malheureuse femme et la race qu'elle avait nourrie à son sein. Je ne peux… je ne pourrais voir cet argent qui a fait de ma pauvre mère un bourreau… Pardonne-moi, malheureuse martyre ! Si tu es en présence de Dieu, aie pitié de ta fille, qui peut-être, en cet instant, a reçu de toi l'inspiration pour repousser cet argent qui renferme le secret de cinq cadavres.

Antónia cacha son visage dans le sein de la comtesse, trempant ses mains de larmes.

Elles quittèrent le parloir, entrèrent dans la cellule où, pareilles à deux fleurs de vertu, elles respiraient réciproquement des arômes qui bientôt devaient monter vers Dieu, qui les avait confiées à la vigilance d'un ange.

VIII

Monsieur Salema avait d'innombrables raisons d'affirmer qu'Alberto de Magalhães avait une passion pour la favorite du défunt comte de Santa Bárbara. Quelques jours avant que le propriétaire de neuf navires, comme nous l'avons vu, eût accompli les ordres de l'israélite Azarias Pereira, il avait rencontré Alberto pour des affaires très urgentes, qui ne pouvaient être traitées qu'avec le seul chef d'un vaste réseau de corsaires.

Salema exigeait qu'Alberto de Magalhães, sous prétexte d'un voyage à Constantinople, quittât Lisbonne, pour apaiser par sa présence de dangereux désaccords entre commandants de navires, dus à une prise qu'un certain Lima avait faite sur les côtes de la Chine et qu'il avait omise dans l'inventaire, contre les engagements sacrés de la secte.

Salema savait que ce Lima s'était réfugié à Gibraltar et cherchait à se soustraire à ses obligations de pirate subalterne, rentrant au Portugal comme un honnête Brésilien qui se retire du commerce et revient dans sa patrie profiter de l'aimable climat de son enfance.

Il était donc impératif de punir le réfractaire, et le capitaliste, âme de ces ardues opérations, avait délégué depuis longtemps à Alberto le pouvoir absolu, l'empire de la mer sur dix navires et mille huit cents hommes, parmi lesquels Alberto était connu comme « Barberousse ».

Salema exposa à son lieutenant en chef les raisons qui rendaient son départ urgent. Alberto l'écouta avec lassitude et lui répondit de laisser Lima en paix, de ne pas mettre d'entraves à son retour au Portugal, car chaque homme avait le droit de venir dépenser à terre les rudes économies faites en mer et Lima, avec ses vingt années de service, ne reviendrait qu'avec huit cent mille réaux et on n'avait pas à lui en demander le reliquat.

Salema se plia à l'impérieuse décision de l'inflexible Barberousse, comprenant que le cœur de cet homme avait perdu sa consistance de fer. L'humanité de tels sentiments n'était pas naturelle à son caractère. Le millionnaire l'avait connu les yeux gorgés de sang, quand, en haute mer, l'odeur de la prise venait exacerber sa soif d'or. Qui avait donc pu transfigurer son caractère ? En ce monde, seuls deux miracles peuvent, d'un abîme de perdition, faire s'élever un homme, mort aux sentiments nobles, et lui insuffler la vie d'un ange : la religion et la femme. Les sentiments religieux de Barberousse étaient, à peu près, ceux de Mange-Couteaux. Alberto de Magalhães, en société, affichait un athéisme érudit. En mer, face aux tempêtes, il avouait sa foi en Dieu et, comme il ne pouvait concilier la petitesse de l'homme avec la majesté de la tourmente, il concluait que la vermine n'était pas responsable de ses misères. Même quand une vague ouvrait devant leurs yeux sa gueule vert sombre, Barberousse ne consentait pas que l'équipage blasphémât.

Ce n'était donc pas la piété qui avait efféminé le cœur et affaibli le bras du corsaire. Il avait tout à fait raison, le créancier de la dette insolvable de la marquise de Penacova. C'était là l'influence magique d'une femme. Convaincu de cela, Salema flaira le terrier où la lapine attendait le mâle – comme il disait de façon grotesque – et il tomba, dans les faubourgs de Sintra, sur une voiture où Alberto de Magalhães posait langoureusement sur l'épaule nue d'Eugénia cette tête qu'il avait si souvent vue échevelée par les rafales en mer, semblant défier la colère des éléments et désigner de ses yeux le mât où la foudre glisserait pour s'abattre à ses pieds.

Eugénia était maîtresse du cœur d'Alberto. Contre les lois

de l'habitude, à l'opposé de tous ses antécédents d'opulent voyageur ayant laissé dans les capitales d'Europe une réputation de facile conquérant, et encore plus facile contempteur de conquêtes enviées, Eugénia, sans chercher à se faire valoir par des artifices, parvenait chaque jour à irradier, aux yeux de son amant fasciné, une séduction nouvelle, une beauté morale, spontanée et inattendue.

Sans être conseillée par l'art, la rivale contrainte de Dona Ângela de Lima savait tout ce que l'instinct enseigne et que la plus parfaite des éducations ne peut remplacer chez bien des femmes grossièrement rigides.

Chez Eugénia, tout venait naturellement. La noblesse des manières n'avait pas besoin des coquetteries étudiées devant le miroir, des cambrures de cou et de taille, qui souvent prêtent à la plus élevée des femmes les gestes de la plus avilie. Les postures et les paroles survenaient chez elle avec un naturel charmant ; ses formes s'accordaient si parfaitement avec les évolutions de son esprit qu'il eût fallu ambitionner l'impossible pour désirer un don nouveau chez cette femme.

Puis lui vint soudain ce que l'on aurait pu lui souhaiter parfois : la mélancolie. Au début, Eugénia, hormis les souvenirs pénibles de son esclavage, comme elle l'appelait, était moqueuse, finement mordante, et trop bavarde, mais jamais disgracieuse. Or cela ne s'accordait pas exactement avec le caractère sombre d'Alberto. Mais il la traitait avec tellement de délicatesse qu'il n'osa jamais lui dire, tout en le regrettant, ce qui lui manquait pour être parfaite.

Ce ne fut pas nécessaire. La nature compléta le travail de cette belle constitution. Dès que son esprit prit goût aux mets qu'Alberto lui avait conseillés et que la lecture lui ouvrit le monde de l'intelligence qu'elle ne devinait que d'instinct, Eugénia fut parfaite. Elle devenait triste sans aigreur, pensive, ses beaux yeux émerveillés rivés aux lèvres de son amant, comme si elle ne voulait pas attendre qu'elles finissent de formuler un ordre, avant que ses yeux ne l'aient deviné et obéi.

— Je commence à sentir le vrai bonheur, Eugénia, dit Alberto, assis sur une pierre recouverte de mousse des Pisões, à Sintra, tandis qu'elle cueillait un bouquet de fleurs champêtres.

— Tu es heureux, Alberto ? Parce que tu me vois si joyeuse, n'est-ce pas ?

— Ma générosité ne va pas si loin ! Je suis heureux parce que je suis heureux… Le bonheur des autres… qu'importe-t-il à l'égoïsme de l'homme ? Ta joie pourrait même me rendre triste de ne pouvoir la ressentir avec toi ! Je suis heureux… Je te dois tout, Eugénia. C'est maintenant que je commence à craindre qu'une tempête s'abatte sur cette vie que j'aime tant, et qui s'est éveillée depuis peu, si différente de ce qu'elle a été.

— Eh bien, que pressens-tu donc, mon chéri ?! Ne me regarde pas comme ça, tu me fais mal ! Mon Dieu ! Ce sont des larmes, Alberto ! Que se passe-t-il ? Cette solitude n'est pas bonne pour toi… Je regrette d'avoir eu l'idée de nous installer à la campagne… Retournons à Lisbonne demain, tu veux ?

— Non. Tu ne connais pas la saveur de ces larmes… Quand on est triste ainsi, la tristesse est bénie… L'amour fait cela, Eugénia ! Fais comme si ces deux larmes étaient entre nous une alliance éternelle… ensemble pour toute la vie, Eugénia ! Si le Portugal nous apportait un moment de mortification, nous fuirions d'ici. Le ciel est beau partout sur le globe, quand l'âme n'est pas solitaire… J'ai eu de douloureux moments de désespoir en Orient, dans le Sud, dans le tombeau de Londres, et dans les ruines de Carthage… partout le bannissement, le découragement et la mort. Tu me manquais, Eugénia ! Et même mon cœur ne me prédisait pas l'espoir de te rencontrer. Maintenant, oui… nous irons d'une halte à l'autre jusqu'à ce que nous puissions nous reposer et nous dire : "Nous avons peu vécu, car le bonheur était si grand… Ici, on repose au sein de la mort."

— C'est tellement triste, Alberto ! Et vois-tu… j'aime tant t'entendre parler ainsi ! C'est parce que ces pensées sont miennes… tu les as devinées… Moi aussi, j'espère ouvrir les yeux un matin et voir un monde qui ne me verrait jamais… Eh bien, soit, mon ange ! Quand tu craindras un malheur au Portugal, va, mais ne me laisse pas, car sans moi, tu ne seras heureux nulle part. Ne ris pas de ma vanité, tu veux bien ? Tu ne dois pas… Je le sens parce que je pense qu'on ne peut pas aimer autant et aimer deux fois ainsi… Si l'amour est aujourd'hui ton bonheur, comment pourras-tu oublier la pauvre femme qui t'a fait sentir un peu du bien que tu lui as fait ?

— Que t'ai-je fait, Eugénia ! Presque rien !

— Regarde, Alberto ! Tu vois ces fleurs ? Ce sont des fleurs champêtres ; elles sont nées là sans que personne les cultive, dans ces broussailles. J'étais comme elles quand tu m'as cueillie parmi les ronces. C'est à ça que je pensais en faisant ce bouquet. Prends-le… Tu ne lui donnerais certainement pas plus de valeur si ces fleurs venaient d'un jardin, cultivées avec grand soin exprès pour toi… N'est-ce pas ? Réponds… ne pense pas…

— Sans doute pas, Eugénia.

— Eh bien, je suis pour toi ce que sont ces fleurs… Elles et moi, nous te devons l'estime que personne ne nous donnerait… Le pire, c'est que les fleurs se fanent… et je ne voudrais pas connaître leur sort… Quelle triste conclusion à ma comparaison !

À cet instant arriva, de la route de Lisbonne, le majordome d'Alberto, avec une liasse de papiers qu'il présenta à son maître. Celui-ci les ouvrit, les lut et dit à son domestique à voix basse : « Remettez-les à l'abbé… Dites-lui qu'il n'y manque rien, je serai là-bas dans un quart d'heure. »

— Le cheval était en sueur ! dit Eugénia, se référant à celui du majordome.

— Il fallait qu'il fasse vite.

– Mais il n'y a rien qui t'inquiète, Alberto, n'est-ce pas ?

– Rien. Notre vie est tranquille comme le murmure de cette fontaine… Toutes les nouvelles sont toujours bienvenues. Tu as le pressentiment de quelque chose de triste ?

– Moi, non… Ne me vois-tu pas tellement heureuse, capable de sauter de branche en branche, comme ces petits oiseaux ? Je serais ingrate envers Dieu et envers toi si je ne me contentais pas du bonheur que j'ai. Tu crois que le cœur d'une femme peut souhaiter plus ?

– Il peut…

– Il peut ?! Quoi donc, Alberto ?

– Toi… Eugénia… parle-moi avec la sincérité avec laquelle tu parlerais à Dieu : tu ne souhaites rien de plus ?

– Si… L'impossible… je voudrais l'immortalité si elle était comme la vie que nous avons aujourd'hui… Autrement, non ; au moindre désagrément, au plus petit nuage dans notre ciel, je veux la mort… Voilà mon souhait, chéri de mon âme ! Tout ce qui ne serait pas cela… tout ce qui serait des choses des hommes et de la terre… je les trouve trop petites pour valoir les souhaits d'une femme comme moi, qui adore un homme comme toi.

– Quelles choses de la terre appelles-tu petites ?

– Ce que d'autres femmes… presque toutes… tiendront pour la félicité suprême, la grandeur de leur mission, la réalité magnifique de leur rêve… Ne m'en demande pas plus, Alberto. Il y a des choses que l'on ne doit pas demander à une femme dans ma situation.

– Pourquoi ?

– Tu t'entêtes, méchant ?!

– Encore cette question, ce sera la dernière. Quelle est ta situation pour que l'on ne doive pas te poser certaines questions ?

– Pour quoi faire ?… Le cœur y répond ingénument, mais le visage ne peut qu'en rougir.

– Je t'ai comprise, ma chérie… Plus aucune question,

418

désormais… Nous voici à l'église paroissiale de Sintra…
L'extérieur est pauvre, tu veux voir l'intérieur ?

– Oui, j'aime le silence des églises… et maintenant, au
coucher du soleil, la réfraction de la lumière doit y être belle.
Je pense qu'elle est ouverte.

– Elle l'est.

Ils entrèrent dans le temple et allèrent droit à la sacristie.
Là, se trouvaient deux clercs, l'abbé et le curé, avec le
majordome d'Alberto de Magalhães. Eugénia s'arrêta pour
admirer un panneau à gauche du maître-autel et resta là,
ravie dans l'exaltation de l'art, quand elle entendit des pas
près d'elle. C'était Alberto et l'abbé, paré de son surplis et
de son étole. Eugénia ne fit pas attention à ce groupe, qui
semblait l'attendre sur la dernière marche de l'autel.

– Eugénia, dit Alberto, viens t'agenouiller avec moi.

La physionomie de l'épousée avait quelque chose de
céleste. Sous son voile, transparaissait la rougeur de l'excitation, de la joie, de la surprise, de toutes les grandes passions
réunies, de toutes les extases embrasées dans un élan unique
qui devait la tuer ou l'endurcir, si elle durait.

Sans articuler deux sons, Eugénia s'agenouilla, et quand le
ministre du sacrement lui dit les mots qu'elle devait répéter :
« Je reçois pour légitime époux Alberto de Magalhães… »,
la tremblante jeune fille, vacillant sur ses genoux, devint
couleur de cire et s'agrippa au bras de son mari, qui venait
de jurer les dernières paroles du sacrement.

Ils se relevèrent, des larmes inondaient leurs visages. Celles
d'Alberto seraient et étaient filles d'une passion satisfaite,
mais aussi, peut-être, de l'égoïsme d'un homme qui offrait
à une femme l'accomplissement d'un vœu dont jamais elle
n'aurait rêvé. Celles d'Eugénia… qu'importe de les expliquer
à l'homme ? Que le cœur des femmes les devine… C'est à
elles que Dieu confia le privilège d'idéaliser les sensations
qui touchent immédiatement par la divinité toutes les fibres
nobles du cœur humain. Tant que les anges ne parleront

pas par la voix des hommes, elles seront les sibylles sacrées de la religion du sentiment, elles seront les femmes élues, les prédestinées du caractère, celles qui peuvent déchiffrer, en paroles, les émotions et les larmes d'Eugénia.

IX

Les instructions de Dona Antónia furent loyalement respectées. Le marquis du Val, qui accompagnait le roi Dom Miguel, reçut la bonne nouvelle des quarante mille cruzados près de Porto. Il demanda immédiatement l'autorisation de rentrer à Lisbonne pour toucher la somme qui, quelques mois plus tard, lui serait d'une grande utilité lors de son exil. Certains disent que le marquis, dans un excès de reconnaissance envers son défunt frère Dom Teotónio de Mascarenhas, récita trois Notre-Père pour son âme, d'une seule traite.

Sa tâche accomplie, Père Dinis se rendit à Odivelas pour bénir la noble et vertueuse résolution de la fille d'Anacleta. Il la trouva malade. Les poussées de fièvre, les vomissements de sang répétés étaient tels que la pauvre dame pouvait tout juste se rendre au parloir, soutenue par sa chère confidente, la comtesse de Santa Bárbara. La santé de celle-ci n'augurait guère mieux. Ce qui s'affaiblissait dans la première, c'était la robustesse de la constitution. De son côté, Ângela de Lima avait déjà été, plus d'un an auparavant, reconnue hectique.

Père Dinis voyait dans ces deux femmes deux lampes dont vacillait l'ultime flamme. « Dans peu de temps, se disait-il, ma vie sera totalement assombrie. Tout ce qui m'entourait est en train de disparaître et Dieu veut que j'assiste debout à la longue agonie des personnes qui nourrissaient mon cœur… Que la volonté de Dieu soit faite ! » Le prêtre allait parler de la restitution de l'argent, quand on frappa à la porte intérieure du parloir. C'était une servante de la mère supérieure qui l'avait chargée de demander à Père Dinis la permission de lui parler. À peine entrée, l'abbesse exposa sans détours les raisons de sa venue :

— Pour ne pas vous déranger, Père Dinis, en vous demandant la faveur de vous rendre à mon parloir, je suis venue dès que j'ai su que vous étiez ici avec mes amies, et les vôtres. L'affaire qui m'amène est à mettre au profit de l'honneur et de la gloire de Dieu. La renommée de vos vertus est parvenue au chevet d'un de mes neveux, qui se trouve gravement malade. Ma tante, la comtesse de São Gens, me demande de prier Votre Excellence de lui accorder la faveur de venir voir mon neveu Álvaro Faria, cousin germain du général Gervásio Faria, fusillé en 1817. (La mère supérieure n'aurait pas poursuivi si elle avait remarqué le bouleversement du prêtre, la pâleur d'Antónia et le trouble de Dona Ângela.) Pour satisfaire, poursuivit l'abbesse, sa grande ferveur de se confesser auprès de Votre Seigneurie.

— Ce sont là les obligations du prêtre, Madame, qu'on ne lui demande pas : on les lui rappelle. J'irai, et très bientôt, si ma venue presse.

— Maintenant, si cela est possible. Je savais que Votre Seigneurie devait venir aujourd'hui, car mon amie la comtesse me l'avait dit, et j'ai pris les devants en faisant venir une voiture, qui attend Votre Seigneurie.

— J'y vais tout de suite, Madame... Le Lumiar est tout près, et je préfère m'y rendre à pied ; cette activité m'est nécessaire et Dieu ne permettra pas que l'état du malade s'aggrave si je m'attarde quelques minutes...

Père Dinis entra dans la chambre où le malade, entouré de ses enfants, de ses frères et de parents issus de toutes les branches du vénérable tronc, n'entendait pas une seule parole qui le consolât dans les affres douloureuses qui précédaient sa mort, tel un cortège de fantômes. La terreur se peignait sur les physionomies qui contemplaient, avec une pitié impuissante, ses remords tardifs.

Álvaro Faria est un homme de cinquante à cinquante-cinq ans. Une vieillesse précoce creuse de profonds sillons les téguments de son visage, qui semblent déchirés par la proéminence des os. Comme sur le visage d'un damné, sculpté dans la cire, on voit deux globes qui voltigent, sautent et tournent sur leur axe en un vertigineux délire. Ce sont des yeux qui cherchent dans l'image de chacun des présents le secret de son remords.

Quand la porte de la chambre s'ouvrit et qu'apparut l'allure sereine du lévite, les traits touchants de son harmonieuse physionomie de vieillard, les majestueux contours de l'élégant de jadis, oubliés par beaucoup de ceux qui se trouvaient là et qui un jour avaient vu Sebastião de Melo... quand Père Dinis apparut, disions-nous, tous se retirèrent.

— J'ai grande foi en vos vertus, Monsieur ! dit le malade, tendant au prêtre sa main décharnée.

— Ayez grande confiance en votre contrition et dans la miséricorde divine.

— Je désire me confesser.

— Je vous écouterai.

— Avant de commencer ma confession, veuillez me dire si je peux choisir la faute qui plus me pèse sur la conscience.

— Vous le pouvez ; et exposez la plus grande faute avec la même confiance que la moindre. Il faut une grande violence pour arracher de notre cœur certains crimes et les exposer à la vue d'un étranger. Ces craintes sont celles d'un homme de peu de foi et de tiède contrition. Voyez en moi un instrument de pardon et oubliez que je puisse être l'un de ceux qui n'ont pas soldé leurs comptes avec la justice de Dieu.

Le malade se ranima. L'aspect du ministre du Très-Haut était plus éloquent que ses paroles. Álvaro Faria, les formules de pénitence du sacrement accomplies, parla ainsi :

— Il y a de cela quinze ans, mon cousin, le général Gervásio Faria a été fusillé pour crime de rébellion. La veille de son exécution, il confirma par testament la reconnaissance d'une fille qu'il avait. Cette fillette devait hériter de son père dans l'avenir, et j'ai cherché par tous les moyens à empêcher qu'elle grandisse en se sachant fille de mon cousin. Une ambition infernale me dévorait ! J'étais riche mais, avec un crime ignoré de tous, je pouvais le devenir plus encore. J'ai espionné cette enfant et j'ai appris qu'elle vivait avec la nourrice qui l'avait élevée et que sa mère avait disparu. Une nuit, avec mes domestiques, je suis entré dans la maison de la nourrice et j'ai pris l'enfant dans son berceau. C'était une fillette de trois ans, belle comme un ange, et elle me souriait d'une façon qui m'a semblé alors une supplique de pitié et que je vois aujourd'hui comme une raillerie à mon agonie. On m'a conseillé de la tuer.

— Et vous l'avez tuée ?

— Je n'ai pas eu ce courage. Je l'ai envoyée chez un couple de mes métayers, en Algarve, et l'y ai laissée jusqu'à ses douze ans. Quand la fillette est arrivée à cet âge, j'ai su par les métayers qu'elle voulait trouver à Lisbonne une maison où servir. Je leur ai dit de la laisser faire. Vers ce temps-là, le majordome d'un noble de Lisbonne est venu en Algarve, a vu la petite, a appris qu'elle voulait servir dans une maison et l'a emmenée avec lui chez son maître. Il y a peu de mois encore, cette fille était toujours vivante… Dois-je lui rendre l'héritage de son père ?

— Vous le devez.

— Mais, Monsieur, mes fils seront ruinés.

— Qu'ils mendient. Avez-vous des filles, Monsieur ?

— Une.

— Dieu ne permettra pas qu'elle rencontre un maître qui la force au déshonneur, comme Eugénia.

— Eugénia ! C'est le nom de…

— De l'amante de feu le comte de Santa Bárbara.

— Alors vous la connaissez ?

— Je la connais… vous n'y perdez rien.

— La restitution est indispensable ?

— Si elle ne la dispense pas.

— C'est impossible ! Je ne peux pas ruiner mes enfants !

— Votre Excellence ne m'a pas dit qu'elle était riche, avant de voler à cette fille l'héritage de son père ? Si vous le lui restituez, vous serez toujours riche.

— Ce n'est pas ainsi ! Tout ce qui m'est venu de cet héritage s'est perdu ! Il y avait un palais à Campolide, les flammes l'ont dévoré et il n'en est pas resté une seule pierre. Il y avait cent mille réaux entre les mains d'un certain Moïsés, juif, qui a fait faillite à Amsterdam, et ses créanciers ont tout perdu. Le voilà, Monsieur, cet héritage que je ne possède plus. Si je le restitue sur ce qui m'appartient, mes fils demanderont l'aumône.

— Ils imiteront le fils de Dieu, qui l'a demandée et ne l'a pas reçue.

— C'est impossible ! La religion ne met pas ainsi le poignard sur la poitrine du moribond !

Les grimaces du malade étaient horribles. Il serrait les poings, hennissait en montrant ses dents, entre lesquelles sa langue giclait le sang. Le prêtre, devant ce spectacle, croisa les bras et détourna les yeux, qu'il leva vers l'image du Christ. La crise passée, Álvaro tomba dans un sommeil profond, de ceux dont on se réveille en présence de Dieu. Le prêtre attendit.

Réveillé en convulsions, le pénitent, irréconciliable avec les conditions un peu sérieuses de la restitution, vit de nouveau le prêtre, qui le regardait toujours avec la même austérité.

— Je pensais que vous vous seriez retiré, mon Père ! Quant à la restitution, il faut que je consulte quelques personnalités religieuses, qui ne voudront sûrement pas que mes fils mendient afin que la fille bâtarde de mon cousin quitte sa vile condition de servante pour hériter des biens de mes aïeux…

Ah ! je m'en souviens, maintenant… mes biens sont liés à un droit d'aînesse… ils ne peuvent être aliénés hors de la famille.

— C'est une législation absurde, Monsieur Álvaro. Vos biens sont liés au droit d'aînesse, mais le rendement de vos biens est aliénable jusqu'à la dernière génération. Le droit civil n'absout pas le vol.

— Cela se discute…

— Ne vous perdez pas, Monsieur. Votre demande se décidera devant le tribunal de Dieu ; laissez à vos enfants le soin de plaider la nature de vos biens… Je vais vous donner un espoir, non pas salutaire pour l'âme, mais qui pourra améliorer votre corps, le temps fera le reste…

— Quel est-il ?

— Cette fille, que Votre Excellence estime être dans la vile condition de servante, dispose de douze millions.

— Vous vous moquez de moi.

— Je ne crois pas l'occasion propice à la moquerie. Cette dame s'est mariée avant-hier à Sintra avec Alberto de Magalhães.

— En ce cas, mon salut pourrait être assuré sans restitution… Que vous semble-t-il, mon Père ?! J'ai grande foi en votre vertu ! Épargnez à mes enfants d'avoir à demander l'aumône.

— Ce que je peux faire pour Votre Excellence, c'est demander à cette dame d'accorder l'aumône de cent et quelque mille réaux à vos fils.

— L'aumône ? C'est un affront fait à mon nom.

— En ce cas, je demanderai à Eugénia de profiter de cette occasion *d'avoir l'honneur* de ne pas parler à vos enfants de ces cent et quelque mille réaux… Monsieur Álvaro, l'ironie ne sied pas à mon caractère… Je suis petit en vertu, face à la dureté de votre âme. Avant quarante-huit heures, Votre Excellence recevra d'Eugénia de Magalhães un renoncement aux biens qui pourraient lui revenir de son père.

X

Alberto de Magalhães, appuyé au piano, la joie d'une tendresse communicative dans les yeux, écoutait les merveilles
de l'art que seul le talent créateur d'Eugénia, en si peu de
temps cultivé, pouvait dévoiler.

Toute fragrance et délicatesse, sensible à chaque regard,
frémissant de tendresse à chaque mot doux, à chaque geste
amoureux, l'heureuse épouse voulait exprimer par le son du
piano ce qu'elle ne pouvait sortir de son cœur en paroles.
Tant de bonheur enivrait ses sens en une exaltation qui la
rendait fébrile. Quarante heures s'étaient écoulées, quarante
fugaces instants après qu'elle eut prononcé le mot « époux ».
Le sommeil n'avait pas osé effleurer ses paupières, toujours
ouvertes pour voir, tout près de ses lèvres, le sommeil placide
et peuplé de sourires où son ange semblait savourer les fruits
d'une conscience heureuse.

Alberto était venu la rejoindre au piano et était resté là,
ravi par la pâleur magique d'une nuit sans sommeil, dont
la nuance si douce rehaussait la fraîcheur de rose du visage
enfantin d'Eugénia. Ainsi se délectaient ces deux êtres
absolument heureux, quand leur fut annoncé le Père Dinis
Ramalho e Sousa.

Eugénia, surprise, frémit et rougit. Alberto, sans hésiter un
instant, fit entrer dans le salon son ancien ami Sabino Cabra,
le gitan.

— Alberto… je m'en vais ?

— Non… aujourd'hui, je voudrais que tout le monde te voie.

Père Dinis salua Eugénia, presque sans la regarder. Quant
à Alberto, il lui donna pour la première fois l'accolade.

— À quoi dois-je le plaisir de vous voir chez moi ?

— Je viens vous féliciter, Alberto de Magalhães, et vous
gronder. Votre mariage a eu lieu hier, et je n'ai même pas

mérité je ne dis pas l'invitation d'un vieil ami, mais au moins la présentation de votre épouse. Approchez, Mademoiselle, et ne vous offusquez pas de la façon dont vous traite un vieux prêtre. Ces cheveux blancs me donnent des droits paternels.

Eugénia s'approcha, timide.

— Ne soyez pas aussi timide. Bavardons, parlez-moi de Sintra, des amours de Bernardim Ribeiro et de l'ingrate Beatriz qui, toute jeune, fut enlevée à la maison de ses parents. Dites-moi si votre cœur ne déborde pas de vie sous ce ciel que mon ami Byron a trouvé indigne de cette race d'esclaves… Pauvre lord, je l'ai rencontré à Venise, cherchant dans les canaux le cadavre d'une brave fille qui s'était tuée pour lui ! C'était un cœur généreux ! Il brûlait le cadavre des amis, déterrait de la boue le cadavre des amantes, écrivait des vers à sa fille, mais lui refusait les restes de ses prodigalités, vendait aux Anglais des poèmes où il les insultait, dépeignait comiquement le caractère de sa propre femme dans la mère de Don Juan… C'était une excellente créature, qui nous faisait l'honneur de nous appeler barbares… Mais je vous ennuie, mes amis… Vous avez raison.

— Pour l'amour de Dieu, ne dites pas cela, répliqua Eugénia. Voyez comme vos paroles m'ont rendu ma désinvolture ? Je suis autre maintenant… Il me semble que je vous connais depuis des années.

— Eh bien, je vous préfère ainsi. Alors, Alberto, vous savez déjà qui était la personne que vous avez envoyée chez moi ?

— Oui… Salema m'a dit qu'il vous a apporté quatre-vingt mille cruzados d'une restitution.

— Alors, n'en parlons plus… Sachez que j'ai faim… Offrez-moi un déjeuner, sinon je me retirerai au couvent des pauvres moines qui sont là-haut dans leurs cellules de liège.

Une fois assis à table, Alberto dit :

— Vous savez, mon cher Père, ce que me disait ma femme l'autre jour ?

— Ne le dis pas, Alberto.

— Pourquoi ne le dirait-il pas ? Si vous avez dit du mal de moi, Eugénia, vous avez été injuste.

— Du mal… jamais ! riposta-t-elle.

— Du mal, non, reprit Alberto, elle a dit qu'elle avait peur de vous, mais une peur qui n'a rien à voir avec l'antipathie.

— Que Dieu m'assiste ! Les rides de la vieillesse effraient les enfants… Eh bien, ma fille, c'est le sort des vieux !

— Et quand je lui ai dit que Père Dinis savait tout ce qui se passait…

— Vous l'avez trompée.

— … Tout ce qui se passait sous le ciel, elle a souri.

— Elle a eu plus de jugeote que vous, Alberto… Donnez-moi un de ces biscuits grillés, Eugénia.

— … Et elle a ajouté qu'elle vous poserait une question.

— Alberto, tu es un cancanier, dit Eugénia, avec un ressentiment coquet.

— Une question ? Posez-la donc, Mademoiselle, mais d'abord, donnez-moi une cuillerée de sucre. Les vieux sont comme les enfants : ils aiment les sucreries. Maintenant, posez donc votre question.

— Je ne le ferai pas, Père Dinis. Je plaisantais avec Alberto : je suis presque fâchée avec lui.

— Je ne veux pas de cela… Vous voulez du thé, Alberto ?

— S'il vous plaît… Je le lui dis, Eugénia ?

— Elle le dira elle-même, coupa le prêtre.

— Eh bien, soit, je vous le dirai tout à l'heure, dit Eugénia, essayant en vain de cacher son trouble.

Le déjeuner fini, ils passèrent au salon.

— Maintenant, Eugénia… cette question ?

— Mon Dieu ! Elle ne me fait pas honte, mais je crains de passer pour folle, voulant trouver en Votre Seigneurie les qualités d'un devin.

— Dites… nous rirons tous deux ensuite.

– À cette condition… j'accepte… Je voulais savoir qui étaient mon père et ma mère.

– Ah oui ? Je vous le dirai demain, ma chère enfant.

Eugénia, convaincue du sérieux de la réponse, devint blanche, transie et immobile. Alberto cherchait dans la physionomie du prêtre un signe d'amusement dans sa réponse.

– Vous êtes perplexe ? Vous avez raison. Sachez, cependant, que je ne suis ni sorcier ni dénicheur de généalogies. Demain, Alberto, vous viendrez, vous et votre femme, chez moi, à deux heures. Vous dînerez avec moi… Embrassez-moi, mes enfants ! Et au revoir.

Père Dinis sortit. Eugénia, enlacée à son mari, demanda :

– C'est un rêve, Alberto ?

– Non, ma chère. Père Dinis est un homme supérieur… ne te l'ai-je pas dit ?

Au même moment, les séculières comtesse de Santa Bárbara et Dona Antónia Mascarenhas recevaient l'autorisation du patriarche de quitter le couvent, le temps nécessaire à leur rétablissement, et une lettre de Père Dinis les invitant à venir chez lui, le lendemain, à une heure de l'après-midi.

Il y avait donc un intervalle d'une heure entre la venue des dames et celle des mariés de Sintra.

À une heure moins le quart, la voiture de Dona Ângela de Lima arriva. Les dames passèrent, en familières de la maison, par la salle à manger, et virent cinq couverts sur une table richement dressée de précieuses pièces d'or et d'argent. Le luxe inattendu les surprit moins que le nombre de couverts.

Père Dinis entra alors que les séculières s'interrogeaient du regard et sourit benoîtement à cet étonnement, qui les accaparait tellement qu'elles ne prirent même pas la peine de se retourner pour saluer le maître de maison.

– Vous avez été ponctuelles, mes amies.

— Ah !… Père Dinis ! s'exclama Ângela en courant à sa rencontre avec António pour l'embrasser.

— Vous trouvez que c'est trop d'opulence pour la maison d'un prêtre ? Vous avez raison, mais le prêtre, quand les circonstances le placent aux côtés de classes élevées, doit sacrifier l'humilité à la décence… Ce sont de vieilles choses, que ma sœur n'a jamais vues dans cette maison… Moi-même, je ne m'en souvenais plus.

— Mais combien sommes-nous à dîner ? demanda António.

— Il y a cinq couverts ! ajouta Dona Ângela.

— C'est qu'il y a cinq convives, répondit le prêtre, les guidant vers la bibliothèque.

Aucune des deux dames ne céda à la curiosité de demander qui étaient les deux inconnus. Dona Ângela pensa à son fils… mais qui serait l'autre ? Dona António pensa à sa sœur… à Azarias… mais cette rencontre serait-elle possible ?

— Vous connaissez la nouvelle ? dit le prêtre. Alberto de Magalhães s'est marié.

— Vraiment ?! demandèrent-elles en chœur.

— Il y a deux jours, à Sintra.

— Avec qui ?

— Avec une jeune fille pauvre.

— Quel homme vertueux ! dit Ângela. Sans doute une fille de bonne famille.

— Descendante de deux familles très illustres.

— Bâtarde, n'est-ce pas ?

— Oui, ma chère Ângela… bâtarde.

— Voyez-vous donc ! Alberto semblait un homme insensible… Il s'est peut-être marié sur une toquade !

— Un mariage de passion, dit le prêtre, avec la fermeté de la conviction.

— Il y en a beaucoup qui ne se terminent pas aussi heureusement qu'ils ont débuté… Mais les vertus de cette jeune fille doivent être grandes… Il lui a fait la cour dans les salons ? Ce serait bien naturel.

— Il l'a courtisée dans la rue… C'est extraordinaire !

— Dans la rue ?

— Dans la rue, Madame la Comtesse.

— Ou je ne comprends pas bien, ou l'événement est original.

— Il n'est pas original… Il l'a rencontrée, lui a offert son cœur, la jeune fille l'a accepté, et il l'a finalement trouvée si élevée par ses vertus qu'il en a fait son épouse, la réhabilitant d'infortunes passées que la société nomme déshonneur.

— Elle a donc…

— Été violentée par un homme puissant qui l'a prise pour maîtresse. Elle était sa servante.

— Mais ne m'avez-vous pas dit que cette enfant descendait de deux illustres familles ?

— Et je confirme ce que j'ai dit… Le malheur n'annule pas la naissance.

— Alors, elle a été abandonnée par ses parents ? rétorqua Antónia.

— Elle vous racontera son histoire elle-même, ma sœur.

— C'est donc elle qui vient…

— … avec son mari, dîner avec nous… Voilà leur voiture… Ce sont eux. Passez au salon. Ma sœur, je vous rends votre primauté… Je vous demande de faire les honneurs de la maison. Venez accueillir l'épouse d'Alberto de Magalhães.

Antónia descendit quelques marches de l'escalier pour donner la main à la belle jeune fille qui montait au bras du prêtre.

— Nous avons là Dona Antónia de Mascarenhas ! dit Alberto. Comment allez-vous, Madame ?

Ils entraient dans le salon, échangeant les formules de civilité d'usage, quand Eugénia se trouva face à face avec la comtesse de Santa Bárbara. Elle serra le bras du prêtre, comme lui demandant son soutien et la raison de cette rencontre. La comtesse, blême et rouge à la fois, ne répondit pas aux salutations d'Alberto, qui ne comprenait pas lui non plus l'imprudence du prêtre. Dona Antónia ne partageait pas les émotions visibles sur la physionomie de tous, excepté celle du prêtre dont l'impassibilité réveilla chez Alberto le soupçon que cet homme, au terme d'éprouvantes souffrances, était frappé d'une crise de démence. Ce fait inattendu, cette absurde rencontre, ne pouvait s'expliquer autrement.

Père Dinis, dans le silence de cette fausse situation, dit tranquillement :

— Il n'est pas encore l'heure de dîner. Asseyons-nous et bavardons. Madame la Comtesse, je vais vous informer de l'issue de la noble mission que m'a confiée hier la mère abbesse d'Odivelas. Il s'agissait de confesser un cousin du général Gervásio Faria, fusillé en 1817. Je ne lèverai pas le secret de la confession. C'est par ordre du Ciel que je m'acquitterai d'une promesse faite à un moribond… Dona Antónia… du courage ! Je vous vois défaillir ! Votre cœur a dû beaucoup souffrir pour faiblir aussi vite sous le coup d'une émotion que Dieu vous envoie !… Allons !… Bien !… Vous pouvez pleurer, mais je veux que vous m'écoutiez.

» Ce général avait une fille, qu'il a faite son héritière. Cette fille a été enlevée aux bras de sa nourrice à l'âge de trois ans… C'est mon pénitent qui l'a enlevée. La voyant si jolie, il ne l'a pas tuée, le courage s'est refroidi dans son cœur perverti par l'ambition, parce que, dit-il, sur les lèvres de cette enfant flottait un sourire qui lui parut une supplique de pitié.

— Ma fille est donc… vivante ! s'exclama Antónia, courant vers le prêtre, les mains jointes.

— Puisque vous êtes venue jusqu'ici, ma sœur, asseyez-vous plus près de moi… Voilà ce que j'appelle de la précipitation ! Alberto et son épouse savent maintenant que vous avez eu une fille. Ne faites pas attention, cette dame a pleuré ainsi bien des fois, la tête sur mon cœur… Laissez-la pleurer, nous continuerons après.

— Continuez… je me sens capable de tout entendre…

balbutia Antónia, cachant dans son mouchoir le sang qui affluait avec des quintes de toux presque imperceptibles.

Eugénia, sans un mouvement, sans la moindre vie sur ses traits, regardait cette dame et sentait en elle les étourdissements d'un rêve, comme dans les instants qui suivent le réveil.

Père Dinis continua :

— La fortune usurpée disparut, grâce à une mystérieuse ruse de la divine providence. Le voleur, à l'heure de la mort, pressent l'éternité de ses peines ; il veut se sauver, mais ne veut pas restituer ce qu'il a volé, car, s'il le fait, ses enfants devront demander l'aumône. Le salut de cet homme est-il possible sans restitution ? Il le souhaite, mais le ministre de Dieu ne l'absout pas. Contre lui, deux cris clament vengeance au Ciel : celui d'une pauvre mère, privée de sa fille, et celui de la fille, privée de sa mère, de son héritage et de son pain. Pour que mon pénitent soit sauvé sans forcer ses enfants à la mendicité, il est nécessaire que la mère de la fillette volée lui pardonne les tourments infligés quinze années durant ! Antónia ! Pardonnerez-vous à cet homme ?

— Oui, oui, mais si ma fille est en vie, qu'il me la rende.

— Bien, le moribond a déjà votre pardon, mais cela ne suffit pas… Il est nécessaire que la fillette, privée de son héritage et de sa mère, lui pardonne son enlèvement, la faim, les malheurs tout au long de quinze années d'abandon et de misère. Sans cela, le salut de l'agonisant est impossible… Eugénia ! Pardonnez-vous à l'homme qui vous a privée de mère et de fortune ? Votre mère a déjà pardonné… À vous, maintenant !

Nous ne tenterons pas l'impossible. On ne peut pas décrire cette scène. Père Dinis se tient debout, le bras droit tendu désignant Antónia et disant : « Votre mère a déjà pardonné… » Antónia, en comprenant le sens de ces mots, regarde le prêtre, effarée, comme l'interrogeant sur la réalité de ce rêve, un épais brouillard lui voile la vue et son souffle défaillant la fait s'effondrer entre des bras qu'elle ne voit plus. Eugénia s'agenouille, tenant sa mère dans ses bras, et la comtesse, agenouillée elle aussi, soutient la tête de son amie, collant son oreille aux lèvres d'où s'échappe un souffle presque épuisé. Le cœur d'Antónia bat sous la main d'Alberto qui, un genou à terre, ne quitte pas les yeux de sa femme, qui semblent se troubler. Père Dinis, inférieur à Dieu et supérieur à tous les hommes, regarde ce groupe avec un sourire bienheureux, comme celui des martyrs qui rendent gloire à Dieu. Alberto appelle Eugénia, craignant de la voir s'évanouir.

— N'aie pas peur, dit-elle, cette force me vient de Dieu. Ma mère ne mourra pas... n'est-ce pas, Père Dinis ?

— Non, ma fille... Ne voyez-vous pas ses yeux s'ouvrir ? Si elle était morte, son amour de mère la ressusciterait. Antónia ! Ce n'est pas un rêve... Je devine les questions de votre cœur. Cette enfant est votre fille. Alberto est son époux... Ângela est votre amie chère... Regardez, elle l'est aussi maintenant de votre fille chérie. Regardez comme elles s'embrassent, contrites, se demandant pardon du fond de leur âme. Et moi, qui vous tiens entre mes bras et vous ai tenue dans mon cœur seize années durant, je serai toujours votre frère. Vous vous sentez mieux ? Je crois que oui. N'avez-vous pas la force d'aller embrasser votre fille ? Regardez, c'est elle qui vient baiser votre main. Bénissez-la... Pleurez beaucoup, car, dans votre situation, il n'y a guère de mots... Mais je ne veux pas que le banquet soit fait de larmes. Laissons-les, Alberto... Venez voir ma table. On croirait que Lucullus invite Apicius à dîner.

Le dîner attendait ces dames, quand Ângela vint dire qu'il était impossible à Antónia de les rejoindre : sa poitrine la faisait beaucoup souffrir et elle demandait la permission d'aller s'allonger. Eugénia souhaitait accompagner sa mère, et la comtesse de Santa Bárbara se chargea de les servir, leur apportant une goutte de bouillon et leur tenant compagnie à dîner pour partager le bonheur de ses deux amies.

Père Dinis et Alberto de Magalhães, comme toutes les constitutions forgées par les épreuves et l'émotion, ne délaissèrent pas complètement l'appétissant dîner qui leur était servi. Peu après, ils quittèrent la table où ils n'avaient échangé que de maigres paroles. Recueillis en eux-mêmes, ils digéraient, pour ainsi dire, avec courage, les émotions qui les avaient frappés, mais leur cœur étant celui des hommes, ils ne pouvaient éviter les effets de tout ce qui est sublime, aussi bien le beau que le hideux.

Se rendant à la chambre d'Antónia, ils la trouvèrent fiévreuse. La poussée de fièvre lui était habituelle à cette heure, depuis que Père Dinis lui avait rendu visite, à son retour de Santarém. Eugénia veillait sa mère, Ângela de Lima ajoutait le dévouement d'une amie à celui d'une fille.

Père Dinis fit venir Alberto de Magalhães à son cabinet et écrivit le billet suivant : « Eugénia de Magalhães renonce à l'héritage qu'elle avait à recevoir d'Álvaro Faria. »

— Dites à votre femme de signer ce billet… Apportez-lui cette plume.

Le délai de quarante-huit heures touchait à sa fin quand Álvaro Faria reçut le pardon de la fille du général des mains d'un frère capucin chargé d'entendre sa confession.

Il vécut quelques mois encore. Il fallut lui annoncer que le comte de Vila Flor était devant Lisbonne, pour qu'il meure de stupeur… car de remords, c'était impossible.

XI

Nous sommes le 28 août 1833. Alberto de Magalhães vit à Sintra avec sa femme, de plus en plus aimée, et sa belle-mère, qui ne se lasse pas d'implorer encore une année de vie, pour en connaître une seule de bonheur dans ses quarante-deux ans d'existence. La tendresse de sa fille ne la sauvera pas. L'automne viendra bientôt mêler au bruissement du feuillage roulant par terre le dernier souffle de cette femme.

Dans la maison voisine de celle d'Eugénia, vit, seule, la comtesse de Santa Bárbara, dont même sa propre servante ignore tout.

Dans la ferme attenante, dans une pauvre maison de labour, vit Père Dinis, qui, le 24 juillet, incapable de participer à l'enthousiasme des libéraux sur la place de Rossio, s'est entendu demander : « Qui va là ? » Le prêtre, sans pâlir, demanda à Dieu et à sa conscience quel poids aurait sa vie dans la balance des partis. Son silence allait être puni, quand un homme, parmi la foule armée de lances, de piques et d'épées, le prit par le bras et l'éloigna de l'holocauste. C'était Alberto, dont le ruban bleu et blanc imposait le respect, et davantage encore son nom inscrit au catalogue des créditeurs méritants de la cause de la liberté, pour laquelle l'espion présumé de Dom Pedro avait contribué à coups de milliers de réaux. Au milieu de ce tumulte, un homme à la mine sinistre prit Alberto dans ses bras, le soulevant par trois fois en l'air.

— Vous ne me reconnaissez pas, Barberousse ?

— Je vous connais.

— Vive la liberté !

— Vive la liberté !

— Nous sommes tous égaux !

— Exactement, tous égaux !

— Vive le peuple, peuple de braves et de héros !… À bas le despotisme…

— À bas le despotisme… répétait encore Alberto avec un sourire moqueur.

— Une nouvelle ère s'ouvre devant nous ! poursuivit l'orateur.

— Dites-moi… quel est ce feu ? demanda froidement Alberto.

— Ce sont les meubles de Miguel Alcaide, qui a été envoyé au Diable ce matin ! Le peuple rend justice de ses mains ! Le peuple est roi !

— Alors, vive le peuple !

— Et à mort les moines !

— Ils mourront…

— Et les prêtres aussi ! Les infâmes ! Les hypocrites ! Les jésuites ! Les inquisiteurs… À mort les prêtres !

— Vous êtes bien cruel, Monsieur Lima ! coupa doucement Père Dinis.

— Qui vous a dit mon nom ? Je ne connais pas cette soutane ! Qu'est-ce qu'il fait ici, ce diable ?…

— Cette soutane, répliqua le prêtre, est l'homme qui a racheté votre vie en Angleterre, Monsieur Lima, condamnée au cachot à perpétuité pour certains faits d'abordage sur les côtes américaines.

Lima le pirate, que le millionnaire Salema voulait tellement voir puni, regarda le prêtre avec respect, le saluant de la tête et lui tendant la main. Le prêtre l'écarta et poursuivit son chemin, impassible. Alberto de Magalhães, prêt à parer à une éventuelle agression de son scélérat camarade de la mer, suivit le prêtre.

Depuis ce jour, ils ne revinrent jamais à Lisbonne. La comtesse, habituée à l'amour d'Antónia, l'avait suivie, car son amie ne pouvait se séparer de sa fille. Père Dinis fréquentait les deux maisons, témoin d'un bonheur dont il avait été l'artisan en tant qu'instrument du Ciel. Il priait Dieu de ne pas le laisser survivre à ces deux dames qui étaient toute sa famille, la nourriture de ses affections, le soutien de son cœur, auquel il ne resterait, à leur mort, que la nostalgie d'un ange et l'espoir de le retrouver au Ciel.

Dieu avait disposé.

Antónia, après avoir été alitée quinze jours, entourée de médecins, bavarda une nuit avec Père Dinis jusqu'à trois heures du matin. Elle se rappela les péripéties de sa vie, lui raconta des épisodes de son enfance, le récit minutieux, sentiment par sentiment, de sa passion pour le père d'Eugénia. Elle lui demanda de raconter encore le martyre de sa mère, les paroles qu'ils avaient échangées et la description de la petite chapelle où elle était morte.

Le prêtre nourrit, un moment, l'espoir d'une évolution favorable de la maladie. Il essayait de la rassurer, lui citant des exemples de rétablissements inespérés, quand Antónia, souriant de la tendresse de son bienfaiteur, murmura :

— Mon ami, mon père… demandez à Dieu de m'accueillir dans son sein béni, car ma vie touche à sa fin… Je dois à la Très Sainte Vierge cette révélation… Je lui ai toujours demandé de me faire pressentir l'approche de la mort. Je meurs heureuse, mon bon ange, je meurs heureuse… pouvant… peut-être… dans ma dernière heure, vous dire : "Père Dinis… je vous dois cette mort. Je vous attendrai dans la béatitude."

Antónia ferma lentement les yeux, mais elle respirait. C'était le sommeil précurseur du sommeil éternel. Le prêtre s'agenouilla devant le crucifix alors qu'entraient Eugénia et Ângela.

— Elle est morte ? s'exclama Eugénia.

— Pas encore… murmura le prêtre.

— Oh, ma mère ! cria Eugénia en embrassant son front humide de sueur.

Antónia ouvrit les yeux, sourit, porta leurs mains à son cœur, puis demanda Alberto.

Le mari de sa fille s'approcha du lit et lui écarta les cheveux du front.

— Qu'y a-t-il, ma chère mère ? Vous vous sentez mieux ?

— Je me sens bien… Et Père Dinis, où est-il ?

Tous regardèrent, mais personne ne le vit. Alberto le chercha dans la maison et apprit qu'il était sorti. Il revint et demanda s'il devait aller le chercher chez lui. Antónia fit signe que oui et dit à sa fille : « Mon cœur me dit que je ne le reverrai plus. »

Père Dinis était rentré chez lui à Lisbonne. Quand Alberto revint disant qu'il ne l'avait pas trouvé, Antónia murmura : « Ne vous l'avais-je pas dit ? Que la volonté de Dieu soit faite… Ângela, ma chère amie, je vous fais dépositaire de cette larme que je verse dans votre main… elle appartient à Père Dinis. Dites-lui que la moribonde ne pouvait lui laisser un autre souvenir… sa dernière larme. Eugénia ! Ângela ! Alberto !… Je vous laisse la mémoire de ma malheureuse vie, pour que vous n'oubliiez jamais cette pauvre femme… » Elle ferma les yeux et n'entendit plus les sanglots autour d'elle que dans l'éternité.

Eugénia s'évanouit dans les bras de son mari, Ângela serra la main du cadavre et murmura :

– À tout à l'heure, mon amie !

Serait-ce vrai qu'une grande affliction purifie la nature humaine, la sanctifiant par le don de la prophétie ? Ce « À tout à l'heure ! » n'aurait-il pas été inspiré par une voix surnaturelle qui disait à Ângela « Viens, ô martyre ! » ?

Quelques heures plus tard, la comtesse de Santa Bárbara reçut la lettre suivante :

J'ai demandé à Dieu, avec toute la ferveur de mon âme, de fermer mes yeux, lassés de voir et de pleurer, avant que la tombe ne cache à ma vue deux anges qui ont été ma consolation dans la vieillesse et une vanité sans péché dans mon cœur.

Le Seigneur n'a pas répondu à la prière du pécheur. Ma sœur, la fleur que j'ai retirée de sous les pieds de la société, que j'ai fait reverdir par mes soins, à qui j'ai appris à se fortifier dans la sève de ses propres larmes, la première-née – laissez-moi l'appeler ainsi – des entrailles de mon cœur… est morte !

À cette heure, Antónia, qui était dans mon âme, dans mon sang, dans mes pensées de toutes les heures, s'est défaite de ce lien de seize années, et m'a laissé en ce monde comme le gardien d'une tombe de plus.

Comtesse de Santa Bárbara, ma fille aussi, qui t'es apparentée à moi par le martyre, qui as respiré avec moi l'air qui tue le poumon par où se respirent les larmes sur Terre, Ângela, tu peux, en un clin d'œil, te pénétrer du drame que j'ai vécu en moins de vingt ans. D'ici jusqu'à mon berceau, s'en sont écoulés cinquante-quatre... Les tourments de cette longue jeunesse... mourront avec moi.

Je suis cerné de tombes. Ici, Pedro da Silva, l'ange de ta jeunesse, Ângela. À son côté, scellée par un mystère de la Providence, la tombe du comte de Santa Bárbara. Sur le cœur, le poids de la pierre qui me cache les cendres de Francisca Valadares. Là, les ossements de ma mère enlacés par le cadavre déchiré de mon père. Là-bas, l'ombre d'Anacleta, la martyre qui s'entretient avec les orages du ciel en haut des montagnes. Ici, dans ma main, la chaleur du dernier baiser qui a fermé les lèvres d'Antónia.

Qu'ai-je été à la face de la Terre ? Le spectateur sinistre qui contemple toutes les infortunes et amène avec lui la mort en conclusion de tous les drames.

S'il y a de généreux sacrifices dans ma vie, quelles sont les consolations par lesquelles la justice éternelle me dédommage ? La solitude, l'orphelinage, la chute de chaque être que je relève, mais une chute dans l'abîme où les cris de la nostalgie ne trouvent pas d'écho.

Je ne blasphème pas, Ângela ! Mon découragement n'est pas un parjure aux mortifications du Christ, que j'ai juré d'adorer, en tant que prêtre dans la vie de la résignation, et en tant qu'homme cherchant, depuis trente ans, à s'imposer une pénitence, le sourire aux lèvres et la main tendue vers le bourreau.

Je ne blasphème pas, ma fille. Je sens que la dernière heure de mon expiation n'a pas encore sonné... Je le sens parce que je suis faible, parce que je n'en peux plus, parce que j'entends craquer les ressorts de cette argile friable.

Quand je vous ai laissées, pauvres dames, recueillir le dernier soupir d'Antónia, qui devait être vôtre, je me suis agenouillé les yeux au ciel, et j'ai demandé au Seigneur d'ouvrir devant ma vieillesse un large horizon, une vaste pérégrination, sur un chemin de ronces, un grand amphithéâtre où mes chairs seraient tailladées, où le martyre solderait mes derniers comptes avec le Juge suprême.

Il me fallait fuir ce ciel. Il me fallait te fuir, toi, ma fille, pour ne pas voir ton cadavre. Le reste de mes forces et le peu de vie qui les anime, je devais les dépenser à m'éloigner de ces lieux, où, bientôt, Ângela fermera les yeux.

Je veux ignorer ta fin : je veux imaginer que tu vis, je veux rêver qu'un jour je reviendrai au Portugal, rampant sous le poids de la décrépitude, pour expirer dans tes bras.

Et toutes ces illusions, souffle ultime de mon âme, mourront là où je vivrai. Je partirai, Ângela ! Si je reviens un jour, et si l'on me dit que l'avant-dernière tombe s'est refermée… si tu es morte… je m'agenouillerai sur la dernière pierre érigée pour cacher le secret du dernier convive à ce banquet de malheurs…

Comtesse de Santa Bárbara, ne conspirons pas contre la souveraineté de Dieu ! Face contre terre, ma fille ! Et murmurons une action de grâces, quand la foudre s'abattra sur nos têtes…

Alberto et Eugénia sont dignes de ton amour… Alberto a la science du malheur. Eugénia a l'héritage du cœur de sa mère… Dans leurs bras, tes derniers jours peuvent s'écouler tranquilles.

Ton fils sera un jour le reflet des vertus d'Ângela de Lima… Si, à son retour au Portugal, vous vous retrouviez, parle-lui de moi, et dis-lui qu'entre les mains d'Alberto de Magalhães se trouve son patrimoine. Un jour, il recevra mon héritage, qui n'est pas fait de l'or avec lequel on achète les vertus à bas prix et nourrit facilement les passions affamées… Ce sera un livre.

Que la bénédiction de Dieu éloigne de ta tête les tourments du remords, ma fille.

Adieu.

La comtesse lut, avec la même sérénité, de la première à la dernière ligne. La vie extérieure était la même ; la mort, pourtant, y était entrée. Chaque minute était un an ; chaque aspiration, une haleine empoisonnée qui rompait les liens de son esprit à la matière inaltérable.

La lecture terminée, Ângela passa dans la salle d'attente, où se trouvait le porteur de la lettre :

— Où vous a-t-on remis cette lettre ?

— À Belas.

— Vous a-t-on dit qu'on attendait une réponse ?

— Non, Madame.

Ângela alla à la chambre d'Eugénia et lui demanda son attelage pour aller à Lisbonne.

Alberto, effrayé de cette destination inattendue, en demanda la raison. La comtesse lui remit la lettre.

Eugénia, qui en avait écouté la lecture, demanda :

— Et qu'attendez-vous de ce voyage à Lisbonne, ma chère amie ?

— Je veux lui dire au revoir… L'embrasser comme une fille… Mon cœur l'exige.

— Mais êtes-vous sûre de le trouver ? Sans doute pas… rétorqua Alberto.

— Mon cœur me dit que je le verrai… Si je ne le vois pas, tant pis… Dieu tiendra compte de ce vain désir.

Elles s'embrassèrent. Eugénia pleurait. La comtesse entra dans la chambre où Antónia avait expiré et posa un baiser sur les lèvres violacées du cadavre.

L'attelage partit. À Porcalhota, la comtesse ressentit un vertige. Elle crut que c'était la conséquence d'une vision horrible : elle avait croisé des cadavres de l'armée royaliste, qui stationnait dans les parages, et avait vu deux soldats frappés par le choléra agoniser, adossés à l'accotement, au bord de la route, demandant une goutte d'eau que personne ne leur donnait.

Au premier vertige succédèrent un deuxième, des crampes, des vomissements, des frissons et une sueur glaciale. La voiture s'arrêta. Un chirurgien militaire arriva à la portière et dit au cocher de se rendre rapidement à Lisbonne, s'il ne voulait pas transporter un cadavre. Dona Ângela demanda de l'eau. On lui en donna autant qu'elle voulait en boire, elle la vomit aussitôt. Quelques militaires entouraient la voiture, et un officier lui offrit sa maison. La comtesse refusa et demanda qu'on la conduisît vite à Lisbonne. Elle sentit qu'elle manquait d'air, et regarda ses mains, qui bleuirent soudain. Le chirurgien dit à l'oreille de son voisin :

— Dans une heure, elle est morte, on voit déjà la cyanose.

Or la cyanose, dans le choléra de 1833, était le symptôme infaillible d'une asphyxie proche.

L'attelage, au grand trot, s'arrêta au numéro 44 de la Travessa da Junqueira.

Le cocher allait frapper, quand la porte fut ouverte par Père Dinis, qui courut ouvrir la portière. Il recula… Ângela avait les yeux ouverts, mais ses lèvres étaient muettes. Père Dinis tendit la main vers elle, pour serrer la sienne… elle ne bougea pas. Il remarqua de nouveau le visage de la comtesse saupoudré de taches bleues et vit que ses yeux s'étaient fermés. Il lui prit le pouls… pas un seul battement.

— On dirait qu'elle est morte… dit le cocher.

— Elle l'est… Aidez-moi à la sortir de là.

Père Dinis monta, la posa sur un canapé, s'agenouilla… et dit, d'une voix qui avait quelque chose de surnaturel… un mélange de terreur, de sainteté et de sarcasme :

— Votre volonté est accomplie, Seigneur ! Celui qui voudra Vous servir sera écrasé sous Votre croix ! Seigneur ! Me voilà ! Que voulez-Vous de moi ?

Livre quatrième

I

Eugénia reçut la clef du cercueil de sa mère et partit avec son mari pour Lisbonne.

Dix heures s'étaient écoulées depuis qu'Ângela de Lima avait fermé les yeux en présence de Père Dinis. La fille d'Antónia ne pouvait plus venir au secours de son amie, car elle était morte ; mais… qui resterait aux côtés de Père Dinis, dans cette angoissante situation, avec à la maison le cadavre de la femme à qui il avait écrit une telle lettre, un adieu si poignant ?!

— J'irai, disait-elle, consoler le protecteur de ma mère ; je l'obligerai, par la tendresse et l'affection d'une fille, à appartenir à notre famille, Alberto, à vivre dans l'intimité de nos cœurs, à participer au bonheur que nous rebâtirons quand l'émotion de ce malheur aura été oubliée… Nous pouvons faire en sorte qu'il soit dédommagé, en ce monde, de tout ce que lui doit ma famille… N'est-ce pas, Alberto ?

— Il n'acceptera pas, Eugénia. Cet homme échappe à tous les calculs humains. Il a des vertus incomparables, mais le moyen par lequel il parvient à les posséder est surnaturel ou inconcevable pour le commun des hommes, voire pour lui-même. Sais-tu comment je le vois, Eugénia ? Comme un instrument de Dieu ; mais il a toujours à ses côtés un démon qui fait en sorte que ses vertus soient douces à l'humanité et amères pour lui. Cela semble absurde, ma chérie ; mais le merveilleux, appelé devant le tribunal de la faible raison humaine, apparaît comme un enchaînement d'absurdes. Nous ne savons rien. Nous vivons et nous mourrons matériellement. Il est nécessaire qu'apparaissent ces météores à l'éblouissante lumière, pour que nous détournions les yeux des mesquineries qui nous entourent et croyions qu'il y a de grands secrets au-dessus de l'entendement d'un homme ordinaire comme moi.

– Toi !!... Un homme ordinaire... toi, qui as fait de moi ce que je suis... qui m'as sauvée en m'amenant à la vertu, usant de moyens qui poussent tant de femmes à la perdition...

– Et comment appellerais-tu l'homme qui m'aurait arraché à l'abîme de la perdition pour faire de moi ce que je suis ?

– Un dieu.

– Et si cet homme employait les moyens de la corruption pour m'élever à des hauteurs où toutes les vertus sont faciles ?...

– Je ne comprends pas ta question, Alberto.

– Si cet homme, s'apercevant qu'il me laissait dans le même abîme où il m'avait trouvé, me disait seulement : "Tiens, avec ça tu pourras être honnête un an", et qu'avec ce cadeau j'achetais de nouveaux déshonneurs, au moyen desquels je serais parvenu à devenir vertueux par la conscience et par le calcul ? Quel nom donnerais-tu à cet homme ?

– Un instrument de Dieu qui arriverait à ses fins par des sentiers extraordinaires.

– C'est ce que tu peux dire de Père Dinis.

– Mais ce n'est pas cet homme-là dont tu as dit, par comparaison, peut-être, qu'il t'a arraché à l'abîme de la perdition...

– C'est lui...

– Père Dinis ?

– Ou Sebastião de Melo, ou... je ne sais pas comment

il s'appelle… Qui pourra dire quel est le vrai nom de cet homme ?

— Il y a alors un grand secret dans ta vie et dans celle de Père Dinis ?…

— Oui.

— Un secret qui mourra avec toi ?

— Oui, Eugénia.

— Jamais plus je ne te ferai répéter que ton mystère est sacré.

— Tu ne serais plus un ange si tu manquais à ton serment.

La voiture s'était arrêtée devant la porte de Père Dinis. Celle-ci était fermée. Le valet frappa trois fois sans entendre le moindre bruit.

— Il n'y a personne dans cette maison, dit un commerçant qui habitait en face.

— Ce n'est pas ici qu'habite un prêtre ? demanda Alberto.

— Je crois que si ; mais il y a environ deux heures, est sortie une voiture avec le cercueil d'une dame qu'on a trouvée morte, si je ne me trompe, dans cette même voiture. Derrière elle sont sortis le prêtre et ses deux serviteurs, et ils ne sont plus revenus.

— Mais ils reviendront peut-être… ? demanda Eugénia.

— Je n'en suis pas si sûr… Je connais quelqu'un à qui les valets ont dit que leur maître les avait congédiés parce qu'il ne reviendrait plus dans cette maison.

— Mais, dit Alberto, si nous parlions avec le propriétaire de la maison, nous pourrions savoir si Père Dinis lui en a rendu les clefs.

— C'était lui, le propriétaire. Il y a plus de quinze ans qu'il a acheté cette maison, d'après ce que j'ai entendu dire, au monsieur qui vivait là et s'appelait, si je me souviens bien, Sebastião de Melo.

— Que faire ? demanda Eugénia à son mari.

— Que faire ?… Je ne sais pas, Eugénia… Je crois que tout est consommé. La comtesse, à l'heure qu'il est, n'est plus qu'un cadavre parmi des centaines d'autres cadavres. Il est impossible de retrouver Père Dinis… De deux choses l'une : soit il est mort, soit il s'est fait ensevelir vivant.

— Cela ne se peut, Alberto… Faisons ce que je te propose… Allons au cimetière…

La voiture s'arrêta à Campo de Ourique. Alberto interrogea les postillons des voitures de louage qui s'y trouvaient. Le dernier lui dit qu'il avait transporté un cercueil depuis une maison de la rue de Junqueira. Mais il ne put le renseigner sur Père Dinis. Le cortège funèbre accompagnant le cadavre se réduisait au seul curé de la paroisse et personne d'autre. Il ajouta que la défunte devait être enterrée dans la dernière fosse du camp, à gauche, en contrebas.

La voiture contourna cette moisson de morts, sans numéro, sans signe distinctif, amoncelés à trois ou quatre, appartenant à la même famille, dans le même fossé et enveloppés dans le même linceul (1). Au fond, à l'extrémité du terrain vague, s'élevait comme une balise, une vigie des morts, une silhouette sombre qu'Eugénia reconnut avec les yeux du cœur.

— Tu veux le voir ?

— Qui ?

— Père Dinis… Regarde, à côté de ce groupe qui vide des brancards dans un fossé, à gauche, un homme immobile…

— Je vois… Tu as raison… c'est lui… Personne d'autre n'aurait cette posture… Vite !…

La voiture s'arrêta à courte distance du fossé. Eugénia et Alberto descendirent.

Ils se demandèrent s'ils avaient le droit de troubler cet homme qui croisait les bras, les yeux fixés sur un tertre de gravier, comme si, de ce sol, allait se lever l'être que ses mains avaient aidé à s'étendre dans ce lit glacé.

Eugénia s'arrêta presque à côté du prêtre. Alberto, le chapeau à la main, les cheveux dressés sur la tête par l'exaltation de ces scènes où le pied de la terreur écrase les esprits intrépides, n'osait pas s'approcher de si près.

– Monsieur… murmura la fille d'Antónia.

Père Dinis tourna sereinement son visage, comme s'il n'était pas surpris.

– Eugénia !… Tu es venue toi aussi rendre visite à la dernière demeure de l'amie de ta mère !… Tu es là toi aussi, Alberto ?… Venez auprès de notre ange qui nous a laissé ici son cœur… Elle est ici… Regardez ce carré de terre… Dona Ângela de Lima est désormais réduite à cela !… Voici la beauté, les espérances, trente-quatre années de martyre… un cœur qui a reçu tous les coups, des lèvres qui ont béni toutes les douleurs, des yeux qui ont pleuré toutes leurs larmes et ne se sont fermés que face à la douleur que je lui ai causée, qui devait être la dernière… Voulez-vous que je vous dise ? Elle a été ma victime !…

– Ne dites pas cela, mon Père ! coupa Alberto.

– Que voulez-vous donc, pauvres aveugles ? Ne voyez-vous pas sur moi l'auréole d'un feu sinistre ? Tout ce qui s'approche de moi tombe. Je respire la mort… Quiconque vit au contact de l'air qui m'entoure mourra. Sinon… voyez seulement… Je me préparais à quitter le Portugal et j'avais dit à Dieu : "Vous ne permettrez pas que cette… celle qui est là maintenant… Vous ne permettrez pas qu'Ângela meure devant mes yeux… J'œuvrerai, Seigneur, pour Votre service… En Inde, de terribles martyres attendent ceux qui proclament Votre nom. Tant mieux ! J'irai dire que Vous êtes un dieu de justice et je témoignerai de Votre vengeance par les souffrances que j'endurerai de longues années durant… Laissez-moi l'assouvir avec mon sang, mais ne forcez pas votre serviteur à baisser les yeux sur le cadavre de la fille de son cœur…" Ma prière fut interrompue par le roulement d'une voiture qui s'arrêta devant ma porte. Je suis descendu et j'ai vu Ângela fermer les yeux.

– Elle a encore pu vous voir ? demanda Eugénia, en sanglotant.

– Elle a encore pu me voir…

– Elle m'avait confié que son cœur lui disait qu'elle vous trouverait.

– Elle m'a trouvé, pour me dire dans le langage muet du dernier soupir : "Dieu ne t'a pas exaucé… Me voilà morte sous tes yeux…" Voyez donc quelle vie est la mienne, mes bons amis !… Dites-moi s'il n'y a pas ici quelque chose qui dépasse la mesure de la souffrance humaine ! Et puis sachez qu'il est inutile d'appeler Ângela. Elle est morte, elle n'a plus d'oreilles, ni d'yeux, ni de cœur. Tout est fini ici.

– Mais le Ciel… l'éternité… dit Eugénia.

– Vous dites bien, ma fille… Le Ciel, l'éternité !… Votre cœur est pur, n'est-ce pas ?

– Pur !… Mon Dieu !… J'aurais aimé vous répondre en sortant du berceau…

– Eh bien, moi, je vous dis que votre cœur est empli de bons sentiments, de nobles espérances et de foi dans les miracles que Dieu peut accomplir en récompense des vertus qui le Lui demandent… Écoutez, ma fille, demandez au Seigneur de vous laisser contempler Ângela de Lima… Vous pourrez la voir en rêve, au Ciel, dans l'élévation de vos prières… Si vous la voyez, dites-lui que vous avez vu Père Dinis, pleurant sur ce fossé… Adieu, Eugénia !… Alberto… sois toujours bon avec cette jeune fille.

– Père Dinis, nous ne vous quitterons pas ; Eugénia veut que vous fassiez partie de notre famille…

– Ma famille sont ces tombeaux… Elle se termine avec moi, cette race de malheureux… Allez en paix.

– Venez avec nous, Monsieur, au nom des douleurs que vous avez souffertes avec tant de résignation…

– Ne cherchez pas à les aggraver… Soyez généreux avec un pauvre vieillard. Allez-vous-en… Obéissez-moi.

Eugénia lui baisa la main, la baignant de ses larmes. Alberto l'étreignit et sentit entre ses bras tremblants un corps froid, tranquille, résistant aux émotions de cet adieu.

La voiture s'arrêta plus loin. Eugénia voulait, une ultime fois, contempler l'homme supérieur qui recélait en lui le secret de son mari, ayant sauvé un ange de l'abîme de la perdition… Elle ne le vit plus.

(1) Ce n'est pas une exagération. Il n'y a pas de statistiques des dommages causés par le choléra en 1833, en particulier à Lisbonne, parce que les esprits de l'époque, préoccupés par la guerre aux portes de la ville, se souciaient plus de soigner les blessés des batailles que de compter les morts de l'épidémie. Je me souviendrai toujours de l'épouvantable terreur que j'ai ressentie, à sept ans, quand, un lundi, je frappai à la porte de mon maître des premières lettres et que personne ne me répondit : la raison de ce silence était profondément triste ; il n'y avait plus personne dans cette maison ; et cependant j'y avais laissé, samedi, sept personnes vivantes. Dimanche, à trois heures de l'après-midi, elles étaient déjà toutes mortes : mon maître, ses deux sœurs, leur père et deux serviteurs.

II

Sintra avait perdu son charme pour l'heureux ménage. Ils y avaient vu se lever des jours d'un bonheur parfait. Jamais le chagrin ne les aurait assombris, si deux linceuls n'étaient venus troubler la lumière d'un ciel propice, témoin de leurs amours passionnées.

Eugénia vivait tristement. La solitude de ces vastes espaces, qui lui avait été si favorable pour penser toute seule à son bonheur, se peuplait désormais de visions effrayantes et trop tristes pour son âme malade de nostalgie.

Les images de sa mère, de la comtesse, de Père Dinis, et même, par une tortueuse coïncidence, du comte de Santa Bárbara, la terrorisaient, lui agitaient le sang, l'arrachaient, comme poussée par une force étrange, aux bras d'Alberto, pour la précipiter dans le coin le plus obscur de sa chambre, où elle pleurait. Son affectueux mari ne comprenait pas cette inquiétude, mais ne pouvait douter de l'amour d'Eugénia. Mêlées à la tendresse, venaient les larmes… Mais quelles larmes, cependant, étaient celles-là ? Le regret ? Cela péchait par excès, n'expliquait rien. La crainte ? De qui, ou pourquoi ? Le caractère ? Le sien n'était guère mélancolique… Au contraire, Eugénia, tout en ayant eu ses heures de mélancolie, depuis un bon moment, s'étant habituée à vivre par la pensée dans un monde différent de celui de son enfance, connaissait de nombreuses heures d'une vivacité jubilatoire, remplies de mots galants, d'anecdotes gracieusement facétieuses qui faisaient rire Alberto aux éclats. Quelles larmes étaient-ce donc ? Rentrant de Lisbonne, où il s'était rendu sans prévenir sa femme pour la première fois, Alberto la retrouva triste ; triste, mais adoucie par une résignation qui la poussait à ne pas oser demander à son mari la raison de ce manque d'estime. Profond connaisseur de toutes les âmes, exception faite de celle de Père Dinis, Alberto la récompensa de sa délicatesse en lui annonçant qu'il était allé préparer son palais de Lisbonne pour qu'ils puissent quitter Sintra le lendemain. Eugénia se jeta dans ses bras, en s'écriant :

— Béni sois-tu, mon chéri !… Je désirais tant qu'on s'en aille d'ici, mais je n'osais pas te le demander.

— Pourquoi ?

— Je ne sais pas ; il me semblait que tu étais heureux ici, et je ne voulais pas te montrer que je l'étais moins…

— Mais tu pleurais…

— Je pleurais… Je ne pouvais pas retenir mes larmes ; plus je demandais du courage à Dieu, plus je me sentais femme.

— Que ressentais-tu ? De la peur ?

— Je ne sais pas, Alberto… je ne peux pas te dire ce que c'était… un poids de fer sur le cœur… un manque d'air, de lumière, de vie... Je n'ai que toi, mais je ne pouvais pas te raconter mes visions...

— Des visions ? Je te croyais si forte...

— Je suis très faible. Les vivants ne me terrorisent pas... J'ai l'impression qu'à tes côtés je suis supérieure à tous ; mais les morts... Oh ! Mon Dieu !... Quel froid je sens couler dans mon sang... Alberto, la dernière nuit que nous passerons à Sintra, ne me laisse pas seule un instant... J'ai plus peur aujourd'hui que jamais...

— Peur ! Qu'as-tu vu, Eugénia ? Au nom de ton amour, pour tout ce qu'il y a de noble dans ton âme, dis-moi ce que tu as vu...

— Au nom de mon amour... dis-tu... Ô Alberto, pourquoi as-tu invoqué mon amour ? Si tu te sers de ce témoin, je ne peux rien te cacher... Je te dis tout... Voilà... te souviens-tu que Père Dinis m'a dit de demander à Dieu de me laisser voir Ângela ?

— Oui.

— Je l'ai demandé... je l'ai demandé avec beaucoup de ferveur, quinze jours durant...

— Et après ?

— Je l'ai vue...

Alberto sourit.

— Ne ris pas, tu me fais mal... Je commence à redouter de te raconter ce que j'ai vu... Ton rire est une profanation... Écoute-moi avec piété et religion, veux-tu ?

— Dis, ma chérie... qu'as-tu vu ?

— J'ai vu Ângela...

Eugénia était livide. Ses yeux épouvantés fixaient les ombres que le vacillement de la lumière agitait dans les recoins obscurs de la pièce. Alberto, malgré lui, commençait à se sentir électrisé par la terreur magnétique qui emplissait les yeux de sa femme. À cet instant, une pensée fugitive l'effleura : « Aurions-nous été touchés par la contagion surnaturelle de cet homme ? »

— Comment était Ângela quand tu l'as vue ?

— Comme je l'ai connue… en compagnie de son mari… martyrisée… me maudissant dans le silence de sa chambre… Tu vois ?… Je ne voulais pas te le dire… Maintenant, souffre avec moi, Alberto !…

La jeune femme, secouée de convulsions, se précipita dans les bras de son mari comme si elle fuyait un fantôme.

— Qu'as-tu, Eugénia ? Quel poids accordes-tu à cette vision de ton esprit exalté ?!

— Un poids qui ne me laisse pas vivre heureuse… Je l'ai vue ainsi souvent, toujours ainsi… Mais il est impossible qu'elle ne m'ait pas pardonné !… Je lui ai tout raconté… Elle m'a entendue pleurer… et elle m'a embrassée à la fin avec tant d'amour… Serait-ce une superstition, Alberto ?…

— Sans doute… Si le monde avait perverti ton âme, tu n'aurais pas de semblables visions.

Vingt-quatre heures plus tard, ils étaient à Lisbonne, recevant la visite de notabilités politiques, commerciales et littéraires, qui se congratulaient d'avoir en leur sein le généreux défenseur des idées libérales et regrettaient, en même temps, la perte de la mère et belle-mère des heureux conjoints, dame dont les vertus étaient notoires (bien qu'aucun des présents ne l'eût connue ni de vue ni de tradition). On s'essayait oralement, à l'époque, à « l'article nécrologique », qui devint par la suite une spécialité des talents funéraires de notre pays, d'où, malgré les innovations apportées au genre, il ne fut pas encore possible d'extirper le « que la terre lui soit légère » pour tous ; « c'était une petite fleur qui s'ouvrait à la vie » pour les demoiselles ; « c'était un modèle pour les parents, les amis, les époux et les citoyens » pour le vieillard ayant exercé des « charges municipales » ; et « c'était un caractère du genre plutôt à rompre qu'à ployer » pour les gentilshommes de race. D'ailleurs la nécrologie, au Portugal, est en passe de caractériser notre nature littéraire, au même titre que la parabole en Orient et la métaphysique en Allemagne. Eh bien, cette suite de phrases désunies et hors de propos dans le roman est là pour signifier qu'Alberto de Magalhães accueillait chez lui la crème de la jeunesse, le Tout-Lisbonne qui avait déboulonné de son piédestal l'idole superstitieuse de la vieille race. Eugénia excitait l'intérêt des illustres admirateurs de son esprit et se faisait respecter par les plus audacieux, qui rentraient de l'étranger, instruits des raffinements de la nouvelle civilisation et remodelés à la façon de certains hommes qu'ils avaient vus à Paris, où on les nommait les « lions ».

Dans les salons d'Alberto de Magalhães se réunissaient donc les premiers lions, qui avaient la générosité de considérer comme une « lionne » la galante maîtresse de maison.

Alberto, l'homme du monde, qui, quelques années auparavant, avait rencontré en France, étrangers à la bonne société de Paris, ceux-là mêmes qui, chez lui, se vantaient de la plus grande familiarité avec le meilleur monde de Saint-Germain, s'amusait *in petto* de ses amis, les invitant à lui raconter leur vie de Paris, comme s'il avait souhaité pouvoir un jour s'intégrer à cette ville en évitant la *gaucherie des parvenus*[1]* (comme disait le tout nouveau baron de Sá, qui parlait aussi détestablement le portugais que le français).

– À Paris, disait ledit baron, *Madama*, la vie est belle de tout ce que la vie a de bon et donne *le plaisir au cœur**. Les femmes… pardon *Madama*!… Au Portugal, le mot « femmes » ne sonne pas bien à l'oreille. En France, on dit *les femmes**, et je ne sais pas ce qu'il y a de *gauche** dans ce mot traduit en portugais. *Les femmes ont cette coquetterie**… pardon ; j'ai un peu oublié ma langue et, *malgré moi**, je parle presque toujours en français par erreur. Les dames, disais-je, ont ce *coquettisme**… peut-on dire *coquettisme**, Xavier ?

– On peut… c'est du classique authentique, répondit monsieur Xavier, un magistrat facétieux, marchant sur la

1. En français dans le texte.

bottine vernie de son voisin, dérangeant douloureusement l'alignement délicat de ses cors, très peu parisiens.

— Il y a ce *coquettisme**, poursuivit le baron, ramenant vers la gauche le fantastique frisé de *"la chevelure à Saint-Simon**"*, comme il la définissait sérieusement. Elles ont ce *coquettisme* qui nous met à mal le cœur et enthousiasme, *enivre**, enivre la tête. Elles savent faire ce qu'au Portugal les dames ne savent pas, *c'est-à-dire**, elles savent *causer**.

— *Causer**?... Je ne vous ai pas compris, Monsieur le Baron, dit Eugénia avec un artifice enfantin.

— *Causer**... *Madama*, il n'y a dans notre langue aucune parole suffisamment énergique, significative, *tranchante**, pour en expliquer assez bien le sens. *Causer**, c'est une sorte de *bavarder*.

— Ah !... J'ai compris... Veuillez poursuivre.

— Au Portugal, je peux avancer que nous ne savons pas ce qu'est bavarder *au coin du feu**. Il nous manque ce verbe qui, abstraction faite de rares dames, captive l'oreille avec des conversations d'un intérêt toujours palpitant. La femme française converse donc toujours en *négligé**. Elle ne s'impose jamais en faisant entendre des banalités prétentieuses. Tout ce qu'elle dit est *pétillant** et, pour tout dire, elle ne fait pas les *grimaças* de certaines *ridicules**, qui n'ont pas lu leur Molière. Oh ! J'aime les dames françaises.

— Avec tant d'enthousiasme pour les chanceuses dames de Paris, vous avez dû être très fortuné dans vos entreprises, Monsieur le Baron !... dit Eugénia, recouvrant toute la finesse de son caractère *railleur**, comme aurait dit le brave baron, s'il avait été un tant soit peu moins sot.

— Si vous le permettez, *Madama,* je dirai, sans vanité, que j'ai surmonté des obstacles qui en auraient fait reculer bien d'autres. Qui n'aimerait pas, à Paris, à moins d'avoir le cœur *blasé**?

— L'exil ne vous a donc pas été très douloureux... coupa Eugénia.

— La position de l'exilé est toujours pénible, Madame ; mais le bon Dieu, comme disent les Français, m'a dédommagé d'une main généreuse…

— Je croyais que les Portugais n'étaient pas très bien reçus par les dames françaises…

— Vous vous trompiez, Madame, je suis au courant d'exemples qui prouvent le contraire…

— Oui ?

— Notre ami ici présent, dit le magistrat, est l'almanach des aventures des proscrits. Il connaît une copieuse chronique de scandales et nous promet, aussitôt recouvrée la langue maternelle perdue, d'écrire « Les Fastes de l'Exil ».

— En ce cas, dit Alberto, nous attendrons ce joyau littéraire, moral et philosophique…

— Mais malgré tout ce que tu sais, mon petit Baron, poursuivit un conseiller qui avait eu toutes les peines à dissimuler les éclats de rire qui l'avaient assailli pendant le bavardage du baron, tu ignores ce que je vais raconter, ou *causer**, comme tu dis, au sujet d'un événement qui va prouver à Votre Excellence, Dona Eugénia, que les Portugais sont bien reçus des dames françaises.

— J'en suis très flattée en tant que Portugaise, fière des gentilshommes portugais… C'est une sorte de nationalisme, n'est-ce pas ?

— Certainement… Voilà l'histoire, Baron, prends tes notes. En 1829, apparut à Paris un gentilhomme portugais connu sous le nom de Leopoldo Saavedra. Vous devinez déjà de quoi je vais parler…

— C'est une affaire bizarre, dit le baron, mais je ne sais pas très bien comment cela s'est passé… j'en ai entendu parler à *vol d'oiseau**.

— Leopoldo Saavedra se présenta avec la recommandation du ministre français en poste au Brésil et fut introduit dans la meilleure société. Il était riche et avait de l'allure…

— Tu l'as connu ? s'enquit le magistrat.

– Non. En ce temps-là, j'étais avec Palmela à Londres. J'ai fréquenté de très près des personnes qui l'ont connu. Outre qu'il était riche et élégant, il était aussi éloquent, parlait une quantité de langues et bavardait avec les Grecs dans la plus pure langue d'Homère. La femme la plus en vue de Paris, la fleur des salons de Charles X, était la duchesse de Cliton, une veuve de vingt et quelques années et trente mille livres de rente. Imaginez, Dona Eugénia, une dame de trois pouces plus grande que vous, au visage long et mince, au teint pâle, avec de grands yeux noirs, de longs cils comme des franges de satin, une bouche irrépréhensible en toutes les lignes de la beauté, un duvet épais voluptueusement bouclé aux coins des lèvres, un cou de cygne, de larges épaules, musclée autant que le sculpteur, inspiré par le beau, a voulu que le fût la Vénus de Guido, tenant miraculeusement sur une taille flexible, droite comme une reine donnant ses ordres, regardant souverainement la petitesse des choses qui l'entouraient, parlant avec hauteur, saluant avec superbe, déprimant les envieuses, tuant par l'ironie les passions faciles des lions parisiens… Telle était l'amante de Leopoldo Saavedra, notre compatriote…

– Mais qui est ce Leopoldo Saavedra ? demanda Eugénia. Je n'ai jamais entendu prononcer ce nom.

– Moi non plus, Madame, hors de Paris. Nous supposons qu'il s'agit d'un riche Brésilien, qui a emprunté ce nom et s'est retiré dans son pays…

– Mon mari, reprit Eugénia, a vécu quelque temps en Amérique. Il se peut qu'il l'ait connu.

– J'ai entendu parler de cet homme dans le Pará ; mais je ne me suis pas intéressé de savoir qui il était, répondit Alberto, tordant ses longues moustaches, dont il comprimait les pointes entre ses lèvres.

– Quoi qu'il en soit, poursuivit le narrateur, ce devait être un homme de très mauvais caractère, ou alors sa sensibilité dépravée par les passions ne pouvait pas l'élever à la hauteur de l'amour sublime de la duchesse de Cliton.

— C'était un *roué**, à ce qu'il semble ! dit avec solennité le baron, se congratulant de l'opportunité d'introduire ce *roué** qui, depuis un moment, démangeait ses lèvres, à l'affût de la première occasion propice.

— Peut-être. Toujours est-il que Leopoldo Saavedra, tenu pour l'amant de la duchesse, affichait pour elle, dans les salons, la plus grossière indifférence, allant jusqu'à la vexer dans ces petits riens qui font l'amour-propre d'une dame bien née… La duchesse avait un frère, féru de la bonne renommée de sa sœur, et duelliste de la secte des ombrageux qui se font tuer pour un mot de travers ou parce qu'on leur a marché sur les pieds. On m'a dit que Leopoldo le croisait chez la veuve et qu'il affectait pour lui le plus grand mépris. La haute noblesse apparentée avec l'héritière des Cliton, célèbre depuis Charlemagne et fière des blasons gagnés lors des croisades, rappela à la duchesse l'imprudence de montrer des signes publics d'affection envers un étranger dont le seul intérêt résidait dans son opulence. On la pria d'attendre des renseignements plus précis provenant d'Amérique sur Leopoldo Saavedra, sans lesquels son attachement pourrait devenir le fossé de sa dignité et un désagrément pour la famille. La duchesse répondit qu'elle était libre comme la pensée et, depuis ce jour, le gentilhomme inconnu descendait de la voiture de la duchesse devant le théâtre, la conduisait à sa loge et affichait auprès d'elle une position de scandaleuse intimité.

— Scandaleuse ! répéta en souriant le magistrat.

— Le conseiller est en train de choisir les adjectifs les plus moralistes que nous possédions ! Nous ne l'avons jamais vu aussi indigné contre…

— Les *tête-à-tête**… interrompit le baron de Sá, que les circonstances forçaient à avaler beaucoup d'*à-propos** qui remontaient en frétillant à ses lèvres impatientes de les prononcer.

— Je me révolte contre tous les scandales, poursuivit le conseiller, parce que je suis un chef de famille et, même si je ne l'étais pas, l'honnêteté commande au narrateur d'une histoire immorale, en présence d'une dame vertueuse, de ne pas applaudir cyniquement aux immoralités qu'il raconte.

— *À la bonheur**! reprit le baron. Allons-y pour la *mise en scène** des immoralités.

— Leopoldo était vu d'un mauvais œil dans les salons. L'envie, la jalousie et l'intrigue minaient sa réputation, quand la duchesse lui demanda de devenir son mari. Que croyez-vous, Dona Eugénia, qu'ait fait le prétendu aventurier, comme l'appelaient les Parisiens ?

— Il s'est marié... s'il l'estimait et s'il était effectivement un aventurier...

— Pas du tout ; il a décliné l'offre, disant que l'amour de la duchesse était un caprice, fruit de sa vanité.

— Drôle de réponse, tu ne trouves pas, Alberto ? demanda Eugénia.

— Drôle, non... ça me paraît une réponse naturelle.

— Il ne l'aimait pas... reprit Eugénia.

— C'est le moins que l'on puisse en déduire.

— Et une chose encore, Monsieur Magalhães... Non seulement il ne l'aimait pas, mais il s'en est moqué, faisant d'elle la proie de la risée publique ; et le public l'a suivi en la raillant, allant jusqu'à afficher des mots moqueurs sur la porte de sa loge...

— Savez-vous ce que disaient ces mots, Monsieur le Conseiller ? demanda Eugénia.

— J'en ai lu un ; c'était un vers que j'ai traduit ainsi : "L'âme de Ninon transmigra dans le corps flexible de la gentille Cliton. Jeunes gens, gardez espoir ! Le soleil se lève pour tous... Votre tour viendra aussi... L'étranger portugais a franchi le cap de Bonne-Espérance comme son compatriote Gama, ouvrant pour vous les bienfaits de sa découverte." La duchesse ne fut plus jamais vue au théâtre, ni ne reçut plus personne, à l'exception de Leopoldo, dont les visites successives se conclurent par celle des adieux. Il a quitté Paris, sous prétexte d'acheter à Florence une villa où la duchesse devrait vivre comme sa simple… sa simple…

— *Maîtresse*… *femme entretenue*… dit vivement le baron, tout content d'avoir sorti le conseiller d'une sérieuse difficulté.

— Exactement. Il venait de franchir la frontière belge quand il a été abordé par le frère de la duchesse, qui l'a défié. Leopoldo n'a pas accepté le duel. Ils se sont rencontrés sans témoins. Je ne sais pas, car personne ne sait, comment le Français a été assassiné. Le cadavre ne présentait pas, ce qui est étonnant, la moindre égratignure. À côté de lui, se trouvait un pistolet dont on s'était servi. Soit Leopoldo est mort de ce coup de feu, soit il a réussi à s'échapper sans que ni la duchesse ni la police diplomatique ne parviennent à le retrouver.

— Et la duchesse est toujours vivante ? demanda Eugénia, visiblement émue de l'infortune d'une telle femme.

— Je crois que oui, Madame. En 1832, elle vivait encore, mais à l'écart de la société, triste… Je crois qu'elle voyageait depuis 1829.

— *Repliée sur elle-même*… dit le baron, faisant rire le magistrat.

— Voilà, Baron, une belle page pour tes « Fastes de l'Exil », dit le conseiller.

— Laisse-le recouvrer auparavant la langue de ses aïeux… coupa ironiquement le magistrat.

Il était minuit.

Le salon était désert, et Alberto de Magalhães profondément triste.

III

La soudaine mélancolie d'Alberto résista aux caresses d'Eugénia qui, dans le silence de son âme, demanda à Dieu si son bonheur de cinq mois n'avait pas été une illusion, morte cette nuit-là. La pauvre jeune femme n'avait pas remarqué les yeux creusés et sombres de son mari, trahissant des remords ou voyant dans l'avenir un ennemi qui venait recouvrer une dette de souffrances. Cédant à la crainte qui assaille immédiatement le cœur de la femme mariée dès qu'elle sent refroidir les attentions de son époux, Eugénia crut qu'elle était devenue ennuyeuse et importune à l'homme qui l'avait faite sienne par caprice, ou par une illusion ayant perdu, cinq mois plus tard, toute poésie.

Ce soupçon était angoissant ! Eugénia ne pouvait le supporter avec tranquillité, gardant un silence patient, qualité privilégiée des âmes petites ou de celles qui, par leur grandeur, touchent au surnaturel.

Alberto, pour le plus grand tourment de sa femme, était entré à minuit dans son cabinet et Eugénia l'attendait encore à deux heures du matin. Deux longues heures de spéculations tourmentées pour la fille du général Gervásio ; et pour Alberto... Dieu sait ce qu'elles avaient été...

À trois heures, Eugénia frappa à la porte du cabinet. Elle s'ouvrit. Il n'y avait aucune lumière dans la pièce !

— Dans le noir, Alberto ?!... Que se passe-t-il, mon Dieu ?

— Rien, Eugénia... Ce n'est qu'un abattement moral momentané.... cela passera quand le tribut aura été payé...

— Qu'as-tu, mon chéri ?... Cette souffrance est nouvelle...

— Elle est ancienne pour moi...

— Tu semblais heureux, il y a à peine quelques heures...

— Et je le suis...

— Tu l'es !... Triste bonheur !... Personne ne s'enferme par plaisir trois heures durant pour penser, se mortifier et martyriser capricieusement une femme qui donnerait sa vie pour que tu ne connaisses pas cinq minutes de douleur...

— Allons, Eugénia... Je suis bien... Ne vois-tu pas que je le suis ?... Aucune tempête morale ne résiste à ta voix, ma chérie... Pourquoi n'es-tu pas venue plus tôt ?...

– J'ai cru que tu étais las de moi…

– Las ?… De toi !… Quel dommage que tu n'aies pas pu voir mon âme pendant ces trois heures !

– Écoute, Alberto… je venais te dire quelque chose…

– Que venais-tu me dire ?

– Maintenant… je ne sais plus si je dois te le dire…

– Dis-le… Un mystérieux suffit… Mon passé recèle des abîmes où je ne veux pas que tu descendes… Le présent a ses secrets… Ce sont des blessures du passé qui saignent… Je dois rester mystérieux par pitié pour toi et pour moi… Mais toi, non. Je connais chaque minute de ta vie ; je ne veux pas que tu me caches une seule de tes pensées… Il est impossible que tu aies honte de m'en confier une seule… Que venais-tu me dire ?

– Tu as raison, je ne dois pas enfermer dans mon cœur une pensée qui devrait te donner, et te donnera un peu de bonheur… Écoute-moi et pardonne-moi, Alberto… Je suis une femme : cela suffit déjà à ne pas satisfaire les besoins du cœur d'un homme aux médiocres ambitions… Je suis une femme comme toutes les femmes ordinaires, je ne me vante pas de mérites qui ne soient triviaux, et toi, tu es un homme que j'imagine unique, supérieur à tous, à l'âme insatiable, qui épuise aisément en quelques jours tout l'amour que je puis lui offrir en beaucoup d'années. Je dois t'ennuyer, déjà maintenant, ou d'ici quelque temps… J'étudie ton caractère, je me le figure selon certains modèles qui te correspondent, trouvés dans les livres, je devine ton âme, pour plus que tu me la caches, peut-être par commisération… Eh bien, soyons frère et sœur si nous ne pouvons être amants. En tant que sœur, fais pour moi ce que Père Dinis a fait pour ma pauvre mère. Offre-moi la cellule d'un couvent ; un abri où je pourrai me considérer comme tienne, car cet abri m'aura été donné par toi… Il me semble que je recevrais avec des larmes de gratitude une aumône qui viendrait de ta main… Quand cela arrivera, Alberto, si ta main ne peut faire le bonheur d'une autre femme, ton cœur sera libre… libre, libre, mon Dieu !… Alberto… que t'ai-je fait ?… Je ne peux consentir que ton cœur appartienne à une autre…

La transition du naturel avec lequel elle exposait le plan d'un divorce à l'amiable à la véhémence qu'elle mit dans le mot « libre » ressemblait au passage d'un instant de lucidité à un accès de démence fébrile.

S'étant jetée impétueusement dans les bras d'Alberto, qui l'embrassait, ému et émerveillé, Eugénia, représentée dans l'imagination de ceux qui voient avec les yeux de l'âme le sublime de ce tableau, était comme une protestation contre les injustices avec lesquelles un scepticisme infâme, distingué par la mode, foudroie la femme, dépositaire du peu que la divinité a laissé de son essence parmi les hommes.

Combien de scènes aussi obscures ! Combien d'actes héroïques ainsi oubliés, ignorés au milieu des turpitudes ordinaires, telle la perle recouverte de poussier que l'orage fait rouler sur la grève ! Combien de femmes enfermées dans leur tombe avec le secret de leur abdication volontaire d'une couronne de roses, pour ceindre celle d'épines que la main de l'homme leur a mise sur le front comme signe de sa perfidie ! Alberto se sentit petit en présence de cette femme, trouvant l'expression humaine trop frivole pour répondre aux conditions dont Eugénia peignait sa future félicité.

Les mots de sa femme avaient opéré dans son cœur une guérison miraculeuse. Des blessures, ouvertes dans la cicatrice d'une ancienne passion, furent comme refermées, à l'improviste, par le baume d'une nouvelle passion. Quelle que fût sa supériorité, Alberto était un homme comme tous les hommes, susceptible de tomber dans le plus obscur renoncement à l'espoir, et tout aussi capable de voir s'ouvrir devant ses yeux, séchés par la main d'une femme, un vaste horizon d'espérances réconfortantes.

L'aube vint avec sa lumière enchanteresse prolonger le printemps des amants heureux, après un moment de tourmente. Dès le lendemain, et durant les six mois qui suivirent, il n'y eut pas une minute d'ombre. Le luxe, la considération publique, la capricieuse renommée, voire la servilité formaient le cortège de la fortune qui s'empressait de deviner les désirs des heureux conjoints. Alberto de Magalhães était le modèle des gentilshommes, Eugénia faisait l'envie des femmes d'esprit quand elle n'était pas l'os que rongeaient les vertueuses équivoques. En tout cas, bonnes et méchantes, amies ou ennemies, toutes entraient dans ses salons, louaient la dentelle raffinée de ses robes, évaluaient la fastueuse prodigalité des pièces de Sèvres et de Saxe, modelaient les miniatures de leur mesquine ambition d'après les magnifiques patrons avec lesquels les salons des Magalhães éblouissaient les yeux envieux des nobles forgés par la décoration qui resplendissait sur leur habit.

La nature de l'homme aurait subi une révolution majeure si la richesse d'Alberto de Magalhães n'avait pas été l'aiguillon de curiosités médisantes et de conjectures plus ou moins irrationnelles. Le fils de Dom João VI était toujours, pour quelques-uns, de souche royale, et pour beaucoup d'autres d'extraction aventurière. Aux qualités qu'on lui avait prêtées dans les salons de la comtesse d'Alfarela, désertés en 1833 et oubliés en 1834, la nouvelle génération des syndics de la vie d'autrui ajoutait que les millions d'Alberto de Magalhães provenaient de la fausse monnaie, déversée dans toute l'Europe et partagée entre les hommes les plus en vue de chaque pays. Vrai ou pas, étant avéré que l'argent dont Alberto se servait d'ordinaire consistait en livres légitimes et en authentiques pièces de Dona Maria Ire, ses nombreux ennemis ne dédaignaient pas de partager le faste acquis avec de la fausse monnaie. Excellentes et tolérantes personnes ! Parmi les commensaux effectifs du millionnaire suspect, se trouvaient le conseiller chroniqueur de la duchesse de Cliton et de Leopoldo Saavedra, le magistrat très intègre qui égratignait le verbiage barbare de son compagnon d'émigration, le baron de Sá, qui n'avait pas renoncé à l'espoir d'abandonner un jour ses grimaces de singe disgracieux pour secouer la crinière crépue du lion parisien dans la cage où Dona Eugénia, involontairement, l'avait enfermé, enchaîné par le ridicule.

Inévitables à table, ils l'étaient également dans la loge du théâtre, sur les coussins de la voiture, lors des promenades à cheval, partout, enfin, où l'estomac ou l'esprit pouvaient fonctionner de façon que l'or prodigue d'Alberto assurât l'irresponsabilité de leurs poches, qui commençaient à s'organiser, en 1834, avec le gaspillage des sybarites, attablés huit siècles durant autour de la première nappe pour commencer, en 1833, une pénible indigestion de mets assaisonnés avec du sang… indigestion dont quelques rots, aujourd'hui encore, provoquent une insupportable nausée.

Moins de politique et plus de roman. Écoutons donc ce dialogue entre deux élégants de l'orchestre du théâtre de São Carlos :

— Comment trouves-tu Lisbonne ?

— Civilisée. Certaines femmes y ressemblent aux femmes de Paris. Il y a de la vie dans cette nouvelle génération et une touche spéciale dans ces physionomies qui nous regardent sans être punies par un pincement infligé en traître par le père ou la tante bigote. Je vois qu'elles savent tenir une jumelle. En 1828, les mères de ces créatures angéliques, si elles venaient à São Carlos, ouvraient un éventail devant leurs yeux quand les danseuses exhibaient une jambe scandaleuse. Grâce à la réforme, six années de civilisation ont fait entrer la jambe dans le catalogue des spectacles honnêtes. Dis-moi… qui est cette femme du 13, au deuxième rang, qui braque ses jumelles sur la loge d'en face ?

— C'est Dona Eugénia de Magalhães.

— Mariée ?

— Oui, avec le mystérieux Alberto de Magalhães.

— J'ai déjà entendu parler de cet homme et je ne suis arrivé de Porto qu'hier.

– C'est une énigme.

– Il a beaucoup d'argent ?

– Beaucoup. Il y a quinze jours, on lui attribuait douze millions ; aujourd'hui, il doit en avoir vingt-quatre. Un certain Salema, propriétaire de neuf navires, est mort il y a quelques jours et lui a tout laissé.

– Pourquoi dis-tu qu'il est énigmatique ?

– Parce que personne ne sait qui il est. Fils de Dom João VI, brigand, chevalier d'industrie, espion, corsaire, faux-monnayeur…

– Il est tout ça ?

– Chaque opinion veut qu'il soit l'une de ces choses.

– Si l'industrie produit vingt-quatre millions, je me déclare son chevalier… Ce dont je me passe bien au bénéfice d'un sot quelconque, c'est d'une naissance grâce aux bons offices de Dom João VI. D'ailleurs, peu m'importe que l'on m'appelle Conrad ou saint François Xavier… Le fait est que la femme est belle… Qui est-ce ?

– Une fille bâtarde du général Gervásio Faria.

– Fusillé en 1817 ?

– Exactement. La mère est, ou était, une certaine Dona Antónia Mascarenhas, fille d'un noble idiot, chanoine, archidiacre, évêque ou je ne sais quoi…

– Un grand noceur qui a voulu être représenté par cette jolie fille. Qui est l'homme qui vient d'entrer ?

– C'est le mari.

– J'ai déjà vu cet homme.

– Où ?

– En Belgique, je crois… En Belgique, j'en suis sûr. Il possédait quatre chevaux anglais et un phaéton avec des ornements en argent ; mais… il ne s'appelait pas Alberto de Magalhães.

– Alors ?

– On m'a dit qu'il était juif, qu'il vivait en Hollande et, si je me souviens bien, qu'il s'appelait Tobias Navarro.

– C'est peut-être le même…

– C'est lui… j'en jurerais… Peu après que je l'ai vu, il a disparu ; et à sa place, j'ai pu admirer une autre notabilité… une certaine duchesse de Cliton, qui s'habillait en homme et cherchait un nommé Leopoldo Saavedra, que moi, en conscience, j'identifiai à Tobias Navarro. Depuis combien d'années est-elle à Lisbonne, votre énigme ?

– Depuis trois ans.

– Je l'ai vu il y a cinq ans… Tu fréquentes sa maison ?

– Oui.

– Tu me présentes ?

– Avec plaisir.

– Maintenant ?

– Maintenant ?!

– Quel est le problème ? On dirait que tu n'as pas fréquenté Paris !…

– Eh bien… allons-y.

– Suivons-les.

Dona Eugénia reçut affablement le nouveau venu.

Alberto de Magalhães était sorti de la loge et faisait les cent pas dans le salon, mordillant sa moustache et passant sa main dans ses cheveux, une habitude acquise dans les moments d'inquiétude. Les visiteurs vinrent le trouver. Alberto reçut froidement et le présentateur et le présenté. Il répondit par des monosyllabes ennuyés aux mots routiniers de la cérémonie et accueillit avec une intime satisfaction la fin de l'entrevue.

– C'est lui… dit le présenté. Je remarque qu'il est grossier.

– Au contraire ; je n'ai jamais connu homme plus courtois. Il était absorbé ! Il y a quelque chose qui le préoccupe.

– De la jalousie ?

– De sa femme ?

– Oui.

– Pour l'amour de Dieu ! Sa femme est un ange.

– Tu n'as pas remarqué les cajoleries de troisième main et les galanteries tarabiscotées du baron de Sá.

– C'est un sot.

– Tant mieux pour lui… Les sots sont heureux ; moi, si j'étais marié, j'éliminerais les sots de chez moi. Chaque citoyen qui me serait présenté ne pourrait l'être sans exhiber le diplôme de membre de l'Académie royale des sciences. Écoute, mon enfant, apprends par cœur ces deux vérités que Balzac ne cite pas dans *Physiologie du mariage*. Un érudit parlera à ta femme de la civilisation grecque, de la décadence de l'Empire romain, de l'éducation de la femme par le christianisme, d'économie politique, voire de la chimie appliquée à l'extrait de l'esprit dans les roses. Avoue que le plus grand tort que tout cela pourra causer à ta femme, c'est de l'endormir. Le sot n'est pas ainsi. Comme il ignore et dédaigne la science, il tire sur ta femme à bout portant tous les propos galants qu'il a importés de Paris, devenus originaux au Portugal du fait qu'ils sont dits dans une langue qui n'est ni du français ni du portugais. Ta femme, si elle a le malheur de ne pas avoir en toi un mari doux et tendre, commence à te comparer au sot qui la flatte et finit par trouver que ce sot a beaucoup de jugeote. Une fois que l'on a accordé de la jugeote au sot, on lui accorde la raison ; et après la raison, on lui accorde tout. Voilà pourquoi je voudrais auprès de ma femme l'abbé José Agostinho de Macedo en caleçon plutôt que le baron de Sá drapé dans la cape de ce grand pleurnicheur Joseph d'Égypte. Tu ris ?… Si tu veux être heureux, abdique de l'intelligence, persuade-toi et persuade les autres que tu es un paria du sens commun, entre dans ces loges et affirme que le livret du *Barbier de Séville* est de Voltaire et la composition du maestro Spinoza ; tourne-toi vers ta victime prédestinée et dis-lui que la musique est la voix mystique des anges confidents des passions délirantes, et que de ses yeux devaient jaillir les inspirations qui ont transporté Raphaël d'Urbin, que tu feras auteur de *Norma*. Si tu entends un éclat de rire impatient, laisse-les rire, poursuis, joue à la victime intéressante, fais appel à la pitié de la dame, et tu m'en diras des nouvelles…

Le rideau se leva pour le deuxième acte de *La Somnambule*. Les deux dilettantes, pénétrant dans l'orchestre, levèrent les yeux vers le 13, au deuxième rang, et virent Eugénia qui partait. La curiosité les ramena au péristyle du théâtre pour voir partir la voiture d'Alberto.

Ils entrèrent dans la loge et demandèrent au baron de Sá la raison de ce départ.

— *Ma foi ! Je n'en sais**, répondit-il en pointant ses jumelles vers la loge d'en face.

— Qui attire ainsi ton attention fugace, mon cher Baron ? demanda l'apologiste des sots.

— *Cette femme-là qui me frappe au cœur**.

— Traduction.

— Cette femme est *frappante** dans le cœur.

— Que te disais-je ? murmura à l'oreille de son compagnon le sincère admirateur des imbéciles. Tu permets, poursuivit-il à l'adresse du baron, que l'on voie la bienfaitrice *frappante** de ton cœur ?

— *Volontiers**.

Le dilettante de Porto, à peine avait-il fixé les jumelles, murmura :

— Quelle extraordinaire affaire !

— Laquelle ? demanda son ami.

— Ainsi… ô Baron, tu connais cette femme ?

— Non, et toi ?

— Je la connais.

— Qui est-elle ?

— La reine de Saba.

— Ça se trouve où, Saba ?

— À la pointe occidentale de l'Europe.

— Mais elle est seule.

— Elle voyage sous le titre de comtesse de Minturnes.

— Tu peux me présenter ?

— Non, je suis brouillé avec elle…

— Pourquoi ?

— Pour une affaire de jeu de l'Hombre[1] que nous avons disputé chez le représentant du Maroc à Londres. Adieu, Baron.

— Tu vois l'avantage d'être sot ? dit le facétieux natif de Porto à son ami de Lisbonne. Ce soir, il va rêver de la reine de Saba et demain il ira raconter à Eugénia qu'il a été présenté à la comtesse de Minturnes, qui lui a réservé un accueil flatteur… Maintenant, sérieusement… tu as vu cette femme ?

— Oui.

— Veux-tu savoir qui elle est ? La duchesse de Cliton.

— Celle qui cherchait Tobias Navarro en Belgique ?

— En corps et en âme. À mon avis, voilà expliquée la distraction d'Alberto et son départ hâtif.

Et il avait raison, cet homme qui connaissait tout le monde. Voilà ce qui s'était passé : Alberto, à peine était-il entré dans sa loge qu'il se trouva face à une femme qui braquait sur lui ses jumelles immobiles, tenues au bout d'un beau bras orné de dentelles et de perles. La taille des jumelles cachait la moitié du visage qui se trouvait derrière. Alberto ne fut pas le premier à remarquer cette étrange curiosité.

Eugénia, mi-curieuse, mi-jalouse, jeta un coup d'œil à la loge d'en face et dit à son mari :

— Je ne la connais pas… Si elle n'est pas sotte, elle joue à l'être.

Alberto regarda à son tour, mais ne s'y attarda pas deux secondes ; son bras tressaillit, son visage pâlit, ses questions vacillèrent et son cœur lui envoya à la tête des flots de sang qui semblaient vouloir rompre les veines de son front.

— Alberto… qu'as-tu ? demanda Eugénia, effrayée.

— Rien, ma chérie.

---

1. D'origine espagnole, le jeu de l'Hombre est un jeu de cartes qui fut principalement pratiqué en Europe durant la seconde moitié du XVIIe siècle et au début du XVIIIe. Il allait par la suite laisser place au whist, puis au bridge.

Et, peu après, il sortit dans le salon où nous l'avons vu. La duchesse de Cliton, si nous devons croire l'élégant qui, depuis l'orchestre, ne perdait pas un seul de ses gestes, n'écarta que de rares instants ses jumelles d'Eugénia, qui ne pouvait plus supporter la curiosité de cette femme. Elle demanda qui était l'autre à tous ceux qui vinrent lui rendre visite dans sa loge. Seul le magistrat fut en mesure de lui dire qu'elle n'était pas portugaise. Le conseiller, narrateur de l'histoire de Leopoldo Saavedra, s'il avait été présent, aurait pu lui donner des explications plus précises et plus satisfaisantes.

Du théâtre à la maison, Alberto de Magalhães ne prononça pas un mot. Eugénia, tremblante et intimidée par le respect que l'attitude de son mari lui imposait, ne rompait le silence que par des soupirs mal réprimés.

Arrivés à la maison, Eugénia, qui avait scruté le caractère de son mari jusque là où l'on pouvait le sonder, allait le laisser entrer seul dans le cabinet de lecture.

– Viens là, Eugénia… dit-il. Assieds-toi à mon côté… bavardons… Un bon mari se doit de donner des explications à une bonne épouse, quand les jumelles d'une femme le font fuir d'un théâtre. Cette femme est la duchesse de Cliton et moi… je suis… ou j'ai été Leopoldo Saavedra.

– Ô mon Dieu !… s'exclama Eugénia, cachant son visage dans ses mains.

– Qu'y a-t-il, ma chérie ?

– Oh ! Mon cher Alberto, cette femme vient nous apporter le malheur.

– Je trouve ta terreur naïve… Eugénia… je te veux plus vaillante. As-tu entendu l'histoire du conseiller ?… Cela s'est passé il y a exactement six mois, lors de cette nuit aux trois heures de ténèbres dans ce cabinet. J'ai beaucoup souffert alors.

– Des regrets ?… Des remords ?

– Ni les uns ni les autres… J'ai souffert des effets de

la calomnie. Aurais-je été placé dans une autre position sociale, sans toi, que l'homme qui a raconté cette fable infamante aurait sauté par la fenêtre. Cette femme est une duchesse qui s'est vendue à moi pour quatre-vingt mille francs. C'était un contrat. J'avais lu les manuscrits de Richelieu où les femmes les plus illustres avaient, en marge de leur nom, la somme pour laquelle elles se vendaient, et j'ai conçu le plan d'évaluer le prix de la duchesse de Cliton. J'ai trouvé ce prix ; je n'ai pas manqué aux conditions stipulées dans le contrat et j'ai voulu m'en libérer avec honneur, comme le locataire qui, ayant réglé le loyer de l'immeuble, le quitte en laissant la propriété dans l'état où il l'a trouvée. Cette femme m'a persécuté. Je lui ai rappelé que j'avais été scrupuleusement ponctuel dans le respect de mes engagements : je lui ai offert une somme supplémentaire pour couvrir d'éventuels dommages, mais elle n'a pas accepté. Elle m'a dit qu'elle voulait mon âme parce que j'étais un homme qui ne pouvait pas faire d'elle une esclave et la délaisser ensuite. J'ai souri de la banale flatterie, j'ai exprimé le légitime mépris où je la tenais et j'ai vu à mes pieds le portefeuille qui devait contenir les quatre-vingt mille francs.

» Cette femme m'a paru noble et malheureuse. J'ai imaginé une folie. J'ai interrogé l'avenir, pour savoir si sa compagnie pourrait être bénéfique à mon âme. L'avenir ne m'a pas répondu. J'ai décidé de me sacrifier, j'ai dit :

» – Ajoute soixante mille livres à cette somme. Achète une villa en Italie, j'y vivrai avec toi et le temps décidera quel sera mon rôle à tes côtés.

» Elle a refusé. Je lui ai demandé ce qu'elle voulait de moi.

» – Je veux être ta femme, m'a-t-elle répondu sur un ton si orgueilleux qu'il m'a fait monter aux lèvres une exclamation et un sourire railleur.

» J'ai laissé le portefeuille par terre et je l'ai quittée. Le lendemain, je suis parti pour la Belgique.

» Deux mois plus tard, j'ai vu arriver le frère de la duchesse, redouté à Paris et connu aux frontières pour ses triomphes répétés obtenus en duel.

» Il m'a défié : j'ai refusé parce que je refuse toujours les duels. Il m'a cherché ; il a tiré sur moi un coup de pistolet qui m'a blessé gravement ; j'ai serré sa gorge dans mes mains et, lorsque je l'ai lâché, il était mort. Je suis arrivé moribond au Luxembourg. Au bout de huit mois d'infernales souffrances, je me suis relevé sain et sauf.

» Voilà mon secret, Eugénia...

— Mais tu n'as pas pu supporter le regard de cette duchesse... C'est de l'amour, ou de la crainte... Si elle t'était indifférente...

— Indifférente... non. Je connais son caractère... Sais-tu ce que c'est, Eugénia ? C'est l'amour que je porte à cette vie tranquille que nous menons, après de si longues épreuves, de désordres criminels, de hontes obscures et de tumultueux drames de conscience. Je me décourage, je faiblis, je deviens petit à mes propres yeux quand un léger souffle menace de semer la tempête dans la quiétude de notre vie...

— Mais que crains-tu, Alberto ?...

— Pour moi, rien : je ne crains rien sous le ciel ; mais pour toi, tout... tout ce qui peut t'inquiéter, ma chérie, tout ce qui dévoilerait la candeur de ton âme et la tendresse avec laquelle tu réponds à mes craintes.

— Eh bien... tu dois faire ce que je vais te demander...

— Tout.

— Quittons le Portugal...

— Oui, et très bientôt... Savoir où nous irons n'a aucune importance... Je suis de nouveau heureux, Eugénia !... Il y a en toi une femme pour le cœur et un ange pour l'âme... Indique-moi toujours mon destin... Demain, je ferai toutes les démarches pour notre départ.

IV

Le baron de Sá, tout entier absorbé dans ses jumelles constamment braquées sur l'héroïque reine de Saba, confirmait dans toute sa plénitude les théories du natif de Porto sur les sots. La duchesse de Cliton répondait sans réserve aux démonstrations dépourvues d'ambiguïté du baron.

L'opéra terminé, l'heureux imbécile attendait au bas des escaliers, le cœur bondissant, la gentille comtesse de Minturnes. En la voyant, il se sentit transi d'une torpeur glaciale qui l'abrutit. Dans l'effervescence de son imbécillité, le lion excessif ne parvenait plus à harmoniser l'élégance de la jambe droite avec celle de la gauche. L'amour exalté spiritualisait les masses charnues de ses jambes en tremblants fils de fer. Ses bras, ne trouvant aucun appui où ils disposeraient d'un espace distinct, se réfugièrent derrière son dos, formant, en sens inverse, l'attitude séraphique de saint François des Plaies.

La duchesse, en passant, sourit. Le baron eut un doute, mais ce doute était glorieux.

Il reprit courage. Il s'approcha de la voiture. La reine de Saba, le pied sur le marchepied, se tourna vers lui et lui dit affectueusement en français, la langue dont le baron était amoureux :

— Bonne nuit, Monsieur. Je souhaite que nous nous fréquentions.

Éperdu, halluciné, ébloui, fébrile, sot en un mot, le baron suivit la voiture de la duchesse et la vit s'arrêter devant l'Isidro.

Indécis entre se recueillir pour méditer sur cette étrange affaire ou se rapprocher le plus possible de l'air que la prodigieuse reine respirait… il monta. Il entra dans une pièce où une tablée de gastronomes provinciaux mangeaient la nuit pour pouvoir, le jour, encombrer les arcades de Terreiro do Paço et assaillir José da Silva Carvalho ou Agostinho José Freire, dans leur rapide fuite de leur voiture vers les cabinets ministériels.

Le baron, pour donner le change, commanda du thé et du jambon et s'assit à une petite table, dans un coin de la pièce. Son cœur avait besoin de s'épancher. Il appela le serveur et lui dit avec cette familiarité que lui prêtait sa joie pataude :

– L'ami, à quelle heure se réveille la comtesse de Minturnes ?

– La… ? demanda le garçon, tordant sa bouche ouverte et fermant l'œil gauche.

– La comtesse de Minturnes.

– Je ne connais pas cette créature.

– Tu ne la connais pas ? Eh bien, elle séjourne dans cette maison.

– Non, Monsieur, sauf si elle est arrivée il y a moins de dix minutes.

– Alors, c'est ça… Va te renseigner…

Le garçon y alla et en revint, tandis que le baron, peut-être par distraction, faisait fonctionner admirablement son estomac, démontrant ainsi qu'il n'y a pas d'incompatibilité entre deux passions sérieuses.

– La personne dont vous parlez n'est pas ici.

– Donc, moi, je ne l'ai pas vue entrer ici, venant, par ailleurs, du théâtre ?

– La comtesse de Maturras !…

– De Minturnes, mon gars.

– Ni comtesse ni rien du tout !… Ici, il n'y a qu'une Française, venue chercher le testament que lui a laissé son mari, mort sur les lignes de Porto.

– Tu te trompes.

– Peut-être… mais n'en dites rien.

– Tu veux que je te dise qui est cette femme ? C'est une reine !

Le serveur se tut. Son silence, bien interprété, voulait dire :
« Cet homme est un fou ! »

— C'est la reine de Saba.

— De Saba ? C'est au bout du monde, ça...

— Quel bout du monde... C'est à la pointe occidentale
de l'Europe...

— La reine de Saba, coupa l'érudit, c'est une reine qui a
apporté des cadeaux au roi Salomon.

— Ce sont là des histoires à dormir debout, mon ami.
Laisse tomber ton roi Salomon et parle-moi de la comtesse
de Minturnes...

— Alors elle est reine ou comtesse ?

— Reine ; mais elle voyage sous un déguisement...

— Alors, c'est qu'elle a l'intention de jouer un mauvais tour.

— Ce n'est pas ça... Les rois, quand ils voyagent, pour ne
pas s'embêter avec *les hommages**...

— Les *omagens* !... des saints ?

— Non... des hommages, des cortèges, tu comprends ?...
Ils ont l'habitude de se déguiser...

— Ah !... Eh bien, qui l'eût cru !... C'est donc pour ça
que le consul français vient ici tous les jours...

— C'est ce que je te dis... Je veux savoir : à quelle heure
se lève-t-elle ?

— À l'aube.

— Et que fait-elle ?

— Elle sort et revient à neuf heures ; elle déjeune et s'enferme dans sa chambre jusqu'à midi ; puis arrive le consul,
qui s'en va à une heure ; puis...

— Personne d'autre ne vient la visiter ?

— Il en vient aussi un avec une cape qui cache son visage...

— Elle est bonne, celle-là !... Et tu ne sais pas où elle va,
le matin ?

— À dire vrai, on m'a dit quelque chose que je ne
crois pas...

— Quoi donc ?

— Qu'elle va à la campagne et se met à tirer au pistolet sur une cible.

— Ça alors !...

— C'est ce que m'a dit le cocher de la voiture qui l'emmène tous les matins, mais il m'a beaucoup recommandé de garder le secret. Je vous le dis à vous parce que en retour vous m'avez dit beaucoup de choses que je ne savais pas.

— Bien, mais alors tais-toi ; ne répète à personne ce que je t'ai dit...

— Même pas au Père éternel.

— Demain à midi, je viendrai lui rendre visite... Adieu.

Le baron allait quitter les lieux quand un autre garçon vint à sa rencontre lui disant qu'une dame, hôte de cet hôtel, le priait de venir dans la pièce à côté, car elle voulait lui parler.

La stupéfaction du baron fut indescriptible ! À ce moment, João Fernandes fit plus que n'aurait fait César ! Le dilettante de Porto avait raison. Le sot récoltait les lauriers les uns après les autres. Un homme de médiocre intelligence, rompu aux triomphes, ne serait parvenu, au bout de mois d'une patience tenace, aux sommets que le sot avait atteints en quelques heures ! Persuadé qu'une destinée supérieure l'attendait, le baron entra dans la pièce.

La duchesse de Cliton, s'étant dépouillée des accessoires du luxe, avait revêtu les habits de l'élégance étudiée. Assise sur une ottomane, négligemment adossée, elle jouait de la pointe du pied avec les franges d'une couverture écossaise qui n'avait pas l'égoïsme de cacher les épaules d'albâtre, larges et arrondies, de sa propriétaire. C'était effectivement la femme que le conseiller avait dépeinte ; mais ce portrait, à côté de l'original, n'était qu'une ombre pâle, un daguerréotype délavé par l'imperfection de la machine.

L'apparition de l'heureux aventurier n'amena pas la dame à rectifier, même légèrement, le négligé de sa tenue. Le baron bégaya, se pliant en un froid compliment, auquel la duchesse répondit en lui indiquant un fauteuil rembourré, sur lequel retombaient, comme par négligence (tellement elles étaient proches), les franges de sa couverture écossaise.

— Vous parlez français ? demanda-t-elle.

— Quelque peu, Madame, assez pour les Portugais ; mais devant vous, il me faudrait connaître les subtilités de la langue.

— Je vois que vous vous faites comprendre, Monsieur ; c'est tout ce que je souhaitais. Savez-vous qui je suis ?

— Oui, Madame… J'ai cet honneur…

— Qui vous l'a dit ?

— Mon cœur m'a annoncé que vous étiez un grand personnage et quelqu'un a confirmé les soupçons de mon cœur.

— Qui ?

— Un gentilhomme qui a voyagé.

— Sans doute ce gentilhomme pâle, aux yeux noirs, avec une moustache à la Soliman…

— Pardon, Madame, pas celui-là. Le gentilhomme auquel vous faites allusion est Alberto de Magalhães, l'autre…

— Alberto de Magalhães !…

— Oui…

— Marié avec cette gentille dame aux jumelles blanches ?

— Exactement.

— Marié depuis longtemps ?

— Il y a un an.

— Par amour ?

— Je crois que oui.

— Qui vous a dit mon nom ?… Ce ne fut pas lui ?

— J'ai déjà eu l'honneur de dire à Votre Majesté que non.

— Votre Majesté !… Sachez que ma couronne n'est que ducale.

— J'ai déjà dit que je vous connaissais…

— Et je suis ?…

— La reine de Saba.

— Par Dieu ! Soit on s'amuse de votre bonne foi, soit on se moque de moi !

— Pardon, Madame la Comtesse de Minturnes.

— Comtesse de ?...

— Minturnes : c'est votre déguisement.

— Vous vous trompez, Monsieur. Ces titres qu'on m'a donnés sont une caricature. Saba n'a pas de reine et Minturnes, c'est une lagune... Si vous le voulez, vous pouvez dire à votre informateur que je lui souhaite longue vie dans mon comté.

La duchesse rit et le baron la dévisagea avec un air de stupide incertitude.

— On dirait que vous doutez de moi, Monsieur. Je vous punirai pour votre manque de foi... Je ne vous dirai pas qui je suis...

— Ainsi le veut mon malheur... Si vous me dites que vous n'êtes pas la personne que je supposais, je croirai que vous êtes reine...

— Je vous ai déjà dit que je ne le suis pas...

— Vous êtes la reine des cœurs... votre empire n'a pas de limites ! Vous aurez des vassaux d'un pôle à l'autre.

— Je vous suis reconnaissante de la flatteuse considération que vous me portez... Permettez donc que je vous pose quelques questions, car vous me semblez un parfait homme du monde, un Parisien consommé.

— J'ai vécu deux ans là-bas...

— Vous le démontrez bien par la correction de la langue que vous parlez... et par les manières distinguées avec lesquelles vous accueillez l'extravagante étrangère, qui se présente à vous sans d'autres titres que ceux qui lui sont dus du fait d'être femme...

— Ajoutez-y... comme bien peu, comme aucune, pleine de charme, fascinante et éblouissante.

— Ne vous faites pas d'illusions, Monsieur... Je trouve que vous parlez avec trop de sang-froid pour que je vous croie...

— Sang-froid !... Vous faites-vous d'aventure une idée de l'effet d'un de vos regards, qui va droit aux plus intimes secrets de l'âme ?...

— Voulez-vous me convaincre que j'ai suscité chez vous

une attention hors du commun ? Ce serait de ma part un renoncement à la raison et, de la vôtre, une chimère momentanée, une illusion d'optique morale. Laissez là vos fantômes et revenez dans le monde réel... Vous êtes un ami de Monsieur Alberto de... de...

— De Magalhães ? Je le connais parfaitement... Votre question, Madame, révèle...

— De l'intérêt pour lui ?

— Certainement... un intérêt extraordinaire...

— J'espère que vous ne serez pas jaloux de l'amour que je lui porte...

— Je le suis déjà, Madame... Il vous connaît ?

— Je crois que oui...

— Une raison de plus pour que je croie...

— Que je l'aime ? Comme c'est léger !...

— Pardon !... L'amour est injuste...

— Je vous ai entendu dire qu'Alberto de Magalhães était très attaché à sa femme.

— Très.

— Payé en retour ?

— Avec intérêts... Je le sais d'expérience... Cette femme est une forteresse imprenable.

— Elle vous a résisté ?

— Jusqu'à présent... Dans l'avenir...

— Vous espérez encore ?... C'est justice. En ce cas, cette femme... l'adore ?

— Follement.

— Me rendrez-vous un service ?

— Commandez, Madame.

— Dites à votre ami qu'une étrangère souhaite le connaître... Dites-lui que c'est la même sur qui il a eu la bonté de pointer ses jumelles ce soir.

— C'est toute l'estime que je mérite de votre part ?

— Toute... et je regrette de devoir vous dire que votre hésitation révèle peu de familiarité avec le monde...

– Mon cœur hésite, car il ne peut vous céder aux mérites d'autres hommes…

– Rassurez-vous… Vous n'aurez pas à le regretter…

– Dois-je vous le présenter moi-même ?

– Non. Je veux le recevoir seul ; comme vous avez vous-même été reçu, Monsieur… De notre rencontre serait-il ressorti un quelconque affront à mon mari, si j'étais mariée ?

– Non, mais avec lui…

– L'inconvenance serait la même… Je peux prendre ces aises sans conséquences… Je peux respirer toutes les haleines sans contaminer mes poumons… Les poisons de la société ne me corrompent pas… J'ai appris avec Locuste à atteindre l'invulnérabilité de Mithridate.

Le baron ne la comprit pas. Il crut que Mithridate était une femme célèbre qui ne facilitait pas les premières rencontres. Il n'osa pas poser de questions, car le passé lui importait peu.

– Vous vous y engagez, Monsieur ?

– Demain vous aurez la visite de mon ami.

– J'ai l'honneur de vous saluer et de vous remercier. Il est une heure du matin… Je ne m'oppose pas à votre repos.

Le baron, désappointé par cette transition soudaine, grogna quelques bêtises pour prendre congé, tandis que la duchesse, après un dernier hochement de tête sur le seuil, entrait dans sa chambre.

Le lion en vacances sortit, boudant comme un agneau et, pour la première fois de sa vie, entendit la voix de sa conscience qui l'appelait « sot » ! Malgré cela, le baron de Sá répondit à sa conscience : « Nous verrons. »

V

Le lendemain matin, Alberto de Magalhães, montant en voiture, reçut une lettre du baron de Sá, datée de deux heures du matin.

Il ne venait pas personnellement – disait le baron en français – pour éviter des embarras avec Dona Eugénia, car l'entrevue était délicate et demandait à être traitée très en secret avec le mari d'une dame jalouse.

La lettre parlait seulement de ce qui concernait directement Alberto. Le style cachait une certaine réserve. Ou bien le baron avait été instruit par la jalousie, ou bien il n'était pas aussi profondément niais qu'on le supposait, en ayant d'ailleurs bien des raisons de le supposer.

Magalhães ne réfléchit pas très longtemps à ce qu'il devait faire. Il entra dans une banque, fit escale dans quelques maisons de commerce, s'arrêta chez son partenaire en affaires maritimes, le millionnaire Lima, qui était en train de réévaluer le prix du meilleur immeuble monastique de Lisbonne qu'il venait d'acheter, et se fit déposer devant l'Isidro, demandant que l'on remette un mot à madame la duchesse de Cliton.

Les serveurs répondirent tout d'abord qu'aucune dame de ce nom ne séjournait dans l'hôtel et l'un d'eux, malgré l'engagement pris de ne pas révéler, même au Père éternel, les secrets du baron, s'enquit si Son Excellence ne cherchait pas par hasard la reine de Saba qui voyageait déguisée en comtesse de Maltúrnias.

Un léger sourire dérida le visage d'Alberto. Connaisseur du caractère extravagant de la duchesse, il jugea impossible la barbare nomenclature par laquelle elle était connue dans l'hôtel qui, pour l'honneur de la France, ne pouvait figurer sur son passeport. Ces doutes furent dissipés par la servante qui, du haut de l'escalier, pria ce monsieur de monter, car madame l'attendait.

Alberto entra dans la pièce où l'attendait la duchesse, qui se curait les dents avec une indifférence calculée, ou la plus tranquille familiarité.

— Madame la Duchesse, dit Alberto, élégamment cérémonieux.

— C'est mon vrai titre ; moi, en revanche, je ne peux vous rendre la pareille… Quel nom portez-vous aujourd'hui, Monsieur ?

— Je n'ai pas de nom permanent ; je suis généralement connu pour mépriser les arguties sottes et les ironies de mélodrame. Avec ce nom, j'ai voyagé dans toutes les sociétés ; je préfère mon incognito à celui de la reine de Saba et de la comtesse de Minturnes.

— Je ne comprends pas, Monsieur… L'épigramme est de mauvais goût… Ce n'est pas ma faute si vos amis sont sots. Moi, quand je me déguise, je descends de ma condition, je ne m'en élève pas, car je n'en ai pas besoin. Je suis née avec un grand nom, je n'ai pas besoin d'en emprunter un autre, fût-il astucieux, ou d'un titre comique pour me faire valoir aux yeux du Portugal. Je crois qu'en ce pays le plus grand c'est vous ; il me faut donc descendre à votre niveau et à celui de vos compatriotes. Dans cet hôtel, je suis connue comme la veuve d'un capitaine, mort dans les tranchées…

— Je me passerai de votre roman, Madame la Comtesse. Avez-vous besoin de mes services ?

— Non, Monsieur. Mais j'ai besoin de vous raconter mon roman et vous ne serez pas insensible au point de tourner le dos à une dame des salons de Charles X, venue exprès vous rendre visite à Lisbonne. Ayez la condescendance d'accepter ce fauteuil que vous offre la duchesse de Cliton.

Alberto s'assit. Le cœur lui conseillait une grossièreté ; mais la tête, toujours froide, lui commandait de se comporter en homme courtois face à une femme arrogante, belle et radieuse d'une colère qui lui incendiait tragiquement les yeux.

— Je vous ai connu à Paris, poursuivit la duchesse, modulant sa voix sur le ton d'une conversation familiale, quand votre présence excitait la curiosité des femmes, attirées par le mystère caché sous les richesses d'un homme de talent qui surgit à l'improviste sans que personne sache d'où il est venu. Vous m'avez fait l'honneur de chercher à me connaître ; j'ai parlé de vous avec enthousiasme à mes amies, conseillant à beaucoup de vous séduire, car vous étiez un parfait gentilhomme. Mes amies vous ont fait la cour et furent méprisées. J'étais votre préférée, et, durant un moment, souvenez-vous, j'ai évité les occasions de vous détromper ou de vous offrir un triomphe. J'ai reçu de vous une lettre où vous m'offriez quatre-vingt mille francs ; cette lettre m'est parvenue alors que je venais d'en perdre trente mille au jeu. J'ai accepté votre proposition et je vous ai reçu à deux heures du matin dans ma chambre, comme on reçoit un mari détesté qui achète une femme dans le besoin. Je dois vous dire, Monsieur, quelles étaient mes intentions. En femme d'honneur, je ne devais pas manquer aux conditions du contrat ; je serais à vous pour quatre-vingt mille francs ; mais deux secondes après, je devrais, avec la pointe d'un poignard, enfouir dans votre cœur le secret de mon infamie… et de votre heureuse témérité. La porte de ma chambre vous a été ouverte comme l'antichambre d'un tombeau. Vous y êtes entré avec je ne sais quel regret écrit sur le visage. Vos manières étaient timides, vos mots empreints de délicatesse, vos yeux me dévisageaient avec respect… Vous sembliez dire au fond de votre âme : "Cette femme était digne d'un meilleur sort ! Elle devrait être souveraine et vertueuse telle que le monde la respecte !… J'ai du mal à la traiter comme une belle machine qu'on loue pour quatre-vingt mille francs !…" Dites-moi sincèrement… n'était-ce pas cela que vous ressentiez ?

— C'était cela.

— Et c'est pour cela qu'en cet instant vous avez remporté en mon âme un triomphe qui devait vous procurer une plus grande gloire que l'autre ! J'ai admiré en vous une si grande honnêteté devant tant de corruption ! Je vous ai demandé si votre main soulèverait le rideau de ce tableau, le dévoilant au monde, vous m'avez répondu que vous auriez plutôt embrassé le déshonneur pour profession. Vous êtes sorti de chez moi à cinq heures du matin, me dévisageant, médusé de m'entendre vous dire : "Il y a trois ans est sorti de cette chambre un cercueil avec un cadavre ; c'était celui de mon mari. Depuis ce jour, le premier homme qui est entré ici, c'est vous." Vous m'avez répondu avec un sourire sarcastique. Le poignard a tremblé dans mon poing… Je n'ai pas eu le courage… Je vous aimais ! Un peu plus tard, mon créditeur, qui était parmi tant d'autres le plus astucieux concurrent à mon cœur, a été remboursé de trente mille francs. Le lendemain, j'ai pris une avance sur le contrat de mes rentes et je suis allée personnellement vous rendre vos quatre-vingt mille francs. La machine était rachetée et il ne restait que la femme, anoblie par sa passion, fortifiée par son impérieuse volonté, affaiblie par des larmes de déshonneur jamais pleurées, vous demandant un sentiment du cœur en échange d'un sacrifice acheté à prix d'or. Votre réponse a été la stupéfaction, suivie du sarcasme. Je vous ai prié de regarder les précédents de ma vie, de demander des témoignages de mes infamies aux plus dépravés diffamateurs de Paris. Vous m'avez répondu que mes précédents étaient nobles, mais que la transaction conclue avec vous n'était pas si légitimement honnête qu'elle pût flatter l'amour-propre d'un mari, jaloux de son honneur.

» Vous m'avez infligé la générosité de cette réponse chez moi, là où vous avait mené l'orgueil de me contempler, en reine du bal qui, peu auparavant, s'était avilie à vos pieds, telle une misérable esclave.

» Vous avez jeté à mes pieds un portefeuille avec cent quatre-vingt mille livres. C'était celui-là. Je suis venue vous le restituer ; mais… vous consentirez que je vous l'apporte chez vous, car un créditeur honnête ne procède pas autrement. Ce portefeuille n'est qu'un épisode. Permettez-moi de poursuivre mon roman, comme vous avez eu la bienveillance d'intituler mon déshonorant pèlerinage de cinq ans. J'avais un frère qui s'ennoblissait de mon orgueil et saluait tous les jours les triomphes que mon honneur remportait au sein de l'immoralité parisienne. Cet homme, informé de votre misérable, petite et, permettez-moi de le dire, nauséeuse fugue de Paris, suivit, en tant qu'ami, mon combat contre la nostalgie et le remords. J'ai prononcé votre nom en délire, Monsieur Leopoldo Saavedra, et mon frère, se servant de cette involontaire révélation, a creusé le secret de mon déshonneur et l'a trouvé, sinon humiliant comme il l'était, du moins une conséquence funeste d'une passion invincible. Il m'a pardonné, mais n'a pas voulu vous pardonner à vous. Il s'est dit que la duchesse de Cliton pouvait être faible comme la dernière des femmes, mais ne pouvait pas être flouée par le premier des hommes. Mon honnête frère se trompait sur vous… Il vous a cherché en Belgique, où l'on parlait d'un riche juif nommé Tobias Navarro. On a demandé à la Belgique des renseignements sur l'aspect physique de ce monsieur : c'était le vôtre. On vous a défié ; vous avez refusé l'honneur des armes ; vous avez été blessé et vous vous en êtes servi pour vous venger de l'arme du bourreau… Mon frère a été étranglé ! La force est votre domaine. Avec la force brute de l'argent, vous avez déshonoré une femme ; avec la force des muscles, vous avez étranglé le frère de cette femme… De la force morale, de la vigueur du cœur, vous ne devez point avoir, Monsieur… Mais moi, j'avais deux dettes à solder avec vous : celle de l'argent et celle de la force. Celle du déshonneur et celle de la vie. Je vous vois sourire !… Heureusement que votre âme avilie ne peut s'élever jusqu'au remords qui éveille la pitié dans le cœur d'une ennemie !… Riez, noble seigneur ! En haute mer, le corsaire sanguinaire apprend à rire des larmes… Qu'y a-t-il ?… Vous pâlissez ! Du courage, vaillant Barberousse ! Affrontez avec bravoure cette vague de colère et de vengeance ! Devant une femme, il n'y a pas de lâche quand la force morale ne refroidit pas les élans d'un homme ! De la force morale, je vous l'ai déjà dit, vous n'en avez guère !… Eh bien, apprenez, Monsieur, que je suis vos traces depuis quatre ans ! Si je n'avais pas rencontré, il y a six mois, à L'Hasse, un missionnaire portugais qui s'embarquait vers le Japon et m'a dit qu'au Portugal il y avait un homme correspondant au signalement de Leopoldo Saavedra… je ne vous aurais jamais retrouvé. Mes soupçons sur votre présence ici ont été renforcés par ce prêtre, qui m'a encouragée à vous rechercher lorsque je lui ai dit que j'avais deux dettes d'honneur à vous payer. Le missionnaire ne s'est pas trompé. Le Leopoldo Saavedra de Paris, le Tobias Navarro de Belgique, le Barberousse de Méditerranée étaient bien l'Alberto de Magalhães du Portugal… Je suis en train d'abuser de votre patience, Monsieur ! Levez-vous et quittez cette maison !

La duchesse, debout, tremblante, sans lever les yeux du sol, indiqua la porte de la salle à Alberto, qui sortit comme un somnambule, son orgueil écrasé, toutes ses facultés morales – qui réagissent jusqu'à la mort de l'amour-propre – engourdies, ivres, si l'on peut s'exprimer ainsi, d'une rancœur suffoquée qui, étouffée en excès, produit la paralysie du corps et de l'âme ! Comment expliquer tant de hauteur, tant de souveraineté refoulée ? Ce fait a eu lieu.

Ces insondables mystères se répètent ! Ne doutez pas de leur vérité, âmes qui traversez une longue existence sans une secousse, sans un incident qui vous oblige à penser ce qu'est le cœur de l'homme !

VI

Le gant craquant dans la main rebelle aux coutures de soie noire ; le cheveu frisé de fantaisie, byronien, ondoyant, en un contre-poil synonyme de talent ; la moustache aux boucles symétriquement hérissées, à la verticale, par un miraculeux coiffeur ; le gilet de satin d'une blancheur aveuglante, croisé seulement à la taille, pour ne pas obscurcir la poitrine aux arabesques empesées et scintillantes pierreries ; la cravate blanche, piédestal marmoréen d'un menton orné d'un bouc doré ; l'habit aux épaules bouffantes et au col en satin ; le pantalon noir, collé à la jambe musclée, enflant au genou et se terminant par des boutons de nacre se détachant sur le sombre cuir cordouan de la chaussure ; et, plus que tout cela, un visage réjoui, un œil de faune, l'autre de mouton moribond ; la joue rougeâtre et les amples naseaux d'un nez triangulaire sans courbure, qui rompt les tissus globuleux du front étroit ; tout cela et bien plus encore que l'on tait, ne méritant pas de mention particulière, indique que la personne décrite ne peut être que le baron de Sá.

Son Excellence vient de descendre d'un tilbury devant l'Isidro.

Le jockey monta annoncer le baron de Sá. À qui ?… Cela, il ne saurait le dire… à une dame étrangère, hôte de cet hôtel. Entre-temps, l'admirateur de la reine de Saba époussetait ses bottes d'une poussière imaginaire, redressait le col de sa chemise qui glissait sous le nœud de la cravate, haussait les épaules pour remettre l'habit dans la ligne rigoureuse du rembourrage des épaules et ramassait précipitamment une touffe de cheveux d'une boucle qui s'était défaite dans la région occipitale.

Le jockey revint annoncer que la dame recevrait avec beaucoup de plaisir la visite du gentilhomme.

Le baron monta, toussotant sans nécessité, de cette toux spéciale qui assaille les sots en présence de certaines femmes qui ont le malheur de les fréquenter.

La duchesse jaugea, du cheveu frisé à la pointe vernie du soulier, l'oppressant gentilhomme messager de son invitation à Alberto de Magalhães. Elle le reçut d'un air hautain, affichant sur ses lèvres un sourire de formelle étiquette en réponse aux compliments bleutés de l'odorant baron. Elle porta maintes fois à ses lèvres un mouchoir dont les dentelles n'empêchaient pas le dérisoire lion d'apercevoir un sourire de dédain, voire de cérémonieux sarcasme.

L'échange de frivolités terminé, la duchesse de Cliton remercia le baron de sa prompte exécution des suppliques d'une étrangère qui allait quitter le Portugal profondément reconnaissante à l'un des premiers et des plus courtois gentilshommes de ce pays.

— Vous quittez le Portugal ?

— Bientôt, je le crois.

— J'ai compris... dit le baron, abattu.

— Quoi donc, Monsieur ?

— Votre voyage au Portugal avait un but...

— Certainement... Le Portugal n'est pas un pays que l'on visite par simple plaisir, sans un but.

— Votre but était de conquérir le cœur d'Alberto...

— En ce cas, plaignez-moi, car je pars et le cœur d'Alberto est toujours libre...

— Si vous m'aviez consulté, je vous aurais dit qu'un tel homme ne tombe pas amoureux, il est en bronze ; son cœur, s'il en a un, appartient à sa femme.

— Heureuse femme !... Elle peut chanter comme la petite noiraude du Cantique des cantiques...

— Auriez-vous la bonté de répéter ?

— Je viens d'avoir l'honneur de vous dire que la femme d'Alberto est très heureuse ; l'est-elle ?

— Elle peut compter sur la loyauté de son mari...

et n'a pas de raisons de craindre que des étrangères mal-heureuses lui en disputent la possession…

La duchesse se mordit la lèvre en murmurant « Misérable ! ». Puis, avec le naturel le plus aimable :

— Avouez que je suis une malheureuse sotte pour tomber amoureuse d'un tel homme !…

Le baron n'avait absolument aucune critique à faire. Le sourire de l'inconnue lui semblait naturel. De mauvaise humeur, et dans sa crasse ignorance, l'aristocrate décida de se venger en égratignant, par des ironies de son cru, le supposé dépit de la comtesse de Minturnes, reine de Saba, veuve d'un capitaine ou démon industrieux qui était venu troubler sa pacifique bêtise.

— Votre vanité, Madame, a dû beaucoup souffrir…

— Beaucoup…

— Quand on est gentille, ardente…

— On vit sur le feu comme la salamandre… c'est une calamité !

— C'est un affront… Je regrette beaucoup d'avoir été le messager de votre invitation à un homme qui vous a cruel-lement tourné le dos…

— Je vous remercie… Avez-vous connu de semblables infortunes ?

— Non, Madame. J'ai toujours été absolument fortuné avec les femmes…

— Elles vous rendent justice, Monsieur !… Êtes-vous marié ?

— Je déteste le mariage… Je suis inaccessible.

— Inaccessible ! Qui l'aurait dit ?! Autant de feu dans les yeux, autant d'ardeur dans les mots… c'est impossible ! Ou bien vous êtes un cadavre galvanisé, ou bien les femmes qui vous frôlent sont de marbre. Le feu se communique ; les pores du sentiment ne se ferment jamais ; le cœur, à votre âge et avec votre tempérament, doit être toujours enrhumé.

— Enrhumé !…

– Amoureux… je parlais au sens figuré… J'ai été il y a quelques années en Asie et j'y ai appris de nombreuses métaphores.

– Des métaphores !… Vous parlez sérieusement…

– Par Dieu !… Croyez-vous que je plaisante ?! Le cœur ne vous dit pas que vous êtes supérieur ? L'êtes-vous en cruauté ? Je crois que oui. Vous m'avez réduite en poussière avec vos sarcasmes. Vous êtes le Jupiter des ironies foudroyantes ! Pourquoi ne vous ai-je pas connu à un âge où j'aurais pu tenter de conquérir votre âme inaccessible ?! À trente-cinq ans, une femme ne peut qu'être une proie facile pour votre intrépidité, vous, les Alexandre le Grand du monde des passions !… Si vous aviez voulu être César, il ne m'aurait guère importé de mourir pour vous, telle une Cléopâtre méprisée…

– Je ne vous comprends pas, Madame ; parlez plus lentement… Je ne connais pas, comme je vous l'ai dit, les mots moins usuels en français.

– Je vous parlerai en portugais, Monsieur.

Le baron, en entendant la correcte prononciation portugaise des derniers mots de cette extravagante femme, la plaça bien au-dessus des calculs de l'humanité.

– Vous parlez portugais ?

– La langue m'a plu ; connaissant raisonnablement bien l'espagnol, il m'a été facile et agréable d'apprendre une langue dont je pensais avoir besoin un jour…

– Avec Alberto de Magalhães… l'interrompit l'amant jaloux, riant d'un air de moquerie qui se voulait intelligente, mais qui ne faisait que révéler la vanité crasse de ses blagues déplacées.

La duchesse rit de lui. Ceux qui n'auraient pas connu leur passé auraient cru qu'ils étaient sots tous deux.

– Vous êtes prodigieusement comique, Monsieur le Baron de Sá. Maintenant oui, je peux témoigner que Votre Excellence est inaccessible… Regardez cette faible femme ! J'ai conçu le plan extravagant de vous séduire… Pauvre

Didon débarquant sur les rives occidentales à la recherche d'un Énée en souliers vernis et cravate de lin !...

Et elle continuait à rire d'une façon qui plongea le jovial baron dans une tragique gravité.

– Vous ne me répondez pas... Vous ne m'encouragez pas, Monsieur ? Faites semblant, si vous ne pouvez faire mieux... Inscrivez-moi au catalogue de vos persécutrices, mais donnez-moi un espoir, même léger, de pouvoir allumer avec mes soupirs une étincelle sous les cendres du cœur de cette désolée Carthage que je viens pleurer, tel Pompée.

– Votre Excellence se moque-t-elle de moi ?

– Par tous les saints et saintes de la cour célestielle, présents et à venir, comme disent les Espagnols, je vous jure que je ne pense pas que Votre Excellence soit une personne dont on se moque. Je vous parle en langage figuré... Je vous en ai déjà donné la raison... J'ai vécu en Orient, je me suis assise au pied des pyramides pour écouter les contes arabes ; j'ai couché dans les cabanes des Hindous, écoutant le Ramayana et le Mahabharata ; je me suis assise sur les sables du désert, comme Agar, demandant aux caravanes la signification de l'hymne du sirocco, parole éternelle de la malédiction qui résonne dans les contrées infinies de ce sol maudit... Ma vengeance rugissait en moi comme la vague brûlante du simoun... La victime cherchait le bourreau parmi les fauves de Libye...

Le baron qui, peu auparavant, n'avait pas compris les subtilités de la langue française, aurait naïvement avoué ne pas mieux comprendre celles de sa patrie, s'il avait été franc. Oubliant la personne avec qui elle parlait, personne dont elle avait jaugé en quelques minutes le niveau intellectuel, la duchesse cédait, impérieusement poussée par son talent, au besoin de s'épancher, de donner libre cours à une douleur que l'on peut cacher sous l'artifice d'amères ironies, que l'on peut étourdir dans l'ivresse d'un cynisme feint, mais qui, le plus souvent, contredit l'art, s'exhalant en transports d'éloquente amertume !...

Elle s'était élevée vers des cimes, quand elle remarqua l'expression fruste du baron, qui manifestait peut-être ainsi son admiration pour tout ce qui lui était incompréhensible. La duchesse se refroidit, descendit de la tragédie à la farce, remonta le masque qu'elle avait failli baisser en présence d'un spectateur ignoble, incapable de se pénétrer du sentiment d'une grande douleur.

– Vous me trouvez bien ennuyeuse avec mes rêveries, Monsieur le Baron, n'est-ce pas ?... Il faut beaucoup de patience pour supporter une femme à moitié homme, à moitié femme de lettres... Nous sommes ridicules aux yeux des êtres positifs, dépoétisés et incombustibles comme l'amiante, pour plus que les touchent les étincelles du cœur d'une femme, telle que j'ai le malheur de l'être... M'aimez-vous, Monsieur le Baron ?

Cette question posée à l'improviste, sorte de coq-à-l'âne avec lequel la duchesse clôtura sa phrase, fit perdre contenance à l'aristocrate, au point de lui ôter provisoirement la maîtrise de la langue portugaise et plus encore la possibilité d'articuler le peu de mots qu'il avait récoltés pendant son émigration, stérilisant les connaissances exportées de sa patrie. Et au-delà de toutes ces pertes, elle l'avait spolié du sens commun. José Maria de Sá, un des premiers barons de ce nom, fut l'annonce prophétique de tous ceux qui lui succédèrent.

– Vous ne me répondez pas ?! reprit la duchesse, déchiffrant les révolutions qui alternaient sur la physionomie grotesque du baron. Votre silence, Monsieur, est indélicat. Franchement : m'aimez-vous ?

– Si j'aime Votre Excellence !... Si la jalousie me dévore, comment mon amour pourrait-il ne pas être palpitant ?

– Je n'arrive pas à le croire... Je me méfie toujours des passions qui font du style. Je trouve que la petitesse de l'amour est à l'inverse de la grandeur des mots. Simplifiez vos réponses, Monsieur le Baron. M'aimez-vous ?

— Immensément.

— En voilà un bien grand mot !… Je ne veux pas de ça. J'ai un problème avec les adverbes… Ne fuyez pas le verbe de la question. Troisième fois : m'aimez-vous ?

— Comment voulez-vous que je vous réponde ?… Le langage humain ne peut répondre convenablement à une telle question.

— Comment ne le peut-il pas ? Allez, Baron, demandez-moi si j'aime Votre Excellence.

— M'aimez-vous ?

— Je vous aime. Voilà !… Y a-t-il chose plus naturelle ? Vous savez maintenant quel style je veux en matière d'amour. Une autre question : que voulez-vous de moi ?

— Vous adorer, vous aimer éternellement ; baiser humblement vos traces, donner la dernière goutte de mon sang pour vos soupirs, vous contempler extatiquement…

— Trois adverbes qui totalisent treize syllabes. Ne m'aimez pas ainsi, Monsieur le Baron. Ne voyez-vous pas que tout tend vers la spiritualité ? Rendez vos phrases subtiles, spiritualisez-les, ne gardez de la matière que l'indispensable !… Que voulez-vous de moi ?! Vous ne répondez pas !… Vous ne me voulez rien !… Regardez-moi cet amour si froid !… Un peu moins de spiritualité, Monsieur… Vous péchez par excès !… Si vous me disiez franchement que vous vouliez me faire sentir l'ardeur de votre sang, les palpitations de vos artères, l'arôme de vos soupirs, les lumineuses nuances de vos beaux yeux… je vous dirais que le style est une belle façon de recouvrir certaines pensées qui n'ont aucun style, du moins autorisé dans les bons classiques français et portugais. Mais alors… m'aimer éternellement, baiser mes traces humblement, me contempler extatiquement, tout cela, outre que ce serait impossible dans l'état actuel du cœur humain, c'est une promesse effrayante et la perspective d'un avenir insupportable. Aimer éternellement !… Dieu nous en garde, il n'y a pas d'amour qui résiste à vingt-quatre heures de philosophie ! Pour ma part, je n'accepte pas ce programme ; si vous promettez de m'aimer trois jours…

– C'est impossible !… Quittez-moi, mais moi, je vous aimerai tant que j'aurai une goutte de sang dans mon cœur !

– Vous êtes sanguinaire, Baron ! Par deux fois déjà, vous m'avez parlé de sang !… Adoptez un langage plus pacifique. Je n'aime pas les Caton en amour. Le sang est sans doute très utile dans les fonctions de la vie animale ; mais dans notre cas, on s'en dispense. Je le trouve même prosaïque…

Le baron ouvrait la bouche et fronçait le front. Ce qu'il exprimait avec une telle grimace, nous ne saurions le dire ; mais la duchesse, si. Raillé, ridiculisé, victime inconsciente de la vengeance de l'amante outragée d'Alberto de Magalhães, le baron n'avait sans doute pas entendu l'épithète rancunière de « misérable » que la duchesse avait grommelé quand il lui avait dit qu'Eugénia comptait sur la loyauté de son mari et ne craignait pas que des étrangères malheureuses lui en disputassent la possession.

Pour rendre justice à la duchesse de Cliton, nous n'hésiterons pas à affirmer que le misérable baron ne serait certainement pas un holocauste digne de sa vengeance, si elle devait s'exercer. Nous tiendrons pour un divertissement ou un caprice la moquerie dont elle accablait le baron, moquerie cruelle conclue par un trait original que nous n'avons vu en aucun roman et dont la publication nous était réservée.

– Vraiment prosaïque, poursuivit-elle, empruntant un air dégoûté qui creusait davantage les rides sur le front du lion changé en bouc émissaire. Monsieur le Baron ! Voilà un trait de caractère qui fait honneur à mon sexe et à ma patrie. Une femme a le devoir d'être franche puisque les hommes se servent des mots pour cacher leurs pensées, comme l'a dit l'un de mes compatriotes.

– Je ne suis pas comme ça, Madame.

– Vous l'êtes !… Vous auriez dû, à l'heure qu'il est, avoir empêché ma franchise qui, étant inhabituelle, blesse toujours plus ou moins la pudeur d'une femme, toute française qu'elle soit, qui a droit à un fauteuil dans les salons de la fille du Régent et sympathise cordialement avec les lettres théoriques de Ninon de Lenclos et avec la pratique, un peu plus éloquente, de Marion de Lorme.

Le baron, disons la vérité, ne la comprenait pas, et nous faisons des vœux pour que, en ce moment, la capacité intellectuelle de nos lectrices ne soit pas plus vaste que celle du baron.

Entre-temps la duchesse, qui en savait plus que nous tous, poursuivait :

— Avec franchise, mon cher Monsieur le Baron. Je vous aime !

— Que dites-vous, femme divine ?! s'exclama l'aristocrate soudainement redressé, levant ses mains à la hauteur comique d'un père qui s'apprête à étreindre sa fille qu'il croyait perdue.

— Je vous l'ai déjà dit… Je vous aime… J'aurais voulu être reine de Saba pour vous faire roi de Saba et comte de Minturnes !

— Madame, permettez qu'à genoux je vous baise la main !

En demandant cette dramatique permission, le baron de Sá s'était agenouillé et attendait que la main de la divinité vînt à la rencontre des brûlantes babines qui, chez cet homme, n'étaient pas de vraies lèvres. À sa grande stupéfaction, ni cette main ne vint ni la duchesse ne lui ordonna de se relever.

— Laissez-moi éprouver la noble fierté, disait-elle, tendrement souveraine, de voir à mes pieds le premier lion portugais, comme je suppose que vous l'êtes, noble gentilhomme d'Espagne. Je ne vous ordonne pas de vous lever, dans le style des tragédies de Corneille, parce que mon cœur est orgueilleux et ne se rend qu'à l'humilité. Glorifiez-vous d'avoir conquis le cœur d'une femme dont la seule tache lui a été infligée par le mépris de votre ami Alberto de Magalhães.

Il est à vous parce que lui n'en a pas voulu : mais il sera vôtre comme il ne peut l'être de personne d'autre...

On entendit des pas dans le couloir. Le baron voulut se lever de sa posture inconfortable et burlesque, mais la duchesse, le retenant avec suavité, poursuivit :

— Je rends grâce aux dieux tutélaires de m'avoir conduite vers les bras d'un gentilhomme qui...

La porte s'ouvrit et entra le consul français qui, frappé par l'étrange spectacle, recula, confus. Le baron se redressa, vexé, alors que la duchesse, avec un éclat de rire sans nom, dans un nouveau genre de moquerie, dit au consul :

— Vous arrivez à temps, Monsieur le Consul, pour savourer le final du dernier acte d'un vaudeville que ce monsieur a joué avec moi. Il vient de baiser ma main en m'appelant reine de Saba !...

Le baron devint vert ! Un flot soudain de transpiration trempa l'amidon de son col. Dans le vif effort qu'il fit pour se relever des pieds de la duchesse, il déchira son pantalon au genou droit et fit sauter deux boutons de sa guêtre, tendue dans une position que le tailleur n'avait pas prévue.

Le consul le dévisagea d'abord avec mépris, puis avec compassion, après que la duchesse lui eut dit :

— Monsieur le Consul, si vous avez de l'influence sur les agents de la police de Lisbonne, faites que ce monsieur, qui m'a l'air d'une pauvre personne, soit recueilli dans un hôpital de fous !... Quel malheur !... Ceux qui visitent le Portugal font des rencontres extraordinaires !... Byron a rencontré un malfaisant qui l'a battu ; moi, j'ai rencontré un fou...

— Ayez la bonté de sortir, Monsieur ! dit le consul avec une menaçante sévérité.

— Cette femme est une infâme, une débauchée ! clama le baron, faisant entendre un grincement de dents qui rappelait les ténèbres inférieures dont parle l'Évangile.

— Vous voyez, Monsieur le Consul ? dit la duchesse. De plus, il est furieux !... Je vais appeler mes serviteurs...

– Sortez, Monsieur… autrement vous y serez forcé à coups de pied… dit le consul en traînant violemment le baron par un bras jusqu'en haut de l'escalier.

À cet instant, la duchesse, qui regardait vers la porte, vit reculer le consul, frappé par un prodigieux coup de poing qui l'étendit au milieu de la pièce. Le déplumé diplomate palpait précautionneusement son nez fracturé, alors que le tilbury du baron de Sá entrait au pas dans la rue de São Paulo.

Sachez donc que le sot, selon l'opinion publique, savait donner, très à propos, de sublimes coups de poing véritablement portugais. Honneur lui soit rendu !

VII

Alberto de Magalhães, qui avait affronté, intrépide, les bourrasques d'une existence multiple, s'était senti petit, vil, écrasé par le coup porté à sa conscience par une femme qu'il avait tenue pour méprisable en tant que vengeresse de son déshonneur, mais respectable en tant qu'insidieuse intrigante.

Il y a des hommes délaissés, sans un ami, sans ressources, ballottés d'infortune en infortune, méprisés au regard de la société, rongés par leur propre conscience, finalement seuls avec leur honte et leurs remords. De tels hommes, rejetés de tous les bras, ségrégués de la société des grands et des petits, se nourrissant de leur propre fiel, éprouvant à chaque nouveau jour un nouvel affront, ne peuvent se considérer comme entièrement abandonnés si, parmi mille femmes qui les méprisent, il y en a une seule qui les accueille avec la familiarité de l'amour, la confiance de l'estime, accueil ineffable à l'image du Ciel au bout de pénibles tourments. Il y a des hommes comme cela, et Alberto de Magalhães, quand il descendit l'escalier chez la duchesse de Cliton, était un de ces hommes.

Foudroyé, un volcan dans la tête, avec toutes les passions cumulées sans aspirer à aucune, l'unique pensée, l'unique élévation de son âme, le nom et l'image qui remontèrent à la surface des scories amères que sa poitrine ne pouvait plus contenir, fut Eugénia. Il avait devant les yeux la figure repoussante de la duchesse vomissant ses imprécations, lui crachant au visage des flèches de feu, l'accusant de crimes liés à sa vie de corsaire, s'enorgueillissant du secret dont elle semblait menacer sa réputation à Lisbonne, où tant de gens désiraient avidement découvrir l'énigme de sa fortune.

À côté de ce démon, son imagination tourmentée lui représentait l'image d'un ange.

Eugénia était la seule personne qui partageait sa vie. Elle seule pouvait l'absoudre des épisodes criminels qui noircissaient l'histoire de son inépuisable richesse. Une seule personne au monde, Eugénia, tomberait avec lui dans l'abîme du déshonneur. La poitrine trop petite pour les soubresauts de son cœur, la terreur sur le visage, la tête stérile de ressources, Alberto de Magalhães soulageait dans les bras d'Eugénia, comme un enfant froissé, la plus virile, la plus déchirante des tortures humaines. La femme devant qui le corsaire aurait voulu être roi saurait bientôt que son mari avait été un voleur sur les mers et avait acquis à prix d'or l'hermine de l'imposture, l'infâme masque qu'il lui avait fait partager, afin que, en même temps, le crachat du déshonneur souille leurs deux visages nus.

Eugénia, atterrée du silence d'Alberto qui la prenait dans ses bras, sentant les battements précipités de son cœur, voyant des larmes impossibles sur les yeux d'un tel homme, pressentit un grand malheur et n'osa l'interroger.

– Alberto… je ne te demande rien… lui dit-elle, souriant et pleurant. Je sais que nous sommes très malheureux. Il devait en être ainsi. Cela ne pouvait pas durer longtemps.

Il n'y a guère de bonheur en ce monde. Patience, chéri ; accueillons les coups de la Providence, quels qu'ils soient, avec résignation, mais serrés l'un contre l'autre. Nous avons récolté les fleurs… récoltons maintenant les épines… Je sais… Cette femme te tourmente… je sais tout…

— Tu sais tout ?!

— Je devine tout… L'amour nous rend prophètes… Il y a un lien de vie et de mort entre toi et cette femme…

— Ce n'est pas vrai, Eugénia… Je te l'ai déjà dit… Le pire que cette femme puisse faire, c'est de briser la tranquillité du bonheur qui, depuis peu, est entré dans ma vie tourmentée… Elle est arrivée au Portugal après avoir suivi mes traces pendant quatre ans. Elle a rencontré un prêtre qui lui a donné des renseignements précis sur mon existence. Ce prêtre, Eugénia, tu soupçonnes qui est ce prêtre ?…

— Père Dinis ?!

— Il ne peut s'agir que de lui. Un prêtre portugais qu'elle a rencontré à L'Hasse, en route vers les missions, ça ne peut être que lui. Vois-tu ce qu'est le contact de cet homme ? Tout ce qui le touche s'écroule. Il l'a dit lui-même… Il porte en lui la contagion de la mort ; c'est lui qui a poussé cette femme jusqu'ici…

— Ô Alberto !… Tu crois que le prêtre est notre ennemi ?!

— Non. Il était l'ami du comte de Santa Bárbara, de Dom Pedro da Silva, de Dona Ângela de Lima, de Dona Anacleta, de ta mère, de Dona Francisca Valadares, il l'était peut-être aussi de ton père… Et où sont les amis de Sebastião de Melo ? Recouverts d'un linceul… Il est notre ami, je le sais, mais il est aussi l'instrument aveugle de Dieu. En te donnant un baiser d'amour, ses lèvres distillent un poison mortel ; il prépare pour ses amis un lit de fleurs sous lequel se trouve un tombeau. C'est lui, Eugénia, c'est impossible autrement… Je n'ai laissé de traces nulle part dans le monde. Personne n'a su quelle était ma nation, car je parlais toutes les langues, personne n'a découvert sur la mer le sillage de mes navires, car… personne n'a osé demander qui naviguait à leur bord… Seul un homme supérieur, touché par Dieu ou par Satan, aurait pu pointer son doigt sur moi et dire : "L'homme que tu cherches est au Portugal et il s'appelle Alberto de Magalhães."

– C'était peut-être lui, mon chéri, mais évitons le malheur si c'est possible… Que redoutes-tu ?

– Tout pour toi, je te l'ai déjà dit…..

– Si c'est pour moi… épargne-toi, Alberto ; car si l'on me tue…

– Si l'on te tue ?!…

– Oui… tu perdras une vraie amie… Tout ton or ne te rendra pas un cœur semblable au mien…

– Te tuer, Eugénia !… Qui ?!… Quel Dieu ou quel démon le pourrait ! Où est-il, le pouvoir de l'or ou du poignard qui oserait t'entourer d'ennemis !… Je mets au défi la lâche Providence et toutes les légions de démons !

Si Eugénia avait connu Mange-Couteaux ou Barberousse, ou Tobias Navarro à l'instant où il étranglait le frère de la duchesse, ou Alberto de Magalhães jetant dans le Tage Dom Martinho d'Almeida, elle n'aurait pas reculé, effrayée par la férocité qui brillait dans les yeux de son mari. Son délire lui avait fait porter la main à son flanc gauche et serrer son poing sur un fer en prononçant le mot « poignard ». Eugénia l'avait toujours vu joyeux ou mélancolique, mais en ces deux sentiments dominait la douceur des bonnes natures. Cet aspect était nouveau pour elle.

Il lui apparaissait transfiguré par une colère semblable à celle de ces tyrans capricieux que la peinture du Moyen Âge a sublimés sous les traits de Néron ou de Caracalla. Constitution délicate, spiritualisée en outre par l'amour, et sensible à force d'entendre des soupirs plutôt que des rugissements, Eugénia fut assaillie d'une peur qui coagula son sang… Elle le dévisageait, tremblante, indécise, figée par la surprise, sans même oser le toucher, se souvenant de l'avoir entendu dire que, jadis, il avait connu des moments où il avait été pris par l'envie d'une ivresse du sang de tout le genre humain. Lorsque, à l'occasion d'une de ces révélations, elle lui avait demandé à quoi il attribuait ces accès, Alberto lui avait répondu : « À un défaut de caractère, adultéré par la société qui produit des infâmes pour ensuite les faire monter sur l'échafaud. » Ces réponses étaient précédées d'une bouffée de tristesse et suivies d'un baiser semblable au dernier souffle de l'air empoisonné qui déchirait ses poumons. Cette dernière scène, cependant, était très différente des autres.

Épuisé par les contractions nerveuses survenues après sa furieuse apostrophe, Alberto se laissa tomber sur un fauteuil, haletant comme s'il venait de lutter à mains nues avec un géant.

Eugénia s'approcha de lui, silencieuse, et écarta les cheveux de son front. Elle sentit sa main humide d'une sueur froide.

– C'est en train de passer, Eugénia... dit Alberto, saisissant sa main et la portant à ses lèvres. Bénie sois-tu, ma chérie, d'avoir contenu par ton silence la colère vertigineuse de l'homme sanguinaire. Ne me dis jamais plus qu'on te tuera, car il y a en moi l'homme qui se plie à la fatalité et le tigre qui bondit sur les vers qui l'encerclent ! Eugénia ! Commence à pénétrer le gouffre de mon caractère. Si j'ai une seule bonne qualité, je te la dois. Si je te perds, avec la force de mon bras et la férocité de mon cœur, je mourrai noyé dans le sang... Mes paroles te terrorisent... Je le vois bien... D'ici quelques minutes nous serons de nouveau heureux...

– Que Dieu le veuille, Alberto...

– Dieu !... Eh bien... que ce soit Dieu qui le veuille, alors...

– Quand quitterons-nous le Portugal ?

– Bientôt... Je ne sais pas quel jour, mais ce n'est pas possible tout de suite...

– Dommage, même si cela devait nous coûter tout l'or qui nous entoure et qui est de trop pour notre bonheur...

– De trop, chérie... oui... de trop... tu as dit une vérité

dont tu ne connais même pas l'étendue… C'est justement cet or qui me retient ici encore… je ne sais pas pour combien d'heures !… Ce sont des chaînes d'or qui m'attachent à un lieu d'ignominie…

— Que dis-tu, Alberto ?…

— Rien… un délire de ma tête égarée…

Ce n'était pas du délire. La pensée qu'Alberto cachait à sa femme était très circonspecte. Il savait que s'il quittait précipitamment le Portugal, la duchesse de Cliton répandrait aussitôt la rumeur – quels que fussent les documents dont elle userait pour l'étayer – sur l'infâme passé de Barberousse. C'était cela qui le retenait à Lisbonne. Autrement, les immenses capitaux d'Alberto, dont la presque totalité se trouvait à la Banque d'Angleterre, auraient été liquidés sans délai.

Ragaillardi par une idée salvatrice, Magalhães sortit, sous prétexte de hâter leur départ.

Sa voiture s'arrêta devant l'Isidro. Alors qu'il montait l'escalier de la duchesse, Alberto remarqua un homme qui le descendait. Cet homme dissimulait son visage et, protégé par la lueur indécise du crépuscule, croisa Alberto avec l'attitude de celui qui craint d'être reconnu.

— Madame la Duchesse ? demanda Alberto à un garçon.

— La dame que Votre Excellence a visitée ce matin ?

— Oui.

— Elle est sortie.

— Quand ?

— Il n'y a pas dix minutes.

— C'était probablement la silhouette que j'ai croisée en montant et que j'ai prise pour un homme.

— Non, Monsieur. Cette silhouette était un homme qui a dîné ce soir avec madame… la duchesse… je ne sais pas si elle est duchesse… enfin, qui qu'elle soit…

— Serait-ce le baron de Sá ?

— Je ne connais pas cette personne…

– Un homme de mon âge, aux cheveux blonds, avec…

– Non, non. Je l'ai à peine vu, mais l'homme m'a semblé vieux…

– À quelle heure rentre la duchesse d'habitude ?

– Je ne sais pas, Monsieur. Elle ne sort jamais à cette heure. Aujourd'hui, elle doit aller au théâtre et ne va donc pas tarder à revenir pour s'habiller, car ça lui prend une bonne heure et demie, d'après ce que disent les autres garçons.

– Elle a pris une voiture ?

– Oui, Monsieur.

– Tu peux me donner une chambre où je pourrai l'attendre ?

– Bien sûr… veuillez entrer dans cette salle.

Laissons-le attendre en songeant à la silhouette dans l'escalier et au plan qu'il a prémédité.

Suivons la duchesse de Cliton. Sa voiture s'arrêta devant la porte d'Alberto de Magalhães. La duchesse se fit annoncer comme une étrangère qui souhaitait parler à Son Excellence.

On lui répondit que monsieur n'était pas à la maison, mais que madame priait la personne qui demandait son mari de monter.

Admirons le caractère d'Eugénia.

Quand on lui annonça une étrangère, l'épouse d'Alberto ne douta pas un seul instant que la duchesse de Cliton cherchait son mari avec de sinistres intentions. Et l'on ne vit chez elle le moindre signe de perturbation. Ceux qui auraient vu son père, dix-huit ans auparavant, commandant aux fusils qui allaient vomir leurs balles sur sa poitrine de faire feu, jureraient qu'Eugénia était bien la fille du brave général.

La duchesse se demandait si elle devait accepter l'invitation. Une idée soudaine la fit bondir élégamment de la voiture.

Elle traversa trois vastes salons et découvrit une femme qui, à son grand regret, l'impressionna extraordinairement.

Eugénia, le bout des doigts de sa main gauche appuyé

sur le rebord d'un guéridon, lui indiqua souverainement de la droite, dans l'attitude orgueilleuse de la statue de Minerve, le canapé, où la duchesse, la saluant vaguement en bon portugais, s'assit.

Eugénia, sans le plus léger tremblement dans la voix, ouvrit ainsi leur dialogue :

– A-t-on dit à Votre Excellence que mon mari n'était pas à la maison ? Il m'a semblé néanmoins qu'une dame de votre qualité n'aurait pas de relations avec mon mari sans pouvoir en avoir avec moi.

– Vous n'avez pas vu juste, Madame. J'ai contracté une dette avec le mari de Votre Excellence avant que le mariage ne vous unisse et donc que les dettes contractées par l'époux ne deviennent aussi celles de l'épouse.

– Je comprends, Madame.

– À la bonne heure. Cela m'épargnera la fatigue de vous donner des explications. Votre Excellence aura l'extrême gentillesse de remettre à Monsieur Alberto de Magalháes les cent quatre-vingt mille francs contenus dans ce portefeuille et, puisque vous vous considérez comme une partenaire en affaires financières de votre mari, veuillez m'en donner un reçu...

– Je ne prendrai pas ce portefeuille...

– Et, par conséquence, vous ne me donnerez pas de reçu... Cela m'est égal, chère Madame. Je vous fais confiance et je vous prie de me permettre de prendre congé.

– Que Votre Excellence veuille bien reprendre le portefeuille.

– Vous ne m'y forcerez pas... Je vous suppose suffisamment bien élevée pour ne pas me le faire attacher au cou. Mais comme il importe que l'on sache qui laisse cet argent, je vais vous laisser mon nom...

– C'est inutile, Madame la Duchesse de Cliton.

– Ah, vous me connaissez !... C'est trop d'honneur, Dona Eugénia. En tout cas, je vous laisserai une carte de visite... Dommage ! Je n'en ai pas dans mon nécessaire...

Cela n'a pas d'importance… il y a toujours un moyen en dernier recours.

La duchesse prit un crayon, avança d'un pas de reine vers le mur et écrivit :

MENE TEKEL PARSIN

Dona Eugénia lut et rit.

— Vous trouvez mes noms plaisants ? demanda la duchesse, persuadée que le rire d'Eugénia révélait son ignorance.

— Plaisants, non ; je trouve votre main ridicule à vouloir singer la main de Dieu lors du festin du roi de Babylone !

Et elle continua à rire avec la plus cinglante moquerie. La duchesse accusa le coup.

— Riez, Madame, mais imaginez ces lettres écrites avec du sang plutôt qu'avec du feu…

— Cela est très joli dans les romans, Madame la Duchesse, mais ici… regardez… un peu de salive et un gant feront disparaître votre inscription.

Eugénia cracha sur l'écrit et, avec un gant, le réduisit à quelques traces sombres.

— Je vous trouve sublime, Madame. Je vois que vous êtes la légitime moitié d'un corsaire ! Avez-vous déjà dansé sur les vagues en haute mer ? Avez-vous déjà abordé, le poignard au poing, le pont d'un navire marchand ?

Eugénia ne comprit pas la question de sa rivale, mais elle pâlit.

— Quel dommage que vous soyez née dans un pays si petit ! poursuivit la duchesse, courant derrière le triomphe qui lui échappait. Des femmes comme vous, courageuses et désinvoltes, devraient avoir plus d'espace pour respirer. En mer, les horizons sont infinis, et les émotions retentissantes. Dans combien d'abordages heureux avez-vous, noble dame, accompagné l'intrépide Barberousse ?

— Je ne vous comprends pas, Madame ! Épargnez-moi la peine de devoir vous ordonner de sortir…

— Eh bien… je sortirai avant, délicate dame !…

Votre Excellence pourra sortir ensuite, les yeux fixés sur ces traces noires… La femme de Balthazar devra abandonner aux flammes ses appartements royaux.

La duchesse sortit. Eugénia se précipita dans sa chambre et tomba à genoux, en larmes, devant l'image de Notre-Dame que sa mère lui avait offerte, la lui recommandant comme protectrice dans ses plus grandes afflictions.

VIII

Le valet d'Alberto lui remit une lettre quelques minutes après qu'il fut entré dans la salle de l'Isidro pour attendre la duchesse.

— Qui t'a remis ça ?

— Je ne l'ai pas reconnu, Monsieur ; c'était un homme qui ne laissait pas voir le moindre bout de son visage ; je crois que c'était celui qui descendait l'escalier quand Votre Excellence montait.

— Il attend une réponse ?

— Non, Monsieur : il est reparti tout de suite.

La lettre disait ce qui suit :

Alberto de Magalhães, quittez cette maison. Évitez de rencontrer la duchesse de Cliton. N'hésitez pas deux minutes après avoir reçu cet avertissement. Allez aujourd'hui sans faute au théâtre.

L'écriture lui était inconnue ; cependant, seul un personnage portant grand intérêt au drame qui était en train de se dérouler aurait écrit une lettre semblable. Une force surnaturelle le poussait à respecter cette mise en demeure. La crainte des petites choses fait les grandes superstitions.

Alberto s'en alla. En montant dans sa voiture, il entendit le bruit des roues d'un autre véhicule. Le cœur lui disait que c'était la duchesse ; mais la recommandation anonyme lui intimait de l'éviter. Il prit le chemin opposé et arriva chez lui moins exalté que le matin, mais beaucoup plus perplexe suite à l'apparition de cette figure annexe au plan destiné à annihiler son bonheur.

Eugénia, contrairement à son habitude, ne vint pas à sa rencontre avec un baiser nostalgique et tendre.

— Madame ? demanda-t-il.

— Elle est dans sa chambre. Elle a donné l'ordre de ne pas l'appeler si des visiteurs se présentaient.

— Il est arrivé quelque chose pendant mon absence ?

— Une dame étrangère est venue. Elle n'est restée que quelques minutes ; à peine est-elle sortie que Dona Eugénia s'est enfermée dans sa chambre, des larmes plein les yeux…

— Va lui dire que j'ai besoin de lui parler et que je demande la permission de venir dans sa chambre.

Eugénia, probablement absorbée dans les pensées qui la faisaient pleurer, n'avait pas entendu arriver la voiture. Quand la servante lui transmit le message de son mari, qu'elle n'attendait pas de sitôt, elle courut l'embrasser en s'écriant :

— Toi ici… J'étais en train de prier la Mère de Dieu de te protéger…

Ils entrèrent dans la chambre. Le lecteur devine quelles révélations Eugénia va faire à son mari.

Laissons Alberto livré à cette douloureuse mise à l'épreuve de son courage moral, à ce martyre sans nom que le mot « corsaire », prononcé par son innocente femme, lui infligera.

Allons à la résidence de la duchesse de Cliton, qui vient à peine de rentrer.

Quand la servante vint l'aider à enlever ses effets inconfortables, elle la repoussa.

— Laisse-moi !… s'écria-t-elle en se jetant sur le canapé

et déchirant les gants qu'elle ne parvenait pas à enlever assez vite.

Ses yeux, ses lèvres, ses bras, ses jambes étaient agités de convulsions, comme assaillis par une légion d'insectes qui mordaient toutes ses fibres. En proie à une rancune impuissante, sillonnant la pièce à grands pas, s'arrêtant un instant pour aussitôt redoubler de fureur, faisant craquer ses phalanges, frémissante de soupirs que sa poitrine haletante ne parvenait à contenir, la vaniteuse duchesse s'accusait de lâcheté pour avoir laissé indemne la femme d'Alberto de Magalhães. Elle se demandait, indécise, si elle ne devait pas essayer de retourner là-bas, s'y résolut enfin, cacha deux pistolets dans la poche intérieure d'une aumusse en peau de tigre et soulevait déjà le verrou de la porte quand celle-ci s'ouvrit, poussée par une main de l'extérieur. La duchesse recula tout d'abord, puis, reconnaissant la personne qui l'empêchait de sortir, lui offrit sa main.

— Je ne vous attendais pas maintenant... dit-elle en se rasseyant. Votre arrivée est providentielle ou désastreuse...

— Voyons laquelle de ces deux missions je dois accepter... dit l'inconnu qu'avait croisé Alberto de Magalhães, laissant tomber la cape de ses épaules et appuyant son coude contre le fauteuil de la duchesse.

— Je veux vengeance !...

— Je connais votre pensée, Madame la Duchesse.

— Mais je la veux vite, aujourd'hui, tout de suite.

— Cette haine implacable aurait-elle encore augmenté ?

— On l'a exaspérée !... La femme d'Alberto m'a insultée avec des sarcasmes... Elle a voulu boire une gorgée du fiel qu'il a versé dans mon cœur... Elle la boira...

— De quelle façon, Madame la Duchesse ?

— De quelle façon ? Je ne sais... La haine sera ma conseillère...

— Vous n'avez pas l'intention de tirer au pistolet sur la poitrine de son mari ?

— Si.

— Que voulez-vous de plus ? Si vous ôtez la vie à la veuve, plutôt que de vous venger vous lui feriez une aumône, car Eugénia aime cet homme à la folie.

— Vous avez raison, Monsieur !... Je ne toucherai pas cette femme... Mais ma vengeance, je la veux aujourd'hui. Vous connaissez l'histoire de mes souffrances... Il me faut une heure de bonheur... J'étouffe, je sens une corde, ici, sur ma gorge, depuis cinq ans... Je veux respirer...

— Respirez. Le pardon des injures est une respiration, mais ce n'est pas celle-là que je vous conseille. La providence de Dieu a son tribunal sur terre. Vous êtes le bourreau à qui une main providentielle a remis le couteau.

— Je n'accomplis pas les desseins de la Providence... Je venge mon frère qui a été tué pour avoir voulu sauver mon honneur.

— Et cependant, le sang de votre frère n'a pas lavé les taches qui souillaient cet honneur.

— Non, mais qu'importe ? Que m'importe le visage que je tourne vers le monde ? Je méprise avec dégoût l'opinion publique. Seule ma conscience me commande. Les taches qui me souillent, celles que vous connaissez, ne peuvent être lavées par le sang de mon frère. Mais nous verrons si j'apaiserai ma conscience avec le sang de son lâche assassin.

— Alberto de Magalhães ?

— Oui !... Et je veux que ce soit aujourd'hui...

— Que ce soit donc aujourd'hui.

— Conseillez-moi, puisque vous avez suivi mes pas pour diriger mes actes.

— Ne m'avez-vous pas dit, Duchesse, que votre haine vous conseillerait ?

— À quoi me servez-vous, alors ?

— Je vous accompagnerai... et si votre bras faiblit...

— Je pourrai compter sur le vôtre ? Je n'en aurai pas besoin. Mes pistolets sont bons et ma visée infaillible.

– Voulez-vous un conseil ?

– Dites… Monsieur… J'allais commettre un impair… Même en tête à tête, je ne dois pas vous appeler par votre nom ?

– Non.

– Et ce qui est étonnant, c'est que je vous obéis comme par miracle.

– Vous obéissez plutôt à mes cheveux blancs.

– Je ne sais… Vous avez sur le visage un sceau surhumain. Je vous connais, je vous ai vu il y a six mois ; je vous revois depuis trois jours et je pense que je suis sous une influence magnétique depuis de nombreuses années…

– Avec votre caractère, Duchesse, c'est un prodige qui me fait honneur… Remarquez que je suis un homme à peu près constitué comme le baron de Sá… Ce que j'ai de plus que lui… ce sont les années, le sang refroidi et la tête presque comme le cœur…

– Mais… il y a une chose que je ne comprends pas !…

– Quoi, Duchesse ?

– L'intérêt que vous portez à ma vengeance…

– Je n'en porte aucun.

– Aucun ? Vous êtes de plus en plus énigmatique !…

– Je vous conseille, rien de plus. Je n'ai même pas l'intérêt de l'avocat qui conseille son client…

– Mais, en ce cas, vous devriez me conseiller le bien…

– Qu'appelez-vous le bien ?

– Le pardon des offenses.

– Vous vous en moqueriez, et vos domestiques ne me laisseraient plus entrer chez vous.

– Que dois-je donc croire ? Que vous voulez ma gratitude d'une façon ou d'une autre ?

– D'aucune façon.

– Par Dieu ! Cela ressemble à un jeu de mots… Quel homme mystérieux vous êtes ! Dites-moi par tout ce qu'il y a au monde : êtes-vous la même personne que j'ai rencontrée il y a six mois ?…

– La même personne.

– Avec d'autres idées ?

– Avec les mêmes idées et six mois de plus. Limitez vos questions, car il se fait tard.

– Tard !… Pour quoi faire ?

– Allez vous habiller.

– M'habiller !… Pour aller où ?

– Au théâtre.

– À quelle fin ?

– Vous y verrez Alberto de Magalhães.

– Oui ?

– Oui, Duchesse.

– J'en doute.

– N'en doutez pas.

– Et sa femme… elle y sera ?

– Je ne sais.

– Et après ?

– Je monterai avec vous en voiture avant le départ d'Alberto. Nous nous arrêterons au voisinage de sa rue et nous descendrons.

– Et ensuite ?

– À minuit, il fait noir. Personne ne nous verra cachés à l'angle du palais. Quand Alberto descendra de voiture…

– Que ferai-je ?

– Ce que la haine, votre loyale conseillère, vous dira.

– Maintenant je vous ai compris, Monsieur !

– En quel sens ?

– Vous haïssez Alberto de Magalhães.

– Et je n'ai pas le courage de me venger directement, c'est bien ce que vous voulez dire ?

– Je n'irais pas jusque-là…

– Pensez ce que vous voudrez, Duchesse.

– Quoi qu'il en soit… c'est ma vengeance ! Si je voulais reculer, je ne le pourrais plus, depuis que je vous ai entendu… Vous êtes impérieux… Attendez que je m'habille.

La duchesse sortit, laissant l'aumusse avec les pistolets sur un guéridon. Le confident de l'assassin les examina un à un, tourna le dos à la porte d'où l'on aurait pu l'observer et resta ainsi quelques minutes.

Cette nuit-là, les femmes de chambre ne purent qu'admirer la célérité avec laquelle la duchesse de Cliton fit sa toilette.

Revenant dans la pièce, elle trouva son hôte assis, profondément absorbé en lui-même, à en juger par l'immobilité de sa tête, qu'il tenait entre ses mains.

— Prête ! dit-elle en sortant les pistolets de l'aumusse. Elle en souleva virilement le chien et changea les fulminants.

— Vous êtes prévoyante, Madame la Duchesse...

— Vous trouvez ?

— Il ne vous manque rien de la maestria de l'homme d'armes... Vous êtes une Judith des temps modernes... La France produit chaque siècle une nouvelle Jeanne d'Arc...

— J'accepte la comparaison... Nous y allons ?

— Allez-y. Moi, j'irai à pied. Je n'entrerai pas au théâtre. Vous me trouverez, en sortant, devant la portière de votre voiture.

— Quelle sottise ! s'écria la duchesse. Je n'ai pas fait acheter le billet de la loge !...

— J'oubliais de vous le remettre, Madame. Le voici : numéro 10, deuxième rang.

La duchesse s'en saisit, médusée. Ils descendirent ensemble et se séparèrent dans la cour de l'hôtel.

IX

Presque simultanément deux voitures arrivèrent et deux loges s'ouvrirent à São Carlos. Dans l'une, entra la duchesse de Cliton. Dans l'autre, Alberto de Magalhães et sa femme.

Leurs jumelles se rencontrèrent en même temps, puis quittèrent leur position d'observation pour ne plus y revenir.

Eugénia recevait, affable et empressée comme à son habitude, leurs visiteurs successifs. Elle saluait avec un sourire de charmante sympathie les messieurs de l'orchestre, qui faisaient tout pour mériter une de ces attentions frivoles, plus pour être vus de leurs voisins que par goût propre. Les dames des autres loges la saluaient de leurs éventails et louaient avec des signes sa coiffure d'anglaises aux petites nattes fleuries qui était le luxe suprême des dames en 1836.

La lectrice sera moins admirative de la coiffure que de la patience d'Eugénia à se faire capricieusement belle, la nuit même où elle avait été frappée par un rude coup porté à sa tranquillité et par une menace formelle à la vie de son mari. Deux mots sur un billet anonyme expliquent tout. Comme vous l'avez vu, Alberto était entré dans la chambre d'Eugénia. Il y avait entendu, avec des mots arrachés comme des sanglots, l'apostrophe sanguinaire de la duchesse. Il était tombé, malgré lui, dans un profond abattement dont sa femme essayait de le sortir. Ils se trouvaient dans cette douloureuse situation, quand un valet les pria de recevoir une lettre qui devait leur être remise immédiatement.

Eugénia craignit de découvrir dans cette lettre la révélation d'une nouvelle infortune, si cela était encore concevable ; elle la prit avec anxiété et la remit à Alberto.

La lettre disait ceci :

Fille d'Antónia Mascarenhas, ne crains pas pour la vie de ton époux. Le nuage est en train de passer. Souris à de nouvelles journées de bonheur.

L'écriture de ce billet était identique à celle de la lettre qui avait été remise à Alberto à l'hôtel. Comme la voix d'un ange invisible qui parle au nom de Dieu, ces mots apaisèrent leur esprit. Un nom effleura leur cœur, mais ils n'osèrent le prononcer. C'était impossible !... Père Dinis, à l'heure qu'il était, devait se trouver au Japon... C'était peut-être un miracle !... Un émissaire de la mère d'Eugénia !... Cette pieuse idée effleura la superstitieuse intelligence de l'épouse d'Alberto, mais elle lui sembla si extraordinaire qu'elle n'osa pas la communiquer à son mari, presque toujours armé d'un sourire d'incrédulité face aux chimères spirituelles de la visionnaire de Sintra.

Alberto devait se rendre au théâtre : cette injonction, après avoir vu la deuxième lettre, lui paraissait inévitable. Eugénia voulait l'accompagner, éprouvant un plaisir redoublé à l'idée de se trouver face à face avec sa furieuse rivale pour assouvir le besoin de blesser son amour-propre en ajoutant aux bienfaits de la nature tous les artifices que l'art pourrait lui suggérer. Elle y alla sans que l'on pût remarquer chez elle le moindre signe de souffrance ou le plus fugace instant de mélancolie. Tout rayonnait de jubilation dans cette physionomie, tout resplendissait en dentelles, or et brillants sur ce corps de fée.

Il n'en allait pas de même de la duchesse de Cliton. Ses beaux yeux plongeaient dans un gouffre ouvert par son imagination orageuse dans la foule frivole qui, à l'instant, contemplait une jolie femme préméditant, qui l'aurait dit, l'exécution d'un assassinat quelques heures plus tard. Pâle et, pour cela même, davantage au goût romanesque des spectateurs, la duchesse n'avait jamais autant attiré les regards ni tant suscité le désir d'être approchée.

Le baron de Sá, qui avait été sa victime, mais une victime capable de décocher un joli coup de poing dans le museau audacieux du consul de Louis-Philippe, était tout content à l'orchestre, entouré de fêtards, racontant à sa manière l'étrange aventure, en réprimant un bruyant éclat de rire qui aurait perturbé le spectacle, mais poussant sa vengeance au point de prendre la tête d'une batterie de jumelles braquées sur la livide duchesse.

Le dilettante de Porto, qui avait mis le baron dans ce pétrin, était celui qui riait le plus fort, se réjouissant de son œuvre et s'engageant à lui prouver que l'étrangère de son aventure était toujours reine de Saba et comtesse de Minturnes.

Encore des éclats de rire, encore des observations, un bon mot par-ci, une épigramme par-là, la curiosité partout et, surtout, l'indispensable « Chut ! » des paisibles bourgeois qui s'attiraient en réponse un « Dehors les sots ! » ou toute autre amabilité du même acabit.

Alberto de Magalhães observait de sa loge les affronts adressés à la duchesse.

Eugénia, faisant la même analyse, murmura à son oreille :

— C'est contre elle ?

— Oui.

— Pourquoi ?

— Je ne sais pas... Je vois que cela vient surtout du baron de Sá.

— Je trouve cela infâme.

— Sans doute.

Il prononça ce dernier mot déjà à l'extérieur de la loge. Alberto entra dans l'orchestre : les jumelles de la duchesse le suivirent jusqu'au groupe de ceux qui l'insultaient et l'avaient contrainte à dissimuler son visage derrière son éventail. Voyant qu'il s'associait aux autres, elle s'en effraya vraiment et recula vers le fond de sa loge, laissant échapper un rire nerveux, comme un ricanement de hyène quand vient l'heure de se rassasier.

Entre-temps, Alberto s'était arrêté devant la douzaine de gentilshommes qui l'accueillirent avec empressement, se flattant du sourire qu'il leur adresserait s'il participait de leur amusement.

— Vous êtes de misérables lâches, Messieurs ! Vous insultez une dame qui n'a pas un homme dans sa loge. Ce sont vos sœurs que vos déshonorez en donnant ainsi l'exemple !...

S'il avait haussé quelque peu la voix, il aurait été entendu dans la loge de la duchesse.

Réponse : pas un monosyllabe ! En réalité, les joyeux jeunes gens n'étaient pas aussi hardis que spirituels. Le baron de Sá lui-même, si heureux lors de son dernier combat, n'avait pas assez de confiance en lui, ni ne s'attendait à donner encore, de toute sa vie, un coup de poing du calibre du premier.

Alberto s'éloigna placidement sans songer que son sommeil du lendemain pourrait être troublé par un cartel.

La duchesse n'était plus revenue à l'avant de sa loge. L'indignation contre le baron de Sá et ses séides était générale. L'autorité, si elle n'avait redouté une gifle, serait sans doute intervenue dans le scandale ; mais dans le groupe se détachait un commandant de compagnie, et l'épée, en ces jours-là, avait encore une odeur de sang, parfum qui blesse l'odorat des autorités civiles.

Tout cela exacerba la haine de la duchesse. Dans son raisonnement enflammé, l'amusement de ces barbares avait été mis en œuvre par Eugénia et Alberto. Il ne lui manquait, pour en être complètement convaincue, que sa présence dans l'entourage des misérables adorateurs du corsaire.

À peine l'eut-elle vu que ses yeux, n'en pouvant voir davantage, durent s'écarter de cette scène infâme. Ce fut lorsqu'elle laissa échapper l'éclat de rire, entendu dans les loges voisines, que l'on eut la légèreté de la tenir pour une courtisane ; mais on n'en applaudit pas pour autant l'insulte éhontée au malheur. Après l'éclat de rire vinrent les larmes, provoquées par un mélange de rage, d'orgueil, de dignité, voire de compassion pour elle-même. Pourquoi ne quittait-elle pas sa loge après ces insultes ? Parce qu'elle ne pouvait pas rompre l'alliance conclue avec son officieux conseiller, le fidèle interprète de l'immense haine qui faisait de chaque minute écoulée un siècle de vengeance. Au beau milieu du quatrième acte, les spectateurs de l'orchestre remarquèrent la sortie d'un homme aux cheveux blancs, lunettes bleues et longue barbe.

L'opéra se termina. La duchesse de Cliton, en sortant

de sa loge, aperçut à ses côtés un homme au visage dissimulé sous une cape.

— Venez avec moi.

Cette voix lui était inconnue. La bande des insolents était regroupée dans le péristyle du théâtre qu'elle devait traverser en descendant. L'homme à la cape, figure célèbre et anachronique en dehors de Venise et des drames d'épouvante, s'arrêta devant le groupe dans une attitude sinistre, composée avec un art consommé. Il ne parla pas, mais la bande s'écarta et la duchesse n'entendit pas un quolibet. Alberto se trouvait à quelques pas de cette scène. Seuls pouvaient deviner ses intentions ceux qui auraient su ce que voulaient dire les stries de sang dans ses yeux. Eugénia l'attendait, tremblante, appuyée au bras du conseiller, qui dit, médusé :

— Oh !… Cette femme… est la duchesse de Cliton !

Et son étonnement ne fit qu'augmenter lorsque Eugénia lui répondit :

— Oui.

La duchesse et l'homme à la cape montèrent dans leur voiture.

— J'ai le cœur plein de fiel, Monsieur.

— Je sais.

— Vous y avez assisté ?!

— J'y ai assisté.

— Ne m'aviez-vous pas dit que vous ne viendriez pas au théâtre ?

— Je suis venu… Il s'ensuit que je vous ai trompée, Duchesse.

— Qu'est-ce que c'est que cela ? dit la duchesse, voyant son confident décoller sa longue barbe et ôter sa paire de lunettes.

— C'est l'homme avec toutes ses variantes…

— De plus en plus inintelligible…

— Suis-je un hiéroglyphe humain, Madame la Duchesse ? Ce nœud gordien ne sera dénoué que par le tombeau… dit-il en souriant amèrement.

– Avez-vous vu l'infâme Alberto parmi la bande de ceux qui m'insultaient ?

– Je ne l'ai pas vu.

– Vous dites que je mens ou vous n'avez pas remarqué ?

– Je dis que vous mentez.

– Monsieur ! s'écria la duchesse en bondissant sur son coussin.

– Alberto a fait taire les insolents.

– Vous mentez !

– De grâce, Madame la Duchesse !... Si vous me dites en conscience que je mens... j'avouerai que je n'ai pas remarqué.

– Dites plutôt cela... et pardonnez mon exaltation.

– Affront pour affront... je n'ai rien à vous pardonner.

– Ma vengeance est de plus en plus légitime.

– Laissez Dieu en décider.

– Ne me parlez pas de Dieu !... Je ne crois pas en Dieu.

– Vous y croirez.

– Qui m'y forcera ?

– Le malheur.

– Plus grand malheur que le mien ?! Lequel ?

– Celui de votre mère.

– Ma mère !... L'avez-vous connue ?...

– Oui... Duchesse de Cliton...

La voiture s'arrêta dans la rue indiquée au cocher par l'homme à la fausse barbe.

– Mettez cette cape et ce chapeau, Madame la Duchesse.

– Et vous ?!

– J'ai un autre chapeau et une autre cape... Descendez. La voiture d'Alberto est derrière nous.

Ils descendirent.

– Regardez, là-bas... L'homme que vous allez assassiner est tout près de nous. Dans trois minutes il doit être un cadavre. En avez-vous le courage ?

– Je l'ai !... répondit-elle avec une impétueuse énergie.

– Votre main ne tremble-t-elle pas sur la crosse de votre pistolet ?

– Non.

– Venez… appuyez-vous à cette porte. Quand il descendra de voiture… tirez.

– Où allez-vous ? demanda-t-elle en tremblant.

– Je serai près de vous.

La voiture s'arrêta. Alberto descendit et, en se retournant pour donner la main à Eugénia, entendit le claquement du fulminant. Tout près de lui, il vit la silhouette de celui qui avait tiré sur lui. Eugénia tomba évanouie à l'intérieur de la voiture tandis qu'Alberto se précipitait sur l'assassin supposé avec un poignard. Ce poignard allait s'abattre sur son assaillant, quand une autre silhouette retint le bras d'Alberto, en même temps que la duchesse tirait avec un deuxième pistolet sans plus de succès. Alberto arrachait son bras à la main qui l'avait arrêté, quand il entendit ces mots :

– Alberto de Magalhães, assassiner une femme est une lâcheté !

Ces mots le foudroyèrent ! Le poignard tomba de sa main. Ses convulsions de rage se convertirent en une immobilité de cataleptique. Ses genoux plièrent sans que son âme le leur ait commandé… Arrachant sa voix à la suffocation de la surprise, il s'exclama :

– Oh, Père Dinis !… Dites-moi que vous êtes Dieu, car il faut vous adorer.

Et il tomba à genoux.

– Relevez-vous, Monsieur ! Ne prononcez pas ce nom… Il y a eu quelqu'un qui s'appelait ainsi… qui qu'il fût… il est mort !… Duchesse de Cliton, si cet homme devait être tué par vous, Dieu n'aurait pas permis que je vous rencontre… Suivez-moi !… Alberto, dites à Eugénia que sa grand-mère était une martyre et sa mère une sainte… et qu'elle sera dédommagée à son propre bénéfice des souffrances du monde… Adieu.

Père Dinis conduisait par le bras une automate sans volonté et sans réaction. C'était l'atrophie morale, la surprise qui réduit la sensibilité à une hébétude stupide.

X

À peine arrivée à l'hôtel, la duchesse de Cliton demanda à son guide la permission de se retirer dans sa chambre parce qu'elle avait besoin de se reposer.

— Bien sûr, lui répondit Père Dinis, mais asseyez-vous un instant dans ce canapé. J'ai besoin de vous parler, et vous de m'écouter. Votre malaise est tout spirituel ; le lit et la solitude sont les pires refuges pour qui souffre dans l'âme. Asseyez-vous, Duchesse… Parlons. Regardez-moi : je ressens une angoisse surnaturelle quand je vois vos yeux… Et j'aime bien les angoisses… elles sont ma nourriture ; je retombe dans une torpeur cafardeuse quand me manquent ces émotions qui déchirent ma vie morceau par morceau. Regardez-moi, fille de Blanche de Montfort.

La duchesse tressaillit et fixa involontairement le visage rugueux du prêtre.

— Que pensez-vous de moi ? Quelle idée vous faites-vous de l'homme qui est là ?

— Aucune… Je ne sais pas qui vous êtes… Je tremble de le savoir…

— Me haïssez-vous ?

— Pourquoi ?… Je crois que je dois vous être reconnaissante de ne pas m'avoir laissée mourir des mains de cet homme.

— Vous avez envers moi une dette plus solennelle…

— Laquelle ?

— Je ne vous ai pas permis de le tuer.

524

— Cela, je ne vous le dois pas, si tant est qu'il y ait des raisons d'en éprouver de la reconnaissance…. Je le dois à mes pistolets qui m'ont trahie…

— Vos pistolets vous ont été fidèles : ils ont fait ce qu'ils pouvaient faire… ils n'étaient pas chargés.

— C'est faux… Je les ai chargés moi-même.

— Ce n'est pas faux, Duchesse, les pistolets…

— Où sont-ils ?

— Ils sont là, déchargés…

— En ce cas, ils m'ont trahie… Il y a eu une infamie, j'ignore laquelle… J'ai été atrocement trompée par quelqu'un…

— Par moi…

— Par vous ?… Vous avez déchargé mes pistolets ?

— Regardez, Madame, j'ai dans ma poche la poudre et les balles.

— Mais cela, Monsieur, c'est une infamie, une trahison, une ignominie qui n'a pas de nom !… Qui vous a accordé le droit d'entrer dans la confidence de mes secrets pour me faire tomber dans le ridicule ?

Père Dinis, souriant et humectant ses lèvres qui semblaient soudain calcinées, ouvrit un portefeuille en maroquin rouge, en sortit une lettre aux plis usés, comme si elle avait été écrite de longues années auparavant, et la tendit à la duchesse.

— Reconnaissez-vous cette écriture ?

— Je crois que oui !… Cette écriture… laissez-moi mieux la regarder… Cette écriture est celle de…

— Baissez la voix, Madame… C'est exactement ce que vous croyez… La signature vous le confirmera… Regardez… *Blanche de Montfort*…

— Ma mère !

— Oui… votre mère… Lisez ces quatre lignes.

— Je ne peux pas !… Je perds la tête… Ma mère est morte il y a vingt-sept ans… De quel droit possédez-vous cette lettre ? Quels liens vous attachent à ma pauvre mère ?…

Répondez, Monsieur. Si vous me dites que Dieu existe, qu'il existe de la commisération, qu'existent des vertus pratiquées pour l'amour de Dieu, alors ayez à mon égard la vertu de me dire qui vous êtes !

— Qui je suis !… Duchesse, cela fait plus de cinquante ans que cette question m'est posée, et je me suis toujours efforcé d'y répondre sans jamais parvenir à répondre à mon propre désir de savoir qui je suis…

— Cela est dramatique, mystérieux et doit flatter assez votre caractère surnaturel ; mais, dans la situation malheureuse où je me trouve, je n'éprouve aucun plaisir à apprécier votre mission extraordinaire, et je ne veux pas non plus savoir par quelle force occulte Alberto de Magalhães s'est agenouillé devant vous. Ce dont j'ai besoin, ce que je ne renoncerai pas à connaître, c'est la nature du pouvoir que vous voulez exercer sur moi, cette vertu qui vous commande d'accompagner sournoisement mes pas et de trahir mes plans.

— Écoutez ces quatre lignes, Madame la Duchesse :

Si une éventualité imprévue rendait ma fille malheureuse, ne la laissez pas sombrer dans l'abîme. L'infortunée est le rejeton d'un tronc rongé par la vermine, dont les fruits seront maudits.

— La prophétie ne s'est pas réalisée ! dit la duchesse, retrouvant toute la virile énergie de son caractère.

— Béni soit Dieu si la prophétie ne s'est pas réalisée !… Et moi qui croyais qu'elle l'avait été…

— Non ! Je vous répète que non ! J'ai glissé vers l'abîme, mais je me suis relevée ! Je n'ai pas été déshonorée !

— Silence, Madame !

La duchesse vit le prêtre pâlir soudainement. Ces deux mots l'effrayèrent comme un écho venu des tombeaux. Le vieillard avait serré son poing gauche contre lequel il appuyait sa tête, mais son bras tremblait et la convulsion dont il était la proie faisait grincer le fauteuil où il s'était adossé.

Des minutes s'écoulèrent. L'angoisse éprouvée par ces deux êtres ne peut qu'échapper à celui qui cherche, dans un roman, à évaluer du dehors les souffrances sans une cicatrice dans le cœur.

Cette tension est interrompue par une servante venue annoncer un monsieur qui a absolument besoin de parler à la duchesse de Cliton.

La duchesse refuse, mais l'insistance redouble. Père Dinis, qui a entendu ses réponses en silence, se redresse d'un coup et ouvre la porte du salon. Quelqu'un, sans y être invité, entre précipitamment… C'est Alberto de Magalhães.

Père Dinis recule et laisse tomber ses bras quand le visiteur fait mine de l'étreindre. La duchesse, perplexe et livide, assiste immobile à ce coup de théâtre inexplicable.

– Que voulez-vous, Monsieur Alberto de Magalhães ? demanda le prêtre sur un ton sévèrement rancunier.

– Vous me surprenez, Père Dinis !…

– Abrégez votre réponse : qui cherchez-vous ?

– Madame la Duchesse de Cliton.

La duchesse, revenue de sa perplexité, avait quitté le salon. Père Dinis dit à haute voix :

– Madame la Duchesse !…

Une servante vint dire que Madame ne pouvait venir au salon.

– Vous voyez bien qu'il est inutile de l'attendre, Monsieur Alberto. Voulez-vous quelque chose de moi ?

– Au moins vous dire que je ne mérite pas l'âpreté avec laquelle vous me recevez… Quel tort vous ai-je fait, Monsieur ?

– À moi… aucun…

– Alors… votre comportement est inqualifiable.

– Ces cheveux blancs n'admettent aucun reproche. La vieillesse recrue de douleurs a sa fierté, Monsieur Alberto.

Sortez !… J'espère que vous ne m'étranglerez pas pour mon inqualifiable comportement.

— Oh, Monsieur !… Vous me crachez au visage la pire des insultes !… Sachez que j'ai l'affront au cœur et la honte au visage !… Oubliez que vous parlez à l'homme que vous avez connu il y a dix-huit ans !… Si vous admettez que la rédemption est possible… si vous m'accordez la dignité d'un homme, soyez généreux… soyez avec moi un peu la providence que vous avez été pour tout le monde ! Accusez-moi !… Dites-moi le tort que je vous ai fait !… Dieu est témoin de mon innocence !

— Monsieur Alberto… je mérite un peu d'estime de votre part ?

— Estime et respect, Monsieur !…

— Ne cherchez plus cette femme. Ne me cherchez plus. Ne prononcez plus nos noms. Sortez de cette maison.

Alberto quitta cette maison, pour la deuxième fois, stupidement somnambule.

Quelle que soit la conjecture que l'on fasse sur ce qu'il avait ressenti, ce serait toujours un effort d'analyse impuissant. Quand le cœur est ébranlé par un tumulte d'idées, le caractère extérieur se renferme, s'obscurcit et ne laisse pas un rai de lumière pour guider l'observateur le plus expert dans l'expérience des douleurs que l'homme cache avec égoïsme à la froide curiosité des étrangers. Qui pourrait comprendre, en une telle vicissitude, le déferlement d'angoisses qui abrutissaient Alberto de Magalhães ?…

Après le départ d'Alberto, la duchesse revint au salon et n'y vit plus Père Dinis. Lui aussi était parti pour se diriger vers une gargote ordinaire rue São Paulo où l'on pouvait également louer une chambre.

Là, vers trois heures du matin, assis sur un pauvre banc, le confident de la duchesse de Cliton grelottait de froid, éclairé par une bougie près de s'éteindre, à la chaleur de laquelle il se réchauffait les mains ; il venait d'écrire dans le *Livre noir* quelques pages dont nous avons copié les dernières lignes. Si nous ne l'avons pas copié en entier, c'est parce que le *Livre noir de Père Dinis* est un volume à part des *Mystères de Lisbonne*, qui sera publié plus tard.

Souvenez-vous, lecteur, que nous avons rencontré cet homme au déclin de sa vie, à quarante ans, respirant sur le tombeau de Francisca Valadares, la nonne de Santa Apolónia, l'ultime souffle de passions mondaines qui avaient dû être orageuses jusque-là. Si les lignes qu'on lira ci-après ne rendaient pas clairs les liens qui l'attachent à la duchesse de Cliton, la biographie de cet homme prodigieux, *Le Livre noir de Père Dinis*, viendra plus tard éclairer les obscurités où se cache un grand crime, auquel le lévite attribue ses profonds déboires de ces vingt dernières années.

La page fidèlement copiée disait ceci :

C'était cet arrêt qui me manquait. La dernière station du pèlerin qui s'approche du tombeau, et la honte, l'outrage, sourdement dévoré, la dernière parole de la condamnation proférée par les lèvres de cette malheureuse.

Il était inévitable que je rencontre cette femme, mon Dieu ! Il était inévitable qu'avant de consumer ce qui me reste de vigueur au service de l'humanité, annonçant Votre nom aux barbares, le martyre de mon âme, la trituration de ses fibres lacérées, précédât le martyre du corps.

J'ai compris, Seigneur ! Vous ne voulez pas que ma souffrance soit ordinaire ! Celui qui, dans l'avenir, racontera aux hommes l'existence de Votre serviteur aura inventé une fable, un mythe qui ne provoquera de douleur que dans l'imagination et de piété que chez les incrédules.

Que d'obscurs martyres dans une vieillesse si malheureuse, dans une punition si longue !... Et je ne me plains pas, Seigneur ! Mais permettez que la victime gémisse, vu que Vous avez asséché la source de ses larmes ! Ayant prévu tous les fléaux, je n'avais pas imaginé celui-ci, mon Dieu ! Je n'avais pas pensé que je devrais suivre les pas de cette femme déshonorée, qui s'est vendue pour racheter ses dettes, hypothéquant son honneur pour quatre-vingt mille francs ! C'était beaucoup trop !... Elle était nouvelle, cette angoisse, parmi les milliers d'angoisses qui entourent le crime, éternellement expié ! Pardonnez-moi, Seigneur, mais j'ai voulu évaluer froidement la nature de Votre vengeance ! J'avais vu que mon contact était comme la morsure du scorpion. Une sentence de mort était écrite dans le Ciel pour les bons et pour les méchants qui sentiraient mon haleine sur leur visage, même si je les sauvais de l'indigence ou du crime. J'ai cru qu'Alberto devait mourir assassiné par cette malheureuse femme ou devait être l'assassin de la pauvre femme que la voix d'un tombeau, fermé il y a vingt-sept ans, m'ordonnait de sauver. Était-ce donc un décret surnaturel que ces deux êtres s'entredéchirent ? Manquait-il deux cadavres à mon cortège de fantômes ? J'ai résisté à la Providence ou à la fatalité ! J'ai volé la balle qui devait tuer l'homme qui avait recueilli Eugénia des bras d'Antónia, moribonde. J'ai suspendu le poignard qui s'abattait avec la mort sur le cœur de... la fille de Blanche de Montfort...

J'ai gagné, Seigneur ! Ils sont vivants ! Mais si cette résistance à vos décrets doit être punie, quel nouveau châtiment peut inventer un Dieu miséricordieux ?!...

XI

À l'heure où ces lignes étaient écrites, la duchesse de Cliton n'invoquait pas, ne le connaissant point, le Dieu de souffrances. Seule avec son désespoir, elle fulminait contre les mystérieuses ténèbres qui livraient sa volonté à un inconnu lui imposant l'obéissance au nom de sa mère.

Incrédule mais superstitieuse jusqu'à l'absurde, qualité répugnante mais inhérente à ceux dépourvus de l'assurance que donne à beaucoup l'étude de la philosophie corruptrice des athées, la duchesse de Cliton, l'imagination embrasée et peut-être fébrile, crut voir l'esprit de sa mère lui ordonner d'obéir aveuglément à l'homme énigmatique qui avait fait échouer sa sanguinaire vengeance. Exaltée par cette apparition imaginaire, elle ouvrit une malle et en sortit le portrait de sa mère en taille réelle jusqu'à la ceinture, le posa sur la table de sa chambre, devant elle, et s'assit, le fixant médusée, frémissant à chaque froissement de sa propre robe aux heures les plus silencieuses de la nuit.

Le portrait était un prodige de l'art. Le visage semblait sortir hors de la toile. Ses beaux yeux suivaient les moindres mouvements de la duchesse. Les rides du front spacieux paraissaient se contracter. Les lèvres, tristement serrées, se gravaient, tremblantes, dans son imagination épouvantée. La visionnaire voulut maintes fois éloigner le tableau de ses yeux, mais à peine tendait-elle les mains qu'elle reculait en frissonnant et, si elle essayait de se réfugier dans les ténèbres du salon, ce n'était plus le portrait qui la terrorisait, mais la silhouette de sa mère, suspendue dans le noir, traînant dans son sillage un long linceul blanc. C'était la fièvre, car le sang lui brûlait la tête et son cœur battait convulsivement contre le corset qui l'étouffait.

La duchesse appela les servantes, réclama beaucoup de lumière, leur ordonna de rester dans le salon voisin et se tint jusqu'au matin devant le portrait, sans verser une larme ni articuler la moindre supplique. Sa terreur superstitieuse ne la poussait pas au soulagement de la douleur, à l'éloquence d'une fille tourmentée qui demande à la mémoire de sa mère une inspiration salvatrice.

Le garçon de l'hôtel, en ouvrant la porte d'entrée peu

après le lever du jour, s'étonna de voir l'homme à la cape, celui justement qui venait parfois rendre visite à la reine de Saba. Soit dit en passant que ce sot, fidèle à la sympathie et à l'identité de caractère qui le liaient à l'autre sot, avait toujours prêté foi aux paroles du baron de Sá, en conséquence de quoi la duchesse de Cliton, dans son opinion, continuait d'être la représentante de l'ancienne hôtesse de Salomon.

La porte franchie, Père Dinis monta à l'étage, sans s'adresser au garçon, qui n'osa s'opposer à une détermination aussi résolue ! Ce dernier se borna, et personne ne peut lui en vouloir, à commenter l'affaire de telle sorte que la chose la plus équivoque qui lui fût arrivée ce matin-là concernait sans le moindre doute l'honneur de la reine de Saba. Un tel homme, à une heure pareille, n'était sans doute pas, de l'avis du circonspect interlocuteur du baron, le Premier ministre de la reine.

Pour un amant, il lui trouvait trop l'air d'un barbon, mais qui sait si, sous cette cape, ne se trouvait pas, déguisé, un roi de Babylone ou d'Égypte, nations connues du jeune homme qui, tout en philosophant de la sorte, cirait les bottes des clients ?! La porte où frappa Père Dinis donnait sur le salon où se trouvaient les deux servantes de la duchesse, tombant de sommeil après avoir disserté à satiété sur les excentricités de leur maîtresse, qui, à les en croire, était depuis cinq ans victime d'un mauvais sort, faisant d'elle une espèce de femme louve ou de loup-garou femelle, si tant est que cela existe, comme nous le croyons sincèrement.

La porte fut immédiatement ouverte. Le prêtre, qui, sans s'en rendre compte, inspirait une terreur superstitieuse aux servantes, s'enquit de leur maîtresse. Elles lui répondirent qu'elle avait passé le reste de la nuit debout et qu'elles l'avaient entendue faire les cent pas dans sa chambre.

On lui fournissait ces informations quand la duchesse apparut sur le seuil de la chambre, faisant signe au visiteur d'entrer.

Après cela, les servantes n'hésiteraient pas à chanter un trio avec le garçon de l'hôtel, accompagné au violon…

Père Dinis fit un pas à l'intérieur de la chambre et recula aussitôt, si brusquement qu'il serait tombé s'il ne s'était appuyé au battant de la porte à demi ouverte. La duchesse comprit vite la cause de l'incident, et cette compréhension la troubla davantage, pour ainsi dire, que les mille conjectures au sujet de cet homme qui perturbaient déjà son esprit.

Le portrait était à l'origine de cet incident inexplicable. Le prêtre n'avait pas poussé une seule exclamation, ni n'avait affiché une de ces nombreuses grimaces qu'on attache à toutes les surprises et qui font les délices des peintres et des acteurs d'épouvantables tragédies. Il était pâle, oui, car la pâleur était son teint naturel ; mais, au-delà de sa pâleur, ce que l'on pouvait remarquer chez lui, c'était l'éclat extra-ordinaire des yeux, stupéfaits et immobiles, rivés sur ceux, non moins éclatants, du portrait.

Cette scène dura cinq bonnes minutes. Il faut croire que si elle s'était prolongée cinq de plus, ni le cœur ni l'intelligence n'auraient pu le supporter, d'autant que Père Dinis, au terme de ce silencieux dialogue avec l'ombre de Blanche de Montfort, si cela en était un, avait à fleur de lèvres un sourire que la duchesse n'osait regarder, de peur de devenir folle ou d'être assaillie par une vision étrange inspirée par sa fièvre.

La transition, cependant, est merveilleuse. Père Dinis lance un regard profond à la duchesse. Lui tend la main avec une affectueuse tendresse. La conduit devant le portrait de sa mère et dit :

– Oui, Blanche, ta fille sera une femme vertueuse !

La duchesse grelottait de frayeur et s'efforçait de libérer sa main de celle de Père Dinis.

– Vous voulez me fuir, Duchesse ? Est-ce de la peur ? De quoi, Madame ?! Ce portrait n'a-t-il pas été votre compagnon jusqu'à maintenant ?

— Il l'a été... et encore plus que le portrait... J'ai vu ma mère... d'une autre façon...

— Ne dites pas cela, Duchesse... Votre esprit est trop viril pour ces faiblesses infantiles... Votre mère est là... elle est exactement cette femme... Ce qui lui manque, c'est un souffle de Dieu qui lui donne une âme. Elle ne sera pas rendue à l'humanité, qui ne l'a pas comprise, qui l'a encerclée de ténèbres et de désillusions, qui l'a séparée de son enveloppe de chair, coupant fil à fil les liens qui l'y attachaient... Ce que l'on peut voir de votre mère en cette vie... c'est cela, Duchesse. Tout le reste est folie d'imaginations embrasées ou stupidité d'esprits rampants... Ôtez ce portrait de là et passons au salon.

La duchesse obéit machinalement. En entrant dans le salon, elle y trouva le garçon de l'auberge qui écoutait les ordres de Père Dinis :

— Appelez des portefaix pour porter les bagages de cette dame à bord d'un navire.

Le garçon s'en alla et le prêtre poursuivit sans être interrompu :

— Vous avez compris, Madame la Duchesse, que vous quittez le Portugal...

— Déjà ?!

— Oui ; la goélette française *Sacré-Cœur* part à huit heures.

— Vous restez au Portugal ?

— Non : je vous accompagne jusqu'à Paris.

— Et après ? Vous m'abandonnez ?

— Si je vous abandonne ?! Non ! Je suivrai ma route.

— Laquelle ?

— Celle que vous avez perturbée...

— Cela n'arrivera plus... Moi, ma vie... a besoin de vous...

— Dorénavant... non. Je vous remets à Dieu. Même si vous ne croyez pas en Lui, Il sera toujours ce qu'Il a toujours été pour vous. Si vous avez blasphémé... la Providence ne s'offense pas des blasphèmes du reptile. Il y a des malheurs qui absolvent les injures de la créature contre le Créateur. Dieu vous donnera des jours de paix et d'amour, Duchesse…

La goélette leva l'ancre. À la proue, on vit un homme aux cheveux blancs, les yeux emplis de larmes, regardant la terre avec cet ultime regard lancé par le proscrit à l'horizon, où il laisse une mère abandonnée ou une fille sans ressources.

Que restait-il au Portugal, qui méritât une larme de Père Dinis ? Des tombes…

Au soir de ce jour, couraient dans la haute société de Lisbonne diverses versions sur l'étrangère huée à São Carlos. On disait qu'Alberto de Magalhães, amant de cette femme qui avait la sotte effronterie de s'intituler reine de Saba et comtesse de Minturnes, avait été défié jusqu'à midi par six gentilshommes qu'il avait insultés à l'orchestre. C'était la version la plus authentique et, au moins dans sa deuxième partie, la plus véridique.

Le premier cartel était signé par le colonel de cavalerie Jorge Pimentel, le deuxième par le baron de Sá et les autres, jusqu'à six, par des noms renommés dans la bourgeoisie fraîchement anoblie.

Alberto se servit pour tous de la phrase avec laquelle il répondit au premier : il ne se battait pas. Ce jour-là et le lendemain, le colonel, qui n'était pas homme à temporiser, garda son épée, vierge selon ses camarades, dans son inséparable ceinturon. Au troisième jour, comme il ne rencontra pas Alberto dans le voisinage de la caserne, dont il ne s'éloigna guère, il rangea son épée pour une occasion plus propice.

Le baron de Sá, selon certains, bien que professeur en pugilat (voir le nez du consul), ne sortit pas de chez lui pendant trois jours.

Les autres gentilshommes, par ailleurs très susceptibles pour ce qui était des questions d'honneur, restèrent également à la maison, à la demande de leurs familles, à jouer paisiblement au jeu de l'Hombre. Prudentes personnes !

À telle enseigne qu'Alberto, invité à dîner ce soir-là par son vieil ami et débiteur insolvable le marquis de Sesimbra, traversa les lieux les plus fréquentés de Lisbonne sans subir le désagrément de devoir calmer les mâles fâcheries de ces féroces spadassins.

Eugénia, qui n'avait pas résisté aux émois de la veille, garda le lit toute la journée. Elle n'avait pas pour autant donné le moindre signe à son mari de souhaiter sa présence à ses côtés. Alberto de Magalhães était un homme secret pour tout le monde, mais il ne l'était plus pour Eugénia. Une autre femme, en pareilles circonstances, aurait vu dans cette sortie de son mari, après l'épisode qui avait provoqué son évanouissement dans la voiture, un terrible mystère : pas elle. Elle le reçut tendrement à son retour et n'essaya même pas, par des propos indirects, de passer le gué de l'insondable cœur d'un tel homme.

Par cela même, elle le reconnaissait. Car ce n'est pas en les interrogeant qu'on connaît les problèmes que nous cachent certains esprits.

Par des agents mystérieux, Alberto sut que la duchesse de Cliton était partie et que l'administration compétente avait délivré un passeport à Père Dinis Ramalho e Sousa. Ses investigations s'étendirent jusqu'à Paris, d'où il apprit que la duchesse avait rejoint son domaine de Cliton et qu'un certain prêtre espagnol, une sorte de chapelain qui l'avait accompagnée durant son voyage en Italie et au Portugal, avait embarqué à Marseille vers les missions du Japon, avec les missionnaires français de la propagation de la foi. Ses informateurs ajoutaient que la duchesse vivait en retrait, avec très peu d'apparat. Grâce à la délation d'une servante, on avait également pu savoir que la pauvre dame était devenue maniaque jusqu'à sombrer certains jours dans la bigoterie.

Dernièrement, concluait-on, les revenus de la duchesse étaient maigres, étant donné que l'essentiel de ses propriétés avait été hypothéqué à des usuriers qui lui avaient avancé des fonds considérables, dissipés dans son extravagant voyage de quatre ans et plusieurs mois.

Quelques jours après l'arrivée de ces renseignements, partait de Lisbonne un émissaire d'Alberto de Magalhães parlant anglais, qui devait entrer à Paris sous un nom d'emprunt. Cet homme était porteur de lettres de change tirées en Angleterre sur des commerçants de Paris. Il devait se renseigner auprès d'une certaine personne sur les créditeurs de la duchesse de Cliton, dont il recouvrerait des reçus en qualité de procureur de la duchesse absente.

Ces démarches effectuées, la duchesse reçut dans son domaine de Cliton, des mains d'un Anglais, une liasse de reçus qu'il venait de recouvrer sur ordre d'un prêtre portugais en route vers le Japon, dont il était le mandataire. À sa grande surprise, la duchesse vit ainsi soldée une dette de deux cent mille livres. Dans l'atonie morale où l'étonnement l'avait plongée, elle ne songea pas sur le moment à interroger le prétendu procureur du prêtre et lorsque, ayant rassemblé ses idées, elle voulut le faire, l'Anglais était déjà parti à son insu, à demi surpris de la grossièreté ou de l'aristocratique insolence avec laquelle il avait été accueilli.

Averti de la bonne marche de son affaire, Alberto de Magalhães sentit qu'il s'était dépassé. Dans l'excitation d'une joie communicative, il révéla à sa femme le secret qu'il lui avait caché, moins par peur de sa désapprobation que par crainte de le voir échouer pour une quelconque circonstance malheureuse. Eugénia, l'étreignant avec un fervent enthousiasme, s'écria :

– Oh, qu'il est bon d'avoir un mari comme ça !… Alberto, je me vois de plus en plus petite auprès de toi !… Combien de fois ai-je dû être un obstacle à cet héroïsme qui me rend fière d'être à toi au point de craindre que Dieu m'en punisse !

C'était pour cela qu'Alberto de Magalhães s'estimait heureux et tremblait à l'idée d'un bouleversement de ce bonheur domestique qui, il n'y a guère, lui paraissait une utopie d'âmes petites, faciles à contenter avec de minuscules plaisirs.

L'audace limpide de son aventure avait regagné le lit d'où elle était sortie, agitée par une tempête de quelques jours. Le ciel, le soleil, l'air, le théâtre, l'opulence, l'amour, l'espoir, la tendresse, le piano d'Eugénia, le cortège des pique-assiettes, l'amitié sincère de très rares hôtes, tout lui souriait de nouveau comme auparavant et embaumait leur double existence de suaves parfums.

En admettant que la présence du baron de Sá fût nécessaire pour remplir le vide des anciennes prérogatives d'Alberto, même cet ornement de ses salons ne lui fit pas défaut. Brave bougre, le baron de Sá, qui n'était ni vaillant, en dehors du coup de poing décoché à l'improviste, ni haineux plus de cinq minutes après une offense, vint personnellement donner des explications à Alberto, qui le reçut comme il se doit dans sa salle à manger, lui servant une soupe que le baron appela *potage** et une cuisse de dinde, mets qui, comme presque *toutes les sauces** (dit-il), jouissait de toute sa sympathie, à en juger par le bruit qu'il faisait lors de son avide mastication, à l'image des compagnons d'Ulysse.

Le baron de Sá avait assez d'esprit critique pour ne pas évoquer même légèrement le nom de la duchesse de Cliton. Il voulait donner des explications au sujet de son indiscret défi, mais Alberto ne lui ouvrit aucune brèche. Finalement, encouragé par deux coupes de champagne, encouragement qu'il empruntait souvent à la très libérale bouteille, le baron entama, à demi en français, à demi dans aucune langue connue, le récit du célèbre coup de poing qui fit beaucoup rire Alberto et qui contraignit Eugénia à quitter la table en se tenant la taille. Le baron fut heureux d'avoir arraché ces rires sincères, juste récompense de son triomphe sur les Gaules, qu'il venait de commenter un peu plus facétieusement que César.

S'il avait été rancunier, le baron n'aurait jamais pardonné

au fêtard de Porto qui lui avait mis dans la tête les titres dérisoires de la duchesse. Celui-là, oui, avait blessé quelque peu sa susceptibilité léonine, et pour un peu on avait failli assister, dans le foyer du théâtre, à une magnifique deuxième édition du coup de poing qui avait fait mordre la poussière au brave représentant des Tuileries, comme il le dénomma dans son homérique récit prononcé en présence d'Alberto de Magalhães. À la fin, cependant, son cœur revint se nicher entre ses digues ordinaires et l'homme de Porto pouvait, sans crainte, dire au baron que la reine de Saba l'avait nommé ministre des Finances publiques.

Il y a encore quelque chose que la bienveillance exige que l'on dise au sujet de ce gentilhomme. Il n'est absolument pas sûr que ses relations avec Eugénia fussent pures. Les malicieux voulurent voir dans la familiarité du baron un zeste adultérin que le natif de Porto, ardent Plutarque des sots illustres, jugeait non seulement possible mais carrément un fait consommé. Sur ce point délicat, la calomnie n'allait pas au-delà du murmure impuissant d'une demi-douzaine de détracteurs professionnels et d'autant de dames infâmes que le hasard avait fait sortir de leurs bauges pour les asseoir sur les fauteuils rembourrés d'Alberto de Magalhães. Pardonnez-nous, lectrices susceptibles, si la phrase de légitime indignation nous vient à la pointe de la plume. Si vous aviez connu Eugénia, si vous saviez combien d'anges de vertu, comme Eugénia, furent mordus par cette vipère engraissée par les âmes ignobles de ces démons, diffamateurs de profession !

Il est possible que le baron de Sá, plus par stupidité que par méchanceté, ait nourri dans les lugubres entrailles d'un cœur de boue une pensée impure, suscitée peut-être par l'affabilité naturelle de la petite-fille de Dom Teotónio de Mascarenhas. Cela est fort possible, car ce gentilhomme avait quitté le Portugal en 1828 avec une case en moins et avait perdu l'autre à Paris.

Cependant, malgré cette considérable perte, l'amant improvisé de la duchesse de Cliton respectait Eugénia et s'avouait consciencieusement misérable quand l'assaillaient les flammèches du prétendant malheureux. Voilà une vertu qui élève le caractère du baron deux pouces au-dessus de l'ordinaire. Ils sont rares, les sots que nous connaissons ayant une intuition claire que le monde les proclame tels, car en réalité la capricieuse nature les a ainsi faits. L'excellent baron doit à cette qualité que nous nous soyons beaucoup occupés de sa personne que nous supposons suffisamment naïve pour, si elle vient à nous lire, ce qui est naturel, ne pas se croire déconsidérée ni défavorisée dans ce portrait que nous remettons à la postérité.

XII

Il est temps pour nous de prendre des nouvelles du fils de la comtesse de Santa Bárbara, Dom Pedro da Silva, parti pour Londres un an et demi plus tôt, entré au collège de Mr Hunt, Suspension Bridge, Hammersmith, qui, en ce temps-là, jouissait d'un grand renom.

La nostalgie de la patrie passa plus vite que n'auraient pu le laisser penser les larmes et la tristesse de son adieu à Père Dinis. Pardonnez-lui cette légèreté, si toutefois c'en était, car nous ne sommes pas en droit d'accuser certains tempéraments. Les exaltations fébriles s'embrasent aussi facilement qu'elles se refroidissent dans les esprits d'ordinaire malheureux, car l'inconstance est la plus haute des infirmités humaines.

Celui qui a lu le journal des impressions de Pedro da Silva, dans le premier volume de cette histoire véridique, avait bien des raisons de croire que tant de sensibilité déboucherait chez ce pauvre enfant sur une phtisie pulmonaire. Nous-mêmes, observateurs désabusés de ces passions incendiaires, à la lecture de ces strophes larmoyantes d'élégie filiale, nous attendions, dans les notes qui s'ensuivraient, un dénouement funeste, une contagion du *spleen* anglais, qui précipiterait notre sensible collégien dans les flots de la Tamise.

Heureusement, le tempérament du jeune homme était tout autre, ou la Providence le lui modifia.

Pedro da Silva, les premiers mois, écrivait à Père Dinis, se plaignant de l'austérité de Mr Hunt, le directeur du collège. Ce n'était ni le poids de la science qui le mortifiait ni même les devoirs littéraires, indigestes dans le plus pur style britannique, qui provoquaient la mauvaise humeur de ses lettres. Ce qu'il ne pouvait supporter, c'était l'*improper* anglais, les minuties acariâtres des maîtres en cravate blanche, veste en queue-de-pie et pantalon à mi-mollet. Ils l'obligeaient à s'asseoir avec les jambes en angle droit et le cou d'aplomb. Pedro da Silva, selon toute apparence, voulait croiser une jambe sur l'autre et tourner son cou autant que la prévoyante nature l'avait planifié en donnant le mouvement aux vertèbres cervicales. On lui ordonnait de manger droit et raide, à distance d'une main de la table, de façon qu'une ligne perpendiculaire tracée à partir de la pointe de son nez tombât sur ses genoux hermétiquement joints, comme ceux de l'apprenti cordonnier qui tient difficilement la meule à aiguiser. On lui ordonnait, enfin, de parler peu, et ce peu avec la gorge, règle arbitraire et pénible que Dom Pedro da Silva aurait respectée facilement s'il s'était coincé une arête de poisson dans le gosier, condition indispensable pour parler l'anglais sans maître.

Voici les raisons de se plaindre, parmi bien d'autres, que le collégien mettait en avant dans ses lettres à Père Dinis. Celles écrites à sa mère étaient fort peu nombreuses. Les lettres de la comtesse de Santa Bárbara, écrites dans un style ascétique, révélaient une transfiguration morale qui, sous l'influence du moine franciscain, défigurait également les sentiments exaltés que nous lui avons vus à l'égard de son fils. On avait fanatisé la moitié de son âme ; l'autre moitié, tournée vers le monde, était à Père Dinis.

Pedro da Silva, cependant, ne comprenait pas de telles distinctions. En quittant le Portugal, il avait emporté le ressentiment avec lui. Il considérait que le fait que sa mère ait été la veuve vertueuse du comte de Santa Bárbara ne l'obligeait pas pour autant à sacrifier les devoirs contractés envers son père, avant d'avoir été l'épouse du boúrreau, qui ne s'était montré honorable qu'au bord de la tombe.

Ce n'est pas à nous de dire si le jeune homme avait raison. La question est toute morale. Que la résolvent donc les moralistes, comme devait l'être cet austère capucin dont l'érudition semblait douteuse à Père Dinis.

Ne déduisons pas de ce qu'on vient de dire que Pedro da Silva était une âme banale, futile et niaisement badine. Ses maîtres et ses condisciples se plaignaient du contraire. À seize ans, les Anglais eux-mêmes, qui semblent monopoliser le vague à l'âme mélancolique, admiraient sa concentration habituelle, son amour de la solitude, la rudesse de son comportement et l'ennui avec lequel il regardait les amusements de ses collègues.

À l'heure des cours, on venait le chercher dans sa chambre pour le réprimander, et on le trouvait plongé dans des pensées impropres à son âge. On lui demandait s'il voulait retourner dans sa patrie, il répondait que non ; s'il voulait quitter le collège, il répondait que non ; si la science lui déplaisait, il répondait que non ; s'il avait quelque chose à demander, il répondait « qu'on le laisse ».

Notons, toutefois, qu'il ne pouvait pas trouver la science insipide, car en vérité il n'avait guère goûté à ce mets en Angleterre.

Parmi les livres anglais, il avait dévoré toutes les nouvelles d'Ann Radcliffe et traduit *Les Mystères d'Udolphe*, qui jouissait, entre tous, de sa nette préférence.

Par ailleurs, il ne lisait rien d'utile, ni ne tournait les

pages de ses livres de cours. Pedro da Silva était poète. Les mélancolies intempestives qui l'indisposaient contre la société frivole qui l'entourait et contre les études indigestes des premières années étaient chez lui l'incubation de l'inspiration, le douloureux accouchement de la première poésie, née, balbutiante, auprès d'une fleur. Personne ne connaissait ses premiers rêves versifiés tellement il en était avare, d'ailleurs personne ne les aurait compris, car le poète lui-même, trois ans plus tard, ne put se souvenir de l'état de son âme au moment où il les avait écrits. Était-ce l'amour ? La nostalgie ? L'espoir ? C'était tout cela, ressenti dans le monde intérieur d'un jeune homme de seize ans et exprimé par cette parole nébuleuse que l'on oublie après, comme les paroles prononcées par une fée dans un songe heureux.

N'idéalisons pas trop, car le temps ne s'y prête pas. Matériellement, rien n'est inexplicable ; tous comprennent. Les subtilités de l'esprit, laissons-les à ceux qui sentent en eux l'éther d'extases communicatives.

La dernière lettre qu'il reçut de Père Dinis lui annonçait la mort de sa mère, lui cachant presque tous les détails du dernier tableau de cette tragédie.

Le fils de la comtesse de Santa Bárbara se renferma sur lui-même, versa de maigres larmes et réfléchit de longs jours et de longues et interminables nuits. Invoquant ces circonstances, il demanda à être dispensé de ses obligations de collégien et inspira de la crainte à ses maîtres.

Le directeur, qui continuait à recevoir régulièrement tout ce qu'il fallait pour son élève, souffrait dans son honorable conscience de la dépense infructueuse du collégien, et s'adressa à la personne qui s'occupait de son éducation à Londres. Elle l'informa que son correspondant à Lisbonne n'existait plus, mais que, par le biais d'un autre, on continuait à recevoir des recommandations réitérées pour que Pedro da Silva ne souffrît pas le moindre manque ni ne connût les contrariétés que rencontrent habituellement les jeunes gens élevés en

Angleterre. Jusqu'à une certaine date, ces recommandations provenaient de la Maison Salema & Cie. Après le décès de Salema et la fermeture de sa maison commerciale, les ordres furent donnés par un particulier.

Le lecteur se rappellera qu'Alberto de Magalhães s'était vu remettre les quarante mille réaux du patrimoine du fils de la comtesse, reçus par le prêtre de la main de celui à qui, quinze ans auparavant, il avait remis quarante pièces, pour prix de la vie du petit-fils du marquis de Montezelos, dans la Quinta das Alcáçovas.

Alberto, gardant le secret qu'il avait énergiquement demandé au gitan Sabino Cabra, transfiguré en Père Dinis Ramalho, avait chargé son ami Campos Salema de veiller qu'à Londres on satisfît aux moindres désirs du fils d'Ângela de Lima. Salema, cependant, était mort quelques mois plus tard, et les responsabilités concernant Dom Pedro da Silva furent assumées sous un nom d'emprunt, vu qu'Alberto ne voulait, en aucune façon, figurer dans cette affaire, quelle que fût sa façon de voir les choses.

Deux ans après avoir reçu son élève et voyant le maigre profit que ce dernier en avait tiré, Mr Hunt, l'honorable directeur du collège, fit savoir à Lisbonne qu'au-delà des dépenses inutiles la santé du disciple était de plus en plus fragile, à un âge périlleux, spécialement dans les brouillards londoniens. Le correspondant portugais demanda à ce que Dom Pedro da Silva fût envoyé à Paris, s'il le souhaitait. Il le souhaitait, assurément. Il reçut la bonne nouvelle avec enthousiasme et s'installa à Paris, non pas dans un collège, mais confié aux bons soins d'une famille qui les monnayait très cher, tout en tâchant d'inventer de nouveaux égards pour ajouter quelques livres de plus à sa mensualité.

Dom Pedro vivait, à Paris, moins oisif et méditatif. Il fréquentait un cours de belles-lettres. Il avait changé de goûts intellectuels. Il détestait Radcliffe, sa littérature favorite de deux ans auparavant ; il s'enthousiasmait pour Lamartine, et tout avait pour lui la couleur du bleu mélancolique du poète des *Méditations*. Le lyrisme le transportait vers des régions aériennes. L'impatience précoce d'un amour indéfini l'invitait à croquer la pomme, dont les complaintes de l'époque disputaient la saveur spirituelle au matérialisme de l'école qui expira quand les strophes de Lamartine, bues dans la prose de Chateaubriand, poétisèrent la douleur avec les ornements des âmes privilégiées.

Notre jeune homme était français, dans tous les sens du terme. Autour de lui, s'agitait en tumulte une société riche en trésors cachés qui excitaient son cœur, plus passionné que curieux. Balzac flétrissait beaucoup de ses illusions et Pedro da Silva le détestait. En ce temps-là, Gautier publiait les *Œuvres humoristiques*, et il ne fut pas loin d'être défié par le candide collégien de Londres. Ce qu'il voulait, c'était être un homme, partager le fiel et la manne qui débordaient des romans et de la poésie, son style préféré. Il voulait, enfin, se couler dans les grands moules, qu'il idéalisait dans son imagination incandescente.

À dix-neuf ans, l'obscurité lui était insupportable. Les portes du « grand monde » lui étaient fermées. Dans le tumulte des salons du quartier Saint-Germain, on n'entendait pas chuchoter les murmures passionnés de son âme tourmentée par la soif de ces jouissances.

Il fit part de ces désirs à la famille dans laquelle il vivait et, peu de temps après, étaient envoyées de Lisbonne des lettres qui serviraient d'introduction à Pedro da Silva auprès des notabilités de l'aristocratie de sang et d'argent. Ce n'était pas tout. Le jeune homme, étonné de ce bonheur qu'il n'osait croire si vite exaucé, possédait une voiture, deux chevaux, deux laquais, et le luxe afférent.

Son entrée dans l'éden tant convoité ne se heurta pas à l'ange au glaive ardent lui barrant la route. Il fut bien reçu et bien conseillé. Les jeunes hommes, ses aînés de peu d'années, lui dirent qu'il lui était nécessaire de perdre sa timidité.

Les dames lui proposèrent des camélias et des jasmins pour sujet de poésies légères, que le timide garçon ne leur lisait pas mais qu'il leur remettait, la main tremblante et la rougeur du novice au front.

La bande des ruinés de corps, d'âme et de fortune l'encerclait, mais ne le trouvait presque jamais seul pour pouvoir l'initier libéralement aux mystères de sa secte. L'ombre de Pedro da Silva était un vieux gentilhomme, qui n'empêchait pas sa jouissance, pour peu qu'il s'agît d'une jouissance légitime, mais qui le retenait à quelques pas du profond abîme qui le menaçait sous ce tapis de fleurs.

Le jeune homme fut docile, tant que l'obéissance ne fut pas un sacrifice. Ce n'étaient pas les conseils paternels de l'ancien ministre de Louis XVIII qui devaient le décider, mais plutôt le cœur, moteur despotique de tous les mécanismes de la machine humaine.

Au printemps 1837, Dom Pedro da Silva accompagna son mentor dans la région d'Angoulême, où le vicomte d'Armagnac avait l'habitude de passer l'été, dans sa propriété.

Le jeune homme, encore poète de cœur, soupirait après les fleurs, la nuance verte des champs, le lustre cristallin des ruisseaux, l'abeille amoureuse du farouche bouton de lys, et les horizons, et le ciel, et les brises éternellement bleues de Lamartine.

Il ne fut donc pas mené de force en province. L'idylle, avec son cortège de faunes et de dryades, lui faisait signe de sa couronne de lavande et de chèvrefeuille. Ne riez pas, lecteurs, de la langueur du style : c'est ce que l'on ressent dans la jeunesse. Si vous ne vous souvenez pas de l'avoir ressenti ni n'en ressentez la nostalgie, vous pouvez être d'excellentes personnes, vous pouvez avoir goûté à tout ce qui est bon pour le corps… mais ce que vous n'avez pas eu ni n'aurez jamais, c'est la saveur des jouissances de l'intelligence. Ce ne sont là que des mots, chatouilleux lecteurs. Je crois pieusement que vous êtes tous, en plus de bonnes personnes, plus ou moins poètes. Si je me trompe, nous ne perdons rien de part et d'autre.

Le fils d'Ângela de Lima ne perdit rien non plus en partant de Paris.

Vue de près, la société lui semblait bien différente de ce que lui avaient dépeint les romans. Il n'y vit ni héroïnes ni héros. Partout on mangeait, on bavardait, on se promenait et on dormait de la manière la plus positive et triviale possible. Il n'assista pas à des épisodes retentissants, poétisés par des passions dévastatrices, ni n'eut connaissance de leur existence. Dans les salons, les dames frivoles parlaient de robes, les précieuses questionnaient le mérite littéraire des *Méditations* et des *Orientales*, avec grand ennui et prodigalité de bêtises dites avec beaucoup d'esprit, ce qui est la partie la plus noble chez les Françaises, ces hermaphrodites du monde moral. Les vieilles faisaient des moues écœurées à tout bout de champ, calquées sur celles des plus jeunes. Les hommes parlaient de finances, de Louis-Philippe et d'Henri V, à Alger, et encore de bien d'autres choses qui réduisent le poète à la condition d'un être nul dans les graves affaires de la vie.

Et donc, Pedro da Silva commençait à s'ennuyer à Paris et dans sa société si célébrée, quand il partit pour Angoulême. La vérité est qu'il n'était pas indifférent à l'absolue certitude d'être privé de société dans la propriété de son ami, où seuls quelques nobles du voisinage assistaient au thé de l'ancien ministre. Ils y discutaient des besoins du département jusqu'à dix heures, heure à laquelle il était scandaleux de ne pas être au lit.

Quelle que fût la vie ennuyeuse à laquelle il se sacrifiait pour quelques mois, le poète, lassé du bruit incessant de Paris, saluait la solitude et espérait chanter tous les arbres sur les collines, toutes les pleines lunes, toutes les petites fontaines des environs. Il se promettait même de chercher quelque part les brises bleues de Lamartine, brises sans doute exotiques à Paris, où il ne les avait point vues, à son grand regret.

Installé dans les quasi-ruines féodales de son ami, Pedro da Silva ressentit une impression très douce, comme toutes les mélancolies venant de la nature jusqu'au cœur, et non pas de la tristesse du cœur qui revêt de deuil la nature alentour.

À l'aube de la première journée de son séjour dans le pittoresque village, à une lieue de distance d'Angoulême, le barde se leva, assoiffé d'inspirations matinales, ouvrit sa fenêtre, qui surplombait une large rivière longée de marronniers séculiers, but l'air pur de ce ciel bleu, comme tous les cieux de Lamartine, crut aux brises de la même couleur, et écrivit les premières lignes d'une ode qui devait servir de préface à ses impressions quotidiennes.

En face, au sommet d'une colline, à un quart de lieue, Pedro da Silva vit un magnifique palais, moins romantique que le château délabré du vicomte, qui semblait avoir été la première habitation du seigneur féodal de ces immenses plaines verdoyantes, se déroulant au pied du géant de granit comme un tapis couvert d'émeraudes. Qui pouvait bien vivre là ? se demandait l'ardent rêveur de romans, peuplant le château de dames farouches, encerclant la barbacane de troubadours soupirants et faisant se lever le pont-levis qui avait laissé sortir le noble seigneur vers la chasse, son gerfaut au poignet et sa meute de lévriers excités par le son de l'indispensable cor.

En plein milieu de ces extases, qui sont la vie à dix-neuf ans, son hôte vint à sa rencontre.

— Que dites-vous de ce panorama, Pedro ?

— Enchanteur !

— Vous sentez la *sacra fiama mens divinior*[1] ? Vous poétisez ? Avez-vous l'*os magna sonaturum*[2] du vieil Horace ?

— On ne peut décrire ce tableau ; mais je reconnais que l'on peut être poète avec ce ciel, avec ce silence, avec tout

---

1. La flamme sacrée de l'inspiration divine.
2. La bouche à la parole retentissante.

ceci, supérieur à tout ce que j'ai lu jusqu'ici… À qui appartient ce palais ?

– Ce palais appartient à madame Élisa de Montfort, duchesse de Cliton.

– J'ai entendu parler de cette dame à Paris. Elle vit là ?

– Cela fait un an et demi qu'elle n'en est pas sortie.

– Elle est romantique, à ce que je vois.

– Je crains qu'elle ne soit plus malheureuse que romantique…

– Malheureuse !… Pourquoi ?

– Des secrets, qui meurent presque toujours dans le cœur des femmes orgueilleuses comme elle l'a été.

– Certainement une grande passion…

– Il semble que oui. Votre âge vous dispense de savoir ces choses-là. La vérité, c'est que la duchesse de Cliton a été l'ornement des salons de Charles X, célibataire, mariée, veuve. Puis est arrivée l'heure funeste de payer son tribut de larmes à sa faiblesse, elle a perdu son frère dans un duel, a voyagé pendant près de cinq ans et s'est réfugiée dans cette maison qu'elle détestait avant ses infortunes.

– Qu'elle détestait ! Eh bien, elle avait tort ! Cette maison est si belle !

– Vue de l'extérieur…

– Elle est en ruine à l'intérieur ?

– Ce n'est pas ça… Ces murs renferment d'horribles mystères. Demandez aux gens de ces villages ce qui s'y passe, et ils vous diront que les morts y donnent leurs bals, et qu'ils gambadent dans ces prés, avec leurs linceuls, comme des ours blancs. Cela vous fait rire ? C'est comme je vous le dis. Votre bien-aimée Radcliffe, si elle avait connu ce château, vous en aurait fait vingt romans de plus, et serait morte tourmentée par vingt mille fantômes de plus de son cru, telle Madeleine de Scudéry.

– Ne vous moquez pas de ma pauvre Anglaise qui m'a rempli la tête de belles illusions, il y a de cela trois ans…

Dites-moi ce qu'il y a de positif dans cette maison, qui vaille la peine d'être nommé « mystérieux »...

— Ça, je ne le sais pas, mon ami. Je peux, en revanche, vous dire que la mère de cette dame, Blanche de Montfort, s'est suicidée là, cela doit faire plus de vingt ans, presque trente.

— Pourquoi ?

— Vous êtes impertinent, mon garçon ! Vos dix-neuf ans sont par trop curieux ! Vous voulez que je vous dise quelque chose ? Imaginez un roman, une tragédie, une ballade comme celles de votre péninsule. Vous avez le squelette, revêtez-le de chair. C'est là le miracle de l'imagination. Faites attention, toutefois, à ne pas me faire figurer dans votre fable, car je crains ces modernes gens de lettres qui font toujours reposer la responsabilité de leurs fantaisies sur les épaules d'un quelconque vieillard qui en narre les extravagances.

— Je peux vous assurer, mon cher ami, que je ne ferai aucune ballade. Je voudrais plutôt connaître votre mystérieuse duchesse.

— Ce sera difficile. L'année dernière, elle n'a même pas daigné faire demander si j'étais bien arrivé. Elle fera probablement de même cette année.

— Elle vit seule ?

— Avec ses servantes et ses serviteurs, et un majordome et un chapelain.

— Elle est riche, n'est-ce pas ?

— Pourquoi le demandez-vous ? Vous avez un mariage en vue ?

— Dieu m'en garde ! Je demandais si elle était riche parce que j'ai appris à poser cette question à Paris, au sujet de chaque personne qui nous salue ou de qui nous entendons parler.

— Il s'ensuit que vous avez là douze côtes en vers et douze en prose. Vous avez déjà votre morceau de matière... Un poète ne demande jamais si une femme est riche. On ne lui pardonne pas les questions qui ne soient celles-ci : "A-t-elle de l'esprit ? A-t-elle de l'inspiration ? Idéalise-t-elle l'existence ? Voit-elle dans chaque fleur qui se fane l'âme d'une vierge qui se détache de son corps ? Entend-elle dans chaque frémissement du feuillage un soupir d'amour ? Contemple-t-elle, mélancolique, dans chaque goutte de rosée qui perle d'une fleur, une larme de nostalgie ?" Toute question autre que celles-ci serait un crime de lèse-poésie, une insulte faite à votre Lamartine, qui n'arrivera jamais, à quatre pattes, là où a volé mon cher Louis Racine, qui déjeunait familièrement avec Apollon… À ce propos, allons déjeuner. Soyons sincères : tout cela est fort beau… une merveille pour les yeux, mais l'estomac est supérieur aux brises bleues du gentilhomme.

— Laissez donc le gentilhomme, Monsieur le Vicomte. Lamartine est le premier poète au monde.

— Étudiez, mon garçon, qui hier encore étiez au collège…

— Je n'ai pas besoin d'étudier. Mon cœur est né avec moi tel que je le sens et tel que je le sentirai jusqu'à ce qu'il ne batte plus.

— C'est très beau… Vous voulez dire que…

— Lamartine est le roi de l'harmonie.

— Alors récitez-moi avec harmonie ce vers de votre idole :

C'est Dieu, c'est ce grand tout, qui soi-même s'adore.

» Et celui-ci :

Il produit l'infini chaque fois qu'il respire.

» Avouez, quelle extravagance de supposer que Dieu respire l'infini !

— C'est une extravagance sublime ! Je note qu'il y a des choses écrites pour une nouvelle génération…

— Merci ! Vous me décernez un diplôme d'invalide ! Je ne comprends pas votre poète !

— Je n'en dirais pas tant à votre sujet, Monsieur le Vicomte. Mais vous ne me donnerez certainement pas des vers de votre Racine qui vaillent autant.

— Pourquoi pas ? Vous voulez voir le roi de l'harmonie copiant mon poète favori ? Écoutez ! Racine a dit :

Ô cieux ! que de grandeur, et quelle majesté !
J'y reconnais un maître à qui rien n'a coûté,
Et qui, dans vos déserts, a semé la lumière,
Ainsi que dans nos champs il sème la poussière.

» Écoutez maintenant Lamartine :

Dieu...
De ses puissantes mains a laissé tomber le monde
Comme il a dans les champs répandu la poussière
Et semé dans les airs la nuit et la lumière.

» Avouez que le plagiat est flagrant ! Vous en voulez encore ? Je pense que c'est dans la *Méditation X*ᵉ que figure cet hémistiche :

... Le flot fut attentif.

» Or Quinault a dit :

Le flot fut attentif.

» La copie est fidèle... elle a le mérite de la loyauté ! Et celui-ci : *Ô temps, suspends ton vol !* est la copie littérale de Thomas... Encore un... la *IV*ᵉ *Méditation*...

— Le déjeuner est servi, interrompit le serviteur.

Lecteurs chanceux, ce serviteur vous a sauvés de l'importune érudition du détracteur de Lamartine ! Dieu nous garde des zoïles à jeun !

XIII

Le déjeuner terminé, au cours duquel la réputation de Lamartine connut le même sort que le jambon, on annonça à l'ardent sectaire de Racine le prêtre chapelain de la duchesse de Cliton.

— Faites-le entrer dans la salle des portraits. C'est

admirable ! remarqua le vicomte. Je n'ai pas mérité une telle civilité de madame la duchesse l'année dernière. J'ai eu la délicatesse d'aller m'enquérir d'elle personnellement, et elle n'a même pas daigné me faire entrer !... Enfin, des excentricités de madame la duchesse... Allons-y. Entre-temps, faites préparer les chevaux, que je vous montre Angoulême.

Le chapelain venait saluer le vicomte de la part de la duchesse et le prier de lui accorder la faveur d'une visite, si par hasard il venait à passer dans le voisinage de sa maison. Le courtisan rétribua aimablement les salutations et fit savoir à madame la duchesse que, dans deux heures, il irait lui rendre ses hommages comme le plus humble de ses serviteurs et le premier des vieux amis de sa maison. C'était le style ancien.

Se trouva donc bouleversé le projet de promenade à la capitale de la province à laquelle Dom Pedro avait condescendu par urbanité. Il était rassasié d'agitation. Ce qui l'attirait, c'était la solitude, peuplée par la fantaisie qui poétisait à l'envi les silencieux habitants séculaires de ce château.

Laissez-le donc, immobile sur la terrasse, encerclé de créneaux et de meurtrières, à travers lesquelles son imagination semblait lui faire entendre le sifflement des flèches qui écrivirent avec le sang l'histoire de Frédégonde, dont le vicomte affirmait qu'elle avait séjourné ici, poursuivie par le roi d'Austrasie, au VIIe siècle ! Le vicomte, descendant, de ce fait, d'une famille de douze siècles, voire plus, se rendit à Cliton. Il entra dans le grand salon et attendit la duchesse quelques minutes. Il s'attendait à la trouver vieillie, malade, épuisée et même ennuyeuse ! Il la vit encore belle, pâle, mais pas de cette couleur disgracieuse des convalescentes, affaiblie certes, mais doucement, gracieusement affaiblie. Ce qu'elle avait à Cliton que le vicomte ne lui avait pas vu à Paris, c'était son deuil, non pas rigoureux, car le noir était du meilleur satin, des meilleures dentelles et des ornements les moins vulgaires.

— Monsieur le Vicomte, votre empressement est une

punition bien méritée, infligée à ma discourtoisie de l'année passée.

— Oh ! Madame la Duchesse... jamais vous ne pourrez être discourtoise.

— Lorsqu'on est malheureuse, même le souvenir des règles du savoir-vivre se perd, et... laissez-moi m'exprimer ainsi, la conscience du devoir s'abrutit. Quand vous m'avez fait l'honneur de chercher à me voir, Monsieur, je me débattais dans la crise la plus orageuse de ma vie... Le monde ignorait tout des sourds martyres que j'endurais quand je m'en suis retirée, pour venir me flageller, seule, dans cette maison dépourvue de tout ce qui fait le bonheur, édifiée peut-être ici à dessein pour que viennent s'y repentir les victimes d'êtres maléfiques... Passons, Monsieur le Vicomte. Pardonnez la liberté avec laquelle je vous parle, mais je sais que vous êtes mon ami, comme vous l'avez été de mon père...

— Je vous ai tenue dans mes bras, petite fille de trois ans.

— Vous m'avez vue grandir, éclore et me flétrir comme une fleur effeuillée par une main maudite...

— Madame la Duchesse ! Pleurez, si les larmes vous sont un soulagement... N'ayez pas honte... Gardez pour vous leur cause, mais laissez-les couler librement...

— Je vous remercie, Monsieur le Vicomte... Je me sens mieux. Je pensais que je serais plus forte.

— Et vous l'êtes, Duchesse ! Le véritable courage est cette vie que vous menez.

— Courage ! Non, ce n'en est pas ! Le courage, c'est d'affronter l'opinion publique ; la jauger à son juste prix ; lui jeter au visage les scandales et l'or ; passer la tête haute devant les tartuffes... meute de chiens qui déchire les franges de nos robes, mais qui ne déchire rien d'autre !

— C'est là le courage du cynisme. La duchesse de Cliton a des sentiments élevés, et sait qu'en ce moment elle est entendue (*montrant les murs*) par les portraits de générations vieilles de douze siècles. La véritable noblesse, celle des

Montfort, c'est de souffrir sourdement, de courber la tête dans la solitude, mais de la relever, fière, devant la société.

— La société ! Et quelle société, Monsieur le Vicomte !

— Je ne vous parle pas de la société du Paris d'aujourd'hui, mélange d'éléments répugnants, d'or et de déjections… Ce n'est que de la canaille, pardonnez-moi l'expression. La société, c'est autre chose, c'est celle où vous avez ouvert les yeux dans les salons de Louis XVIII, que vous avez dominée dans ceux de Charles X, et où vous brillerez encore dans ceux d'Henri V.

— Comment, Monsieur ? Où je brillerai ?… Ah ! vous ne voyez pas mon cœur… Le monde m'a oubliée, et je l'ai oublié. Nous avons soldé nos comptes… je continue à payer un éternel débit de larmes.

— Mais le vieux vicomte ne veut pas que son amie, qui l'embrassait et ébouriffait ses cheveux, fasse cela… Vous retournerez à Paris.

— Ça, jamais, Monsieur.

— Vous êtes bien catégorique, Madame la Duchesse ! Car vous n'avez pas encore l'âge de maîtriser parfaitement vos actes… Que pensez-vous qu'est Paris en 1837 ? Pensez-vous qu'il y existe un code de morale qui juge votre passé, quel qu'il ait été ? Soyez sûre que non. Ce temps-là était celui où la vertu avait honte de donner la main au crime, et, si la conscience ne suffisait pas à punir les vicieux, des juges les punissaient d'un juste mépris.

— Pardonnez-moi, Monsieur le Vicomte, mais je prends la liberté de vous rappeler que vous êtes un juge passionné par les crimes et les vertus de la société, dont vous êtes presque un ornement par la noblesse du sang et des actions. Je pense que l'immoralité de 1737 est l'immoralité de 1837 et de tous les temps, et de toutes les sociétés.

— C'est une hérésie, Madame la Duchesse !

— Eh bien, alors… plaignez-moi, car je mourrai hérétique.

— Il y a une incroyable différence.

— Différence… Je dis aussi qu'il y en a… et à mon avis, la voici : avant, l'immoralité était au détail ; aujourd'hui, elle est en gros… Vous souriez ? Eh bien, moi, je crois qu'un rire franc et communicatif est plus noble ! Je préfère la franchise des vices pratiqués sous la lumière de la civilisation, qui les absout, plutôt que l'impudeur qui œuvrait dans les entrailles de la société ancienne, étudiant toutes les ressources de l'hypocrisie pour se leurrer elle-même, mentant à Dieu, qu'elle invoquait en vain, et mentant aux classes inférieures, auxquelles elle s'imposait comme exemple.

— Que votre langage est merveilleux !

— Je me suis emportée, n'est-ce pas ? Pardonnez-moi, Monsieur le Vicomte… Ce n'est pas par esprit de contradiction. C'est cette franchise, peut-être impolitique, que la femme solitaire acquiert lors de ses longs monologues, elle qui lit constamment le livre de sa conscience et étudie sans cesse les tableaux du monde, qu'elle a abandonnés, toujours vivants dans sa mémoire… Changeons de sujet… Vous comptez séjourner longtemps dans votre château ?

— Comme à mon habitude, Madame la Duchesse : cinq mois.

— Habitué à la société, la solitude doit vous être pénible… Vos amis d'ici n'alimentent certes pas votre esprit.

— Cette fois-ci, j'aurai de la compagnie.

— Votre gendre et votre fille, naturellement.

— Non, Duchesse, c'est un jeune homme qui m'a été recommandé de Londres et de Lisbonne. Un authentique néophyte du monde élégant, à qui je m'intéresse et que je n'ai pas voulu laisser à Paris, livré à ses visions romanesques.

— Il est anglais ?

— Non, Madame, il est portugais.

— Portugais ? Ils sont si rares…

— Les élégants portugais ?

La duchesse rougit et ne répondit pas. La question du

556

vicomte, si elle n'était pas cruellement sarcastique, semblait l'être.

— De plus, mon Télémaque aime beaucoup cet endroit. Je l'ai trouvé ce matin en train de poétiser les forêts qui entourent votre palais, sans se douter quelle belle châtelaine pouvait y réaliser toutes ses fantaisies de provincial !

— C'est un honneur d'être l'inspiration de vos spirituelles ironies, Monsieur le Vicomte ! Si cela vous plaît, imaginez-moi en beauté soupirant après un troubadour à la mandoline, consumé de nostalgie, gémissant ses airs sur la rive cristalline d'un ruisseau.

— Avec vous, Madame la Duchesse, la seule ironie dont on pourrait faire preuve... serait de diminuer l'éclat de vos beautés, c'est...

— C'est excellent... Voilà ce que la jeune société n'a pas... Le privilège de la galanterie finira avec vous. Votre hôte appartient à votre école ?

— Mon hôte... n'en a aucune encore. C'est un jeune homme de dix-neuf ans, qui aime les fleurs et les brises bleues, amoureux de Lamartine, demandant aux sources la cause de leurs murmures et à la colombe les peines de son chant plaintif. C'est un sylphe humain qui vit des brises de l'après-midi, de la lune qui argente les mers et de l'hymne du rossignol qui remercie le Seigneur pour les fragrances matinales. Voilà mon hôte... c'est un enfant.

— Bienheureux ! Le pire est que bientôt soufflera le vent qui effeuillera ses belles illusions...

— Ce ne sera pas dans cet éden, où l'on est forcément poète, où je l'ai moi-même été en mon temps, et où, aujourd'hui encore, il me semble voir les zéphyrs et les grâces qui tournoyaient autour de ma lyre.

— Vous venez de faire une belle strophe en prose, Monsieur le Vicomte d'Armagnac !

— Vraiment, Duchesse ? Je suis ravi de vous faire sourire

avec mes proses !… Me permettez-vous de vous présenter mon hôte ?

— Bien sûr, avec grand plaisir… il s'appelle… ?

— Dom Pedro da Silva.

— Ce Dom…

— Signifie qu'il est de vieille noblesse. S'il était espagnol, il pourrait être camelot ou marchand de laine.

— J'ai connu quelques familles portugaises de la grande noblesse, lors de mes voyages. De qui est-il le fils ?

— De feu la comtesse de Santa Bárbara. Mais j'espère que vous me ferez la courtoisie de ne pas lui parler de sa mère, car il a des raisons de vouloir que sa naissance soit ignorée… Vous avez entendu parler de cette comtesse, Duchesse ?

— Non, Monsieur, peut-être était-elle déjà morte quand je suis allée à…

La duchesse tut son dernier mot, frémissant et pleurant. Le vicomte ne le remarqua pas, car il nettoyait son lorgnon embué.

— Oui… je crois qu'elle est morte il y a de cela quatre ans, environ… Eh bien, permettez-moi de prendre congé, Madame la Duchesse.

— Je vous demande de me faire l'honneur de votre convivialité, quand cela ne vous sera pas ennuyeux.

— Si ma visite ne vous importune pas, je viendrai demain, en fin d'après-midi, avec mon hôte.

— Quand il vous plaira.

Le vicomte trouva Dom Pedro à mi-chemin, monté sur un cheval fougueux, qui semblait réprouver avec de fortes ruades le mauvais pavement des sentiers et des carrefours.

— Bonjour ! dit le Vicomte. À quoi jouez-vous ? Vous voulez mourir prosaïquement piétiné par votre andalou ?

— Il est d'humeur badine ! Il pense qu'il joue sur les *boulevards**!… Laissez-le donc sauter. C'est un animal généreux qui flaire les ossements de ses aïeux, tombés ici à l'arrière-garde de votre hôte Frédégonde.

— Demandez-lui s'il respire les brises bleues de votre poète.

Le vicomte rétribuait l'ironie par l'ironie.

— Mon cheval est classique, mon cher Vicomte… Il appartient à l'école des partisans d'Apollon.

— Serait-ce Pégase ? Alors il se trompe de cavalier… qui ne lui fait pas grand honneur.

Dans cet échange de piques, sans intention offensive, ils se rapprochèrent comme deux condisciples. Le vicomte se comportait bizarrement en jeune homme, et son faible, hormis Louis Racine, était d'être tutoyé par les jeunes gens.

— Alors… tu veux savoir ? dit le vicomte.

— Comment va madame la duchesse ? J'imagine qu'elle est en excellente santé.

— Devine ce qui s'est passé !

— J'imagine… que ça s'est très bien passé… Monsieur le Vicomte sait tirer parti, comme personne, de jolis riens. Je ne vous ai pas encore demandé l'âge de la duchesse, ma dame, comme on dit dans les châteaux, si je ne me trompe.

— Trente ans passés, avec toute la beauté des dix-huit.

— Vraiment ? Bénies soient donc les souffrances d'une dame qui se conserve, à trente années passées, belle comme à ses dix-huit ans !

— Vos romans anglais ne parlent pas de ces femmes ? Car il y en a beaucoup en France, où l'esprit, pour être plus sublime que la matière, souffre, sans altérer les beautés du corps.

— Je ne comprends pas bien votre physiologie, Monsieur le Vicomte. Je pensais que la mortification faisait de chaque minute une année. J'ai connu ma mère quand elle avait trente ans. On m'a dit qu'elle avait été belle à dix-huit, et je l'ai vue tristement laide et vieillie dans chacune de ses fibres. Il est vrai que ma mère n'était pas française, mais permettez-moi de douter de la distinction que vous faites entre les douleurs de chaque pays.

– Ce sont des exceptions, mon cher Pedro. Votre mère pourrait avoir eu des imperfections organiques.

– Et la duchesse n'en a aucune… Tant mieux pour elle. Voici mon vicomte clairement amoureux !

– Vous êtes un enfant… C'est moi qui crains pour vous.

– Pour moi ? Vous êtes pieusement compatissant des faiblesses de votre prochain ! À Paris, vous pointiez un abîme dans chaque pièce, un crocodile en chaque femme, et un chevalier d'industrie en chaque jeune homme qui me serrait la main. Vous avez été mon ange gardien… Et ici ? Il y a aussi des abîmes et des crocodiles ?

– Non, et je vais vous dire pourquoi… Écoutez, car je vais vous parler sérieusement… Jusqu'ici, c'était l'ami qui vous parlait, maintenant c'est le père. La duchesse de Cliton est une femme dangereuse. Je me souviens de six duels dont elle était la cause.

– J'espère que je ne me battrai pas, mon cher Vicomte.

– Trêve de moqueries… Je sais bien que vous ne vous battrez pas, car la duchesse de Cliton, dont les sourires coûtaient une balle ou une estocade, n'existe plus. En ce temps-là, la duchesse jouait la séductrice pour écraser l'amour-propre de certains hommes et de certaines femmes. Le dénouement de ses amours fut toujours tragique, mais jamais scandaleux. Personne n'osait dire "la duchesse est l'amante de celui-ci, ou de celui-là". Ce qui s'ensuivit, c'est qu'on la détesta, et qu'on applaudit la première infortune qui fit tomber son orgueil à terre.

– Donc, finalement, il est tombé ?!

– Malheureusement… et dans sa chute, il a emporté la vie de son frère, qui était un brave garçon, généreux avec ses grands-parents, et pleuré par l'ancienne noblesse.

– Il a été tué en duel ?

– Oui, mais dans un duel infâme.

– Par qui ?

– Par l'un de vos compatriotes, disent les uns, par un démon incompréhensible, sans nation, sans nom, sans famille, disent les autres.

– Un compatriote ! Comment s'appelait-il ?

– À Paris, c'était Leopoldo Saavedra ; en Belgique, Tobias Navarro ; à Londres… je ne sais ni comment on l'appelait ni le sort qu'il a connu. On dit que la duchesse l'a pourchassé quatre années durant, sans le trouver. J'ai su par le consulat qu'elle avait séjourné un certain temps à Lisbonne, où elle suspectait que se trouvait l'impudent gentilhomme, mais elle se trompait, et revint finalement à Cliton, fatiguée d'une pérégrination si peu honorable. Vous voyez donc qu'une telle femme n'est pas de celles qu'on aime, car si ce cœur recèle de l'amour, il n'y a pas de vérité sur terre. Il doit être mort ou rempli de fiel. Je vous préviens, jeune homme. Je n'avais pas l'intention de vous dire ceci, mais dès que j'ai reçu l'autorisation de vous présenter, j'ai changé d'avis. Vous êtes comme la fleur précoce que le souffle d'avril a effeuillée. Vous voyez que j'ai mes accès poétiques ! Vous n'avez pas encore connu un de ces troubles qui décident du cœur humain. Qui sait ce que vous réserve la fatalité chez cette femme ! Prudence, donc. Faites-lui face avec plus de philosophie que de sensibilité. Si vous la voyez sourire, rappelez-vous que ce sourire est un de ces expédients astucieux par lesquels on dissimule les larmes. Si vous lui entendez des facéties, exprimées avec une fine ironie, prenez-les toujours comme des moqueries, soit à vos illusions, soit à sa propre amertume… Je n'ai rien de plus à vous dire. Recevez cela comme vous recevriez un conseil de ce prêtre qui a veillé sur votre éducation jusqu'à vos quinze ans et dont vous ne prononcez jamais le nom sans un profond respect. Ce qu'il vous a dit, en vous faisant ses adieux, est une vérité éternelle : "La première femme que l'on aime décide du cœur d'un homme pour toute la vie." Maintenant, changeons d'humeur : la conversation est peu bucolique, je la trouve plus propre aux salons parisiens, où il est nécessaire d'entrer avec Balzac sous le bras gauche, le droit prêt à adresser un signe de croix au démon. Attention à votre cheval… si vous avancez avec ces bonds, laissez-moi vous précéder de deux miles… Vous m'avez rempli de boue avec vos prouesses équestres. Vous voulez vraiment faire de moi le Sancho Panza de cette aventure ! Regardez comme mon cheval anglais avance tranquille ! On dirait qu'il a le *spleen* de ses compatriotes… Il avance en fredonnant *God Save The King*.

Pendant le dîner, ils devisèrent sur la littérature, et le vicomte parla avec enthousiasme du grand et mérité crédit qu'il accordait à Talleyrand, à monsieur de Villèle et à Charles X, et il pleura quand, pareil à une sibylle, il pronostiqua le retour d'Henri V sur le trône de Saint Louis.

Passant à la salle d'armes, ils saluèrent avec un enthousiasme religieux les armures des aïeux, ascendants, parmi lesquelles le vicomte montra le harnais et la lance de Bernard VII, seigneur d'Armagnac, guerrier du XIVe siècle, ainsi qu'un casque et des jambières qu'il disait avoir appartenu (bien qu'il ne le jurât point) à Raymond de Poitiers, prince d'Antioche, oncle de la reine de France, Aliénor vaillant parmi les plus vaillants de la seconde croisade. Davantage que tout cela, la très précieuse rareté que le vieux gentilhomme indiqua, sans la toucher, était la tête tronquée d'une statue, grossièrement sculptée. Cette tête était apparemment l'idole d'Irminsul, l'image d'Arminius, que Charlemagne avait abattu, quand le grand roi vengeait les pères francs des outrages subis en Germanie.

Une fois déclinée l'histoire de la galerie des froides lames de fer, où ont battu les cœurs de tant de héros, le vicomte redescendit à la société actuelle, avec tout le poids de sa colère, et la foudroya. Puis il but tranquillement son café et deux verres de genièvre.

Dom Pedro da Silva crut puérilement à tout cela et trouva prosaïque et bourgeois le café, après la spiritualité des vénérées reliques sur lesquelles neuf siècles s'étaient écoulés.

Ainsi, tous les hommes sont bons, sont crédules, vivent très à la surface de la vie universelle, et sont heureux quand la société les appelle à la barre de l'utilité publique et leur demande ce qui les a menés là.

XIV

La visite des deux gentilshommes est annoncée à la duchesse de Cliton. Son premier mouvement est d'ennui ; on croirait qu'elle regrette d'avoir brisé un silence, douloureux certes, mais tranquille, de presque deux ans. Les convenances, pourtant, lui ordonnent de se masquer avec le sourire de la politesse et les manières héritées de sa gentillesse naturelle. Elle entre dans le salon, où elle est attendue par le flegme du vicomte et la nervosité incompréhensible de Dom Pedro da Silva.

La duchesse répond aux compliments timides de notre poète avec une certaine nonchalance et une réserve froide, que montre bien des fois la femme qui s'ennuie, se croyant ainsi plus austère dans l'exercice de ses devoirs de dame de la haute société. Puis elle se tourne vers le vicomte et égrène quelques lieux communs, qui sont le martyre de la société la plus cultivée comme de la moins cultivée. On n'a pas encore inventé de nouvelles idées pour améliorer la fausse position d'un hôte qui s'assied avec raideur sur une chaise n'ayant pas la familiarité qu'il faut pour s'allonger sur une ottomane et demander du feu pour allumer un cigare.

— Il semble que nous aurons un beau printemps, Monsieur le Vicomte.

— Très certainement, chère Madame…

— Vous avez beaucoup de fleurs dans votre jardin ?

— Non, Madame la Duchesse. Depuis que ma fille

s'est mariée, les fleurs se sont fanées, comme elle. Je n'ai pas pu la remplacer, car les miennes avaient fané bien avant.

— Toujours votre langage figuré.

— C'est le sort des vieux… Quand il leur manque le naturel gracieux de la phrase, il n'y a d'autre choix que de faire du style.

— Oriental ? C'est un joli style… Je pense que les âmes d'Asie sont très différentes des âmes occidentales. Ici, tout est si clair, si correct, si grammatical que l'on finit par s'ennuyer… Je crains que le maudit voisinage de la froide Allemagne et de la formelle Angleterre n'ait fait de la France une terre d'austères penseurs et de philosophes matérialistes, incapables de concevoir un autre monde plus transparent que le globe sur lequel nous vivons, mangeant, buvant et commerçant. Combien devrait être délicieuse une république des poètes !

— Dont le président serait Lamartine…

— Exactement.

— Et la duchesse de Cliton la huitième muse.

— Ah ! Dieu m'en garde… seulement si on me nommait « l'ire », que j'ai déjà vu évoquée dans un poème par un compatriote de ce monsieur qui, si je me souviens bien, est portugais, d'après monsieur le vicomte.

— Oui, Madame la Duchesse, je suis portugais, dit Dom Pedro da Silva, qui se trouvait de trop dans ce dialogue.

— Cela fait longtemps que vous avez quitté le Portugal ?

— Il y a quatre ans.

— Sans nostalgie ?

— J'en ai eu beaucoup, Madame… Depuis, je me suis habitué à mes nouvelles relations.

— Et vous avez oublié celles de votre patrie… qui, naturellement, étaient des relations de famille, celles que l'on échange le plus facilement pour d'autres. Vous aimez la France ?

— Je n'ai pas encore eu le temps de connaître la France, Madame la Duchesse.

— Laquelle de ses facettes ? La France artistique est un géant dans son berceau, qui annonce une corpulente robustesse ; la France politique est un chaos de nuages, qui annonce quelques tempêtes de sang ; la France intellectuelle est la première nation du monde… Que vous reste-t-il à connaître ? La France morale ? C'est une femme nerveuse avec une envie à chaque minute et une vertu proclamée à chaque turpitude ; aujourd'hui pâle de fatigue, demain fraîche comme une rose à l'aide du carmin ; aujourd'hui prêchant l'Évangile de Christ, demain acclamant Robespierre, le souverain pontife de la Raison… La France est tout cela, Dom Pedro, et si vous me croyez, n'oubliez pas cette ébauche confusément poétique, car vous la trouverez vraie. Monsieur le vicomte peut vous le confirmer.

— Je ne pourrais la dépeindre avec tant d'esprit, mais j'ai voulu montrer la France par le prisme de madame la duchesse à mon jeune ami. Il affirme, cependant, que le talent a le privilège de cueillir dans toutes les plantes amères le miel de l'intelligence, comme les abeilles.

— Aïe ! il se trompe… rétorqua la duchesse. Le génie est une mortification. Je ne sais quel Français a dit que le talent était une longue patience. Ils souffrent beaucoup, ceux qui ne regardent pas tout ça, le rire aux lèvres et la pincée à priser au bout des doigts. Ne voyez-vous pas, Dom Pedro, que les poètes pleurent constamment ? Ce sont les Achab et les Jérémie des modernes Jérusalem… Ne voyez-vous pas comme pleure Lamartine ?

— Mais Voltaire chantait, fit remarquer le jeune homme.

— Ah ! oui… c'est parce que Voltaire était un illustre bouffon. C'était là sa mission. Le ridicule avait besoin d'être tué par le ridicule, comme a dit La Fontaine, et Voltaire est mort le jour où la vieille société, emplie de superstitieuses mièvreries, mourait injuriée par l'hilarité de ses ennemis… Je vous demande de me pardonner la vanité avec laquelle je compose des axiomes… C'est un défaut des Françaises, un autre visage sincère que j'ajoute d'instinct au tableau que je vous ai dépeint il y a peu, Dom Pedro.

— C'est un visage très flatteur pour la France, Madame la Duchesse, répondit le jeune homme, mais je suppose qu'il est le visage le moins commun chez les dames françaises.

— Vous vous trompez. Ici, presque toutes les femmes qui tiennent salon parlent ainsi. Nous sommes les petites-filles de celles qui ont mérité de Molière une chronique très connue… Monsieur le Vicomte, s'il vous agrée, faisons visiter mon jardin à votre hôte.

— Oh ! oui, Madame la Duchesse, mon hôte voit en chaque fleur une ode, et en chaque murmure du feuillage une harpe éolienne…

— Vraiment ?

— Monsieur le Vicomte me doit ses bons mots les plus fins… ajouta Dom Pedro. Il a de bien belles plaisanteries à mon égard, et je suis heureux d'en être à l'origine, si elles sont agréables à madame la duchesse de Cliton.

Le vicomte lâcha un éclat de rire inoffensif, expression éloquente de sa joie, et même de sa bonté. À la duchesse, cependant, la réponse du Portugais sembla d'une ironie délicate. L'agréable châtelaine la récompensa par un sourire à rendre fous tous les troubadours imaginaires des ballades de Dom Pedro.

Laissons-les regarder les fleurs, et voyons, nous, ce que ni la duchesse ni le vicomte ne pourraient deviner dans le cœur du disciple de Père Dinis.

La première impression que suscita chez lui l'aimable duchesse fut la confusion, la gêne, le ravissement naturel de ses dix-neuf ans. En l'entendant parler, comme oublieux de la personne qui venait de lui être présentée, il se sentit blessé dans son amour-propre, désira voir terminée cette première visite et qu'elle fût la dernière. Forcé de répondre à la première question qui lui avait été posée par deux mots et un sourire plus doux qu'elle, le Portugais avait répondu, rougissant ; et il avait rougi non de pudeur, car ce serait trop de pudeur, mais de surprise, car il avait perçu une chose, nouvelle et surprenante, dans la physionomie élégante de la moqueuse Desdémone du baron de Sá, honte éternelle des Othello de contrebande.

Au fil de ce dialogue, Dom Pedro da Silva ne s'émerveillait pas tant de l'éloquence que du sentiment d'être une pierre entraînée par la lyre d'Orphée. Prisonnier de ses yeux et de ses lèvres et des vertigineuses évolutions de sa physionomie, il la regardait avec tendresse, avec étonnement, avec idolâtrie, et ce qu'il voyait le moins dans ses extases, c'était ce que les yeux voient d'habitude. À cet âge, nous jurons que le cœur voit tout. Avec six années de plus, nous jurerions que le cœur est l'organe le plus aveugle, et nous accorderions une vision double à une certaine âme que Platon qualifia de concupiscente et que Théophile Gautier, ami intime de Dom Pedro da Silva, assura avoir vue (ce dont nous doutons sincèrement).

Vous voulez, donc, savoir si c'était de l'amour, ce que ressentait le pupille d'Alberto de Magalhães ? C'est une exigence digne d'attention, et tout homme qui fait des romans est, *ipso facto*, dans l'obligation de rendre publique la vie de son semblable, quand celui-ci ne le fait pas de lui-même. Cette fois, pourtant, ce sera lui qui nous sauvera de ce vice de commère, hermaphroditisme moral dont je me vois inculpé par la force des circonstances :

Nous nous promenions dans le jardin (disent les notes que je copie), et la duchesse ramassa une rose défraîchie, presque fanée, qu'elle m'offrit. Je l'acceptai sans en comprendre tout de suite la signification. Plus avant, elle coupa une branche de myrte, qu'elle offrit au vicomte. Le vieux courtisan la remercia par une pensée, et la duchesse rétorqua par un adonis. Pendant ce temps, je marchais, candidement imbécile. Le langage des fleurs étant fait pour les enfants, son étude m'avait semblé ridicule. Je compris la complexité de ces symboles, je voulus me rendre intéressant dans la comédie muette qui se déroulait, je cueillis un soupir, que je n'osais offrir, n'ayant pas demandé la permission de le couper.

— Aurons-nous un poème à un soupir ? me demanda le vicomte.

— Il y a de la poésie dans un soupir ? demanda la duchesse.

— Beaucoup… j'imagine… répondis-je avec ingénuité.

— J'en trouve plus dans les larmes, répliqua-t-elle mélancoliquement.

La nuit était tombée. Le vicomte attendait, cette nuit, quelques hôtes d'Angoulême. Il nous fallait partir et je trouvai cruelle cette séparation si précoce. Il me sembla que la duchesse se froissa de notre départ, car elle s'assombrit quand le vicomte en donna le signal, se mettant debout avec un sourire et une banalité pour tout au revoir. Pour ma part, si la franchise est une vertu, en cet instant je détestai mon ami Théophile Gautier, qui m'avait dit quelques jours plus tôt ne rien trouver de plus ridicule que le regard séraphique d'un apprenti de l'amour, qui se sépare d'une femme pour la première fois, les yeux remplis de larmes. De larmes, je n'eus point, mais l'impression ressentie, la violence irrésistible de cette sympathie, le désir de rester là, la nostalgie de cette voix, de ces yeux, de cette mélancolie sans artifice ni intention… Aïe ! celle-là, je l'éprouvais de toute mon âme, de toute la ferveur de ma candeur, assaillie à l'improviste par un affect qui devait inévitablement se purifier dans une passion.

C'est lui-même qui le dit : Dom Pedro da Silva aimait la duchesse de Cliton. Les prophéties du vicomte se réalisaient ; cette femme était dangereuse et le jeune homme n'avait pas encore découvert le premier tome d'une telle œuvre, qui lui aurait épargné les séductions imprévues du deuxième. Non pas que les femmes soient des volumes in-quarto ou in-octavo, mais il y a des volumes qui ressemblent aux femmes. Celui qui lit le premier volume de certaines œuvres privilégiées n'admire pas les merveilles de style du deuxième, ni ne se laisse berner par les fausses conséquences de principes sains ; mais celui qui découvre dans le deuxième les conséquences déduites des faux principes du premier se perd comme un séminariste, ayant entendu à peine quinze jours auparavant le discours théologique de l'ex-moine, et qui va au café Marrare ou au Suisse écouter les dissertations des littérateurs qui s'attaquent à la religion avec Strauss et Victor Cousin, et s'autocongratulent sans qu'aucune parole soit la leur.

Après cet aperçu d'érudition, poursuivons l'histoire.

Dom Pedro da Silva, qui trouvait superlativement fastidieux les hôtes du vicomte, s'enferma dans sa chambre, imaginant toutes les hypothèses que peut inventer le cœur d'un jeune homme porté au merveilleux et électrisé par l'amour. Il prit la plume, décidé à déverser sur le papier un flot impétueux de vers passionnés et, à sa grande stupeur, se découvrit stérile et prosaïque par l'effet de la dissertation sur les finances qu'il venait d'entendre de la bouche d'un des hôtes du vicomte, ancien *maire** d'Angoulême.

S'acharnant sur sa muse, n'ayant rien de mieux à faire, il prit comme sujet le soupir qu'il avait cueilli et développa sur vingt quatrains ce que l'on pouvait dire de mieux sur ladite fleur.

À minuit, le vicomte vint le trouver dans sa chambre et le découvrit plongé dans son œuvre. Il le pria de la lui lire et eut la bonté de lui dire qu'elle était jolie. Avec quatre zéphyrs de plus, quelques faunes, les trois grâces et la déesse Thétis, la poésie de Dom Pedro da Silva aurait arraché à l'idolâtre de Louis Racine un sincère applaudissement.

Le lendemain, ils devaient partir pour Angoulême et ils partirent.

Le fils de la comtesse de Santa Bárbara était triste, taciturne et sombre, si on peut le dire ainsi. Angoulême, avec sa majestueuse cathédrale, son vieux château dont les fondations enfermaient la pierre touchée par le premier comte du Périgord, Vulgrin Ier, qui vécut au IXe siècle ; avec ses murailles qui transpirèrent le sang en 1351, assaillies par Charles le Mauvais, de sinistre mémoire ; et, enfin, avec le souvenir d'avoir été le berceau illustre de saint Gelais (saint peu connu), de Balzac, de la reine Marguerite de Valois et de Ravaillac (qui serait à cette heure le deuxième saint local, s'il avait été plus discret et prudent quand il planta son poignard fanatisé dans le cœur d'Henri IV). Finalement, tous ces intéressants attributs d'Angoulême ennuyèrent Dom Pedro da Silva, tout comme ils m'ennuient, moi et le lecteur. Ce qu'il voulait, c'était rentrer au château pour pouvoir au moins, avant que le jour ne finisse, saluer des yeux, loyaux interprètes du cœur, les derniers rayons du soleil qui empourpraient les vitrages de la duchesse de Cliton.

Le vicomte d'Armagnac commençait à suspecter cela, et avec l'intention de se faire passer pour un homme perspicace aux yeux de son jeune ami, il demanda :

— Comment avez-vous trouvé la duchesse ?

— Elle m'a semblé belle et triste.

— Poétique, sylphide, radieuse, scintillante, fatale, archange, sibylle, fée… et quoi de plus ?

— Je pensais que vous parliez sérieusement, mon cher Vicomte.

— Et c'est le cas : je n'ai fait qu'aligner des adjectifs qui donnent forcément *rendez-vous** au substantif « femme ». C'est le langage hybride et fulgurant de votre ami Théophile Gautier, qui est l'âme vile de Voltaire, au XIXe siècle… Et donc, vous trouvez… (parlons sérieusement) vous trouvez que la duchesse de Cliton vaut bien quatre lamentations lamartiniennes ? Vous parlez franchement ?

— Je pense qu'elle les vaut. Ah, si j'avais été poète ! J'aimerais tant avoir une forte tête pour exprimer la sensibilité d'un cœur fort !

— Ah !… vraiment ? Vous êtes donc amoureux.

— Je n'en dis pas tant, mais je sens quelque chose de nouveau… Si vous pensez qu'il est dangereux de l'aimer, faites-moi quitter ces lieux sur-le-champ.

— Vous parlez sérieusement ?

— Parfaitement, Monsieur le Vicomte, comme je parlerais à mon père. L'aimer passionnément… ça non ; mais pouvoir l'aimer… pour vous dire non, il aurait fallu ne pas l'avoir vue.

— J'avais prévu exactement cela ! Je suis un prophète en mon pays ! Vous voulez donc quitter ma maison ?

— Je vous l'ai déjà dit… Si vous deviez demain m'interdire de l'aimer, faites-moi partir aujourd'hui.

— Et si elle ne vous aimait pas ?

— Si elle ne m'aimait pas…

— Oui… c'est une question très naturelle… De votre part, je vois qu'il y a les meilleures dispositions ; mais cela ne suffit pas : il manque l'autre moitié. Si elle vous repoussait ?

— Si elle me repoussait… je la mépriserais !

— Sans souffrir ?

— Oui : mon amour-propre réagirait contre la faiblesse de mon cœur.

— Dans ce cas-là, je crois qu'il n'y a aucun risque.

— Vous voulez dire par là que je ne serai pas aimé par la duchesse de Cliton ?

— Je pense que non et je vous ai déjà dit pourquoi. Cette femme est le simulacre de l'ancienne duchesse de Cliton. Elle a été un météore : elle s'est brûlée dans l'excès de lumière. Vous ne comprenez donc pas ce qu'est une femme sceptique ? Vous êtes très en retard dans la physiologie moderne du cœur humain…

— Sceptique ! Pourquoi ?

— Parce qu'elle a aimé frénétiquement, volcaniquement, comme Hélène, comme Cléopâtre, comme Virginie, et a été méprisée comme Didon par le parjure Énée, votre compatriote. Vous comprenez la chose ?

– Et pour cela elle ne peut plus aimer, elle ne peut plus sentir…

– Non. La matière brute s'use, et le cœur est comme la matière brute. Harvey a prouvé que le cœur était l'organe principal du système sanguin, et rien d'autre…

– Vous avez l'érudition facétieuse, Monsieur le Vicomte… Si je pouvais vous démentir…

– Je vous donnerais ma propriété et l'édition illustrée de mes deux Racine, père et fils… Vous voulez parier ? Votre cheval diabolique qui souille mes pantalons de boue… Vous le voulez ?

– Mon cheval est à vos ordres. Je trouve, pourtant, outrageant de parier un cheval quand il s'agit d'une femme comme la duchesse.

– Bravo ! Vous voilà devenu la quintessence du macassar, éthéré, esprit pur de Kant, atome de Descartes, parfum de fleur, souffle, brise… Nom de Dieu, mon enfant : tu t'y connais autant en femmes qu'en équitation… Détournez donc cet hippogriffe qui dilate ses naseaux comme un hippopotame, capable de planter ses pattes dans mes hypocondres !

– Vous semblez un Grec… du Bas-Empire, avec tous vos *hippos* ! Dites-moi donc, mon cher ami, irons-nous voir la duchesse aujourd'hui ?

– Oui… vous voulez lui réciter votre poésie musquée, indigo et bleue ?

– Dieu m'en préserve !

– Dieu vous en préserve ! De plus, vous êtes penaud comme un collégien d'Angleterre qui est allé passer des vacances avec trois *Miss* rigides et droites comme les sentinelles de Blackfriars. Si vous faites la donzelle effarouchée, *puer Ascanius*[1], vous démentez la hardiesse péninsulaire de votre race phénicienne, carthaginoise, suève et arabe. Trêve de mièvreries, ce sont les verroteries dont on orne

_____

1. *L'enfant Ascagne.*

l'amour des enfants. La duchesse ne vous voudra pas plus de cette façon que d'une autre. Je ne vous conseille pas d'être audacieux comme l'ordonne le satanique auteur d'*Une larme du diable* ; mais je veux que vous soyez un homme. Récitez votre poésie, soyez le Lamartine de ces villages et chantez toutes les fleurs de mon pays, et je vous promets une médaille honorifique de la Société botanique de Paris.

Le vicomte d'Armagnac, toujours épigrammatique et fécond en ironies salées au goût voltairien (qu'il détestait chrétiennement), était, au fond, une excellente personne et un ami rare.

Prévoyant une fatalité, dans le cas possible où s'embraseraient les éléments de la passion innocente de son jeune ami, il s'entraînait aux armes du ridicule pour, plus tard, tuer cette passion comme on tue en France toutes les choses sérieuses.

Voyons comment ses armes se brisèrent entre ses mains.

XV

Rentrés au château, ils se changeaient pour aller visiter la duchesse, lorsque le majordome de Cliton arriva avec une invitation à dîner pour le lendemain. Dom Pedro voulut voir du mystère dans cette invitation. Cette rupture dans la vie solitaire de la duchesse lui semblait extraordinaire. Il se persuada qu'une raison plus impérieuse que la politesse inspirait un tel dîner. Il eut même l'innocente vanité de s'imaginer être la cause immédiate de cette invitation. La candeur a ses pédantismes, tout comme les pédants, parfois, ont des candeurs dérisoires. Les extrêmes se touchent.

Le dîner du lendemain ne dispensait pas de la visite prévue le jour même. Ils y allèrent et, cette fois, l'affabilité de la duchesse en les accueillant fut plus franche, plus jubilatoire et moins aristocratique dans les phrases obligées et dans les mouvements hautains de la tête.

Pedro da Silva n'avait rien perdu de sa timidité de la veille, mais il ne perdait rien non plus du moindre geste, du plus insignifiant mouvement d'yeux d'Élisa de Montfort. Il répondait aux questions de façon concise, aux railleries du vicomte en rougissant, et bien des fois il mordit dans ses lèvres une réponse qui aurait pu être un désagréable sarcasme.

Quand le vicomte lui demanda de réciter son « Soupir », écrit la veille et digne de partager la gloire de la poésie moderne, le poète esquiva, disant qu'il n'avait plus en mémoire la poésie qu'il avait écrite. Le vicomte, cependant, prit dans sa poche le fatal papier, qu'il remit entre les mains de la duchesse avec la permission de son auteur. La duchesse, sans insister pour que Dom Pedro en fît la lecture, le lut mentalement elle-même et en fit grand éloge, tout en lançant, soit exprès, soit incidemment, au poète, dont le cœur tremblait, un regard mystérieux, une sorte de silencieuse interrogation. Cette poésie parlait d'un soupir d'amour, né là où le soupir avait été cueilli. Le vicomte n'avait pas compris les beautés éthérées du petit poème, mais la duchesse, qui connaissait au moins l'index de tous les chapitres écrits dans le cœur humain, comprit, sans arrogance, que Dom Pedro da Silva était un enfant susceptible de tomber puérilement amoureux.

Cet instant critique surmonté, un autre, plus pénible encore pour le pupille d'Alberto de Magalhães, lui succéda.

Le vicomte fut sollicité par un haut personnage qui, ne le trouvant pas chez lui, vint lui transmettre chez la duchesse un message politique. Ils se retirèrent dans un autre salon et Dom Pedro se retrouva en tête à tête avec la duchesse. Cette calamité est la plus grande de toutes celles que la Providence peut réserver à un amant de vingt-quatre heures et de dix-neuf ans d'âge ! Le pauvre garçon ne l'avait pas prévue, et la duchesse elle-même, qui avait deviné son cœur, regretta, pour lui, cet incident. Il fallait éviter une torture à cet enfant. Elle l'invita à passer à la salle attenante, où se trouvaient les portraits, les tableaux précieux, les paysages des meilleurs auteurs qui pourraient me valoir ici une grande gloire si j'avais la patience de copier une douzaine de noms, et la cruauté d'éprouver celle de mes lecteurs comme a été éprouvée la mienne par des faiseurs de romans, capables de vous décrire la couleur des tapis d'une pièce, le bois des meubles, les fleurs des vases, le fabricant du piano et le nombre d'octaves, et, enfin, de vous énumérer le nom des auteurs des tableaux, qui sont nécessairement Raphaël d'Urbin, Titien, Michel-Ange, l'Espagnolet, Gérard Dou, Claude Lorrain, Murillo, le Corrège, Giulio Romano, Rembrandt, Vélasquez… Bref, que chacun choisisse dans cette liste selon son goût et imagine que les tableaux de la galerie de la duchesse de Cliton étaient des préciosités glorieuses de certains, ou de tous ces noms.

Voilà de quoi s'entretinrent la duchesse et son hôte – ou, du moins, c'est ce qu'on pourrait en penser selon toute apparence. Mais Dom Pedro écoutait le son des paroles de la duchesse, s'enthousiasmant peu pour le spectacle de l'art.

— On croirait que vous n'êtes guère poète ! dit-elle en souriant avec la douceur que n'avait pas la Vierge de Foligno, la plus gracieuse tête d'une fantastique Fornarina.

— Je ne vous semble pas poète ? Je ne le suis pas, en effet, et je ne vous ai pas dit que je l'étais !

— Vous l'êtes, mais ici, face à la poésie qui a jailli en flots des pinceaux, vous me semblez froid !

— Je ne peux vous mentir… Je ne ressens pas les enthousiasmes que je désirerais sentir pour être un vrai poète…

— Vous n'aimez pas la peinture ?

— Je l'aimerais beaucoup, je pense, si ces madones représentaient l'existence d'une race de belles femmes éteintes ; mais si les originaux existent encore…

— Les copies ne vous ravissent pas… Vous avez raison, mais vous n'avez pas de poésie, qui est une chose bien différente de la raison… Les copies sont belles à aimer. Les originaux laissent toujours des blessures, comme les sentit ce grand poète, qui nous a laissé tant de copies de la belle femme qui lui brûla l'imagination jusqu'à ses trente-sept ans.

— Il a été malheureux parce qu'il a trop vécu.

— Trop ? En voilà une excentricité !

— Trop, Madame la Duchesse… Je pense que…

Dom Pedro se retint, comme s'il cherchait la phrase appropriée, ou suspendait l'inappropriée.

— Dites… insista la duchesse, attendant avec intérêt.

— Je pense que l'on a trop vécu, quand… en vingt-quatre heures…

— Dites…

— On ressent le plus que l'on peut ressentir.

Le jeune homme rougit comme une demoiselle, en terminant sa phrase, qui sortit saccadée, mot à mot.

La duchesse ne sourit pas, comme la lectrice pourrait l'imaginer. Détournant les yeux vers un tableau, sur lequel Dom Pedro fixait machinalement les siens, elle répondit quelque chose, sans réfléchir, à propos d'un certain paysage.

Leur échange fut interrompu par l'arrivée du vicomte, qui s'excusa de son absence et disserta longuement sur les héroïques aïeux de la duchesse, dont les portraits occupaient la plus grande étendue des quatre murs. Il manquait celui que nous avons vu à l'Isidro, à Lisbonne, qui avait fait reculer et transpirer d'une sueur froide Père Dinis. Le vicomte remarqua son absence, mais, par délicatesse, ne le mentionna pas.

La fragrance du jardin les invitait à la promenade. Le vicomte remarqua que la duchesse ne parlait pas avec aisance à son hôte. Il y vit une réserve que l'on aurait pu prendre pour le dépit d'une amoureuse ou le dédain d'une astucieuse. Les deux conjectures étaient improbables. « Qui sait, se disait-il à lui-même, si cet enfant a commis l'imprudence de lui faire une déclaration qu'elle a prise comme un affront à sa dignité ? »

Le sang-froid des vieux juge toujours comme cela. Pour plus expérimentés qu'ils soient, leur cœur, déjà oublieux des réminiscences du bon temps, fausse toujours leurs jugements.

La duchesse, en effet, semblait mélancolique ou distraite. Les fleurs n'étaient plus pour elle une incitation aux puérilités d'un dialogue muet avec le raffiné courtisan de Versailles. Elle cueillit une larme, et la retint entre ses lèvres jusqu'à ce qu'insensiblement elle tombe, coupée par le pied. Dom Pedro semblait se cacher aux yeux de la duchesse en chaque grotte de myrte et de lilas. Le doute le tourmentait : il ne parvenait pas à déchiffrer le silence de la duchesse. Il se souvenait de toutes les prédictions du vicomte sur les dangers de la fascination pour une telle femme. Toujours plus craintif et convaincu d'avoir fait une folie, il regrettait d'avoir laissé à son cœur la liberté de parler et promettait à sa conscience de ne jamais plus lâcher un monosyllabe qui dénoncerait son âme. C'était la promesse du poète Ovide.

Le vicomte interrogea pour la quatrième fois la mélancolie de la duchesse, et reçut pour toute réponse le même sourire et le même geste négatif. Puis, l'air sombre et le front ridé, l'honorable vieux dévisagea Dom Pedro tandis que par un autre geste, et l'œil à moitié fermé, il lui signifiait ses doutes, auxquels le garçon répondit par un regard ahuri, qui, traduit littéralement, signifiait : « Tu as raison… » Il faisait nuit. Les hôtes s'en allaient. La duchesse, affichant un désintérêt souverain, rappela Dom Pedro, quand le vicomte se trouvait déjà dans la cour du palais, en train de vérifier les sangles de son cheval.

Le tremblant jeune homme invoqua tout son courage pour entrer sans gaucherie dans la pièce. La duchesse vint à sa rencontre, un papier à la main :

– Je voulais vous rendre vos vers, qui sont restés là par oubli. Je vous promets un glorieux avenir dans l'histoire littéraire du Portugal. Continuez à cultiver la poésie, qui est un beau cadeau et une pierre de grand éclat pour faire s'émerveiller les yeux des femmes. Mais consacrez vos « soupirs » à celles de votre âge, parce que les autres auront rarement l'âme assez pure pour vous comprendre... Bonne nuit.

Dom Pedro resta, comme vous devez l'imaginer, foudroyé. Il sortit de la pièce quand il se retrouva tout seul. Il descendit l'escalier comme un aveugle, et, pour nous servir de sa propre image, le rouge de son visage injectait ses yeux de sang, ou lui peignait d'écarlate tous les objets.

Il monta à cheval, sans répondre à la question très naturelle que le vicomte lui adressa. Cette question fut répétée :

— Que s'est-il passé avec la duchesse, Pedro ?

— Épargnez-moi la douleur de vous répondre.

— Mais je suis en droit de vous interroger.

— Je ne vous répondrai pas, Monsieur le Vicomte.

— Vous avez cessé d'être mon ami ?

— Je suis votre ami, aujourd'hui plus que jamais.

— Ai-je été prophète ?

— Vous l'avez été.

— Notre venue ici a donc été une catastrophe.

— En effet. Cette catastrophe avait été pressentie par un autre homme avant vous.

— Avant moi ?! Par qui ?

— Par Père Dinis... C'est lui qui m'a dit : "La première femme que l'on aime décide de toute l'existence du cœur d'un homme..." C'est une vérité fatale ! Je vous l'ai déjà dit.

— Je dois donc croire que vous aimez ainsi une femme que vous avez connue il y a quarante-huit heures ?

— Je l'ai aimée... plus maintenant ; je la déteste ; mais mon âme est blessée à jamais. Si un homme m'avait outragé de la sorte, j'aurais planté mes dents dans son cœur.

— C'est incroyable ! Que vous a-t-elle fait pour mériter cela ?

— Respectez ma honte ! Puisque je ne veux pas de baume pour ma plaie, voyons si l'oubli la soigne... Votre amitié y est impuissante.

Le vicomte cessa son interrogatoire inconvenant. La nuit qui suivit fut une nuit infinie pour Dom Pedro da Silva. Enfermé dans sa chambre, il versa ses premières larmes pour une nouvelle cause. Lui-même ne savait se définir. Alternativement, il haïssait la duchesse, puis éprouvait le besoin de tomber à genoux aux pieds de son image, qui ne s'éloignait pas un instant de son imagination. Il voulait fermer les yeux, violentant le sommeil, ou chargeant la fantaisie d'ombres qui noircissent le tableau de son récent malheur… c'était impossible ! Il invoqua l'esprit de sa mère, qui lui avait dit de l'invoquer dans ses tribulations, appela à son secours toutes les paroles de Père Dinis… L'esprit de sa mère était muet, et les paroles du prêtre ne descendaient pas de sa mémoire à son cœur. Il ouvrit la fenêtre pour rafraîchir sa tête enflammée, et ne put détacher ses yeux de la silhouette sombre du château de Cliton, sur lequel, à cet instant, son imagination fit descendre le voile noir qu'Émilie avait vu dans le château d'Udolphe. Le matin était froid ; le levant glaçait son visage, mais ses tempes palpitaient comme intérieurement calcinées. Les horizons s'empourpraient ; le soleil allait naître ; les travailleurs entraient dans la propriété quand le malheureux, qui prédisait de longues infortunes, ferma la fenêtre pour prolonger les trêves de la nuit. De faible constitution, il sentit un étourdissement, posa sa tête sur l'oreiller, demandant à Dieu une heure de repos. Il lui sembla qu'il était écouté, car il commençait à oublier les tourments de la nuit. Ce n'était pas le sommeil, c'était la prostration de la fièvre, les forces de son âme exténuée qui s'écoulaient dans le circuit impétueux du sang.

À huit heures, le vicomte, inquiet, ouvrit la porte de la chambre et trouva son hôte les joues écarlates, les paupières fatiguées et bleuies, les mains brûlantes, le sang frappant tumultueusement contre les veines gonflées de ses poignets, et les lèvres violettes, comme cautérisées.

Il prit peur.

Les premiers mots, ce fut Pedro da Silva qui les prononça :

— Faites préparer mes chevaux, je veux partir sur-le-champ.

— Partir où ?

— Pour Paris.

— Vous ne pouvez pas… vous êtes très malade.

— Je ne le suis pas. C'est un pic de fièvre que l'air pur soignera.

Dom Pedro se redressa et ne tint pas debout. Il tomba sur une chaise, et fit un effort pour se relever. Il parvint à faire quelques pas. Il sortit de la chambre, fit les cent pas dans la pièce voisine mais, quelques minutes plus tard, il s'assit, murmurant sourdement :

— Je ne peux pas !

— Ne vous avais-je pas dit que vous ne pouviez pas ? dit le vieil homme, le prenant par le bras. Venez vous coucher.

Le fils de Dom Pedro da Silva, qui était mort phtisique, et de Dona Ângela de Lima, qui serait morte phtisique si le choléra ne l'avait pas foudroyée, entra dans sa chambre et se jeta sur son lit.

Le vicomte dépêcha son meilleur cavalier et le médecin arriva, une heure plus tard. Moins charlatan ou moins érudit que celui de Santarém, il s'enquit des précédents de cet accès, comprit qu'il n'y avait pas de maladie à comprendre et ne lui prescrivit rien. Il lui interdit cependant toute sortie et lui recommanda des distractions, si l'effet de ce typhus moral n'était pas vaincu par la femme qui, entre toutes, était la meilleure thériaque pour ce genre de poison.

Ce jour-là, devait avoir lieu le dîner de la duchesse, auquel était invité le médecin, qui fut porteur des excuses du vicomte. Élisa de Montfort s'éloigna de la pièce où elle recevait quelques invités d'Angoulême, pour interroger le médecin en aparté :

— Qu'a l'hôte du vicomte ?

— La pire de toutes les maladies, car pour elle il n'y a guère de médecine.

— Il est phtisique ?

— Il le sera sans doute un jour… mais pour l'instant, Madame la Duchesse, le mal du pauvre garçon est une passion pour je ne sais quelle Béatrice, qui le fait brûler de fièvre.

— Vraiment ?!

— Absolument, Madame la Duchesse… Je ne lui ai rien prescrit, parce que je n'ai pas à le faire. Si je pouvais me transformer en belle créature du sexe aimable, je consentirais volontiers à éprouver le regret de ne pouvoir user de la médecine, pour avoir la gloire de sauver ce beau jeune homme, qui parle un délicieux français mâtiné d'anglais et d'espagnol.

La duchesse, pendant le dîner, fut sombrement triste. Les convives comprirent qu'ils avaient le devoir de distraire la maîtresse de maison par leur conversation intéressante. Pour eux, après une année et demie, il était merveilleux de se voir réunis dans cette maison, longtemps fermée aux anciennes relations et parents des Montfort.

Monsieur de Colomb, monsieur de Poltrot et le doyen de la cathédrale d'Angoulême étaient, parmi les nobles analphabètes du banquet, les plus distingués par les lettres, par l'esprit et les vertus. Monsieur de Colomb parlait de ses récents voyages en Europe ; monsieur de Poltrot déplorait la décadence de la littérature française et dénigrait les romans de Gautier, de Dumas et de Paul Féval. Le doyen voulait qu'on l'écoutât sérieusement au sujet des heureux résultats de l'association propagatrice de la foi en Amérique et au Japon, ce qui, en vérité, était difficile, bien qu'il fût entouré de catholiques apostoliques romains.

— Qu'avez-vous pensé de Lisbonne ? demanda la duchesse à monsieur de Colomb.

— Lisbonne est un désappointement, Madame la Duchesse. Le Tage est comme un voile aux couleurs chatoyantes qui cache le visage d'une femme laide. La capitale lusitanienne, que les Portugais disent avoir été fondée par Tubal, petit-fils de Noé…

– C'est faux ! coupa le doyen. Tubal n'est jamais allé en Occident… La Bible ne dit pas une telle supercherie.

– Je ne le crois pas, moi non plus… Comme je disais, Lisbonne n'a ni monuments, ni magnificence, ni civilisation, ni société. Elle se conserve telle que Byron l'a laissée. C'est une terre de barbares en queue-de-pie et chapeau de castor.

– Vous n'avez donc pas fréquenté la société de Lisbonne ? reprit la duchesse.

– Je suis allé dans quelques salons… deux ou trois qui représentent l'aristocratie financière, car l'autre est tombée avec le changement de politique. J'ai porté de Londres des lettres à un certain Alberto de Magalhães, qui est le seul homme de bon ton que j'aie rencontré à Lisbonne. Il a donné un bal en mon honneur, où j'ai vu environ deux cents femmes, parmi lesquelles seule la maîtresse de maison parlait français avec moi, et anglais avec l'ambassadeur. C'est une parfaite dame, d'autant plus admirable que, d'après ce qu'elle m'a dit, elle doit son éducation à son mari. Si vous l'entendiez parler de littérature, Monsieur de Poltrot, vous désireriez qu'une telle femme ne fût pas née parmi les Hottentots.

Personne ne remarqua la pâleur de la duchesse de Cliton. Monsieur de Colomb poursuivit :

– J'ai été témoin d'un scandale qui m'a bien fait rire.

– Dans cette maison ? demanda la duchesse.

– Oui, Madame la Duchesse. Laissez-moi vous raconter… Un des participants était un certain baron de Sá, ridicule petit-maître aux prétentions de lion, un Vésuve de bêtise, un fat, au fond, qui serait une préciosité incalculable s'il était né dans un pays où ses compatriotes savaient en profiter. Il semble avoir la quarantaine. Il porte une moustache à la Soliman II, une cravate blanche à toute heure, et c'est un martyr de la religion du vernis, car il comprime ses cors dans des chaussures qui le font sautiller en permanence, comme s'il était mordu par une tarentule aux talons. Pardonnez mes minuties, Madame la Duchesse, mais il était nécessaire de donner une information parfaite à cet auditoire, qui semblait prêter une attention bienveillante à mon cher ami monsieur le baron de Sá. Je crois avoir déjà mentionné que sa marotte était de courtiser les femmes, auxquelles il parlait de la civilisation américaine, qu'il ne connaissait pas, et des salons de Paris, où il n'était jamais entré. Par ailleurs, il dansait et dansait toujours, tous les quadrilles, toutes les valses, et regrettait profondément que le solo anglais soit passé de mode. Mieux encore, il faisait des calembours et forgeait des épigrammes pour ses amis. Voilà sommairement défini le baron de Sá, s'il n'est pas indispensable de préciser qu'il avait toujours le cheveu luisant, comme la tête d'une servante qui sert à table les dimanches. Nous étions donc chez Alberto de Magalhães, et je me moquais du délicieux gentilhomme avec tout l'écœurement de mon indignation, quand entra un autre gentilhomme, que l'on appelait baron dos Reis. Notre ami lâcha un éclat de rire strident quand son collègue entra avec une vieille femme à son bras, que l'on disait être sa femme. Le baron dos Reis avait une allure normale. C'était un homme d'une cinquantaine d'années, il s'habillait comme les autres, marchait et parlait comme tout le monde au Portugal, et je ne compris pas la raison de l'éclat de rire de mon cicérone, ni des sourires d'autres élégants qui firent chorus au baron de Sá.

» – Vous ne savez pas pourquoi les gens rient ? me demanda-t-il.

» – Non, je ne sais pas.

» – Je vais vous le dire, reprit le baron de Sá, cet homme a été fait baron il y a de cela quelques jours. Il s'appelait Joaquim dos Reis, il a été maître de piano, mais un maître exécrable, qui n'a jamais été capable de me faire jouer l'arpège de *La Jeune Lilia abandonnée*. C'était un homme sordide, qui salissait les touches de mon piano, et quand il a vu qu'il ne gagnait pas sa vie en exécutant de la musique, il est devenu copiste de solfège d'église. Il y a quatre ans de cela, un juif, venu de je ne sais où, lui a rendu une somme d'argent volée, je crois, à sa femme, qui est cette vieille. Toujours est-il que monsieur Joaquim dos Reis participe à des opérations spéculatives, achète avec les titres du gouvernement un couvent à Santarém, prête une bagatelle au ministère, et réapparaît en baron, il y a quelques jours de cela, avec, en plus, l'insolence de se présenter ici dans la haute société !

» Mon imbécile d'ami termina la biographie du maître de piano par un autre éclat de rire, et se dirigea droit sur lui, pour lui demander s'il était déjà habilité à lui enseigner l'arpège de *La Jeune Lilia abandonnée*. Cette question provoqua l'hilarité chez certains garçons, qui le suivirent, et le pauvre baron philharmonique se retira immédiatement du salon avec sa pâle femme. Quelques minutes plus tard, le serviteur de monsieur Magalhães entra dans la ronde des élégants, où se trouvait le baron, et dit à voix haute : "Monsieur Alberto de Magalhães me demande de conduire immédiatement monsieur le baron de Sá hors de ses salons !"

— Le fait est original ! interrompit la duchesse.

— Très original ! Le baron de Sá se retira, tout aussi chassé que le baron dos Reis ; et ses amis, qui avaient ri du sarcasme, à leurs yeux fort spirituel, louèrent le procédé du maître de maison, taillant cruellement dans la réputation de l'expulsé avec ignominie.

— Et ensuite ? interrompit un neveu du doyen, dont l'honneur montait facilement au nez. Votre bizarre ami, que vous nous avez fait l'honneur de nous présenter, n'a pas défié Alberto ?

— Voilà une question de sauvage ! rétorqua le doyen. Qui parle de défis, ici ? Nous sommes en terre barbare ou sommes-nous le pays le plus civilisé du monde ?

— Mon cher oncle, le duel est la civilisation, rétorqua le spadassin, levant un verre de bordeaux, en quoi il était plus expert qu'en duels, grâce à l'exemple de son oncle, parfait chanoine, qui avait mené une vie joyeuse, mangeant, buvant, prêchant la propagation de la foi, regrettant la décadence du christianisme, et dormant.

— Ne parlons pas de choses désagréables, dit le chapelain de la duchesse pour ne pas ramener à la mémoire de sa maîtresse les funestes résultats du duel de son frère. Comment se passent les travaux de propagation de la foi, Monsieur le Doyen ?

— Béni soit le Seigneur, les effets sont divins, car cette cause est la cause de Dieu. Monsieur Petit, l'ange de l'Évangile, nous écrit de Chichipe-Outipe, et dit qu'il vit parmi les Potowatonuas, qui conservent encore la tradition des jésuites, qu'ils appelaient "les hommes noirs". On compte déjà parmi eux mille deux cents chrétiens. Un prêtre portugais, illustre apostolique, homme prédestiné, lui a été envoyé comme aide du Ciel par la providence divine. Monsieur Petit dit que, sans le secours de cet envoyé du Ciel, il n'aurait pas cueilli tant de fruits de la graine lancée parmi les ronces du paganisme. Il ajoute que sa stature rappelle les apôtres de l'Église primitive, et que sa parole, toujours entrecoupée de sanglots, fait pleurer l'auditoire et élève l'esprit à l'onction d'un saint Paul et de l'ancien patriarche des Indes. Son nom est Père Dinis Ramalho.

— Père Dinis Ramalho ! s'exclama la duchesse.

— Oui, Madame la Duchesse. Il a embarqué à Marseille, il y a de cela deux ans, avec des prêtres français. Lui et Père Petit sont les seuls qui ont survécu aux souffrances, à la soif et au martyre… Je vous vois enthousiasmée par le triomphe de mes deux chers missionnaires, Madame la Duchesse ! Je rends grâce à Dieu de vous avoir inspiré cette bonne émotion !… Mais je ne veux pas que vous pleuriez !… Ceci est de trop…

— Ces larmes ne sont pas amères, Monsieur le Doyen, dit la duchesse, qui n'avait pu dissimuler son émotion.

— Enfin, mon oncle, coupa le neveu du rapporteur des

triomphes apostoliques, réservez ces béatifiques tableaux pour les dépeindre à ma mère, qui finit toujours par donner quatre cents francs pour l'œuvre de propagation de la foi.

— Tu es un imbécile, mon talentueux neveu, bégaya le doyen en avalant un abricot au sirop, qu'il dut faire descendre au fond de sa gorge avec l'aide d'un verre de champagne.

Une fois le dîner terminé, qui fut pour la duchesse un long combat de cruels souvenirs, de hontes intimes, de remords suffoqués, les importuns convives attendaient leur illustre hôtesse dans le salon, où les caquetages se fussent purifiés en conversation spirituelle s'il ne leur eût été annoncé que madame la duchesse, se sentant indisposée, s'était retirée dans sa chambre, demandant à ses amis de l'en excuser.

Tous prirent congé avec un chagrin hypocrite, hormis le médecin, qui avait le devoir de rendre visite, dans sa chambre, à sa nerveuse malade, qu'il soignait toujours avec quatre anecdotes de Paris, racontées dans un langage châtié.

Cette fois-ci, pourtant, la panacée ne fonctionna pas. La duchesse ne voulait pas entendre d'anecdotes. Elle était plus que nerveuse. Ce qu'elle avait ressemblait plutôt à un accès de frénésie. Inquiète, enragée, embrasée, plissant le front avec des moues ennuyées, la malheureuse rivale d'Eugénia avait reçu le médecin avec d'étranges mauvaises façons, et il s'en fallut de peu qu'elle ne lui dît désobligeamment qu'il la laissât seule.

Le médecin, de son côté, n'était pas assez patient pour supporter des caprices de femme, vu qu'il soignait ceux de la sienne par une disette de mots.

Il prenait donc son chapeau et sa canne, quand la duchesse, qui semblait jusque-là indifférente aux froids lénitifs du perplexe docteur, l'appela avec son habituelle douceur de manières :

— Vous partez fâché, docteur ?

— Non, Madame... pas fâché, mais... celui qui ne sait pas déchiffrer les charades est un dromadaire s'il s'entête.

— Vous avez raison… Je me suis comportée comme une charade, et votre science est tout autre.

— Mais ma charade a une morale.

— Sans doute… celle des épitaphes… Et quelle jolie morale, d'autant plus qu'il faut la graver sur un tombeau pour qu'elle soit établie…

— Joli *calembour* *, Madame la Duchesse ! Je vois que la tempête est passée… cela me réjouit. Voyons voir ce pouls… Quatre-vingt-dix pulsations par minute… C'est la digestion qui se fait irrégulièrement… ce n'est rien… Je ne vous ai jamais vu une telle crise. Vous m'avez fait penser à votre mère, Madame la Duchesse. Elle avait des jours insupportables ! J'étais un garçon alors, peu expérimenté dans l'énigmatique constitution des dames, et j'avais peur de votre mère. Puis je me suis marié, et Dieu a voulu que ma femme eût une constitution avec tous ses secrets. Son anatomie n'a pas été bon marché, mais j'ai beaucoup appris avec elle. Je crains qu'il ne m'arrive ce qui est arrivé à Bichat, victime de ses observations sur les cadavres et d'une autopsie sur une femme vivante, chose certes plus sérieuse et dangereuse… Vous riez, Madame la Duchesse ? Eh bien, sachez que j'ai pleuré bien des fois, car je n'ai pas encore pu découvrir la pharmacopée avec laquelle on soigne les femmes des médecins. Je pensais soigner la mienne avec une décoction de coquelicots.

— Alors donc vous avez donné des coquelicots à votre femme ?!

— Rien… je les ai pris moi, car, si l'Évangile dit vrai, ma femme est la chair de ma chair, les os de mes os, et les remèdes que je prendrai influeront sur elle comme sur moi. C'est ce que je pensais, en homme logique que je suis, en prenant les coquelicots. J'imaginais que si je dormais, elle dormirait, et si elle dormait, nous resterions tous deux muets. Je me trompais, comme un charlatan, comme un Paracelse de ridicule mémoire. Ma femme parlait tellement qu'elle me réveilla ! Croyez-moi, Madame la Duchesse, la médecine sera très en retard tant que les médecins ne vivront pas bien avec leur femme… Tout le reste se soigne, il n'y a pas de maladie se terminant en *ite* qui n'ait une abondante pharmacie. Les passions elles-mêmes se soignent, avec un peu d'extrait de Molière. Maintenant, j'ai un malade que j'espère soigner avec deux éclats de rire appliqués à temps… Vous savez déjà qui est mon malade ?

— Non.

— L'hôte du vicomte d'Armagnac.

— Il est donc amoureux ?

— Comme un Sardanapale en miniature !

— Comment l'avez-vous su ?

— Le vicomte me l'a dit.

— De quelle façon ?

— Très simplement. Une déclaration méprisée.

— Où ?

— Je ne suis pas allé aussi loin dans mes recherches. On m'a juste dit cela. J'ai demandé depuis combien de temps duraient ses souffrances, le vicomte m'a répondu que c'était depuis peu.

— Certainement un romantisme d'enfant.

— Ah ! Madame la Duchesse… vous pensez… que c'est… du romantisme ?

— Vous me posez cette question sur un ton…

— Sans intention… et, si tel était le cas, il n'y a pas là de mauvaise pensée… Il se pourrait bien…

— Quoi donc ?

— Un enfant audacieux…

— Par Dieu ! Vous pensez que j'ai des attraits qui rendraient un homme amoureux en quarante-huit heures ?

— Il faudra que je consulte mes auteurs à ce sujet.

— Ne dérangez pas vos auteurs pour un motif semblable. Je ne m'intéresse pas à cette étude… Vous allez voir votre malade ?

— J'ai l'intention d'y passer la nuit, si vous n'avez rien contre, Madame la Duchesse.

— Vous essayez donc de le soigner.

— Non, Madame… j'essaie…

— Parlez sérieusement, comme un médecin…

— Je parle toujours sérieusement quand il s'agit d'affaires sérieuses. Le garçon amoureux veut partir, et le vicomte ne le laissera pas partir sans que je lui garantisse que son départ ne présente aucun danger.

— Quel danger ?

— Le danger d'une congestion cérébrale, ou quelque chose dans le genre… Les symptômes que j'ai vus chez lui aujourd'hui étaient effrayants. C'est l'amour le plus fébrile que j'aie rencontré parmi les formes très variées de cette épidémie…

— Alors je ne veux pas vous retarder. Allez, et accordez-moi la faveur d'être le témoin auprès du vicomte et de son hôte de mon chagrin pour leur absence, et tout spécialement pour l'indisposition qui l'a motivée.

XVI

Le cœur de la femme est un abîme. Cet axiome est déjà si ancien qu'il n'y a aucune habileté à le répéter. L'habileté, ce serait de sonder ledit abîme et de deviner la femme. Beaucoup s'y essaient, mais peu parviennent à découvrir la pierre philosophale. C'est une exploration aussi dangereuse que celle des explorateurs — comme les voyages au pôle, dont les glaces servent de sépulture aux marins audacieux. Si sa conquête n'était aussi difficile, la femme ne vaudrait rien. Ce qui la rend précieuse, c'est le secret.

La duchesse de Cliton, angéliques lectrices, était une femme bien supérieure aux analyses du médecin perspicace et de l'expérimenté vicomte. Vous verrez que l'auteur est bien plus malin à lui tout seul que les deux gentilshommes réunis car, en décousant les plis de ce cœur avec les ciseaux de la médisance, indispensable à notre travail de physiologie, il vous dévoilera le trafic d'Alberto de Magalhães.

Nous savons déjà que la duchesse se retira à Cliton, où elle vivait seule. Cette violence imposée à son caractère dura un an et demi. Ses servantes la jugeaient maniaque, et bien d'entre elles s'enfuirent terrorisées, suspectant une démence furieuse chez leur maîtresse. Elles considéraient, non sans raison, comme de la bigoterie les jours de profonde mélancolie, qui succédaient aux accès d'agitation, car la duchesse, ces jours-là, priait avec ferveur, pleurait comme Madeleine, et affichait bien d'autres vertus de bien d'autres saintes, qui ne nous reviennent pas maintenant à l'esprit. Dans cette alternance de sainteté et de frénésie, dix-huit mois s'écoulèrent, jusqu'à ce qu'un beau matin la duchesse de Cliton, mieux avisée, comprît qu'elle n'était pas née pour une telle vie, ni n'avait de motifs raisonnables pour vivre ainsi. Cette judicieuse délibération coïncida avec l'arrivée du vicomte d'Armagnac à sa propriété. Résolue à renouer avec la vie sociale, en accomplissant ses devoirs de maîtresse de maison, elle envoya ses salutations à son plus proche ami, avec le raisonnement suivant : « Le vicomte voudra certainement me réconcilier avec le monde ; d'abord, je résisterai ; puis, pressée, je consentirai à ce que viennent dans ma maison les anciennes relations d'Angoulême ; enfin, plus tard, j'irai à Paris, où se trouve ma société, où l'on respire l'air de la vie que j'ai besoin de respirer. Ma réclusion d'un an et demi doit avoir suscité l'intérêt et la sympathie des foules en faveur de mes malheurs. La médisance n'exige pas de vertus pour se taire ; et j'espère que la médisance me considérera comme une femme supérieure et me verra à travers le prisme de la superstition, que je saurai entretenir par ma richesse, et par le calcul, fils de l'expérience. » Le plan de la duchesse était celui-ci, mais sa réaction fut si impétueuse qu'elle ne lui laissa pas le loisir de suivre le fil des événements. L'invitation à dîner se révéla précipitée, étonnant le doyen et les autres convives, hormis le voyageur et l'homme de lettres, qui absolvaient tous les caprices et les singularités d'une femme, française de surcroît. Pour ceux-ci, l'isolement de la duchesse était une phase aussi naturelle que la convivialité. S'ils la voyaient sœur de charité aujourd'hui et demain alanguie sur un sofa, essoufflée par une valse vertigineuse, ils jugeraient les deux faits comme des nécessités de sa constitution. Et, en cela, monsieur de Colomb et son ami n'ont pas l'avantage sur nous, car nous savons qu'il y a des constitutions ainsi faites.

Dans cette nouvelle ère, Dom Pedro da Silva était une individualité inattendue. Entraînée à tous les coups d'œil et à tous les silences significatifs, la duchesse devina vite la température du cœur de celui qu'on lui présentait. Elle ne se crut pas radicalement aimée, mais elle vit les flammes du volcan inopiné, bien que superficiel, qui brûlait le jeune homme de l'intérieur. Elle savait bien que ce n'était pas là son premier triomphe ! Elle avait vu s'embraser ainsi bien des Vésuves autour de la glace de son âme, que seul Leopoldo Saavedra avait su faire fondre – nous ne savons pas si ce fut par le feu de ses paroles ou par le métal brûlant de ses quatre-vingt mille francs. En ces temps-là, Théophile Gautier écrivait ce qui suit : « La femme qui résiste à cent mille francs cédera à deux cent mille… Toutes sont corruptibles… seule la somme varie… » Mais là n'est pas notre propos.

La duchesse de Cliton, pour savoir qu'elle était aimée, n'avait nul besoin de lire le « Soupir » du Portugais en vers français. Lui convenait-il, toutefois, d'accepter la cour de Dom Pedro da Silva ?

Cette grave question inquiéta son sommeil de la nuit qui précéda le jour du dîner. À la même heure, le tourmenté jeune homme rafraîchissait dans l'air de la nuit sa tête brûlante. La duchesse n'imaginait pas qu'il en était arrivé là, mais, reliant une chose à l'autre, elle s'attendait à quelque chose et se reprochait la trop grande sévérité des expressions avec lesquelles elle lui avait dédaigneusement rendu sa poésie.

Le résultat dépassa ses attentes. Elle n'en voulait pas tant, mais elle en ressentit de l'orgueil. Il arrive que les femmes, quand elles commencent à douter de leurs attraits, aiment cueillir les bons résultats de telles expériences. S'il y en a une supérieure à ces louables caprices, nous ne la connaissons pas. Les plus vénérables matrones, les Octavies qui portent la main à leur nez quand les incommodent les parfums des Lesbies et des Marcies, celles-là mêmes qui suivent à la lettre les commandements du sacrement qui les a faites bonnes épouses et bonnes mères, ne se mortifient pas exagérément si les jumelles impertinentes d'un importun les poursuivent jusqu'aux loges du troisième rang.

La duchesse était comme toutes les autres, mais avait quelque chose en plus, que bien d'autres n'ont pas : elle était très belle, très spirituelle, très riche et très vaniteuse, avec des raisons plus qu'évidentes de l'être.

Le pire fut la conversation durant le dîner. Les éloges de monsieur de Colomb à Eugénia de Magalhães la blessèrent atrocement. Le feu de la rancune ne s'était pas éteint sous les cendres d'un oubli apparent. Le désir de vengeance, frustré par un homme supérieur que le destin avait mis sur son chemin, ne pourrait s'évanouir que par une influence religieuse que la duchesse n'était pas disposée à accepter. Elle avait pardonné par impuissance : ce sacrifice n'avait aucun mérite.

Il lui semblait impossible de pardonner, après avoir consumé quatre années et demie à traquer les traces de sa victime prédestinée. Elle avait reçu d'Amérique une lettre de Père Dinis, mais cette lettre ne lui parlait pas d'Alberto de Magalhães, ni ne lui imposait le pardon de l'outrage. Elle n'avait pas abdiqué sa vengeance !... Mais qu'a cela à voir avec l'affaire qui nous occupe ? Beaucoup. La haine enracinée de la duchesse s'enchaîna infernalement avec l'amour repoussé de Dom Pedro da Silva. Une passion se jouait entre l'enfant né dix-neuf ans auparavant à Quinta das Alcáçovas et le sicaire du marquis de Montezelos, qui l'avait vendu contre quarante pièces, pour le doter ensuite de quarante mille réaux.

Nous pourrions d'ores et déjà lever le deuxième voile de la tragédie occulte dans le cœur de la duchesse, mais nous voulons plutôt que les lecteurs aient l'innocente vanité de le lever eux-mêmes.

Dom Pedro da Silva était plus calme quand le médecin arriva, porteur des salutations de la duchesse, qu'il relaya auprès du malade. Ayant déjà eu des soupçons, le médecin remarqua que le jeune homme écoutait les termes banals de l'étiquette avec une certaine agitation. Il fut convaincu de la *causa morbus* et considéra qu'il avait avancé d'un grand pas dans la science, mais n'en avait fait aucun dans la guérison.

Interrogé par le vicomte sur le point de savoir si le lendemain ils pourraient partir, le médecin répondit affirmativement, à condition que la distraction fût le but de la sortie.

Le lendemain matin, avant de rentrer à Angoulême, il rendit visite à la duchesse, qui l'attendait avec impatience, et lui fit part de l'amélioration de l'état du Portugais, qui rentrait à Paris. La duchesse sentit la morsure d'une vipère dans son cœur. Ce dénouement était le moins conforme possible à ses calculs.

— Il est déjà parti ? demanda-t-elle, ne sachant pas cacher son émotion.

— Pas encore... Il partira dans l'après-midi. Le vicomte a des affaires qui l'empêchent de partir ce matin, il m'a dit qu'il viendrait prendre congé de madame la duchesse.

— Ah oui ?

— Oui, Madame... Et... je sais ce que vous voulez me demander... Je crois qu'il viendra aussi...

— Vous savez qu'il vient ?

— J'ai entendu dire que oui.

— Par qui ?

— Par lui-même... Madame la duchesse ne croit pas que le médecin soit deux fois confesseur... et deux fois devin... il sait ce qui se passe dans l'âme et ce qui se passe dans le corps...

— Vous voulez dire...

— Que mon malade a des raisons d'être malade... L'air d'ici est sain, le ciel est clément, les eaux sont claires, mais ses yeux ont le choléra asiatique.

— Vous plaisantez, Docteur ?

— Nul ne plaisante avec madame la duchesse de Cliton. La chose pourrait être plus sérieuse... celui qui vainc les cœurs sans livrer bataille, même par charité envers son prochain, ne paraîtra jamais... Et ne me détestez pas pour ces franchises de vieillard.

Le médecin fut interrompu par la nouvelle de l'arrivée du vicomte d'Armagnac et de Dom Pedro da Silva.

— Vous voyez ? poursuivit le perspicace devin du corps et de l'âme, comme il se pensait modestement. Il est là... il fallait qu'il fût bien peu orgueilleux pour ne pas venir... J'ai entendu dire que ces hommes d'Espagne sont les petits-fils des Arabes.

Le médecin sortait quand entrèrent les gentilshommes. La duchesse serra la main de Dom Pedro da Silva en le regardant d'un air digne qui ne lui allait pas mal.

— J'ai été sincèrement chagrinée, dit-elle, de votre état, Dom Pedro. Quelle que fût la raison pour laquelle vous n'avez pas accepté mon invitation, j'aurais préféré que ce ne fût pas une maladie de quelques heures.

— Une maladie passagère... dit Dom Pedro.

— La nostalgie de Paris ?

— Exactement.

— Elle s'est vite développée et fort douloureusement.

— Je pensais que je lui serais supérieur, mais je me trompais.

— Supérieur... à qui ?

— À la nostalgie, Madame la Duchesse.

— La solitude n'est pas un lénitif pour celui qui fuit les foules parisiennes, avec la nostalgie de Paris…

— C'est ainsi, Madame la Duchesse.

— Enfant… enfant… coupa le comte, qui devinait les intentions orgueilleuses de son ami.

— Les enfants ne pensent pas ainsi, répliqua la comtesse, en riant sans envie. Il n'y a plus d'enfants… Quel âge avez-vous, Dom Pedro ?

— Dix-neuf ans.

— À dix-neuf ans, on est homme par le cœur… on aime tout et, en premier lieu, la femme, n'est-ce pas ?

— Sans doute, Madame la Duchesse, en premier lieu, la femme digne de tout cet amour…

— Et y en a-t-il une digne de tant d'amour ?

— Oui, Madame… Si vous connaissiez celle que j'aime…

— Ce doit être un être parfait, une femme enviable… est-elle de Paris ?

— De Paris.

— De votre âge ?

— De mon âge, exactement. Elle est de celles qui comprennent mes vers et me repousserait comme indigne d'elle si elle apprenait que j'ai consacré des vers à qui ne les comprenait pas.

La duchesse se mordit la lèvre inférieure et poursuivit :

— Et c'est à elle que je dois le chagrin de ne pas vous avoir eu hier à dîner ?

— Chagrin non, Madame la Duchesse. Elle n'a certainement pas à vous demander pardon pour un chagrin… ni moi non plus, car il y a des faiblesses que l'on doit tolérer de la part d'un garçon de dix-neuf ans… Madame, j'ai trop volé la parole à mon ami le vicomte, qui semble vouloir vous dire qu'il doit se retirer pour régler des affaires, car il a la bonté de m'accompagner à Paris.

— Vous partez donc aujourd'hui ?

– Aujourd'hui à cinq heures, répondit le vicomte. Nous passerons la nuit à Angoulême.

– Si vous partez à cinq heures… il est à peine trois heures…

Dom Pedro da Silva avait déjà son chapeau à la main et avait amorcé une révérence en signe d'au revoir. Le vicomte suivait l'exemple de son héroïque ami, dont le courage lui donnait à penser et à s'émerveiller.

La duchesse, en serrant la main du Portugais, lui dit avec douceur :

– Monsieur Dom Pedro da Silva, serais-je indiscrète de vous demander une copie de votre poésie à un "soupir" ?

Le jeune homme frémit à cette question, avant de répondre, en titubant :

– Indiscrète, non, Madame !

– Il se pourrait que je le sois, car j'ose vous demander la copie d'une candide inspiration, si flatteuse envers la personne qui vous fait poète de si belles poésies… Ce désir… est plus un orgueil du sexe… qu'autre chose. Il est délicieux d'appartenir, bien que sur l'ultime marche, à la même espèce que la personne dont vous êtes amoureux… Me donnerez-vous copie de votre poésie ?

– Je vous l'enverrai, Madame la Duchesse.

– Je ne la recevrai pas… Je vous demande d'en être le porteur… Il y a un autre motif de moindre considération pour oser vous en demander tant. Je voudrais vous faire une recommandation de vive voix pour une amie à Paris, la duchesse de Choiseul. Puis-je compter sur votre courtoisie ?

– Oui, Madame la Duchesse… C'est là une honorable commission dont vous me chargez, je vous sais gré de m'en juger digne.

– Donc, nous ne partirons pas aujourd'hui… coupa le vicomte.

– Le pire, c'est que c'est moi qui dérange vos plans, Monsieur le Vicomte… dit la duchesse, avec un air enfantin.

— Nous n'avons pas de plans, Madame la Duchesse. Vous seule tracez la destination de vos serviteurs… C'est dommage que le report de notre départ ne soit cause d'un plus grand bouleversement, pour mériter votre gratitude.

Ils sortirent. Dom Pedro da Silva ne savait comment définir la situation.

Le vicomte le pinça quand ils montèrent à cheval et lui dit en clignant de l'œil :

— Ah, polisson !

XVII

Belle de toute la fraîcheur concevable à trente-sept ans, élégamment assise sur un fringant cheval noir qui hennissait, orgueilleux de sa maîtresse, accompagnée de deux valets en riche livrée, répondant avec un sourire protecteur aux villageois des environs qui accouraient du labour au bord de la route pour la saluer de leurs clameurs, la duchesse de Cliton, en fin d'après-midi, se promenait sur le chemin que devait emprunter Dom Pedro da Silva.

Déjà proche des murs du vicomte, elle rencontra le garçon qui, pour un peu, aurait laissé échapper une exclamation de surprise en la voyant si belle, si souriante, si radieuse, si tout ce que pouvaient désirer les yeux ambitieux d'un poète, et les vôtres par la même occasion, lecteur sensé !

Le cheval de Dom Pedro, cauchemar fatal du vicomte d'Armagnac, leva ses pattes avant pour cajoler grossièrement le cheval de la duchesse. Celui-ci, qui n'était pas insensible aux flatteries de son collègue, se dressa lui aussi, hennit, souffla deux colonnes de fumée par ses naseaux frémissants, et montra avec exubérance qu'il avait reçu quelques leçons de pugilat. Pedro da Silva craignit que la duchesse ne tombât ;

la duchesse, pourtant, souriait du danger et caressait d'une main élégante la crinière hérissée de son cheval.

L'harmonie entre les deux généreux adversaires rétablie, ils entrèrent de pair sur la route, s'arquant, s'enroulant, s'ébrouant sur leur mors, raclant élégamment le sol, se donnant, enfin, une certaine importance qui redoublait la valeur des cavaliers. Ceci, qui semble futile et petit, a une portée que le lecteur n'imagine pas en de pareilles circonstances. Il est impossible d'entendre de grands et émouvants propos de la bouche de deux personnes qui s'aiment si elles commettent l'imprudence de monter deux juments. Essayez et vous verrez.

Cela étant dit, nous ne voulons attribuer à l'équitation seule le dialogue suivant :

— Vous voulez quitter mon village, Dom Pedro ? Vous avez raison... c'est très triste, par ici.

— Pour moi, certainement.

— Et pour tous... Pour vous, en revanche, avant-hier je ne l'aurais pas cru... Vous sembliez tellement heureux... vous disiez de si belles choses sur mon pays... vous promettiez tellement de poétiser ces déserts, qui n'ont jamais eu leur chanteur ! Vous vous trompiez, certainement !... Je savais bien que vous finiriez vite par vous ennuyer... Votre cœur n'était pas ici, n'est-ce pas ?

— Il l'était, Madame la Duchesse.

— Endormi, n'est-il pas vrai ?

— Endormi... ce fut un malheur de le réveiller.

— Avec une lettre éplorée de Paris ?... Vous ne me répondez pas ?

— Que dois-je donc vous répondre, Madame ?

— Vous ne voulez pas de moi pour confidente... et je voudrais l'être... Je vous ai déjà demandé votre poésie... qu'en est-il ?

— Elle est ici, Madame la Duchesse.

— Vous me la donnerez chez moi ; mais, si vous me donnez

une poésie qui n'est pas à moi, c'est que je mérite un peu votre confiance. Dites-moi tout, ou résumez tout ce que vous avez à dire en un mot… Vous aimez.

— J'aime.

— On vous comprend ?… Ne vous étonnez pas de cette question. Désormais sont à la mode l'homme et la femme incompris. Vous devez être un de ceux-là… Vous comprend-elle, la femme que vous aimez ?

— Elle doit me comprendre, car je n'en connais pas de plus intelligente…

— Que désirez-vous de plus ?!

— Ce que je désire ?… Je ne désire rien… Je voudrais l'oublier, car je serais plus heureux si je ne la connaissais pas.

— Mais vous allez la retrouver à Paris ! Ce n'est pas le meilleur moyen pour oublier une femme…

— La fatalité m'appelle… Je l'oublierai à Paris.

— Vous la sacrifierez à d'autres femmes ?

— Je ne la sacrifierai pas… Elle est totalement insensible. Elle ne se froissera pas de ma préférence…

— C'est donc qu'elle est indigne de vous…

— Elle ne l'est pas : c'est moi qui ai été téméraire en levant les yeux sur elle.

— Vous voulez que je vous dise ? Ne partez pas.

— Que je ne parte pas ?!

— Oui… je promets de faire tous mes efforts pour vous offrir un lénitif ici… Je ne peux pas grand-chose, mais je peux vous raconter comment les illusions expirent à votre âge… C'est un service dont vous me remercierez, d'ici quelques années ; vous serez un homme du grand monde sans avoir à payer le tribut des belles affections, qui poussent votre cœur à déborder de sympathie pour une fleur. Voulez-vous ?

— Mourir par le cœur… me suicider… non, Madame la Duchesse, je ne le veux pas. Votre générosité ne me réjouit ni ne me soulage. Ce que je veux, c'est l'amour, c'est la vie…

— Et vous craignez que je vous donne la mort ?

– Je le crains…

– Moi aussi, alors, je suis une femme incomprise… Vous aimez cet endroit ? Regardez le soleil ! On dirait la tête embrasée d'un géant qui sort de derrière ces montagnes pour se rire de notre petitesse… Ce silence est si doux pour le cœur… Arrêtons-nous… Comme ce monde doit être beau pour ceux qui sont heureux !… Les jours que nous vivons ici sont tellement peu ! Si ce n'était le malheur, avec quelle nostalgie le moribond se souviendrait du ciel, des fleurs, des étoiles et de l'amour !

– Oui, oui, de l'amour… mais l'amour est le malheur, n'est-ce pas, Madame la Duchesse ?

– Il l'est… Croyez-moi, mon ami… Malheureux celui qui enferme ses ambitions dans une passion unique ! J'envie le bonheur de cette pauvre femme qui chante là-bas… Pour elle, son monde se résume à cela : le travail, les petites espérances qui ne lui mentent jamais, les ambitions mesquines que personne ne dérange… Le tumulte, les tempêtes, les tourments sont pour nous, âmes fières, avares de jouissances impossibles, toujours des mots plein la tête et la soif qui nous brûle les entrailles… Ce n'est pas ainsi, par ce langage, que j'adoucirai votre nostalgie, Dom Pedro da Silva ; mais étudiez la souffrance en moi, et vous verrez que la vôtre est petite. Ayez de la compassion pour moi, et vous sentirez moins vos douleurs.

Ils se trouvaient devant le portail de Cliton. Dom Pedro conduisit la duchesse par le bras, la laissa dans le salon et passa dans la galerie tandis qu'elle se changeait.

Les tableaux lui importaient peu. Ce dernier dialogue, qui n'a suscité aucun effet chez le lecteur, raviva plus le feu que la duchesse, astucieusement ignorante, promettait d'apaiser. Si la vérité doit être nue dans les romans comme à l'extérieur, dans la vie pratique, nous dirons que le fils d'Ângela de Lima ne se souvenait déjà plus de Paris et que, s'il pouvait envoyer quelqu'un, il ferait dire au vicomte de défaire les valises.

La duchesse fit appeler le poète à son *boudoir* *.

Le *boudoir** de la duchesse, ou l'antichambre, qui est un mot plus portugais, était une fantaisie d'opulences orientales au goût français. Les parfums d'Asie imprégnaient chaque atome, échauffaient la tête et enivraient mollement le cœur. Les étoffes souples, soumises aux postures voluptueuses du corps, semblaient avoir été tissées à la faveur des voluptés de l'esprit. La splendeur des cristaux, l'opale, la laque chinoise aux mille grimaces grotesques, le marbre noir où tremblait le reflet des lumières, les molles nattes qui semblaient faire taire les échos des pas, comme un secret de leur maîtresse, certainement une fée... et bien d'autres choses, qui ravissaient Pedro da Silva et raviront sûrement moins le lecteur, rendaient enchanteresse et fantastique l'existence de notre compatriote dans cette pépinière de délices.

C'était là que la princesse d'un conte arabe attendait le poète des soupirs et des jasmins.

— Ne faites pas attention à ce bric-à-brac... Cela fait cinq ans que j'ai fait venir dans mon château toutes ces babioles de Paris. Pendant mon voyage, tout s'est entassé, là, dans un coin. Quand je suis revenue dans la maison où je suis née, peu m'importait cette ostentation stérile, qui n'améliore guère la condition des personnes malheureuses comme je l'ai dernièrement été.

— Vous êtes malheureuse, Madame la Duchesse ?

— Très... mais ne parlons pas de malheurs... Ce serait faire preuve d'une rude franchise que de vous faire venir chez moi pour vous confier mes infortunes de femme, qui ne sont rien de plus que de tourmenteuses insignifiances du cœur... Donnez-moi votre poésie.

— Ma poésie ?

— Oui.

— Je préférerais qu'elle ne fût pas mienne...

— Eh bien, qu'elle ne soit pas vôtre... Voulez-vous que je l'appelle la poésie de votre chère Béatrice, mon cher Dante ?

Soit… Lisez-la, vous. Elle n'en sera que plus belle… Les paroles sortiront avec la fragrance du cœur…

— Vous l'avez déjà lue…

— Qu'importe ? J'ai lu les sonnets de Pétrarque, mais j'imagine que je les comprendrais mieux si l'auteur venait me les lire… Cela ne me gênerait pas de le recevoir ici, enveloppé dans son linceul, pourvu qu'il vienne me parler de sa Laura.

— Mais je ne peux vous parler de la mienne…

— Vraiment ? Vous êtes plus mystérieux qu'un poète de votre pays, dont les amours avec la fille d'un roi ont été anéanties.

— Je vous admire, Madame la Duchesse ! Vous connaissez mon pays et les poètes de mon pays comme si vous y aviez vécu !

— Ne vous étonnez pas… Ma mère était une dame très cultivée, elle maîtrisait la langue portugaise comme la française, et lisait les meilleurs livres du Portugal. Si vous visitez ma chambre, vous y trouverez beaucoup de livres dans votre langue… Et, je ne sais par quel caprice, elle m'a fait apprendre le portugais, que je parle aujourd'hui encore avec de petites difficultés. Vous me lirez votre poésie, n'est-ce pas ?

Dom Pedro da Silva, la voix tremblante, respirant péniblement, le cœur en émoi, lut sa poésie, que la duchesse écouta, souriante, cherchant de son doux regard les yeux du poète, qui essayait, la lecture terminée, de deviner le sens de son sourire indéfinissable. Dom Pedro attendait un mot d'éloge, pas plus, car il eût été folie d'espérer autre chose. Et le silence se poursuivait, et le sourire ne s'évanouissait pas des lèvres qui semblaient réprimer l'éclat de rire qui avait foudroyé, une nuit, la tête imperméable du baron de Sá.

La duchesse accepta gracieusement la poésie, sans quitter des yeux le visage rose du jeune homme. Puis elle la replia lentement. Elle ouvrit sa bourse en nacre, renversa aux pieds de Dom Pedro les papiers satinés et les fleurs séchées qu'elle contenait, et y introduisit la poésie, penchant docilement la tête et accentuant un peu plus son sourire.

– Je veux qu'elle y soit seule… Ma bourse est à l'image de mon cœur.

Dom Pedro fit ce que tous nous ferions. Il ne répondit pas à la galanterie par un seul monosyllabe, et lui-même ne saurait dire s'il la comprit sur le coup. Il avoue, en revanche, avoir ressenti le froid et le chaud, quand la duchesse, lui prenant la main, lui demanda :

– Avez-vous une offense à me reprocher ? Sortez de cet état de perplexité… Voyez la familiarité avec laquelle je vous parle… Répondez-moi… vous ai-je offensé ?

– Vous ne pouvez m'offenser… Vous m'avez blessé, Madame la Duchesse.

– Me pardonnez-vous ?

– Oh, Madame ! Pourquoi me demander pardon ?

– Cette poésie est à moi… totalement à moi… et je l'ai repoussée… Me pardonnez-vous ?

– Qui vous a dit que j'ai beaucoup souffert de votre rejet ? dit Dom Pedro, la voix émue et les yeux inondés de larmes.

– Ma peine… mon cœur, auquel le remords rappelle ses injustices… Vous savez quelle a été ma vie, Dom Pedro da Silva ?

– Vous avez souffert, je n'ai nul besoin d'en savoir plus…

– Il le faut… Vous savez que je ne peux vous aimer ?

– Je ne le sais pas ; mais il me faut le croire, puisque cela m'est dit par vous… Vous ne m'avez pas surpris, car je savais inévitable cette souffrance. Mais vous avez mal fait de me faire venir chez vous pour me détromper de la sorte.

– Il était nécessaire que vous veniez, et vous viendrez tous les jours. J'ai besoin de vous voir… Je veux votre amitié, et je n'ose aspirer à une passion à laquelle je ne peux répondre, car je suis indigne de vous.

– Indigne de moi ?

– Oui, indigne ! Il faut beaucoup de courage, ou aucun

amour-propre, pour un tel aveu… Allons ! Je veux expier ce que je vous ai fait souffrir, en relevant le voile de mon visage, pour vous laisser entrevoir les ombres de l'obscurité dans laquelle je garde cette pauvre âme… Je serais une infâme si je vous attirais par des cajoleries calculées, une à une, pour, au bout de quinze jours, vous détromper de la sorte. Si vous m'accordez un bon sentiment de votre âme enfantine, laissez-moi cueillir cette fleur sans épines ; mais je ne veux m'en orner, car dans ma tête brûle le feu de l'enfer, et la fleur fanerait aussitôt ! Dom Pedro, ne me croyez pas folle… Je reconnais, malheureusement, que je possède toutes les facultés dans la meilleure des dispositions pour me torturer… J'ai besoin d'un ami au cœur pur, à la candeur dans l'innocence de ses paroles. Je veux l'adorer, je veux brûler pour lui l'encens que j'ai sauvé des tempêtes du monde ; mais je ne veux pas lui donner ce que je suis, parce que je ne suis rien… Je suis un corps, un faux triomphe qui ne peut faire honneur à personne… Remarquez que je ne suis pas bien… L'heure terrible de mon renfermement approche. Accordez-moi la liberté de vous demander de prendre congé… Venez demain dîner avec moi, et faites venir le vicomte.

Dom Pedro da Silva sentit que la main de la duchesse serrait la sienne affectueusement.

Il voulut prendre congé avec quelques larmes euphoriques, mais le cœur, à cet âge, n'a pas à sa disposition un dictionnaire de synonymes, ou la réminiscence salvatrice du roman.

Deux nuits auparavant, il s'était retiré, abasourdi par un refus. Pour la raison inverse, Dom Pedro da Silva n'en partait pas maintenant moins confus. Entamant, cependant, un dialogue apaisé avec sa conscience, il en conclut qu'il était l'homme le plus heureux du globe. Il conclut mal. L'homme le plus heureux du globe est un idiot.

XVIII

Il aurait été curieux de suivre dans sa chronologie le journal des dialogues entre la duchesse de Cliton et Dom Pedro da Silva, au cours de ces trois mois délicieux.

Les manuscrits qui nous ont été envoyés ne nous autorisent pas à inventer des choses qui n'y sont pas dites. En tenant compte, cependant, de l'intelligence indubitable des lecteurs, ainsi que de la mienne, nous pouvons calculer qu'en plus ou moins quatre-vingt-dix entrevues, à raison d'une par jour, ils ne pouvaient rien dire que nous n'ayons maintes fois dit nous-mêmes.

Pour bien des gens, il est difficile de comprendre comment on entretient le feu sacré entre un amant, honnête comme Florian, et son aimée, vénérée comme une vestale. Ils trouvent insuffisant le vocabulaire de la langue humaine pour dire une nouvelle chose à chaque jour nouveau. Les mêmes en viennent même à se persuader que l'ennui viendra forcément lasser les deux amants qui cherchent à découvrir le mouvement perpétuel du langage. Ils se trompent.

Le vicomte d'Armagnac, qui, en la matière, faisait chorus avec les sus-dénommés, demanda, au bout de deux mois de visites ininterrompues, à quoi ils passaient leur temps.

— Je vais vous le dire, lui répondit Dom Pedro avec toute la candeur et la sincérité de son cœur. La duchesse de Cliton a presque toujours quelque chose de nouveau à me raconter sur ses voyages. Extrêmement passionnée par l'Orient, elle parle de la Grèce avec plus d'enthousiasme que Byron et du désert avec plus de poésie que mon propre Lamartine. Parfois, elle s'exprime à la manière d'une inspirée, et de l'exaltation de la fièvre du talent elle retombe dans une sorte de somnambulisme qui rappelle cette Grecque qui prophétisait la chute du paganisme.

— En effet… reprit le vicomte en souriant. Je ne savais pas que la duchesse de Cliton avait du talent avec de la fièvre ni qu'elle était somnambule !… Quand je l'ai connue à Paris, elle était toujours réveillée comme une renarde, et avait les yeux vifs et sémillants comme l'antilope dont parle Buffon.

— Ne vous moquez pas, Vicomte.

— Par Dieu, je ne me moque pas, mon cher Pedro… Et quand elle n'est plus somnambule ni n'a la fièvre du talent, que faites-vous ?

— Il y a toujours de bonnes inspirations, des sujets du cœur qui nous font sembler le temps court.

— À ce que je vois, vous défendez des thèses sur l'amour. Ce doit être délicieux. Et quand les thèses sont discutées, vous dressez l'acte de la session, académiquement parlant ?

— Je ne vous saisis pas, Vicomte.

— Quelle candeur ! Qu'avez-vous l'intention de faire aujourd'hui ?

— Nous lirons *Les Nuits* de Young.

— Et demain ?

— *Le Paradis perdu*, de Milton.

— Et après ?

— Après… c'est dimanche ?

— Oui, que lisez-vous le dimanche ?

— Vos *Mémoires sur le ministère de Talleyrand*.

— Vous voulez donc dormir comme le Créateur au septième jour… Créatures angéliques ! Regardez-moi… Parlez-vous sérieusement ?

— Comme je vous parle toujours, Monsieur le Vicomte.

— Vous n'abordez que le somnambulisme et la fièvre du talent ? Vous ne vous endormez qu'avec mes *Mémoires sur le ministère de Talleyrand* ?

— Il y a, dans votre question, une intention malhonnête, impropre.

— Style anglais… *improper*… Dommage que vous ne portiez pas de cape…

– De cape ?! Que voulez-vous dire ?

– J'aimerais voir si vous vivriez un jour sans elle… Vous connaissez l'histoire de Joseph d'Égypte ?

– Je la connais parfaitement… et vous, connaissez-vous l'histoire de Suzanne au bain ?

– Sur le bout des doigts… Les vieux étaient lascifs, c'est pourquoi ils ne croyaient pas à la fièvre du talent…

La conversation devint peu édifiante. Ce qui est écrit suffit pour avoir une idée de la franchise de Pedro da Silva, dont la morale, formée en Angleterre, était raillée avec bienveillance par le vieil homme, qui votait pour la restauration des coutumes de la Régence, en sauvant les apparences. La corruption n'était pas une chose que l'on applaudissait, mais le vicomte n'hésitait pas à l'accepter comme un fait consommé. Ne ruiner ni sa maison ni sa santé, c'étaient les principes où s'enracinaient les sollicitudes du vieillard en faveur de son jeune ami.

Ce qui est certain, c'est que les amours du pupille de Père Dinis ne pouvaient être plus honnêtes. Son cœur s'intéressait aux voyages de la duchesse, son esprit s'alimentait de la pâture de l'esprit, et la matière n'exigeait rien. Dans son platonisme sincère, le légitime poète – comme tous devaient l'être pour cumuler en même temps les fonctions de contralto dans la chapelle Sixtine et de gardien des portes inviolables du harem, vu que la poésie ne suffit pas pour vivre –, le légitime poète, disions-nous, eût rougi si la duchesse lui avait dit que l'école des spiritualistes n'engendrait pas de martyres dans le *boudoir* * d'une femme de trente-sept ans dispensée de devoirs envers son mari.

Disons la vérité : la duchesse n'était pas femme à mettre dans de tels embarras son tendre ami. Dans le cœur de cette femme se trouvaient trois cœurs, au moins. Celui dont elle se servait pour nourrir les ambitions idéales de Dom Pedro da Silva était un cœur idéal, comme celui de l'aimable lectrice qui nous fait l'honneur de nous lire et de croire ce que nous nous apprêtons à ajouter sur le caractère inconsistant de la confidente de Père Dinis.

Aimant le Portugais ou faisant semblant de l'aimer, la duchesse avait prémédité de créer un ennemi contre Alberto de Magalhães. Le jeune homme amoureux, porté sur le romanesque, nostalgique des anciens brios de la chevalerie errante, serait un instrument aveugle entre les mains habiles de la déçue comtesse de Minturnes du baron de Sá. Elle ne lui donnerait pas son amour sans conditions ; maintenant, l'amour que l'on donne sous conditions, comme qui dresse un acte de donation de biens en échange de subsides, un tel amour... on peut aisément imaginer de quel amour il pourrait bien s'agir : une deuxième représentation, bien que plus tragique, de la comédie jouée avec le ridicule baron qui arpentait Lisbonne en déversant sa bile sur les joues dodues du pauvre Joaquim dos Reis.

Le calcul était celui-là, mais le cœur de la duchesse, c'est-à-dire le cœur numéro trois, détruisait les calculs du numéro un.

Le premier mois de la relation amoureuse, comme on dit dans les cafés, et dans les salons également, nous semble-t-il, bouleversa les plans de la duchesse. L'habitude de traiter avec un jeune ingénu, amoureux, jamais surpris par un mensonge de ceux que les femmes tolèrent, payant avec usure la familiarité, puis les bonnes manières, l'aimable présence, et la poésie toujours ardente de Dom Pedro da Silva, peut-être même tout cela, et bien d'autres choses encore, firent frémir son cœur, inactif depuis longtemps, le cœur des idéalités, des espoirs, des affections généreuses, et de l'intime estime, qui est le plus cher sentiment que nous devons aux femmes, qui ont été des anges avant d'être ce qu'elles sont.

Dom Pedro, sans comprendre la métamorphose, trouva étrange la tendre intimité avec laquelle il était reçu. C'est que jusqu'alors, épuisés les enthousiasmes de la tête, la froideur du cœur glaçait le visage de la duchesse qui, même artificieusement, ne savait plus manœuvrer les stratagèmes calculés pour sa vengeance.

Il était donc aimé, Dom Pedro da Silva, et aimé comme il devait l'être par une telle femme, qui, depuis qu'elle était veuve, n'avait ressenti que haines et caprices. Le délire envers Leopoldo Saavedra avait été une lave d'orgueil qu'elle avait vécue avec ardeur, enflammée par l'étincelle de la honte d'elle-même. Si nous appelions amour cette jalousie rancunière, nous dégraderions beaucoup cette vertu.

La femme qui, malgré tout, avait feint un sentiment noble pour Dom Pedro da Silva, avec l'intention perverse de le jeter comme un poignard au cœur d'Alberto de Magalhães, serait-elle susceptible d'une affection sublime ? Aurait-elle honte de l'outrageante idée de faire son complice un noble jeune homme qui, plein de foi, se donnait à elle avec toute l'innocence de ses dix-neuf ans ?

C'est le problème que nous allons résoudre.

Trois mois étaient donc passés depuis que la duchesse avait adopté comme sien le « Soupir » de notre poète.

Lors d'un paisible après-midi de juillet, sous un ciel transparent qui semblait sourire à son portrait reflété dans le lac, les petits oiseaux chantaient, les fontaines murmuraient, les papillons bruissaient autour du myrte, les fleurs exhalaient, les insectes vrombissaient et la duchesse de Cliton murmurait des propos languides, appuyée à l'épaule de son fortuné poète.

Enivré par le nectar du bonheur suprême, l'amant alangui ne savait dire ce qu'il avait de céleste dans le cœur et imaginait que l'horizon de son âme embrassait la réalisation de tout ce dont rêve le talent, jusqu'aux plus hautes cimes que peuvent atteindre les ambitieuses aspirations de l'homme.

De l'apologie bucolique du panorama qui les entourait, ils en vinrent à une silencieuse concentration, mutisme des âmes privilégiées, dans la joie extrême ou dans la douleur profonde.

Ce fut la duchesse qui rompit le silence de sa voix suave, seul son qui manquait à l'hymne du crépuscule :

— Pedro, as-tu entendu ce que je t'ai dit ?

— Non !... Tu viens de parler ?

— Mon cœur a tant parlé ! J'ai pensé que tu m'entendrais !... La parole est-elle nécessaire, quand le fil électrique s'interpose dans le langage muet de deux âmes ? Non, elle ne l'est pas... Écoute... moi, je t'ai entendu.

— Oui ? Tu as dû entendre de belles choses... Répète-les-moi, Élisa.

— Tu veux ? Tu songeais au futur, et tu demandais au temps, à la fatale sibylle qui se moque des calculs humains... tu lui demandais si notre bonheur d'aujourd'hui serait un jour exterminé... C'était cela ?

— Élisa !... Tu es un ange !

— Pourquoi ?

— Tu as pénétré le fond de mon cœur, et tu y as vu ce qui est invisible à tout le monde ! Comment est-ce possible ? Tu t'es aventurée à deviner ou mon âme est aussi claire pour toi qu'ont été vraies mes paroles ?

— C'est toi l'ange, Pedro da Silva... L'ange, c'est toi, qui n'as pas vu la trahison que te préparait insidieusement une femme de l'infâme société de ce monde.

— Une trahison !

— Oui... mais ne me demande pas la signification de ce mot... Aujourd'hui, mon chéri, je t'adore avec toute l'onction d'un esprit juvénile ! Demande-moi aujourd'hui un sacrifice, et je te donnerai ma vie... Dis-moi que tu veux une expiation du crime qui me fait pleurer ces larmes, et je goûterai toutes les amertumes, j'accepterai de tes mains tous les sacrifices...

— Ne parle pas ainsi, Élisa ! Je préfère encore te voir souveraine. Ton orgueil a des douceurs pour moi. Je te veux orgueilleuse, je ne te blâme pas pour tes vanités légitimes... Tu étais vaniteuse parce que tu devais l'être. Les humiliations, si tu m'y forçais, seraient propres à moi-même, qui me sens insignifiant quand j'ose t'appeler mienne.

— Tienne !... coupa-t-elle avec tristesse. Et serai-je tienne ?

— Si tu le seras, Élisa ?!

— Oui... sais-tu quels sacrifices je te coûterais ?

— Non...

— Non ? Je vaux très peu pour toi, Pedro !

— Élisa... je n'ai pas compris ta question. Que m'as-tu dit ?

— Dans ma position, sais-tu à quelles conditions une femme se donne entièrement à un homme ?

— Je le sais... et je les accepte toutes.

— Je ne te les impose pas... ta générosité ne peut pas se réaliser. Tu ne peux pas être mon mari.

— Je le savais bien...

— Tu le savais ?

— Oui... tu es la duchesse de Cliton... Je suis un étranger qui ne peut même pas prononcer les noms de ses parents... Je suis riche, mais je ne sais pas d'où me vient cette richesse. Le fils bâtard n'a personne à qui demander une généalogie qu'il pourrait assortir à la tienne.

— Tais-toi... tu n'élèves pas ton esprit à la hauteur du mien. Je suis très petite à tes yeux... et tu as raison... parce que en effet... je suis toute petite... Je ne peux être ta femme ! Vois comme je suis petite !

— Pourquoi, Élisa ? Qui te domine ?

— La conscience, qui a un scrupule, et le cœur, qui a une tache...

— Tu as aimé un homme...

— Je ne l'ai pas aimé... c'est une infamie sans nom ! Ce démon m'a laissé un poignard de feu planté dans le cœur... pour toute la vie... Ce feu brûlerait l'existence de celui qui tenterait de se confondre avec mon esprit... Mais ne me fâche pas avec cela, mon cher ami. Sois mon frère, puisque ce scélérat a tué le seul frère que j'avais.

— Et qui est-ce ?

– Ne connais-tu donc pas mon histoire ?! C'est étonnant que l'on ne te l'ait pas racontée. Je vois que je dois une grande faveur au vicomte d'Armagnac... Silence, donc... Je ne veux pas m'attirer ta sympathie par des larmes de fausse contrition. La femme qui a couru cinq années après sa vengeance n'est pas contrite... Pedro da Silva... n'avons-nous pas été heureux, ces trois derniers mois ?

– Oui... mais toi, tu n'es pas heureuse.

– Non... je ne le suis pas... Je porte ce masque... J'ai une maîtrise de fer sur mes larmes, quand je le veux ; je parle comme les femmes heureuses parce que j'obéis aux réminiscences de mes années de bonheur, si vite jetées hors de la tragédie de ma vie...

– Élisa... tu pleures ?!

– Partons d'ici... Je ne trouve plus rien de beau à tout cela... Je vois tout recouvert de deuil... Écoute, Pedro da Silva, on m'a fait malheureuse et mauvaise... j'étais bonne et heureuse...

Ils sortirent du jardin et entrèrent, silencieux, dans le salon. Cet épisode dura longtemps.

Pedro da Silva méditait une question risquée. Il lutta avec mille craintes opposées. Il revêtit une audace d'homme, lassé du monde, ou assoiffé de grandes émotions, prit la main de la duchesse avec une étrange intrépidité et lui dit sur un ton peu naturel pour son âge :

– Élisa... réponds-moi... cet homme vit-il encore ?

– Oui.

– Où ?

– À Lisbonne.

– Comment s'appelle-t-il ?

– Que t'importe son nom ?

– J'ai pensé que cette question méritait la confidence de ce nom.

– Dans quelle intention me l'as-tu posée ?

– Dans l'intention de venger la femme qui m'a appelé son frère...

— Je te remercie de ce geste chevaleresque, mais je n'accepte pas ta générosité… Tu n'avais pas d'autre intention ?

— Si… Venger le frère de la duchesse de Cliton.

— J'accepte, au nom de mon frère… Cet homme s'appelle, à Lisbonne, Alberto de Magalhães.

La duchesse se redressa convulsivement et serra avec une jubilation satanique la main de Dom Pedro, qui cherchait à se souvenir de l'homme, dont le nom ne lui était pas tout à fait inconnu.

— Tu connais cet homme ?

— Je ne l'ai pas connu… Quand j'ai quitté le Portugal, je n'ai connu qu'un prêtre qui m'a élevé, la sœur de ce prêtre, et ma mère, qui ne vit plus…

— Tu es un homme accompli, Pedro da Silva. Maintenant, oui, j'ai pris la mesure de ton âme ! Écoute-moi… Je veux ta vie : je ne consentirai pas à ce que tu aies la moindre intelligence avec l'assassin de mon frère. Tu me le promets ?

— Quoi donc, Élisa ?

— Un mépris absolu pour cet homme.

— Je ne te le promets pas… je jure, par la mémoire de ma mère, que je vengerai ton frère.

— Pedro da Silva !…

La duchesse était enlacée au cou de Dom Pedro quand elle entendit des pas, et suspendit sa réplique au serment du jeune homme. C'était le vicomte d'Armagnac, qui rentrait de sa promenade et faisait une escale dans le palais de la reine des fées, comme il avait coutume de désigner la résidence de la duchesse, sur les enveloppes parfumées de ses billets.

La conversation, presque toute à la charge du vicomte, devint profusément banale avec ses *Mémoires sur le ministère de Talleyrand*.

Le lendemain, la duchesse entrait dans son cabinet de toilette et vit sur un plateau d'argent une lettre, qu'elle ouvrit avidement. Voici son contenu :

Il me faut être digne de toi en étant l'ami de la mémoire de ton frère. Ces amitiés, contractées avec un mort, sont impérissables. Je veux un jour pouvoir m'agenouiller avec toi sur la tombe de ton frère et dire : « Notre frère ! Tu as été vengé ! »

Pedro da Silva

Élisa, hallucinée, écrivit deux mots ; elle les fit porter à destination ; elle attendit, anxieuse, la réponse. On lui rapporta la lettre encore cachetée… Pedro da Silva, à minuit, était parti pour Paris.

Le vicomte d'Armagnac, étonné par une telle hâte, qu'il ne put freiner, donna raison au Diable, qui ne voulait rien avoir à faire avec les jeunes hommes.

XIX

Treize jours plus tard, Alberto de Magalhães recevait de son correspondant à Paris une lettre qui parlait, en passant, de Pedro da Silva, dans les lignes suivantes :

Je vous ai dit, il y a quelque temps, que Dom Pedro da Silva était parti pour Angoulême, passer la saison dans la propriété de son ami, le vicomte d'Armagnac. L'honorable vieil homme s'intéresse extraordinairement à ce garçon. Aujourd'hui même, cependant, ce dernier est venu ici retirer quinze mille francs. Il m'a dit qu'il quittait la France pour quelques mois, sans me dire dans quel pays il allait. Exécutant vos ordres, je n'ai pas hésité à lui remettre la somme demandée.

Alberto, après avoir lu la lettre, dit à Eugénia :

— Le fils de la comtesse a quitté la France.

— Pour aller où ?

— Je ne sais pas. Il ne pourra pas aller bien loin avec l'argent qu'il a retiré.

— Avec autant de liberté, ce garçon peut se perdre… Pourquoi ne le soumets-tu pas à l'influence de quelqu'un ?

— De qui ? Je ne veux pas qu'il connaisse une seule privation… Laisse-le être jeune, il viendra bien assez tôt, le temps pour lui d'être un homme, avec les déceptions de tous les hommes. Il faut que nous nous habituions à le considérer comme quelqu'un de notre famille.

— C'est justement pour cela, Alberto, que je m'intéresse à son avenir. Tu peux le rendre riche, mais heureux certainement pas, parce qu'il est le fils d'une mère malheureuse et d'un père qui est mort déchiré par l'angoisse.

— Eugénia !

— Ah ! oui… ne parlons pas de cet homme… Tu blêmis à chaque fois que je te parle de lui… Ton passé est si mystérieux, mon cher ami ! Si seulement tu te réveillais un matin sans mémoire… J'aimerais que tu ne te rappelles que ces quatre dernières années, pour lesquelles nous devons tant à la Providence.

— Si seulement la Providence t'entendait… Oui, Eugénia… je voudrais oublier… Ce n'est qu'ainsi que je pourrais me croire le plus heureux des hommes… Et sans orgueil… Tout ce que nous avons serait un moyen de consoler les malheureux…

— Si tu réalisais ton idée de quitter le Portugal…

— C'est ma plus chère pensée… Nous partirons, Eugénia ; mais il faut que je laisse tomber le masque devant le fils d'Ângela de Lima. Il faut qu'il vienne à Lisbonne, qu'il me connaisse, qu'il m'aime et qu'il nous suive. Une troisième personne dans notre famille est une nécessité pour le cœur… Je le considérerai comme mon fils, et tu sentiras pour lui la tendresse d'une sœur. Dès qu'il sera rentré en France, je ferai en sorte qu'il vienne au Portugal… Il viendra… J'ai idée que j'aurai une belle émotion en voyant ce jeune homme que j'ai tenu entre mes mains, tout petit, avec une demi-heure d'existence…

— Toi !… Tu ne m'avais pas dit ça.

— En effet… et il te suffit de savoir ça, Eugénia.

— Je pensais que tu ne l'avais vu qu'il y a cinq ans, chez Père Dinis. Et il te connaît ?

— De nom, sans doute pas. J'ai prononcé peu de paroles devant lui… voire aucune. Je pense qu'il ne me reconnaîtra pas s'il me voit.

— Veux-tu me dire une chose, mon cher Alberto ?

— Laquelle ?

— Ce garçon est à toi… je veux dire… est-ce ton fils ?

— Non… il n'a aucun lien de parenté avec moi. Ne t'ai-je pas dit tant de fois qu'il était le fils d'Ângela de Lima et de Dom Pedro da Silva, de la maison des Alvações ?

— Tu me l'as dit… Pardonne-moi cette curiosité, qui vient du cœur… Je ne te demanderai plus rien.

Une voiture de place s'arrêta dans la cour d'Alberto de Magalhães et la personne qui en descendit s'annonça par une carte où était écrit au crayon ce qui suit :

Un émissaire de M. Arthur de Montfort

Alberto fut stupéfait d'une telle extravagance et cacha le mot à Eugénia, lui demandant de se retirer.

— Oh ! Mon chéri ! Même le nom de tes visites est un secret pour ta femme ! murmura-t-elle en se retirant, plus désappointée que ne le laissaient entendre ses paroles.

La personne annoncée entra dans la salle d'attente ; elle attendit quelques secondes et fut conduite dans une autre pièce où se trouvait Alberto de Magalhães. Celui-ci, quand il la vit, fut saisi d'une émotion dont l'émissaire de monsieur Arthur de Montfort ne s'aperçut pas. Dom Pedro da Silva, comme l'aura deviné le lecteur sans qu'on le lui dise, fut immédiatement reconnu par Alberto de Magalhães. Le disciple de Père Dinis, en faisant face à l'assassin du frère de la duchesse, eut le sentiment d'avoir vu cet homme chez le prêtre, la veille de son départ pour Londres. Ce soupçon l'embarrassa au point de lui faire perdre la mémoire des premières paroles de son terrible mandat.

— Puis-je savoir, demanda Alberto, se reprenant de sa perplexité, qui est le monsieur qui me demande ?

Cette question dissipa le soupçon de Dom Pedro, qui, recouvrant son énergie perdue, répondit dans un portugais clair :

— Mon billet donne une parfaite idée de qui je suis.

— Vous êtes effectivement l'émissaire d'Arthur de Montfort ? Arthur de Montfort est mort il y a près de neuf ans. Vous venez par conséquent de l'autre monde… Comment y vit-on ?

Ce sarcasme désarma momentanément le pauvre jeune homme, qui pensait évoluer en plein dans le monde d'Ann Radcliffe. La couleur lui monta au visage ; nous devons, néanmoins, croire que dans cette rougeur il y avait plus de colère que de honte, par la réponse qu'il lui fit :

— Là-bas… on y vit plus tranquillement qu'ici. Là-bas, les assassinés reposent. Ici, les assassins attendent leur heure.

— À en croire votre déclamation, vous êtes un admirateur de l'école dramatique de Victor Hugo… Avant de parler de l'autre monde, qui serait sans doute un intéressant sujet de conversation, parlons un peu de cette vallée de larmes, où j'ai l'honneur de vous rencontrer. Vous êtes portugais, Monsieur ?

— Je suis portugais, mais je ne suis pas disposé à vous raconter ma biographie.

— Vous avez raison. Celui qui vient de la région des esprits ne doit pas gaspiller son temps avec les matérialités d'ici-bas. Veuillez me faire part de votre ambassade, vous avez toute mon attention.

— Arthur de Montfort a été assassiné il y a neuf ans.

— C'est précisément ce que je vous ai déjà dit.

— Je vous demande la délicatesse de ne pas m'interrompre, sinon j'oublierai que je suis chez un gentilhomme et vous offrirai un pistolet tout de suite.

— Je vous remercie de votre offre, répondit Alberto avec un léger salut et le sourire le plus foudroyant que l'on puisse imaginer. Veuillez parler, vous pouvez être assuré que vous ne serez pas interrompu.

— J'ai fort peu à vous dire. Après neuf années, la vengeance d'Arthur de Montfort n'est pas prescrite. J'exige que l'assassin de ce monsieur me réponde sur le champ d'honneur, les armes à la main.

— C'est un duel que vous venez me proposer. Laissez-moi méditer quelques minutes… Vous fumez, Monsieur… je ne connais pas votre nom… mais dispensons-nous de cette formalité du baptême… Si vous voulez de bons havanes…

— Je ne fume pas.

— Mais la fumée ne vous incommode pas ?

— Non, Monsieur… Daignez répondre avec concision.

— Un peu plus de temps… une minute à votre montre… ponctualité anglaise ! Vous savez parfaitement ce qu'est la ponctualité anglaise… Je trouve chez vous des attitudes de quelqu'un qui a beaucoup voyagé et a participé à des épisodes audacieux comme celui que vous venez me proposer ! Je suis le premier à m'émerveiller de la grandeur d'âme avec laquelle vous venez, d'outre-tombe, demander le solde des comptes à l'assassin de votre ami. Castor et Pollux ont existé une fois, c'est maintenant la deuxième. Il est admirable pourtant qu'à votre âge se renforcent les liens de l'amitié qui vous unissent, avec tant d'honneur, à la tombe de votre ami ! Quand ce monsieur est mort, quel âge devait avoir mon digne adversaire ? Dix ans. Vous ne l'avez certainement jamais vu… Il y a, pourtant, une personne qui ressemble beaucoup à Arthur de Montfort. C'est la duchesse de Cliton, qui habite dans les environs d'Angoulême… Celui qui sympathisera avec les traits de la gentille duchesse pourra, s'il est romantique, sympathiser avec l'ombre mortuaire de son frère… La minute est passée, Monsieur. Maintenant je vous réponds : j'accepte votre duel, mais je dois vous faire une petite réflexion que, j'espère, vous ne mépriserez pas. On ne propose pas un duel ainsi. La pratique exige qu'il y ait des témoins.

— Je ne connais personne au Portugal.

— Non ? Dans ce cas, je vais vous mettre en relation avec deux messieurs qui auront l'honneur d'être vos témoins. Où êtes-vous logé ?

— À l'Isidro.

— À l'Isidro ? Évidemment, vous êtes dans la chambre 7.

— Oui… exactement… la numéro 7.

— Vous devez y avoir croisé l'arôme des parfums de la duchesse de Cliton.

— Je ne comprends pas la plaisanterie, Monsieur Alberto de Magalhães.

— À votre âge, on ignore bien des choses, Dom Pedro da Silva.

— Comment connaissez-vous mon nom ? demanda le jeune homme, fixant le flegmatique railleur avec l'immobilité de la stupeur.

— Votre nom est comme la lumière qui ne doit pas être cachée sous le boisseau… Mon cher Monsieur, veuillez regagner votre hôtel, et dans une heure vous recevrez la visite de deux de mes amis auxquels vous cacherez votre nom, si cela vous convient. Je suis même d'avis que vous le cachiez.

En s'en allant, nous ne pouvons pas dire que Dom Pedro pensait à ceci ou à cela, car il ne pensait à rien. De tels événements atrophient la raison, embrouillent tous les jugements possibles et obscurcissent toutes les lumières que nous invoquons pour trouver le fil du labyrinthe.

Ce qui est certain, c'est qu'une heure plus tard l'embarras de notre sympathique ami augmenta au point de l'abrutir misérablement. Il attendait dans sa chambre les visiteurs promis, quand on lui annonça le comte d'Alvaçóes, frère de son père, et le marquis de Montezelos, frère de sa mère ! Il était impossible qu'une telle coïncidence fût le fruit du hasard ! La faible tête de l'amant de la duchesse était en feu ! Un mystère fatal désorganisait tous ses plans et menaçait de bouleverser sa raison ! Les deux aristocrates avaient demandé après monsieur Alfred d'Elbène, dans la chambre numéro 7. Nouvel embarras !

Ils entrèrent : c'étaient des hommes de quarante ans.

Dom Pedro da Silva fut salué en tant que monsieur Alfred d'Elbène. Ils lui parlèrent dans un mauvais français, et il répondit correctement dans la langue qu'ils parlaient.

— Monsieur d'Elbène, dit le marquis de Montezelos, je viens, avec mon ami, vous saluer et d'ores et déjà vous offrir notre aide dans une querelle d'honneur que vous avez avec monsieur Alberto de Magalhães.

— C'est un cas nouveau, ajouta le comte d'Alvaçóes, d'être envoyés par votre adversaire, pour nous mettre de votre côté. Toutefois, nous vous prions de croire que nous sommes deux gentilshommes, incapables de trahir notre honorable mission de témoins.

— J'en suis persuadé… balbutia Dom Pedro.

— Que proposez-vous ?

— Un duel à l'arme que choisira le défié, quelle qu'elle soit.

— Alberto vous donne le choix des armes.

— Je n'accepte pas cette générosité.

— C'est un orgueil démesuré… Acceptez.

— Quelle est l'arme dont se sert le mieux Alberto de Magalhães ?

— Nous ne le savons pas… Alberto de Magalhães ne s'est jamais battu. Cet honneur vous était réservé. Quelle arme voulez-vous ?

— Le fleuret, si Alberto connaît cette arme ; dans le cas contraire, le pistolet.

— En ce cas, ce sera les deux armes.

— C'est le plus avisé… ajouta le marquis de Montezelos.

— J'accepte… dit Dom Pedro.

— À quelle heure ?

— Quand vous voudrez.

— À cinq heures de l'après-midi. Vous n'avez pas de prédilection pour un endroit particulier ?

— Tous les endroits me conviennent.

— À cinq heures, vous monterez en voiture avec nous.

— Vous m'avez l'air d'un jeune homme courageux, Monsieur d'Elbène ! dit le comte d'Alvaçóes en lui serrant la main pour prendre congé.

— Nous désirons votre triomphe, Monsieur, ajouta le marquis de Montezelos, qui, une fois la porte passée, dit à l'oreille de son vieil ami, en franc portugais : "Pauvre garçon… dans quoi tu t'es fourré."

XX

À l'heure dite, la voiture du marquis de Montezelos accueillit Dom Pedro da Silva tandis que celle du comte d'Alvaçóes prenait les devants pour se diriger vers le lieu convenu. Ils passèrent à Campolide, et le fils d'Ângela de Lima, à la vue d'un petit palais, ne put réprimer deux larmes qui tremblaient dans ses yeux et ne passèrent pas inaperçues à son compagnon.

— Qu'avez-vous, Monsieur d'Elbène ?

— Rien, Monsieur le Comte… une nostalgie.

— D'amoureux ?

— De fils…

— Ah !… vous avez une mère ?

621

– Je ne l'ai plus.

– Vous vous êtes souvenu de sa tendresse ? C'est une bonne raison de pleurer… Moi aussi, j'ai beaucoup pleuré la mienne.

– En effet, je vois que vous pleurez.

– C'est autre chose, maintenant… Cette maison m'a rappelé une malheureuse dame qui y a vécu…

– Votre sœur ?

– Elle aurait dû l'être… C'était la femme pour laquelle est mort un de mes frères, qui, depuis dix-neuf ans, m'apparaît à chaque instant de ma vie… Dans la voiture devant nous, se trouve le frère de cette pauvre victime d'un tyran, qui se disait son père… Je parierais ma vie qu'il ne s'est pas souvenu de sa sœur.

– Il semble que vous devriez être ennemis.

– Comment savez-vous que nous devrions être ennemis ?! l'interpella le comte, surpris de l'extraordinaire perspicacité du supposé Français.

Dom Pedro, qui avait aussitôt compris l'inconvenance d'une telle remarque, tergiversa dans sa réponse.

La voiture du marquis de Montezelos s'arrêta non loin du petit palais de feu la comtesse de Santa Bárbara. Il y avait là une étendue non cultivée, couverte de romarin, entourée de garrigue. Ils s'y arrêtèrent.

Alberto de Magalhães vint saluer les témoins de Dom Pedro da Silva, qui présentèrent Monsieur Alfred d'Elbène aux témoins de son adversaire.

Le fils d'Ângela de Lima ne montrait pas le moindre signe de pusillanimité.

Alberto, plus pâle que lui, le jaugea d'un regard d'ostentation, de pitié ou de surprise. Il se retourna ensuite vers le marquis de Montezelos.

– Demandez à votre protégé le choix de son arme.

– Peu importe, répondit Pedro da Silva, évitant une question de formalité inutile.

— Les Français ont la réputation d'être les meilleurs au fleuret, entre toutes les nations. Monsieur le Marquis, veuillez donner un fleuret à monsieur d'Elbène.

Dom Pedro, avec une admirable impassibilité, retira sa queue-de-pie, son gilet, ses gants, reçut le fleuret et se plaça face à Alberto, qui se déshabillait lentement, comme s'il craignait un rhume.

— On dirait qu'Alberto a peur ! murmura le comte à l'oreille du marquis.

— Il me semble aussi ! Ce serait du joli, si le *petit-maître** venait au Portugal flanquer une volée au *chevalier sans peur** qui a jeté Dom Martinho d'Almeida dans le Tage.

— Quand il défendait votre sœur d'une calomnie insultante pour son honneur, Monsieur le Marquis !

Le frère de la comtesse dévisagea le comte avec aigreur. Ces mots étaient un sarcasme poli, que le frère de Dom Pedro da Silva décochait sur son vieil ennemi dès qu'il le pouvait.

Ce dialogue sourd fut distrait par le combat qui débutait. Dom Pedro lançait à son adversaire des coups mortels, qui révélaient plus de haine que de science de l'arme. Alberto les déviait, en reculant, et le jeune homme, halluciné, comptant sur son triomphe, avançait tandis que son adversaire reculait.

À l'approche d'un parterre, qui formait une sorte d'enclos dans le champ, Alberto comprit, d'un coup d'œil, qu'il ne pouvait plus reculer. À ce moment-là, les témoins, de part et d'autre, le crurent en grande difficulté et en danger imminent.

— Maintenant, à votre tour de reculer, mon cher Monsieur, car moi, je ne peux plus, dit Alberto avec un sourire urbain, comme qui adresserait une galanterie à une dame.

Dom Pedro, qui avait été l'agresseur jusqu'ici, sans peut-être se rappeler, dans l'enthousiasme de la lutte, qu'il serait forcément agressé, fut forcé de reculer. Malgré la promptitude à parer les coups apparemment mortels qu'Alberto tirait, Dom Pedro da Silva sentit la pointe du fleuret adverse déchirer le côté gauche de sa cravate. Ses témoins, pensant le jeune homme blessé, accoururent pour suspendre le combat.

— Il n'est pas blessé, dit Alberto.

— En effet, je ne le suis pas, confirma Dom Pedro.

Et ils poursuivirent le duel. Une nouvelle fois, le fleuret d'Alberto chercha la cravate de l'émissaire épuisé d'Arthur de Montfort. Cette fois, ce fut le côté droit qui en souffrit. Ce ne pouvait plus être un hasard. Les témoins y virent la confirmation des anciens crédits d'Alberto, dont ils avaient douté, et avouèrent en leur conscience que monsieur Alfred d'Elbène aurait pu être tué, au moins à deux reprises. Dom Pedro perdit la tête. L'orgueil se révolta contre la générosité. La défense, qui lui était si nécessaire, devint une agression insensée. Son fleuret s'était converti en une arme d'assassin : il tentait des coups par traîtrise, rendus vains par la froide intrépidité de son adversaire ; il ne quittait pas des yeux son cœur, cible qu'avaient visée les derniers coups de son fer, toujours repoussés. C'était la haine, la honte ou le désespoir délirant assaillant avec une impétuosité inutile une statue de bronze. Alberto de Magalhães, craignant un accident qui ferait se blesser le fils d'Ângela de Lima, lui fit sauter son fleuret des mains et plaça la pointe du sien sur son pied, attendant la décision des témoins.

Ceux-ci intervinrent en déclarant impraticable la poursuite du combat avec une arme dont Alberto de Magalhães possédait une maîtrise indubitablement supérieure. Un des témoins déclara que monsieur Alfred d'Elbène n'avait pas su éloigner vingt coups mortels auxquels son adversaire avait généreusement renoncé. On suggéra, donc, qu'ils abandonnent le fleuret pour se battre au pistolet.

Dom Pedro da Silva hésita un instant à répondre. Le cœur lui ordonnait de prendre cet homme dans ses bras, la tête penchait en faveur de la chevalerie, qui est une vertu particulière en duel, par laquelle bien des misères s'anoblissent et bien des idioties se décorent avec les titres d'un honneur de convention.

Ce fut la tête de Dom Pedro da Silva qui triompha, et il répondit qu'il acceptait la suggestion des témoins. Alberto lui fit face avec compassion, et la superbe du jeune homme se sentit outragée, comme des années auparavant, lorsque son camarade avait subi le baiser pas du tout tendre d'un cactus.

Les témoins chargeaient les pistolets, quand Alberto de Magalhães demanda un entretien de quelques minutes avec monsieur Alfred d'Elbène.

Le soi-disant Français, sans consulter les arbitres de son honneur, qui ne le connaissaient pas mieux que sa nation, s'écarta avec Alberto de Magalhães.

— Comme nous allons nous battre, dit Alberto, avec une arme dont les balles ne se dévient pas avec la pointe d'un fleuret, il est bien possible que l'un de nous deux tombe mort. Entre nous, cependant, il y a des affaires qui nous empêchent de mourir comme deux êtres irrationnels…

— Des affaires ! coupa Dom Pedro.

— Des affaires qui exigent des dispositions testamentaires…

— Je ne vous comprends pas, Monsieur Magalhães.

— Je vais me faire comprendre. Je suis dépositaire de cent mille cruzados, qui sont le patrimoine de Dom Pedro da Silva, fils d'un autre Dom Pedro da Silva, et de Dona Ângela de Lima. Père Dinis Ramalho e Sousa m'a chargé de l'administration de cet argent.

— Vous, Monsieur ! s'exclama Dom Pedro.

— Moi. Un incident, quel qu'il soit, nous a placés devant la nécessité de nous entretuer… Si je meurs, il faut que Votre Excellence sache où se trouve son patrimoine, car personne ne pourrait dire ensuite qui en était le tuteur. Si Votre Excellence meurt, il faut qu'elle me dise quelle destination je devrai donner à cet argent.

— Monsieur Alberto… Vous me dites là une chose qui me perturbe de telle façon que je ne sais plus quoi vous répondre ! Je suis incapable de répondre ! J'ai besoin d'en parler plus longuement avec vous.

— J'en conviens… Dans ce cas, ajournons notre duel, n'est-ce pas mieux ?

— Si cela ne m'est pas déshonorable…

— En aucune façon.

Alberto de Magalhães se dirigea vers le groupe des témoins.

— Mes amis, monsieur d'Elbène vient d'accepter certaines explications de ma part, qui dégrèvent pour quelques jours ses points d'honneur offensés. Il y a d'autres explications à donner, et nos positions respectives ne peuvent être ici définitivement déterminées. Monsieur Alfred d'Elbène, faites-moi l'honneur de monter dans ma voiture. Déposez en moi, et en votre courage, une confiance sans limites.

On se serra la main, les témoins se donnèrent l'accolade et tous partirent. Déjà dans la voiture, Alberto dit :

— Voulez-vous venir chez moi ou aller à votre hôtel ?

— Cela m'est indifférent. Ce dont j'ai besoin, c'est que vous m'expliquiez sur-le-champ, Monsieur Magalhães, l'importance que je me vois obligé de reconnaître que Votre Excellence a dans ma vie.

— C'est justement cela que je ne vous expliquerai pas, Dom Pedro.

— Pourquoi ? Dois-je croire à la fatalité de ce mystère ?

— Vous devez du moins, si vous n'acceptez pas cette fatalité, vous résigner à l'ignorer.

— Votre Excellence a été l'administratrice de mon patrimoine ?

— Je vous ai déjà dit que oui.

— Le correspondant qui me fait remettre, à Paris, mes mensualités ?

— C'est l'obligation qui m'a été imposée par Père Dinis.

— Où est Père Dinis ?

— Dans les missions.

— Votre Excellence a connu ma mère ?

– Parfaitement.

– Et moi ?

– Je vous connais depuis que vous êtes né. Si vous aviez le souvenir de la première personne que vous avez vue en ce monde, vous vous souviendriez de m'avoir vu, moi.

– Quelle confusion ! Et qui étiez-vous, Monsieur ?

– L'homme que vous voyez aujourd'hui, avec vingt ans de moins.

– Ce n'est pas une réponse... Qui était donc Votre Excellence pour avoir été si proche de ma mère quand je suis né ?

– Je ne répondrai pas à votre question.

– Vous avez connu mon père ?

– Très bien... répondit Alberto, avec moins de froideur.

– Il est mort, n'est-ce pas ?

– Il y a dix-neuf ans.

– Je vous ai déjà vu, n'est-ce pas ?

– Moi ? Vous m'avez vu il y a cinq ans.

– Chez Père Dinis, la veille de mon départ pour l'Angleterre.

– Vous n'avez pas oublié... j'aurais cru le contraire.

– Je m'en suis douté quand je vous ai vu aujourd'hui, mais j'ai pensé qu'une telle coïncidence était impossible... J'ai mille questions à vous poser, et je ne sais pas quoi vous demander.

– Organisez mieux vos idées, nous avons beaucoup de temps.

– Mais moi, je ne peux prolonger cette pénible situation... Veuillez me dire... Votre Excellence a tué monsieur Arthur de Montfort en duel ?

– Non, Monsieur.

– Comment ça, non ?!

– Je n'ai jamais accepté de duels. Monsieur Arthur de Montfort m'a tiré dessus avec un pistolet, à bout portant, et m'a blessé. J'étais désarmé, j'ai serré sa gorge dans mes mains, et je lui ai causé le désagrément de ne pas le laisser respirer.

— Vous l'avez donc tué.

— Par manque de respiration, oui... C'est après cet événement que vous vous êtes mis en relation avec le spectre de votre ami, n'est-ce pas ?

— Je ne connais pas le spectre de mon ami. Je vous fais remarquer, Monsieur, que la raillerie de votre question est inopportune.

— Voulez-vous que nous parlions sérieusement ?

— Certainement.

— Eh bien, soit, parlons sérieusement. Qui vous a envoyé au Portugal pour me demander des comptes de cette affaire ?

— Personne... je suis venu spontanément.

— Je vous crois, Dom Pedro da Silva, mais vous me placez dans la position douloureuse de vous demander si vous voulez faire ressusciter la chevalerie errante. Je trouve votre mission extravagante. Quels liens vous attachent à un homme que vous n'avez pas connu ? Quels avantages attendez-vous, si vous parvenez à tuer un homme que vous ne connaissez pas ? Répondez, Dom Pedro da Silva.

— Il s'agit de questions très délicates.

— Soyez franc... Votre Excellence est l'amant de la duchesse de Cliton... C'est tout.

— Je suis l'ami de la duchesse de Cliton, je n'ai pas honte de l'avouer.

— Ni honte ni gloire. La duchesse de Cliton est comme beaucoup d'autres femmes : elle n'accrédite ni ne discrédite.

— Après que Votre Excellence l'a discréditée ?

— Déjà avant...

— C'est faux. La duchesse de Cliton a été une épouse et une veuve exemplaire. Celui qui l'a diffamée, c'est Leopoldo Saavedra.

— Tirez tout le parti de vos dix-neuf ans, Dom Pedro... Vous voyez bien que je suis extrêmement tolérant...

Mais ne jouons pas avec des mots qui sont des insultes… La duchesse de Cliton, si Votre Excellence préfère, a été une femme vertueuse jusqu'au moment où elle a croisé Leopoldo Saavedra, mais Leopoldo Saavedra n'a aucune gloire à avoir vaincu les vertueuses résistances de cette épouse et veuve exemplaire. S'il y a une chose à laquelle ce triomphe doit être attribué, c'est aux quatre-vingt mille francs de Leopoldo Saavedra.

— Que dites-vous, Monsieur ?!

— Vous ne m'avez pas compris ?

— Je crois avoir entendu dire que la duchesse s'était vendue pour quatre-vingt mille francs.

— Exactement.

— Expliquez-vous, Monsieur Alberto de Magalhães ! Mais par votre honneur, ne vous moquez pas de moi avec semblable outrage.

— Que je m'explique ?! Ai-je donc été obscur ?

— Oui… je ne comprends pas comment cet argent a été donné.

— De la façon la plus simple : je lui ai écrit une lettre le lui offrant, et elle m'a répondu par une autre l'acceptant.

— À la condition…

— Oui, à la condition de se donner loyalement à son acheteur.

— Je veux une preuve, Monsieur Alberto !

— Je ne peux vous donner que la moitié d'une preuve ; l'autre, c'est à elle de vous la donner. Voici la mienne.

Alberto ouvrit une lettre, que Dom Pedro lut avidement. C'était la réponse qui acceptait la proposition de Leopoldo Saavedra, en peu de mots : *Oui, aujourd'hui à deux heures du matin*.

— Cela ne prouve pas l'infamie, dit Dom Pedro. Il n'y est pas fait état d'argent.

— Ah ! Non ? Alors c'est dans celle-ci…

C'était une longue lettre où la duchesse de Cliton, se

référant à l'argent qu'elle avait reçu et restitué vingt-quatre heures plus tard, considérait comme effacée de sa conscience de femme la tache avilissante d'un tel contrat.

Dom Pedro da Silva, une fois la lettre lue, fixa Alberto avec l'intensité d'un dément. Ses lèvres blanches tremblaient, son corps vibrait, parcouru de frissons de terreur, et son cœur affligé frappait sa poitrine avec une impétuosité telle que le pauvre jeune homme crut qu'elle le fulminerait à cet endroit même.

Alberto de Magalhães s'attendrit de cette situation et se reprocha de l'avoir exacerbée de la sorte.

— Dom Pedro, dit-il, la société a beaucoup de pustules comme celle-là. C'est la première que vous lui voyez ? Ayez du courage… ne succombez pas… Quel dommage que ce soit là la première trahison à votre innocence, parce qu'elle est trop forte pour un cœur de jeune homme… Ces turpitudes, il vaut mieux les lire dans les romans, il vaut mieux douter qu'elles existent plutôt que de les éprouver sans les avoir imaginées. Je savais que Votre Excellence succomberait… je le savais, car moi-même, homme du monde qui avait lu et éprouvé toutes les ignominies, je me suis étonné de la corruption de cette femme, qui m'écouta avec ennui dans les salons, qui méprisa l'offre facile de mon cœur, et accepta celle, plus facile encore, de l'argent.

— Monsieur Alberto… par pitié, je vous demande le silence… Ayez la bonté de faire arrêter cette voiture, j'ai besoin de sortir… je ne me sens pas bien ici.

— La voiture s'arrêtera dans quelques instants à ma porte. Acceptez mon hospitalité… c'est celle du seul ami que vous avez au monde… Vous allez connaître une femme qui a été l'amie intime de votre mère… Nous parlerons beaucoup de votre mère, de Dona Antónia et de Père Dinis… Vous écouterez l'histoire de l'étrange mission que ces gens sont venus accomplir sur terre… Habituez-vous à écouter le son de mes paroles, car il y a vingt-quatre heures à peine, je disais à ma femme que Votre Excellence était une personne de ma famille. Et ma femme était prophète quand elle me dit que le fils de la comtesse de Santa Bárbara avait beaucoup de liberté et peu d'années… Elle ne se trompait pas… Je regrette d'avoir cédé à votre volonté, Dom Pedro.

— D'avoir cédé à ma volonté ?

— Oui… Je n'aurais pas dû accepter votre départ de Londres pour Paris… La moderne Babylone devait vous perdre…

— C'est donc Votre Excellence qui me gouverne ?

— Indirectement… Vos pas ont été approuvés par moi. Je savais que Votre Excellence avait quitté Paris, mais la somme que vous avez retirée, quinze mille francs, m'a laissé croire que votre voyage serait court… Tout cela vous paraît extraordinaire, n'est-ce pas ?

— Un rêve… atroce !

— J'améliorerai votre situation, Dom Pedro… Ayez confiance en moi, j'ai un grand pouvoir sur la société, car la société est assez vile pour me considérer comme un grand homme… Je suis riche, Dom Pedro… Je vous donnerai des conseils et de l'or… Je ne promets pas d'offrir des illusions à votre âme, mais je vous enseignerai à acheter les plus chères jouissances de la matière… Veuillez descendre… Voici ma maison.

Dom Pedro accepta le bras d'Alberto et, l'esprit inerte, machinalement, monta les escaliers. Il entra dans un salon où Alberto lui dit :

— Je reviens tout de suite… et pour ne pas rester seul, bavardez donc avec votre mère, qui est là.

Dom Pedro frémit à la vue du portrait de sa mère, dans la direction que lui indiquait Alberto.

Une fois seul, il s'en approcha. Jeune homme, avec toute la ferveur des passions nobles, il pleura. Intelligent, avec la noble superstition du talent, il sentit la nécessité de balbutier : « Ma mère ! » À cet instant, une voix intime, mélodieuse comme un cantique des anges, répéta les dernières paroles d'Ângela à son fils, envoyées à Londres, quinze jours avant sa mort.

Les voici :

Vive ou morte, mon fils chéri, appelle-moi, prononce mon nom, imagine-moi dans ta fantaisie. Écoute-moi et tu sentiras que je te parle ; regarde-moi et tu verras que je te vois. Demande-moi quel sera ton destin, et tu m'entendras te dire : « Il te faut être bien malheureux, car tu es mon fils ! »

— Votre Excellence a la bonté de me suivre ?

Dom Pedro suivit l'écuyer, et à l'entrée d'une petite salle richement meublée il retrouva Alberto, qui lui dit :

— Toute cette maison, considérez-la comme votre résidence, Dom Pedro, mais tout particulièrement cette pièce et ces alcôves. Si vous décidez de vous attarder à Lisbonne, je vous rappelle que la maison où se trouvent les souvenirs les plus chers d'une mère à son fils doit être la demeure préférée du fils de Dona Ângela de Lima.

— Je vous remercie énormément, Monsieur Alberto de Magalhães, mais je ne m'attarderai pas à Lisbonne. J'ai besoin de me rendre immédiatement en France, mais je crois que j'en repartirai assez vite, pour suivre le destin qui me plaira.

— Non pas celui qui vous plaira, car Votre Excellence n'est pas totalement libre de ses actions.

— Je ne le suis pas ? Veuillez vous expliquer.

— Bien, Monsieur, puisque vous m'y forcez. Dès l'instant où je ferai suspendre les ressources qui, jusqu'à aujourd'hui, ont été à vos ordres, Votre Excellence sera un être démuni.

— En conséquence, j'ai vécu jusqu'à aujourd'hui de vos aumônes ?

Alberto, embarrassé d'une réplique à laquelle il n'était pas préparé, répondit avec moins de promptitude :

— Non, Monsieur. Vous n'avez pas vécu de mes aumônes,

mais vous vivez sous ma tutelle : je suis l'administrateur de votre fortune, et Votre Excellence n'a que vingt ans... vous n'êtes pas maître absolu de votre patrimoine.

— Qui m'a légué ce patrimoine ?

— Je ne sais pas.

— Ce n'est ni ma mère, ni mon père, ni Père Dinis... J'en appelle à votre noblesse pour que vous me répondiez.

— Non, Monsieur.

— Je renonce donc à cette aumône donnée par une main occulte, pour peu que l'on me rende ma liberté.

— Personne n'a la liberté de se rendre malheureux, quand un ami lui dit : "Tu ne seras pas malheureux !" Votre Excellence se doit d'obéir au représentant de Père Dinis, le testamentaire de sa mère, l'une des deux personnes qui essuyèrent les dernières larmes de cette pauvre femme. Pénétrez-vous de la conscience de vos devoirs. Voyez en moi un homme que vous devez respecter. La ridicule dimension de rivaux, que nous avons revêtue il y a quelques minutes, doit disparaître de votre imagination. Voilà un enfant qui, dans un an, rira de la situation d'aujourd'hui. Voilà un homme de quarante-quatre ans qui est impatient de vous serrer contre son cœur, comme si vous étiez son fils. Si vous ne m'estimez pas, faites preuve d'un peu de respect envers mon caractère. Si vous ne me voulez pas pour ami, vous me supporterez comme votre précepteur. Quand Père Dinis reviendra dans ce pays, je renoncerai à la maîtrise qui m'a été déléguée sur votre éducation. Votre Excellence sera libre. Vous recevrez des mains de ce saint, ou de ce démon, votre héritage et irez alors le couler en haute mer, si vous le souhaitez ainsi. Pour l'instant, non. Vous ne pouvez renoncer à mon influence, car personne n'a le droit de renoncer à l'honneur impunément... Dom Pedro da Silva, ma femme vient vous saluer.

Dona Eugénia, agitée par la surprise d'une telle apparition, mais joyeusement agitée, entrait dans le salon. Dom Pedro, son chapeau encore à la main, dans la posture de celui qui va prendre congé, l'accueillit d'un air distrait et froid. Eugénia attendait un autre accueil, espérant retrouver chez le fils de Dona Ângela de Lima l'effusion tendre de sa mère.

Dom Pedro, enfermé dans son angoisse, aurait eu recours aux frivolités de la bienséance si sa douleur avait été petite ou si l'habitude de souffrir l'avait dressé à l'artifice douloureux de sourire des lèvres quand le cœur pleure.

— Dom Pedro da Silva, dit Alberto, conduisant à lui Eugénia par la main, ma femme est la fille de votre amie Dona Antónia.

— Dona Antónia ! C'est impossible ! Dona Antónia était la sœur de Père Dinis, Votre Excellence est donc la nièce de Père Dinis ?

— Je ne le suis pas.

— Elle ne l'est pas, répondit Alberto, se dépêchant de tirer d'embarras Eugénia. Dona Antónia n'était pas la sœur de Père Dinis… Ce fut un problème pour tous, hormis pour cet homme, qui avait le secret de résoudre tous les problèmes de l'infortune… C'est une longue histoire que Votre Excellence entendra, quand elle voudra se pencher sur ces existences qui l'entourent et qui s'éteignent l'une après l'autre… Eugénia était en outre la confidente de Dona Ângela de Lima, et sa seule amie depuis que Dona Antónia avait quitté ses bras, mourant au moment où le bonheur commençait pour toutes deux.

— Que de choses confuses ! murmura Dom Pedro, appuyant sa tête contre sa main. Il est incroyable que ma tête en supporte autant ! Tous ces mystères ! N'est-il pas possible, Monsieur Alberto, de savoir en deux mots qui je suis, qui est Votre Excellence, qui est Père Dinis ? À quoi bon m'enfermer depuis l'enfance dans ce labyrinthe d'incertitudes ?!

— Qui est Votre Excellence ? Vous ne le savez que trop, je crois. Qui suis-je ? Demandez-le à la société et adoptez l'explication qui vous conviendra le mieux. Si vous m'obligez à répondre, pour ma part, je vous dirai que je suis un mélange de vertus et de crimes. Qui est Père Dinis ? Je ne sais pas, et je donnerais des millions à qui pourrait me le dire. Ce dont je peux vous assurer, c'est que Votre Excellence, sans Père Dinis, serait à cette heure une poignée de cendres. Vous m'avez demandé l'intérêt qu'il y avait à vous entourer de mystères. La réponse est compliquée. Votre mère est née au faîte de la société. De là-haut, les réputations s'écroulent par terre avec fracas. Votre naissance, Monsieur, a été une ignominie. Votre grand-père, pour préserver la pureté de la lignée, a décidé votre mort, vous sacrifiant à l'honneur de sa maison. Les ordres du gentilhomme furent détournés ; Votre Excellence a vécu, mais cette vie ne pouvait se manifester au grand jour, car c'était une vie sauvée par un vol ; c'était un tableau déshonorant qui se cachait aux yeux de la société ; c'était une accusation avilissante pour l'honneur d'Ângela de Lima. Vous trouvez cette morale infâme ? Moi aussi, mais courbez la tête, car moi aussi je la courbe. Ainsi est l'humanité. Qu'il se suicide, celui qui ne veut pas transiger avec elle ; mais mieux vaut transiger, car la misanthropie n'est guère récompensée, et la réclusion dans les couvents est devenue un subterfuge ridicule pour petites âmes. Ces leçons vous rendent amer, mon jeune ami ? J'honore ma promesse… Je vous ai dit il y a peu que je ne promettais pas de vous donner de belles illusions pour l'âme, mais de vous enseigner à acheter les plus riches jouissances de la matière… Que voulez-vous de plus de moi ? Des consolations frivoles à vos souffrances d'aujourd'hui ? Soyons plus grands que votre douleur ; elle ne mérite pas, réellement, que nous employions notre talent médical à la soigner.

Dom Pedro fit un geste poli pour demander le silence, dont Eugénia ne saisit pas le sens. Un serviteur appela pour le dîner. Dom Pedro supplia par trois fois qu'on lui accordât la grâce de le laisser rester dans cette salle quelques instants. Eugénia, avec une irrésistible affabilité, lui tendit la main, l'invitant à l'accompagner. Le fils d'Ângela, surpris par ce geste affectueux, ou flatté de la familiarité, lui offrit son bras, sans résister à l'invitation. Alberto de Magalhães, qui applaudissait le geste galant de sa femme, se dit avec orgueil, dans sa conscience, qu'aucun homme ne se serait plus entêté que Dom Pedro da Silva invité par Eugénia.

XXI

Voyons ce qui, à la même heure, se passe à Cliton. La duchesse, de l'avis de ses servantes, est de nouveau en proie à des accès de bigoterie, car depuis vingt jours elle ne reçoit personne, hormis le vicomte d'Armagnac et son médecin. Elle s'est enfermée dans sa chambre, accepte la nourriture par scrupule, ne consent pas que les servantes s'occupent de son bien-être et ne permet pas que l'on ouvre plus d'une demi-fenêtre quand on lui annonce la visite de l'empressé docteur ou du vicomte.

À l'heure donc où Dom Pedro da Silva écoutait attentivement Eugénia lui raconter, émue, l'histoire de sa mère, à cette heure-là le vicomte d'Armagnac se trouvait assis au chevet de la duchesse. Le médecin était parti quelques instants auparavant, renchérissant les indispositions de son illustre patiente, appuyant libéralement toutes les souffrances qu'elle imaginait tout en glissant à l'oreille du vicomte, quand l'occasion se présentait, que la duchesse n'avait rien hors de l'esprit et que les limites de la médecine se trouvaient dans le corps.

La duchesse dévisageait le vicomte avec la silencieuse tendresse de celle qui attend un soulagement de la personne qui connaît les secrets de sa douleur.

– Aucune nouvelle, Monsieur le Vicomte ?

— Si j'en avais à vous donner, je n'aurais pas attendu que vous me le demandiez, Madame la Duchesse.

— Savez-vous si l'on a écrit au consul pour s'enquérir des mouvements de Dom Pedro ?

— On a écrit ; mais il est encore trop tôt pour avoir une réponse.

— Que prévoyez-vous dans cette infortune, Monsieur le Vicomte ?

— Je n'en prévois aucun bonheur, Madame la Duchesse. Ce fut une imprudence...

— Mienne...

— Oui... vôtre... Un vieux a la liberté de parler le vieux langage... Ce fut la vôtre... Vous n'auriez pas dû accueillir dans l'intimité de vos secrets un enfant, dont le sang de la jeunesse est embrasé par les flammèches allumées par ces maudits romans qui pervertissent le goût et le caractère...

— Mais je l'aimais... et ne voulais pas l'aimer pour satisfaire un simple caprice de quelques jours... Je tremblais à l'idée qu'on lui dépeigne le tableau noir de mon histoire et qu'il me considère comme une femme vile, un trophée de ceux que l'on jette à vos pieds et sur lesquels on crache. Je le voulais pour mari et me suis imposé le devoir de me présenter devant un jeune homme plein de candeur et de sentiments nobles avec cette tache qui m'humiliait. Je ne le regrette toujours pas, car il est noble d'être malheureuse et il n'y a pas de bonheur acheté avec des vilenies... Les lèvres peuvent rire, mais la vipère s'est enroulée autour du cœur. C'est sur le visage que la honte se voit le moins... Elle est dans la conscience... c'est une braise toujours ardente... et c'est ce feu qui me tuera....

— Ne vous découragez pas, Madame la Duchesse...

— Vous voulez me donner des illusions... Mais je devine tout... j'entends le démon qui me dit tout ce qui est arrivé jusqu'ici.

— Vous êtes trop cultivée pour tant de superstition...

— Ce n'est pas ce que vous appelez superstition… Ce sont les faits qui succèdent les uns aux autres… C'est la philosophie du malheur qui m'apprend à tirer les conséquences des principes… Voulez-vous tout savoir ? Souvenez-vous, Vicomte, de qui vous l'a dit ici-même… Pedro da Silva était un gentilhomme et il a défié Alberto. Alberto ne se bat pas parce qu'il n'accepte pas les défis… Pedro avait besoin de dire à cet homme les raisons qui le poussaient à une semblable provocation. Il les lui a dites avec tout le courage du jeune homme qui venge une femme outragée dans son honneur et assassinée dans la vie de son frère… Ensuite…

— Que vouliez-vous de plus ? Si Alberto de Magalhães est si vil qu'il n'accepte pas une provocation si noble, il est digne d'être poignardé dans le dos, puisque la justice ne le livre pas au bourreau….

— Cela ne se passera pas ainsi, Monsieur le Vicomte…

— Que prévoyez-vous donc ?

— Alberto lui montrera mes lettres…

— Qu'importe ? Que peuvent dire vos lettres ? Un aveu passionné de votre délire ? Cela n'est plus une nouveauté pour Dom Pedro, qui connaît par vous-même l'amour malheureux que vous avez gaspillé avec cet aventurier… Vos lettres sont plus qu'innocentes… Elles sont même une nouvelle justification du crime pour lequel il doit être puni…

— Non, Vicomte ! dit la duchesse, portant sa main à ses cheveux en désordre et les écartant frénétiquement de son cou. Non… ces lettres révèlent… ces lettres signent ma condamnation irrévocable…

— Je ne vois pas pourquoi, Madame la Duchesse ! Tout au plus peuvent-elles révéler que la victime a succombé aux ruses du traître… Cette faiblesse est souvent un honorable diplôme, écrit avec des larmes certes, mais toujours honorable pour les cœurs nobles… les cœurs comme le vôtre, Madame la Duchesse, qui n'a que mille vertus en absolvant un crime…

— Vous vous trompez… Vous ignorez ce que sont ces lettres.

— Ne vous martyrisez pas ainsi, Duchesse ! Parlez calmement… bavardons…

— Laissez-moi pleurer !… Que l'on m'accorde cette lâcheté, puisque je n'ai pas le courage du suicide… Ah, Père Dinis, Père Dinis, vous avez été mon malheur !

— De quel Père Dinis parlez-vous ?… Ma question est peut-être indiscrète, mais c'est la première fois que je vous entends prononcer ce nom.

— Laissez-moi ce secret, Vicomte… Que votre curiosité ne vous pousse pas à vouloir pénétrer cette obscurité où je me trouve… Vous reculeriez, épouvanté…

— Ce n'est pas de la curiosité, Madame la Duchesse, c'est la volonté de vous être utile. Mais je ne vaux rien… Je commence à soupçonner qu'un seul homme peut apporter la tranquillité à votre chevet…

— Cet homme ne reviendra plus ici…

— Qui… Dom Pedro ?

— Oui… oui… Dom Pedro ne reviendra plus dans cette maison, ni peut-être dans la vôtre.

— Vous avez le pressentiment qu'on l'a tué ?

— J'ai le pressentiment qu'il est mort pour moi… À l'heure qu'il est, il a honte de m'avoir connue…

— Quelle imagination !… Rassérénez-vous, Duchesse. Faites valoir sur vous votre grand esprit ! Sachez que notre vie a un vaste horizon où vous trouverez demain une consolation à la douleur d'aujourd'hui. Quelle est cette âme qui se tourmente ainsi avant que le malheur ne la frappe ? Vous n'attendez donc même pas l'heure de la souffrance ? Que ferez-vous alors, quand le poignard vous frappera vraiment ?

— Je mourrai !…

— Vous mourrez !… Une faiblesse qui ne vous vaudrait même pas la pitié du doyen d'Angoulême, qui verrait dans votre mort les funestes conséquences du vice. J'aurais voulu vous voir plus hautaine, faisant front à vos angoisses qui sont toujours annonciatrices de joies. Qui, aujourd'hui, se laisserait mourir d'une passion ?

— Personne. Mais de honte… moi !

— Et vous avez vécu cinq années depuis que la conscience vous accuse ! Allez, avouez que vos sentiments ne sont que la nostalgie de mon hôte et je vous promets qu'il viendra boire ces larmes et s'enivrer de l'amour qu'elles distillent…

— Votre plaisanterie est inopportune, Monsieur le Vicomte !

— Voulez-vous que nous pleurions ensemble ?

— Non… je veux pleurer toute seule. Mais je ne vous ai pas encore donné motif à ce que vous me refusiez une compassion sérieuse… Mon malheur n'est pas comique !… Oh ! Providence ! Comme tu es inflexible…

— Madame la Duchesse… je ne peux pas vous entendre déclamer ainsi… Cherchez ce que je peux faire pour vous et vous trouverez en ce vieillard presque inutile l'ami de votre mère, l'homme qui l'a sentie expirer dans ses bras…

— Ne soyez pas si tragique, Vicomte ! Ne parlez pas de ma mère, car ce mot me fait peur… Je l'ai déjà vue réprouver ma vie… Ne me parlez pas de cette martyre, si elle l'a été, cela me fera passer une nuit de tourments… Voulez-vous me révéler le secret de sa vie ? Ou de sa mort ?

— Non, Madame… C'est impossible… Il est mort avec elle… et mourra avec moi !

— Seulement avec vous ?

— Seulement.

— Personne d'autre ne le connaît en ce monde ?

— Quelqu'un pourrait le connaître…

— Qui ?

— Ce nom est la moitié du secret…

— Vivant ou mort ?

— Mort.

— Vous en êtes sûr ?

— Oui…

— Qui ?

— Je ne puis vous en dire davantage… Je n'en ai jamais dit autant… Je me suis toujours prétendu étranger au drame qui s'est déroulé ici, pour éviter les questions…

— Assez, donc… Vous assisterez à un autre, peut-être plus malheureux encore…

— C'est impossible.

— La mort ? Je la souhaite plus proche de moi… Elle seule, en ce monde, m'offre un sourire d'espoir.

— Et dans l'autre ?

— Qu'ai-je à voir avec l'autre ?

— Vous en êtes là, Duchesse ? Vous avez regardé la corruption et vous êtes devenue de glace comme la femme de Loth ! Ne croyez-vous en rien ?

— Je crois que je suis condamnée, que mon enfer se trouve autour de moi…

— C'est incompréhensible ! Pourquoi souffrez-vous ainsi ? Donnez-moi la raison ou j'en douterai.

— N'en doutez pas… Vous le lirez bientôt…

— Quoi ?

— Mon libelle infamant… L'accusation que même vous, vous ne me pardonnerez pas… Vicomte, si vous ne m'en voulez pas de cette supplique, allez-vous-en.

— J'obéis, Madame la Duchesse.

Le vicomte imagina tous les crimes ; se rappela tous les épisodes tragiques de l'histoire ; combina tous les malheurs possibles, mais il ne trouva pas l'inconnue de cet insondable tourment.

Lui rendant visite chaque jour, cherchant délicatement à l'amener à dévoiler le secret de sa grande terreur, il ne parvint jamais à arracher à la duchesse son dernier mot. Il finit par pleurer avec elle, car la situation de cette femme était, en vérité, pitoyable.

La duchesse sursautait, l'oreille aux aguets ; à peine entendait-elle des pas loin de sa chambre. Son pressentiment lui disait que Dom Pedro da Silva ne reviendrait plus, et pourtant un bruit de pas l'épouvantait, et parmi les voix indistinctes des serviteurs il lui semblait toujours entendre celle de Dom Pedro, qui disait : « Tu t'es vendue, infâme ! » À ces visions succédaient les larmes, les délires, la fièvre et le besoin d'avoir auprès d'elle le vicomte, qui ne concevait pas l'extravagance de telles craintes.

Vingt jours s'écoulèrent ainsi, lents et tourmentés. Ainsi se levèrent et se couchèrent des journées d'angoisse auxquelles assistait le vieil ami de Cliton, qui attribuait à Satan l'idée maudite d'avoir introduit son hôte dans cette maison, fatale depuis un siècle ! Le médecin n'assistait plus impassible aux souffrances de la duchesse. L'esprit avait pénétré les limites de la matière, et la médecine était impuissante à guérir une infirmité dont la cause s'étendait de plus en plus. Attaché à l'honneur de la science, il s'était entièrement dévoué à extirper du cœur de l'illustre patiente la racine du mal. Le besoin de soulagement en fit le confident de la duchesse et le docteur oubliait son vaste savoir clinique pour accompagner le vicomte en stériles consolations.

Vingt jours s'étaient donc écoulés depuis que Dom Pedro avait quitté le palais de Cliton, promettant de venger la mort d'Arthur de Montfort.

Cette nuit-là, la duchesse se sent davantage oppressée, se plaint de n'avoir pas assez d'air pour vivre une seule heure de plus, parle au médecin des visions qui troublent son esprit et fait un effort sur sa volonté capricieuse pour céder aux deux amis, qui l'emmènent respirer l'air frais dans les salons.

La duchesse se sent faiblir et s'évanouit sur une ottomane, murmurant qu'elle voit déjà le linceul dans la main d'un démon qui ne la quitte pas un seul instant. Ce démon, traduit en figure humaine, est Alberto de Magalhães, révélation surnaturelle qu'elle fait au vicomte, qui, disons la vérité, plus imbécile qu'on aurait pu le supposer, demanda au médecin s'il ne serait pas possible de rosser cette vision avec un médicament quelconque. Le médecin répondit que le médicament le plus indiqué pour faire fuir la vision d'Alberto de Magalhães aurait été quelques grammes de Dom Pedro da Silva.

Le docteur ne crut pas à la mort annoncée de la duchesse et plaisanta durant son évanouissement, demandant au vicomte d'aller faire avec elle une promenade jusqu'au Portugal en arrangeant les choses de telle façon que le médecin lui-même pût un jour comparer la grand-mère duchesse avec la duchesse fille et la duchesse petite-fille, car la science bénéficierait grandement de cette étude d'une race et de tempéraments homogènes.

Le vicomte applaudit l'argutie avec son noble sourire et se préparait à y répondre avec une autre de meilleur goût, quand la duchesse ouvrit les yeux et s'assit, épouvantée, sur l'ottomane, demandant si Dom Pedro da Silva était revenu.

— Non, Madame, nous n'avons pas le plaisir de vous dire que oui, dit le médecin.

— Ne me trompez pas !… J'ai entendu sa voix… Écoutez… n'est-ce pas un cheval qui vient d'entrer dans la cour ?

— Non, Madame la Duchesse.

— Comment, non ? Vous vous moquez de moi ? Écoutez… Vicomte, il est impossible que ce soit une illusion !…

La duchesse se releva, fit deux pas vers la fenêtre, ses jambes faiblirent, ne supportant pas l'élan de son âme. Elle s'appuya au docteur qui commençait lui aussi à entendre du bruit dans la cour.

À cet instant, les chevaux de la duchesse se mirent à hennir ; d'autres, qui ne lui appartenaient pas, leur répondirent au loin. Le vicomte se précipita vers la fenêtre et distingua dans l'obscurité deux cavaliers qui s'avançaient lentement entre les longues haies d'ormes qui longeaient les murs de la cour.

– Je crois pouvoir vous féliciter, Duchesse !...

– Me... ? s'écria-t-elle en tombant sur le sofa.

– Vous féliciter !... Je me réjouis de vous dire que vous n'êtes pas prophète... Je crois que nous avons là Dom Pedro... Je vais voir...

– Non... non ! s'exclama-t-elle, lui tendant les bras, ne vous éloignez pas de moi... je vous en conjure... ne me quittez pas... Si c'est lui... on nous l'amènera ici... Mais, Vicomte, allez, allez... dites-lui que je souffre tellement que je ne peux pas lui parler... Allez-y aussi, Docteur... N'y allez pas... restez là... ne me quittez pas... Tant qu'à faire, il faut boire le calice... avec résignation... Ayez pitié de moi...

Un valet demanda l'autorisation d'introduire Dom Pedro da Silva. Il attendit quelques secondes la réponse. La duchesse fit un signe affirmatif que le vicomte traduisit :

– Madame la Duchesse dit de le faire entrer.

– Dois-je m'en aller, Monsieur le Vicomte ? demanda le médecin.

La duchesse fit un signe négatif. Elle mit un mouchoir sur ses lèvres pour les rafraîchir, pencha sa tête avec une gracieuse négligence et attendit.

XXII

Dom Pedro s'avança vers la duchesse et la salua en silence. Il saisit la main du vicomte et fit un léger signe de tête en réponse aux révérencieuses courbettes du médecin.

– Serrez-moi avec plus d'effusion, jeune homme, dit le vicomte en l'étreignant.

– Votre cordialité m'honore, Vicomte, répondit Dom Pedro, rétribuant affectueusement l'accolade du vieillard.

– Vous ne saluez pas la duchesse ?! murmura le vicomte à l'oreille du jeune homme, à l'abri de son bras.

– Permettez-vous, Messieurs, dit Dom Pedro, que je m'entretienne quelques minutes en tête à tête avec madame la duchesse ?

Le docteur lui répondit en sortant. Le vicomte entraîna son hôte au fond de la pièce.

– Allez-vous faire un esclandre ?

– Non, Vicomte, vous pouvez rester dans la salle voisine, vous n'entendrez pas un mot. Je ne fais pas d'esclandre avec autant de facilité… Ne savez-vous pas que je suis portugais ?

– Vous voyez bien que cette malheureuse dame est très malade… Voulez-vous la tuer ?

– La tuer, moi !… Vous vous moquez de moi ! Je ne tue personne ! Qu'est-ce qui vous fait craindre que les mots que j'ai à lui dire ne seront pas très affectueux ?

– Je ne sais pas… Elle soupçonne…

– Ah !… Elle soupçonne ?! Et vous ?…

– Moi… non… je ne comprends pas la raison de ses craintes.

– Auriez-vous la bonté de sortir ?

– Je m'incline… Me promettez-vous prudence et honnêteté ?

– Cette question est presque une insulte… Sortez, si vous ne voulez pas me forcer à vous le demander une quatrième fois.

Le vicomte sortit, répondant avec un regard de doute au regard suppliant de la duchesse.

Dom Pedro, le chapeau à la main, sans se départir de la posture du gentilhomme qui affiche une attitude étudiée, sans prendre de chaise, dans le style des drames où l'on pousse de furieux « Oh ! », debout, devant la duchesse, un aimable sourire aux lèvres qui le démentait, parlant comme qui, dans un salon, dit un secret à une dame sans le lui souffler à l'oreille, dit enfin :

– Madame la Duchesse de Cliton, vous me recevez si froidement !

– Asseyez-vous, Monsieur.

– Permettez-moi de ne pas vous obéir. Je ne m'attarde que quelques instants. Il y a vingt jours, personne n'aurait dit qu'aujourd'hui je serais reçu ainsi dans cette salle...

– J'ai besoin de vous écouter, Dom Pedro... J'ai le cœur enchaîné à ma poitrine... Je ne lui permettrai pas de se libérer avant de vous entendre.

– C'est donc que vous redoutez que je vous dise l'une de deux choses ? Y en a-t-il une, par hasard, qui ne serait pas bonne ?

– Ma situation ne me permet pas d'apprécier votre ironie... Dites une de ces choses.

– Je n'ai à vous en dire qu'une, probablement la plus agréable à nous deux. Ce portefeuille contient un billet de quatre-vingt mille francs. Je vous désire suffisamment pour vous échanger contre cette somme. Croyez bien que je ne vous trouve pas chère, Madame la Duchesse. Mais si le prix stipulé par Alberto de Magalhães n'est plus l'actuel... je n'hésiterai pas à l'augmenter de quelques francs...

La duchesse, laissez-moi le dire ainsi, mourut durant ces secondes-là. Son visage s'altéra complètement. De la pâleur il passa à l'écarlate, comme si ses joues s'étaient colorées de sang. Dom Pedro avait prononcé le dernier mot avec une froideur satanique étudiée. La duchesse, comme ressuscitée, se mit debout, le fixa de ses yeux injectés de sang et dit, d'une voix qui lui venait de l'intérieur, comme les mots d'un moribond sur le point de mourir de rage :

– Sortez de chez moi, sinon je vous ferai fouetter par mes laquais ! Tout de suite, canaille !

– Un moment, illustre dame. Permettez que je vous remette deux lettres qui m'autorisent à vous proposer un deuxième contrat, justifié par le premier. Détruisez, Madame la Duchesse, ces papiers si vous ne voulez pas qu'un troisième vienne demain vous offrir moins de quatre-vingt mille francs.

Dom Pedro s'apprêtait à sortir.

— Attendez, Monsieur ! dit la duchesse, lui faisant front. Il faut que je vous méprise beaucoup pour ne pas vous gifler… Vous êtes assez infâme pour ne pas sentir l'affront… Sortez !

— Madame la Duchesse, si vous aviez un frère ou un ami, je vous aurais craché au visage… Mais personne ne répond de vous…

La duchesse tira une sonnette. Dom Pedro sortit en passant entre le médecin et le vicomte, auxquels il ne dit mot et qu'il ne vit probablement même pas. Le tintement rapide et fort de la sonnette, alors que le Portugais quittait le salon, ne surprit pas les laquais, qui crurent être appelés pour raccompagner le visiteur.

Le vicomte, cependant, rentra, pâle, dans le salon et trouva la duchesse se tenant des deux mains à un guéridon, convulsée, les yeux lançant des étincelles, rivés sur la porte par où Dom Pedro était sorti, ses deux lettres serrées dans les poings.

— Qu'avez-vous, Madame la Duchesse ? demanda le vicomte en la faisant s'asseoir. Entrez, Docteur… Regardez ce qu'elle a… Elle ne me répond pas… Regardez ce qu'elle a dans les yeux !…

— Brûlez… balbutia la duchesse, tendant les deux lettres au vicomte, qui les brûla aussitôt et l'interpella de nouveau.

— Ne lui parlez pas, Monsieur le Vicomte… dit le médecin, en lui palpant le pouls et les tempes. Cela va passer… Aidez-moi à la transporter vers l'ottomane… elle va s'évanouir.

Elle s'évanouit en effet. La vie consumée dans le vertige de quelques instants devait se régénérer par la perte des sens. Le vicomte pria le médecin de ne pas quitter la duchesse cette nuit-là et rentra chez lui, espérant y trouver Dom Pedro.

Il l'y trouva en train de lui écrire une lettre qui devait lui être remise, car Dom Pedro voulait repartir le soir même.

— Qu'avez-vous fait à cette femme ?

— Que lui ai-je fait ?… J'ai parlé avec elle…

— Qu'est-ce que c'était que ces lettres ?

— Ah ! Vous avez vu les lettres ?

— Je les ai vues.

— Si vous les avez vues, pourquoi me demandez-vous ce qu'elles étaient ?

— Je ne les ai pas lues… Je les ai brûlées à la demande de la pauvre dame qui s'est évanouie.

— Elle est d'une sensibilité exquise, cette dame ! C'est une actrice parfaite !…

— Respectez-la, si vous ne pouvez l'aimer. Je ne vous permettrai pas ces plaisanteries d'enfant.

— Taisez-vous, Monsieur, car je n'accorde aucune importance à vos cheveux blancs… À mon tour de vous dire : respectez-moi, vous !

— Soyez mauvais amant, si cela vous agrée ; mais mauvais ami, non ! Expliquez-moi cette affaire… Qu'avez-vous fait avec Alberto de Magalhães ? L'avez-vous vu ?

— Je l'ai vu.

— Vous vous êtes battus ?

— Oui, Monsieur.

— Et après ?…

— À quoi se réfère-t-il, votre "après" ?

— L'un de vous deux…

— Devait mourir… C'est ce que vous voulez dire ?

— Oui…

— Tous deux jouissons de la plus parfaite santé et du plus clair entendement.

— Je ne comprends pas…

— N'ai-je pas été précis dans mes réponses, Vicomte ?

— Oui… mais vous me cachez tout…

— Je ne peux vous révéler rien de plus.

— Que contenaient ces lettres ?

— Demandez-le à la duchesse.

— Je ne mérite pas une confidence ?

– Si cette confidence m'appartenait, elle serait à vous. Mais seule la duchesse de Cliton peut la faire.

– Quel mystère !... Quelles sont vos intentions, maintenant ?

– Je vais me rendre à Paris.

– Ce soir ?

– Immédiatement.

– Vous ne faites pas reposer vos chevaux ?

– J'en ai quatre autres à quatre lieues d'ici.

– Reposez-vous au moins cette nuit.

– C'est impossible, Vicomte. J'ai donné ma parole d'honneur que dans trois jours je serais à Londres.

– À Londres ?! Et ensuite ?

– J'irai à Constantinople pour y demeurer.

– Seul ?

– Non... Avec une famille de Lisbonne.

– Je ne vous reverrai plus, Dom Pedro ?

– Il est probable que non... Donnez-moi l'accolade... et sachez que c'est dans cette maison que j'ai trouvé ma mort morale... Regardez-moi bien... À mon âge... je suis le plus malheureux des hommes ! Vos larmes me flattent... Vous avez été un bon ami... C'est moi qui n'ai pas voulu écouter vos prédictions... Adieu, Vicomte...

– Dom Pedro... ne me quittez pas comme un homme indigne de confiance... Quel crime épouvantable a commis cette femme ?

– Ne tentez pas mon honneur, car vous gâcheriez notre amitié... Je suis un enfant, mais j'ai vieilli il y a vingt jours et j'ai une connaissance parfaite des devoirs de l'homme expérimenté... Soyez bon avec elle, car vous êtes son seul ami... Adieu...

Serrés dans les bras l'un de l'autre, ils échangèrent des larmes de véritable estime. L'un avec la sensibilité de ses vingt ans, l'autre avec la tendresse du souci pour un fils adoptif ; ils pleuraient ensemble, devinant sans doute qu'ils ne se reverraient plus jamais.

XXIII

Nous sommes le 2 octobre 1837. Des voitures aristocratiques ou bourgeoises convergent vers le quai de Sodré, à Lisbonne, conduisant leurs propriétaires à la cérémonie d'adieu d'Alberto de Magalhães et de son épouse, en partance pour un voyage de quelques années.

Une scène plus ou moins ridicule s'y déroule, mais avec une touche pathétique, quoi qu'en disent les goguenards qui y assistent. Voilà l'affaire : le baron de Sá, expulsé avec ignominie, quelques mois auparavant, de chez Alberto de Magalhães, pour avoir insulté le baron dos Reis, marié à une tante de sa femme, le fatal baron de Sá, disions-nous, ne supportant pas de voir partir son ami sans se réconcilier avec lui, apparut lors de l'occasion solennelle des derniers au revoir, sur le quai de Sodré.

Le brave homme, qui était digne de son titre, mais sensiblement sot, arriva, les larmes aux yeux, devant Eugénia et lui baisa la main. Il se tourna ensuite vers Alberto et l'embrassa sur le front, avec de grandes afféteries de tendresse.

Eugénia prit cette scène avec compassion, se disant au fond de sa bonne conscience que le baron de Sá était un âne digne d'un meilleur sort. Alberto le serra dans ses bras avec un miséricordieux dédain en regardant, hautain, les facétieux qui brocardaient la mièvrerie du baron.

L'incident clos, Eugénia retomba dans la mélancolie dont son mari ne pouvait la consoler, car l'oppression qui enserrait son âme, affaiblissant son moral, était de celles qui, parfois, nécessitent les consolations d'un enfant.

La fille d'Antónia étreignait avec indifférence les fausses comme les vraies amies. Ses yeux et son cœur étaient fixés sur son mari, qui accueillait les accolades de froide formalité avec la souveraine indifférence d'un prince entouré d'adulateurs serviles.

La goélette portugaise *Alcyone* avait donné le dernier signal de lever l'ancre. Les voyageurs prirent place sur la chaloupe entourée de barques, parmi lesquelles se détachait celle du baron de Sá, qui trempait de ses larmes un mouchoir blanc que les dames remarquèrent beaucoup, admirant les pures dentelles d'Écosse qui l'ornaient et qu'on ne pouvait voir que sur le baron de Sá : gloire à lui.

Eugénia avait besoin de libérer son cœur des larmes retenues. Elle descendit à sa cabine, décorée avec faste, et y pleura toute seule, soulageant une douleur violente qu'elle ne savait définir.

Son mari, la trouvant ainsi, prit son visage sur son sein, le couvrit de baisers, essuya ses larmes et, en guise de lénitif, balbutia seulement trois fois son nom.

Ils restèrent ainsi de longues minutes. Ils se regardaient avec tristesse, s'interrogeant dans l'angoissant mutisme de deux malheureux condamnés à ne pas se plaindre, en route vers la mort.

Que ressentait Alberto ? Quelle douleur était celle d'Eugénia ? Quels présages tendaient le même voile noir sur ces deux cœurs ? Quelle peur les congelait au point de ne pouvoir échanger deux questions ?

— Allons voir la mer, Eugénia, dit-il, lui offrant son bras. Si tu n'avais pas le mal de mer, nous ferions un beau voyage. Le ciel est délicieux… le vent est favorable, la mer nous invite à rêver du ciel… Regarde comme elle est belle, cette immensité !… Ôte tes yeux de la terre, Eugénia… La majesté de la nature est devant nous !… Que laissons-nous là-bas ? La foule qui se divertit, la misère qui joue la comédie pour

oublier qu'une tragédie en haillons ronge ses entrailles…
Laisse la société… Regarde la mer…

– Oui… la mer est belle… Cette émotion est presque
nouvelle pour moi… mais, là-bas, là-bas…

– Est restée la tombe de ta mère…

– Oui… La tombe de mes amies…

– Tu auras ici une plus vive nostalgie d'elles… Bavardons
avec leur image… Pourquoi n'as-tu pas la nostalgie de la sœur
de ta mère, qui est restée là-bas, vivante, et a pris congé de nous
les yeux secs ?… C'est la mort qui réhabilite les amitiés… Je ne
le sais que trop, Eugénia… Laissons les morts, qui ne sont que
poussière… L'esprit, lui, si tu l'aimes, t'accompagne… C'est
ici, dans cette solitude, que je vois Dieu par-delà cet horizon
infini… C'est ici que fut ébranlée mon incroyance en tout…
Qu'est-ce que la vie ! Qui pourra dire que son âme est morte !…
Ce que je ressens aujourd'hui ?… La volonté de demander au
Ciel qu'il s'ouvre pour nous recevoir !… Et cependant, ma
vie n'a commencé qu'il y a quelques jours ! Ce n'est pas de la
fatigue… c'est une aspiration à l'immortalité… la terreur d'un
abîme pour chacun de nous, séparés… peut-être !…

– Ensemble, mon ange…

– Vivre si peu pourtant !… Il est si rapide, ce printemps
qui arrive après une longue saison de gel et de désespoir
dans l'âme !

– Te souviens-tu, Alberto, de ce que je t'ai dit à Sintra,
à Pisões, le soir de notre mariage ?

– Quoi, chérie ?

– "Nous avons peu vécu, car notre bonheur était trop
grand… Ici, on repose au sein de la mort…" N'était-ce
pas ainsi ?

– Je m'en souviens… mais je ne voulais pas que tu te
rappelles cette crainte d'alors… Je ne veux pas nous prédire
une mort prochaine…

– Moi non plus, mon Dieu !… Mais si la Providence
n'écoute pas mes suppliques… si je te retrouve suspendu

au-dessus de l'abîme, je veux y tomber avec toi... et je te dirai : "Nous avons peu vécu, car notre bonheur était trop grand... Ici, on repose au sein de la mort."

— Parlons de la vie, Eugénia...

— Oui, oui, parlons de la vie... Qu'est-il en train de faire maintenant, le fils d'Ângela ?

— Il se languit de nous... Il est à Southampton, les yeux fixés sur l'horizon, espérant apercevoir ces voiles... Tu as vu comme il a été ponctuel ? Je lui ai dit qu'il devait être à Londres le 16, et à peine est-il arrivé qu'il est allé se présenter à lord William. Quel noble cœur dans une si jeune poitrine !... Comment peuvent-ils être nés pour le malheur, ces esprits !... Pour un peu, son premier vagissement aurait été le dernier !...

— C'est Père Dinis qui l'a sauvé... Quel prodige, cet homme !... Serait-il mort ?...

— Non.

— Non ? Tu l'as appris !...

— Oui... hier encore, par un journal français... Il est en mission en Amérique... Il doit écrire avec son propre sang la dernière page de son *Livre noir*... Que sera ce livre ?...

— Un miraculeux enchaînement de vertus...

— Qui sait ?... Les premiers maillons de cette chaîne... sont de grands crimes !

— Des crimes... chez cet homme ?!

— Chez lui, chez moi, chez tous les hommes qui sont ici pour mettre en œuvre un décret supérieur...

— Je ne saurais te contredire, Alberto !... Tes mots sont marqués au coin d'une telle certitude...

— D'une expérience atroce, Eugénia... Fais comme si j'étais venu au monde pour voir sur une pierre éternelle des lettres recouvertes par la croûte des siècles. J'ai voulu les lire et je n'ai pas pu. Il m'a fallu beaucoup pleurer sur ces lettres, user avec des larmes cette croûte et déchiffrer, au bout de longues peines, une inscription qui disait : "Malheur éternel...

Partage de tous les hommes outragés par les hommes..."
C'est ce que j'ai lu...

– D'accord... mais ne sois pas si triste... Parlons de Dom Pedro da Silva... C'est toute notre famille qui nous attend, n'est-ce pas ?

– Tu as pour lui une tendresse de sœur !

– Plus... plus, je crois... Je voudrais l'appeler fils...

– Tu l'as vu pleurer avec l'histoire de ta mère ?

– Et comment !... Je me suis trompée sur son compte... Au début, je l'ai cru de pierre et j'ai douté qu'il fût le fils d'Ângela de Lima... Puis... c'était lui, Alberto, il devait forcément être le fils de cet ange...

– Si tu avais connu son père !... Quelle lente agonie !... Quel parfum de martyre !... Quel legs de remords éternel !...

– Qu'as-tu, chéri... tu pâlis ?

– Rien, Eugénia... ce n'est rien... C'est cette douleur dans le cœur qui finira par me tuer...

– C'est ton point de côté habituel ?

– Oui... pas aussi fort, cette fois... C'est passé...

– Monsieur, dit le pilote, demain nous n'aurons pas une aussi belle mer.

Alberto, qui n'avait pas besoin de l'avis du pilote, regarda vers le nord et répondit :

– Ce n'est qu'un grain.

– Quoi donc, Alberto ? demanda timidement Eugénia.

– Ce petit nuage qui vient d'apparaître... tu le vois ?

– Je le vois... ce n'est rien, dit Eugénia.

Alberto fit signe au pilote de garder le silence. Peu après, un château de nuages gonflait ses flancs vers le nord-est. Alberto, comme distrait, invita Eugénia à entrer dans la cabine. Il l'occupa quelques instants, puis remonta sur le pont. Le pilote faisait arriser la misaine et amener la flèche-en-cul.

Alberto cria :

– Faites que toutes les manœuvres soient effectuées sans

grand bruit. Quelle qu'en soit la difficulté, j'interdis qu'on parle de danger… Faites affaler le perroquet. Je reviens tout de suite.

Il descendit à la cabine. Les servantes d'Eugénia l'entouraient, lui demandant si la mer était agitée. La courageuse, tirant une force surnaturelle au contact d'un homme supérieur, se moquait des craintes des servantes, qui n'arrivaient pas à se tenir debout avec le tangage du navire.

Alberto faisait les cent pas, souriant de l'innocente intrépidité de sa femme. Les rafales de vent faisaient rugir les huniers et des battements convulsifs, semblables au son de l'eau qui bout dans une cataracte, haletaient dans la voile du grand mât de poupe. En bas de l'escalier qui menait de la cabine au pont, Alberto cria :

— Arrisez toutes les voiles !

Quelques instants plus tard, Eugénia demandait quel était ce bruit au-dessus de leurs têtes.

— C'est la pluie, mon intrépide navigatrice.

— Je voudrais voir la pluie sur la mer… Je peux, Alberto ?

— D'accord… Mais sache que la pluie sur la mer ne se regarde pas aussi impunément que sur la terre… La voûte du navire est le ciel…

— Non, parce que je prendrai le parapluie…

Eugénia s'arrêta en haut de l'escalier, surprise par ce spectacle nouveau. Elle recula instinctivement et, pour ne pas tourner le dos à ce tableau effrayant, elle se fit violence et serra le bras de son mari.

Le ciel était de bronze et des nuages gris, comme des châteaux qui s'écroulent, flottaient sur le dos des vagues, qui se brisaient sur les flancs de la goélette. Le sein noir de brefs horizons s'ouvrait parfois et vomissait une flamme instantanée. Au-dessus du navire, le tonnerre éclatait. Ce son se perdait là comme le dernier râle de l'humanité agonisante dans la gueule de l'abîme.

— Tu trembles, Eugénia !…

– Oui !... C'est horrible !...

– Tu veux descendre ?...

– Non... Y a-t-il danger, mon chéri ?

– Aucun...

– Attendons, alors...

– Tu veux voir jaillir la lumière de ce chaos... Le premier jour de la Création devait être ainsi... L'esprit de Dieu se mouvant au-dessus des eaux... Les paroxysmes de la nature doivent être ainsi dans son dernier jour... J'ai vu mille fois cette scène et je la trouve toujours nouvelle... Regarde, Eugénia... Tu vois là-bas la bonace ?

– Où ?

– Ce petit bout de ciel sans nuages ?

– Je le vois.

– C'est comme l'ange de la paix. D'ici quelques minutes, ce ciel sera le ciel des amants en voyage... Nous pourrons dire que nous avons assisté vivants au spectacle de la mort... que nous avons résisté à la colère de la plus grande puissance sur quatre planches bâties par la main de l'homme...

– L'homme... qui est si petit...

– Non, Eugénia, l'homme a en lui l'infini de la divinité... J'ai lu cette vérité dans ce grand livre qui va se refermer et que la main de la Providence ouvre aux incrédules... L'homme peut-il avoir plus de grandeur ?! N'a-t-il pas inventé la boussole et le gouvernail qui lui permettent de regarder avec fierté le serpent de la mort menaçant de s'enrouler autour du faible trône qui fait de lui le roi des éléments ?... Vois-tu, Eugénia !... Voici le ciel d'il y a peu... Regarde la bonace qui vient, rieuse, nous promettre la vie et des joies sans fin !...

– Quel si beau changement ! Je crois que sur la mer il y a de grands plaisirs, Alberto...

– Je n'en ai eu qu'un dans ma longue vie...

– Un seul ?

– Celui-ci, Eugénia... seulement celui-ci.

– Ne sentais-tu pas le plaisir de vivre quand tu échappais à un danger ?

– Non… j'ai souvent demandé la mort, et la mort passait en se riant de moi… indigne de la paix qui demeure là-bas, au fond de l'océan… Fêtons le ciel, couleur de l'espérance… Allons dîner, Eugénia !

– Oui… allons dîner… J'ai faim… En sept jours de voyage, tu verras comme je vais devenir ronde et jouffflue… Je veux manger beaucoup et engraisser beaucoup pour que Dom Pedro ne me reconnaisse pas…

– Largue les ris ! dit Alberto au pilote, qui n'osait pas commander devant l'ami intime de Salema, son ancien maître, pour des raisons qu'il connaissait bien.

XXIV

Le pilote s'était trompé. Le jour suivant fut délicieux. La goélette naviguait fièrement dans la solitude sans horizon, telle la reine des mers. Elle portait le bonheur en son sein. Les minutes s'écoulaient sans être assombries par la tristesse. Elles étaient limpides comme le ciel, sereines comme la surface de la mer, claires et lumineuses comme l'argent des vagues où se reflétait la lune. Jusque tard dans la nuit, Eugénia, imprégnée de l'intimité de sa jouissance, savourait un bonheur à elle seule, égoïste, libéré des entraves de la société frivole qui l'avait si souvent perturbée, sans même avoir à le partager avec son mari, qui, tout comme elle, le ressentait délicieusement.

Les pensées d'Eugénia se réfugiaient dans le passé. L'image d'Ângela de Lima lui plaisait, et cependant cette agréable réminiscence lui coûtait toujours une larme et une torture toujours aussi poignante et jamais émoussée : c'était l'image du comte de Santa Bárbara, point noir qui s'élargissait jusqu'à obscurcir ses lucides regrets.

Elle imaginait ce qu'avait dû être Anacleta et s'en attristait. Parcourait l'échelle des souffrances de sa mère et en pleurait. Elle se racontait, minute par minute, l'histoire de sa vie et s'efforçait de faire taire le pressentiment de la menace d'une fin tragique.

« En quoi, se disait-elle, ai-je été si méchante ? Quand je fus malheureuse, mes crimes n'étaient-ils pas une nécessité liée à ma servitude ?... Pourquoi devrais-je être victime comme ma grand-mère, ma mère et mon père ? Depuis que j'ai été arrachée à l'abîme par la main supérieure d'Alberto, n'ai-je pas été une femme secourable à ses frères, sans jamais oublier son passé ? Pourquoi ne pourrais-je regarder aujourd'hui mon avenir sans trembler ? »

Alberto se posait cette même question aussitôt que la conscience l'appelait à un orageux dialogue. Ces deux âmes se rencontraient et leurs yeux se fixaient comme se demandant mutuellement du courage. Le corsaire, pour tromper ses craintes, se reprochait sa puérile superstition. Eugénia, pour se convaincre qu'elle avait un soutien, se jetait avec un sourire de feinte joie dans les bras de son mari, moins fort qu'elle.

— C'est si bon d'avoir un ami !... murmura-t-elle, se lovant, comme effrayée, tout près du cœur d'Alberto, qui passait sa main sur ses cheveux comme qui rassure un enfant.

— Plus qu'un ami, un époux... ajouta-t-il, souriant.

— Plus !... N'est-il donc pas naturel, le lien qui attache l'époux à l'ami ?

— Naturel ?... Non... L'amitié est une chose très différente de l'amour. Tu vois comme elle est sereine, cette mer ? Il n'est plus là, l'orage d'il n'y a guère, la révolte des éléments qui a provoqué en nous des sensations violentes : ne la vois-tu pas si paisible, si monotone, mais en même temps si douce, cette mer ? L'amitié est ainsi. L'amour est la tempête qui impressionne, mais fatigue, le grand faisceau de lumière qui éclaire, mais brûle.

— Tu dis vrai, mon ange… je crois que c'est ainsi… Tu es donc mon ami ? Plus qu'un frère ? Plus qu'un mari ? Le compagnon inséparable de toute ma vie ? Pour toujours l'ange qui me dit que je n'ai jamais été indigne de ton amour ? Laisse-moi pleurer, Alberto !… J'ai tant besoin de pleurer !… Je n'ai jamais senti mon cœur aussi soulagé que maintenant !… C'est le ciel qui est en train de s'ouvrir dans mon âme… Quelle clarté immense, chéri ! Aïe ! Comme on sent en mer !… Toutes les personnes malheureuses devraient venir ici… Dieu a-t-Il créé toute cette immensité pour soulager les âmes oppressées dans l'angoisse du monde ?… Oh ! Alberto ! Je ne sais quelle inspiration sublime me frappe le cœur !… Je n'ai jamais été aussi digne de toi… Serre-moi dans tes bras, mon ange !… Sois un enfant avec moi !… Si tu ne peux pas pleurer de joie, dis-moi que tu es heureux !…

— Tu as besoin que je te le dise, Eugénia ? N'as-tu pas ton visage appuyé contre mon cœur ?… Tu ne le sens pas ? Crois-tu qu'il pourrait battre ainsi sans une impression de grande jubilation ou de grande terreur ?! Je te l'avais bien dit, Eugénia, que tu ressentirais en mer une existence nouvelle… C'est que tu es née pour tout ce qui est grand ! Les femmes tremblent en mer. Le moindre choc sur ces planches fragiles, c'est leur tombe qui s'ouvre sous leurs pieds ! Pas toi ! Tu as assisté à la tempête avec un saisissement émerveillé, la terreur n'a pas fait pâlir les roses viriles de tes joues ! Tu es la digne femme de cet homme qui s'endort avec le grondement de l'orage et qui souvent s'est réveillé avec les cris de l'équipage invoquant le Dieu des affligés !… Abrite-toi en moi, ma chérie !… Si tu me voyais mourir, tu me croirais un élu du courage…

— Si je te voyais mourir !… Quelle pensée, mon Dieu !…

— Si tu me voyais mourir, Eugénia, tu penserais que la mort est le crépuscule d'une délicieuse éternité ! Sais-tu quelle est la pensée qui inonde toujours mon cœur de joie ? La mort avec toi !... La certitude que tu ne me survivras pas...

— Non, mon cher Alberto, je ne te survivrai pas un instant... Je te le jure...

— Ne jure pas, Eugénia... Je te dispense de cette formalité... Je sais que tu mourras...

— Heureusement, mon Dieu ! Je vois que tu es entré profondément dans mon âme...

— Et toi ?... Vois-tu la mienne ?

— Je la vois, oui, je la vois !... Tu mourras aussi !

— Bénie sois-tu, ma chérie... Tu as fait ce que personne d'autre n'a fait !... Tu m'as vu tel quel je suis !... Je n'en ambitionnais pas tant !... J'ai demandé à Dieu ou à la fatalité une femme pour la vie, sans oser en implorer une pour la mort...

— Ne parle pas ainsi de la mort, Alberto !

— On parle de la mort quand la vie nous est chère... Les malheureux, ceux-là, cherchent à l'oublier parce qu'ils la veulent, parce qu'ils ont besoin de l'exagérer derrière un espoir qui se réalisera un jour.

Les heures passaient rapidement, parce que les heures d'Alberto et d'Eugénia étaient délicieuses.

La mer toujours calme, la lune toujours limpide, le cœur toujours nouveau pour le ravissement de la conversation intime, tout conspirait pour que l'on désire le plus long des voyages. Et puis l'espoir, la jolie fée toujours parée de nouveaux atours, étudiant toujours de nouvelles séductions, leur faisait signe de loin, des jardins enchantés de l'Orient qu'Alberto décrivait avec le vif enthousiasme d'un homme que l'amour rend poète. Eugénia se laissait entraîner par le son de cette voix, voix unique dans la solitude de l'océan, voix d'un ange qui lui faisait lever des yeux larmoyants vers le Ciel, reconnaissante de tant de bonheur.

Au sixième jour de voyage, ils découvrirent Southampton. Le soleil s'était levé, ourlé de franges purpurines. Il était monté dans le ciel, laissant là-bas, à l'horizon, une ceinture écarlate qui peu à peu s'évanouit jusqu'à se convertir en un brouillard dense qui s'étendit, roulant à la surface des eaux, au point de cacher aux yeux vigilants du pilote le canal d'Angleterre.

Puis une rafale de vent de nord-ouest fit frémir les voiles.

Le capitaine, comme s'il s'étonnait de l'événement, fronça le front et appela les membres de l'équipage à leurs postes.

— Attendez les ordres, dit-il, et il échangea quelques mots rapides avec Alberto de Magalhães, qui se promenait sur le pont.

Une deuxième rafale, annonciatrice du typhon, trouva l'équipage prêt à obéir aux ordres du capitaine :

— Affalez les voiles !

— Et les mâts de perroquet et de hune ! ajouta Alberto à l'oreille du capitaine.

La manœuvre fut rapide et le typhon passa dans les huniers comme le cri d'un démon enragé de ne pas avoir pu surprendre sa victime.

Le brouillard était de plus en plus dense. Le gouvernail fut confié au pilote, qui ne quittait pas l'aiguille des yeux. La mer démontée se déchaînait contre la quille de proue. La goélette tanguait dans tous les sens et les amarres, roulant sur le pont, terrorisaient les servantes d'Eugénia, qui se croyaient moribondes à chaque secousse.

Alberto de Magalhães était descendu à la cabine, où il trouva sa femme, les mains jointes devant l'image de Notre-Dame que sa mère lui avait donnée. Interrompue dans sa prière par la main d'Alberto qui touchait son épaule, Eugénia lui répondit avec un sourire angélique.

— Tu es en train de prier, mon amie ? Que demandes-tu à ton image favorite ?

— Je lui demande le bonheur, mon cher ami. Je serai écoutée parce que je prie avec beaucoup de dévotion… Veux-tu que je vienne avec toi là-haut ?

– Non…

– Y a-t-il danger ?

– Aucun… Tu me demandes s'il y a danger avec une telle sérénité !

– Je n'ai pas peur, Alberto… Aucune peur… Sais-tu ce qui me fait pitié ? Non pas de risquer ma vie ou la tienne, mais ces pauvres servantes qui déchirent mon cœur avec leurs plaintes… Les pauvrettes !… Toutes trois ont quitté mère, frères et sœurs… Et elles aiment la vie, sans même savoir qu'elles n'ont pas encore connu le vrai bonheur… Écoute, Alberto… Depuis que tu as passé avec moi ce pacte pour mourir ensemble, je n'ai plus cet attachement à la vie qui fait redouter la mort… Je parie que j'ai plus de courage que toi…

– Il me semble bien que oui… Ce tangage t'indispose ?

– Non, chéri… Je me sens bien… Ce qui m'indispose, c'est l'inquiétude… Qu'as-tu ? Tu sembles tendre l'oreille aux ordres du capitaine…

– Non, Eugénia… C'est seulement parce que j'aime entendre ces mots que l'on n'entend qu'en mer…

À cet instant, le capitaine cria :

– Étalinguer haussières.

– Étalinguer haussières ! murmura Alberto.

– Qu'est-ce que c'est ? demanda Eugénia, remarquant la préoccupation avec laquelle son mari avait répété les mots de la manœuvre.

– Je monte sur le pont, Eugénia… Ne t'inquiète pas…

– Je voudrais venir avec toi.

– Pas maintenant… Cette tempête n'est pas aussi poétique que l'autre… Reste là, ma chérie, je reviens tout de suite…

Alberto reçut le baiser de sa femme et monta sur le pont. La joue où elle avait imprimé ses lèvres portait une larme. Lorsque l'homme de fer la sentit, il serra sa tête entre ses mains et murmura :

– Ne le permettez pas, mon Dieu ! Les servantes effrayées entourèrent Eugénia, lui demandant s'il y avait danger.

– Priez avec moi pour que le Seigneur nous protège.

Cette réponse exacerba la terreur des servantes. Elles éclatèrent en sanglots, qu'Eugénia ne put faire taire avec ses consolations. La pauvre dame commençait à fléchir quand Alberto revint.

Eugénia venait d'entendre deux mots qui glacèrent son supposé courage. Ces mots furent suivis d'un « Chut ! » prolongé poussé par son mari en haut de l'escalier qui menait à la cabine. Quels mots terribles étaient-ce ? « Nous coulons ! »

– Nous coulons, Alberto ? s'écria-t-elle en se jetant dans ses bras.

– Aie de l'espoir, Eugénia, répondit-il avec une tranquillité mensongère.

L'orage grondait. Parfois l'entrée de la passerelle descendait au niveau de l'eau. Les mâts grinçaient, les jointures de la goélette, poussée de vague en vague, répondaient en craquant au grondement de la tempête.

Se libérant des bras tremblants d'Eugénia, à qui les mots d'encouragement ne suffisaient plus, Alberto monta impétueusement sur le pont. Il croisait les bras pour observer les groupes d'hommes qui viraient le cabestan sur l'ancre, lorsqu'il entendit un craquement qui le fit pâlir : le petit mât de beaupré venait de se briser.

– Élonger l'ancre ! cria Alberto.

– Élonger l'ancre ! cria plus fort le capitaine.

Et il attendit. Le mât de poupe semblait sur le point de démâter. Un marin chuchota à l'oreille du capitaine qu'il y avait une brèche à la poupe.

– Les grappins ne mordent pas terre ! hurla le pilote.

– Alors comment va-t-on couler ? demanda Alberto avec aigreur.

– Les becs de l'ancre dérivent parce qu'il n'y a pas de pierres, il n'y a que de la dalle, répondit le pilote.

– Faites couper les mâts, capitaine, dit Alberto en descendant à la cabine, où il trouva sa femme en train de pleurer, tenant dans ses bras une servante évanouie.

– Restez à l'intérieur... dit Alberto, prenant dans ses bras la servante inanimée et la portant à sa cabine. Écoute-moi, Eugénia...

– Tu vas me dire que nous allons mourir, Alberto ?

– ... Je vais te dire qu'il faut vivre. Je veux tout ton courage, et si tu ne l'as pas, prends-le de moi...

– Oui, oui, je veux que nous nous sauvions... que dois-je faire ?

– Le navire est perdu... Nous sommes près de la côte... En quelques minutes nous serons sauvés...

– Oui ?... Alors que redoutes-tu ?

– Je crains que tu ne faiblisses...

– N'aie crainte, Alberto ; mais ne me quitte pas un seul instant...

– Nous allons prendre le canot... Toi et moi, tu comprends ?... Seuls... Il se peut que le canot coule ; en ce cas... prête attention... aussitôt que je te dirai "Serre-moi", tu me tiendras de cette façon... par la taille... n'entrave pas mes bras... mais accroche-toi de toutes tes forces... tu m'as compris, Eugénia ?

– Oui... Cette étreinte... sera peut-être la dernière... Oh ! Alberto !... Mon cœur me dit maintenant que nous allons mourir !... Oh ! Mon chéri, il aura duré si peu, notre bonheur !... Aïe, mon Dieu, quelle mort horrible sera la nôtre !...

– Silence, Eugénia... Il faut que tu sois égoïste, en ce moment... Si tu pleures ainsi, ces femmes ne te laisseront pas sortir d'ici... Monte avec moi... Vite...

– Attention à ce gouvernail ! hurla le capitaine.

– Il s'est déboîté ! répondit le pilote.

– Vite ! répéta Alberto.

– Aide-moi à monter – toute seule, je n'en ai plus la force... murmura Eugénia en s'accrochant à son cou.

– Déborde le canot ! cria Alberto.

– Il est perdu ! répondit le capitaine.

– Il est perdu ? reprit Alberto, affligé.

– L'amarre a cassé !

– Oh ! mon Dieu ! s'exclama Eugénia en voyant la mer démontée, le navire démâté, la pâleur de la mort sur tous les visages et quelques marins qui se jetaient à la mer, tandis que d'autres, agrippés aux mâts cassés, glissaient sur le pont tournoyant avec les vagues. Alberto conduisit sa femme à la proue, serrant son visage contre sa poitrine, et murmura :

– Attendons !

– Quoi ?... La mort ?...

– Et si c'était la mort ?

– Qu'elle soit la bienvenue !...

– C'est du courage ou de la résignation, ma chérie ?

– De la résignation... Je suis faible, mon ange ! Que Dieu Notre-Seigneur nous sauve ; et s'Il ne nous sauve pas, qu'Il nous pardonne !... Mère, implore le Seigneur pour nous... Ângela, ma chère amie, tu as été une sainte, prie la Vierge Marie qu'elle ne nous laisse pas mourir ainsi... Alberto, prie Dieu toi aussi !... Joins tes mains avec moi.

– J'ai déjà prié... et tu verras qu'Il nous sauvera... Eugénia !... Aie confiance en moi et en Dieu !...

– Oui, oui... j'ai entière confiance... Nous allons nous sauver...

– Te souviens-tu de tes mots à Pisões ?

– Oui... "Nous avons peu vécu, car notre bonheur était trop grand... Ici, on repose au sein de la mort..." Merci de me les avoir rappelés...

– Capitaine ! cria Alberto.

– Le capitaine s'est jeté à la mer, répondit un marin.

– Et vous, les gars, pourquoi ne l'imitez-vous pas ?

– Ceux qui restent sont dix de vos anciens soldats… Vous ne nous reconnaissez pas ?

– Je vous reconnais… Sauvez-vous !

– Vos anciens soldats mourront à vos côtés.

À cet instant, la poupe de la goélette fut submergée. Alberto glissa avec sa femme dans les bras et s'agrippa avec difficulté à tribord.

– Les gars ! Essayez de sauver les femmes qui sont dans la cabine… Si vous y parvenez, vous n'aurez plus à vous battre contre les tempêtes… Eugénia… tiens-toi à ma taille… comme ça… beaucoup de courage… Nous ne nous séparerons jamais plus…

Les deux corps tombèrent à la mer.

XXV

Dom Pedro da Silva était à Londres depuis le 16 septembre.

Nous reproduisons ici quelques lignes tirées de ses notes, écrites depuis ce jour jusqu'au 11 octobre.

17 septembre

Il me faut évoquer très souvent ma dignité pour ne pas céder aux honteuses faiblesses du cœur. La duchesse est la femme fatale de ma vie. Une fois gravé dans mon âme, son visage s'y reproduit avec des traits de feu. Je ne peux l'oublier ! Il y a des instants où je me crois mystifié par Alberto de Magalhães ! Peut-être a-t-on mis en œuvre une infâme trahison envers ma bonne foi ? Cette femme, si elle n'était pas innocente, aurait succombé à l'avilissante proposition que je lui fis ! Elle montra une bravoure morale qui finira par me foudroyer, si un jour je viens à apprendre que la duchesse est innocente !… Innocente ! Non ! Cette lettre était la sienne et Alberto de

Magalhães ne peut pas mentir. Cet homme voulut me sauver, et jamais il n'aurait employé des moyens ignominieux pour cela. La duchesse est une femme qui s'est vendue ! Et je ne peux l'oublier, mon Dieu ! Je crois que je suis un grand misérable ! L'honneur serait-il un mot de convention ?!…

18 septembre

Je la vis en rêve, noyée dans les larmes… Elle me disait qu'elle ne voulait pas de pardon. Elle m'indiquait dans son sein le point où je devais planter le poignard qu'elle m'offrait à genoux ! Autour d'elle s'attroupaient des hommes à l'hideuse figure qui l'appelaient débauchée avec d'infernaux éclats de rire. Je voulus la protéger ; elle me dit de mêler mon rire aux leurs pour que l'expiation fût complète ! Je me réveillai… Mon cœur bondissait dans ma poitrine ! Ce feu qui m'embrasait la tête devait me rendre fou ! Aucune distraction ne m'est accordée. Ces hommes qui m'ouvrent leurs salons me mortifient ! J'ai besoin d'une distraction quelle qu'elle soit… Le jeu pourra-t-il me sauver ?

19 septembre

Non ! Le jeu m'abrutit. J'y gagnai beaucoup d'or que je ne voulus pas retirer de la banque. Ceux qui m'entouraient me traitaient de fou et lord William me força à retirer des milliers de livres ! L'argent est mon enfer ! Tandis que je jouais, je voyais la duchesse qui avait joué elle aussi et qui y avait laissé son honneur en perdant quatre-vingt mille francs ! Un homme vil profita du hasard d'une carte !… Et elle, tellement infâme, céda à l'ignoble caprice de s'acquitter de sa dette en quelques heures !… Était-elle devenue folle, cette malheureuse, en acceptant la proposition d'Alberto ?!… Le remords aurait purifié son cœur !… Cette infamie serait-elle l'accomplissement d'un destin supérieur ?! Les autres femmes seraient-elles plus honnêtes qu'elle ?! Ô Élisa… si tu voyais mon âme !… Si en cet instant tu me demandais pardon !…

20 septembre

Je ne peux, je ne veux vivre ainsi !... La pensée du suicide commence à imprégner mes méditations. J'ai asservi ma parole d'honneur à Alberto et je ne peux la racheter qu'en me suicidant ! Et pourquoi ? Mon bonheur serait-il impossible ? Meurent-elles ainsi, à vingt ans, les espérances ? L'homme est-il ce que je suis ?...

Qu'ai-je à voir avec Alberto de Magalhães ? Quel ascendant cet homme veut-il exercer sur moi ?... Je sais que je pourrais être heureux... Je peux et je veux l'être... Si je me suicide, la société inscrira mon nom au catalogue des fous ou des lâches ! Hier encore, un lord s'est suicidé et ses amis se limitèrent à lui accorder que tout homme avait le droit de s'en aller d'un lieu où il ne se sentait pas bien... Mais moi, je veux que quelqu'un me regrette... Je suis seul au monde... je n'aurai pas une larme... Élisa doit me détester et moi... mon Dieu... Vous savez que cette femme est nécessaire à ma vie !... Honte !... Mon âme doit forcément se nourrir de turpitudes !...

26 septembre

Je ne maîtrise pas ma vie ! C'est mon destin !... Mes réactions me coûtent la vie !... Toutes mes tentatives échouent !... Il n'y a pas de recours auquel je n'aie songé !... Ni le jeu, ni la débauche, ni l'ivresse... Elle est toujours à mes côtés !... Cette douleur m'abrutit !... Depuis six jours j'essaie de m'expliquer l'état de mon âme et je n'y parviens pas. Je dois l'aimer beaucoup ! Cette femme est un ange déchu ! Je n'aurai de repos que quand elle me pardonnera ! Pourquoi ne l'ai-je pas écoutée ? Pourquoi me suis-je plié aux préceptes de cet homme que je déteste ! Ce fut lui qui m'apprit ces mots maudits qui l'ont tuée !... Lui... un étranger... un infâme généreux qui a empoisonné toute ma vie !... Ne suis-je pas un homme ?... Si mon cœur me pousse vers cette femme, pourquoi ne chercherais-je pas mon bonheur auprès d'elle, quand bien même devrais-je descendre dans un abîme d'impudence ?!... Combien d'hommes aujourd'hui encore donneraient leur vie pour un sourire d'Élisa !... Et tous ignorent la fatalité qui entache sa vie... Si le cœur lui pardonne, pourquoi la conscience ne lui pardonnerait-elle pas ?!...

Le 27 septembre, Dom Pedro da Silva était revenu en France. De Paris, il écrivit au vicomte d'Armagnac et ne reçut pas de réponse. Cette lettre devait être une touchante exposition de l'état de son âme et une supplique d'encouragement pour ne pas céder, sans honte, à une passion qui s'opposait à son honneur.

Il en écrivit une deuxième. L'expression devait y être plus véhémente. Peut-être y implorait-il la protection du vicomte. Peut-être y descendait-il aux extrêmes faiblesses d'un jeune homme dont l'âme n'avait pas encore le tact raffiné que l'expérience enseigne et que très souvent la société considère comme de l'honneur pur. Cette deuxième lettre n'eut pas de réponse. Ainsi contrarié et offensé dans sa fierté, il atteignit le degré du désespoir. Il alla lui-même à Angoulême.

Le vicomte ne se trouvait plus dans sa propriété. Il était parti le 20 avec la duchesse de Cliton. Vers où ? Personne ne savait le dire ! Le chapelain de Cliton conseilla à Dom Pedro de se renseigner auprès du médecin, la seule personne, hormis le vicomte, qui était dans l'intimité de madame la duchesse. Le fils d'Ângela arracha au docteur une difficile révélation. Élisa de Montfort était partie pour l'Angleterre. Son intention était d'exercer une noble vengeance sur l'assassin de son honneur et de son frère.

Dom Pedro da Silva retourna en Angleterre. Il employa tous les moyens de l'espionnage sans parvenir à trouver trace de la présence de la duchesse à Londres, où la police a une connaissance immédiate du plus obscur étranger ayant franchi les frontières.

Alberto devait arriver le 8 octobre à Southampton. La duchesse s'y trouverait-elle ? Attendrait-elle Alberto de Magalhães lors de son débarquement ? Cette virile audace la dépeignit à Dom Pedro dans son imagination embrasée comme un être supérieur. Il partit pour le canal d'Angleterre. La chercha. Pas le moindre indice ! L'or de Dom Pedro ne surpassait pas les miracles qu'était en train d'accomplir l'or de la duchesse de Cliton.

La situation du pupille d'Alberto de Magalhães était amère ! Les investigations menées par le pauvre jeune homme le faisaient passer pour un fou. La police de Southampton alla jusqu'à menacer de l'arrêter s'il continuait à se montrer importun avec ses mystérieuses recherches.

Le 10 octobre, huit jours après le départ de Lisbonne de la goélette *Alcyone*, Dom Pedro da Silva reçut par hasard un journal livré à son hôtel. En le parcourant distraitement, il trouva ce qui suit :

« CATASTROPHE

On déplore le naufrage de la goélette portugaise *Alcyone* qui coula à dix milles de ce port. Elle emmenait en Angleterre son riche propriétaire, Alberto de Magalhães, et sa famille. Un membre de l'équipage, avec lequel nous venons de parler, raconte un événement extraordinaire que nous reproduirons simplement comme il nous a été raconté par le marin bouleversé.

La goélette fut abandonnée quand il n'y avait plus d'espoir de la sauver. Le valeureux Alberto s'était jeté à la mer avec son épouse accrochée à sa taille et avait demandé à quelques marins, qui ne l'avaient jamais abandonné, de sauver les servantes.

Le rapporteur de ce funeste événement nageait aux côtés d'Alberto, que les vagues emmenaient favorablement vers la côte. Le vaillant Portugais cria à plusieurs reprises à sa femme de garder courage car ils étaient sauvés. La malheureuse dame poussait des cris de terreur à chaque vague qui semblait prête à l'avaler et à la crête de laquelle son mari continuait à nager en la tenant serrée contre lui. Le marin inséparable de ce couple, digne d'émouvoir la pitié divine, faisait de courageux efforts pour protéger son corps au bord de l'évanouissement de la violence des vagues. L'une d'elles les rejeta tous brutalement sur la grève.

Alberto, étendu sur la plage, voulut dénouer les bras de sa femme, qui lui serraient la taille, et n'y parvint pas. Ils étaient raides et inflexibles comme le fer. Il palpa son cœur, qui ne battait plus. Son sang se glaça… Il l'appela désespérément… La prit dans ses bras, la serra contre son cœur, comme si sa chaleur pouvait passer dans cette poitrine inanimée.

Elle était morte ! Une scène terrible s'ensuivit ! Alberto de Magalhães s'agenouilla auprès du cadavre de sa femme… posa un baiser sur ses lèvres… sortit un poignard de la poche intérieure de son gilet et le planta dans sa poitrine en s'écriant : "Je ne manque pas à mes serments, Eugénia !" Le marin, stupéfait, tendit trop tard sa main vers le poignard ! Le suicidé se débattit quelques instants et expira en portant à ses lèvres la main de sa femme ! »

Le journal poursuivait la description du naufrage. Énumérait les victimes : tout l'équipage, hormis cinq marins, à l'heure où la nouvelle était publiée dans le journal.

Dom Pedro ne lut pas les dernières lignes. Cela lui semblait un rêve ! Il fixait le papier qui tremblait dans ses mains et se tint là, dans une attitude indéfinissable de stupeur, d'hébétude, de mort passagère de l'esprit.

À ce moment-là, la porte de la pièce s'ouvrit. Dom Pedro regarda machinalement dans cette direction et vit… la duchesse de Cliton ! Il en resta pétrifié ! Hébété, incapable de conscience, frappé par deux émotions simultanées, il attendit qu'elle s'approchât de lui. Ce qu'elle fit.

Elle avait sur les lèvres un sourire diabolique et dans les yeux une lueur de rancœur qui la brûlait de l'intérieur. Elle prit le journal des mains inertes du garçon, indiqua le mot « Catastrophe » et dit d'une voix tremblante, mais énergique et impossible à imiter par une autre femme :

— La vengeance de Dieu a anticipé la mienne ! Alberto de Magalhães ne racontera plus mes infamies à un autre homme ! La faveur qu'il vous a faite, Dom Pedro da Silva, rendez-la-lui en suffrages pour le salut de son âme.

L'automate ne bougea pas. La duchesse de Cliton sortit et alla s'asseoir à côté du vicomte d'Armagnac, qui l'attendait dans un tilbury devant la porte de l'hôtel.

— Qu'êtes-vous allée faire là-bas, Duchesse ? demanda le vicomte.

— J'y suis allée prendre congé de votre ami et lui remettre des lettres d'introduction pour l'Orient, puisque Alberto de Magalhães ne l'y accompagne plus.

— La vengeance vous durcit l'âme, Madame !

— L'âme ? En ai-je une, par hasard ! Croyez-vous que l'âme est une balle en fer qui résiste au feu du désespoir ?… Vicomte ! Je suis morte avant Alberto de Magalhães ! Ce qui reste de moi, c'est la part de démon qui entre dans la constitution de toutes les créatures !

XXVI

Trois mois plus tard, Dom Pedro da Silva, locataire d'une petite maison de campagne dans le voisinage du palais de feue la comtesse de Santa Bárbara, à Campolide, écrivait ce qui suit :

« Dieu me donnera-t-il l'apaisement ?... Pourrai-je aujourd'hui faire appel dans mon âme aux souvenirs de cette lente agonie de trois mois ? Je ne crois pas... Je commence, depuis peu, à avoir conscience de la vie... Qu'est-ce qui m'a rappelé au Portugal ?... Je ne sais... Que suis-je venu faire à genoux sur la tombe de ma mère ?... Je me souviens d'avoir beaucoup pleuré... et rien de plus !... Puis je suis venu chercher cette solitude pour mourir ignoré de tous... Je croyais avoir besoin de saluer chaque jour cette fenêtre où j'ai vu ma mère pour la deuxième fois... Mais je vis !... Je sens ce joug de fer !... Je vis et je n'ai pas le courage du suicide !... Aujourd'hui, plus que jamais, je recule atterré à semblable idée ! Que se passe-t-il en moi ? À quelle fin me destine la main qui retient mon bras ? Quel est ce nouveau malheur que je sens approcher ? C'est la misère... la faim... l'indigence !... Je n'ai personne qui vienne à mon secours, et demain, quand mon valet me demandera un sou pour un pain, je lui dirai que je suis le dernier des mendiants !... Je suis descendu jusque-là !... Mon patrimoine a disparu avec cet homme fatal !... Je suis pauvre !... Pauvre !... Ce mot résonne à mes oreilles comme l'éclat de rire d'un démon !... Qui tendra la main à un misérable, seul, la honte sur le visage et inutile pour tous les services !... Si je ne veux pas mourir ici de misère, je dois devenir laquais !... Voici ton fils, Ângela de Lima !... Essaie de me reconnaître, Duchesse de Cliton !... Je suis ton élève, le fils de ta fille de cœur, Père Dinis !... Venez m'embrasser ou me cracher au visage, je vous en remercierai pour l'un comme pour l'autre...

» Quelle mort, celle de cet homme !... Qui était-il ?... À l'heure qu'il est, la société a déjà oublié son nom ! Il a été aussi grand que Satan ! Il a eu le courage de prostituer avec de l'or une femme qui devrait être un ange ; mais également celui de s'enfoncer un fer dans le cœur !... Comme la mort grandit les hommes !... La seule distinction est là... au voisinage du tombeau !... Et la duchesse ?... Je me souviens à peine de l'avoir vue... Je sais qu'elle m'a parlé... que m'a-t-elle dit ? Je ne sais !... Je crois qu'elle m'a insulté !... Que me disait-elle ? Je sais que je la déteste depuis cet instant ! Il y a de la Providence dans cette haine ! Cette femme doit être le symbole de toutes les ignominies !... Quelle sera sa fin ?... Si je pouvais... je voudrais la voir... Tant que j'ai eu le peu d'or que j'ai gaspillé, je n'ai pas pensé à retourner en France... J'ai voyagé, et quand les dernières miettes m'ont commandé de travailler ou de mourir, je suis venu ici... Quoi faire ?... Mourir !... Cette situation est insoutenable... La résolution viendra quand la dernière goutte de fiel aura brûlé le lien lâche qui m'attache à je ne sais quoi, à quel mensonge, à quel espoir !... »

Un valet entra dans la chambre où Pedro écrivait.

— Que veux-tu ?

— Je viens dire à Votre Excellence qu'il me faut de l'argent pour les courses.

— En voilà... Combien te dois-je, Francisco ?

— Un mois.

— Voici ta paie.

— Vous me congédiez donc ?!

— Oui.

— Monsieur Álvaro n'est pas satisfait de mon service ?

— Si, je le suis... Mais je ne peux plus te nourrir ni te payer... Je suis pauvre : je n'ai plus rien hormis cet argent que je te donne...

— Alors Votre Excellence...

— Ma misère t'étonne ? Tu as raison...

— ... n'a personne pour l'aider ?

— Personne...

— Et vous ne pouvez pas trouver un emploi quelconque ?...
Pardonnez-moi ces questions, mais je me suis attaché à Votre
Excellence et Dieu sait qu'il me coûte de ne pas pouvoir la
servir à mes frais.

— Tu es le seul ami qui peut me dire une chose pareille...
Va, Francisco... Nous dînerons aujourd'hui ; demain tu ne
me demanderas plus l'argent que je n'ai pas pour les courses.

— Moi, je peux y arriver, Monsieur Álvaro, ne vous préoc-
cupez pas... Votre Seigneurie veut que je lui dise une chose ?

— Qu'est-ce que tu veux me dire ?

— Une fois, Votre Excellence était en train de délirer et
a parlé en anglais... J'ai servi des Anglais et j'ai entendu
quelques mots...

— Qu'ai-je dit ?

— Je ne m'en souviens plus ; mais le fait important est
que Votre Excellence sait parler anglais.

— Je sais, oui... et après ?

— Et français ?

— Aussi.

— Si Monsieur Álvaro voulait, il pourrait profiter d'une
bonne affaire.

— Laquelle ?

— J'ai lu hier dans une gazette une annonce qui disait :
"On cherche un individu sachant parler anglais et français,
pour occuper le poste de deuxième comptable dans la maison
commerciale du baron dos Reis. Ceux qui se trouvent dans
les conditions de servir..."

— De servir !... Je ne sers personne... Va-t'en !

— Pardonnez-moi, Votre Seigneurie.

Le valet sortit, effrayé par cette brusquerie. Dom Pedro
continua d'écrire :

« Il ne me manquait plus que cette dégradation !... On
m'envoie servir !... Moi qui, il y a trois mois, me croyais
le premier des hommes ! Sers, si tu ne veux pas mourir

de faim, Dom Pedro da Silva, descendant de rois !… La pauvreté est la dérision d'une naissance illustre… Et pour-quoi ne devrais-je pas devenir serf, si je me trouve dans cette situation ?!… Si je demande au frère de ma mère un morceau de pain, ne suis-je pas en train de demander l'aumône ? Le travail est l'indépendance… je travaillerai… mais en quoi ?… À quoi sers-je ?… Je n'ai aucun ami pour répondre à mes questions ! Où sont-ils, ces lords qui m'entouraient il y a trois mois ?… Où s'est-elle éteinte, l'auréole radieuse qui me rendait si distinct à mes propres yeux ?… Ma conscience elle-même me dit aujourd'hui que je suis le dernier des êtres obscurs… Seul ! Désemparé ! Orphelin ! Sans amis ! Vingt ans et aucune aptitude pour quoi que ce soit !… Que ferai-je demain ?!… C'en est trop ! Je n'ai rien à espérer !… La faim entrera ici avant le suicide !… Elle entrera !… Et puis, si je n'ai pas le courage d'embrasser l'extrême résolution du désespoir… je mourrai lentement !… Eh bien soit… je l'attendrai !… »

Le malheureux, portant ses mains à sa tête, semblait vouloir retenir l'entendement qui lui échappait. Écrire le consolerait-il ? Peut-être ; mais ses idées s'épuisaient. Ses larmes tombaient sur le papier, trempant les lettres que sa plume tremblante écrivait lentement. La douleur, lorsqu'elle est extrême, est stérile. Quand les yeux s'ouvrent à l'aspira-tion d'une agonie homicide, ne demandez pas au malheureux qui pleure l'impossible intrigue du drame infernal qui se déroule dans son esprit abruti. Ne nous demandez pas non plus à nous d'analyser ces angoissantes larmes. Elles étaient telles que seule la mort pourrait les expliquer…

Le lendemain, le fils d'Ângela de Lima entra rue das Chagas et demanda au concierge la faveur de l'annoncer au baron dos Reis.

— Qui êtes-vous, Monsieur ?

– Dites-lui que c'est au sujet de l'annonce que monsieur le baron...

– Ah ! Je vois... vous voulez faire le commis...

– Exactement... le commis...

– Alors attendez, je vais en faire part à Son Excellence.

Dom Pedro da Silva attendit dans la cour, appuyé à la roue cirée de la voiture de l'ancien maître de piano.

On le fit monter à une salle d'attente. La demi-heure qu'il attendit devait être la dernière expérience que le malheureux employait dans l'humiliation de son orgueil. On le fit passer dans une deuxième pièce, où, au bout de cinq minutes, apparut le baron dos Reis en *robe de chambre**, bonnet de loutre, chaussures de Maure et plume derrière l'oreille.

– Vous pouvez vous asseoir... dit-il en dévisageant le garçon par-dessus ses lunettes. Je vous trouve très jeune... Quel âge avez-vous ?

– Vingt ans.

– Vous êtes commis ?

– Non, Monsieur...

– Quel est votre mode de vie ?

– Mon mode de vie ?

– Oui... en quoi vous occupez-vous ?

– J'ai vécu quelques années dans un collège.

– Dans un collège ! Mais qui êtes-vous donc ?

– Je suis un homme qui s'offre pour faire le commis chez vous.

– Mais vous n'avez pas de pratique dans le commerce... Quelles langues étrangères connaissez-vous ?

– Je parle anglais et français.

– Et vous connaissez quelque chose au commerce ?

– Rien.

– Alors comment voulez-vous devenir commis ?!

– Je vois que je ne fais pas votre affaire... Je souhaite beaucoup de santé à Votre Excellence...

Dom Pedro se préparait à s'en aller.

– Attendez… Vous semblez bien pressé… Vous êtes disposé à suivre une carrière commerciale ?

– Oui, Monsieur, mais je vois que c'est impossible…

– Impossible… Pas tout à fait… Avec du travail, on arrive à tout. Qui est votre père ?

– Je n'ai pas de père.

– Mais vous avez quand même quelqu'un à Lisbonne.

– Personne.

– Elle est bonne, celle-là !… Comment vivez-vous, alors ?

– Comment je vis ?!

– Oui… Vous êtes seul ?

– Seul.

– C'est extraordinaire, ça ! Où avez-vous vécu ?

– À Londres et à Paris.

– Qui vous entretenait, là-bas ?

– Je ne saurais pas le dire à Votre Excellence.

– Vous me semblez un homme extraordinaire ! Et si je voulais vous prendre chez moi, qui vous servirait de caution ?

– Qui me servirait de caution ?

– Oui… Qui prend la responsabilité de votre fidélité ?

– Moi-même…

– Vous-même !… Cela ne suffit pas…

– Monsieur le Baron… permettez-moi de prendre congé…

– Venez là… Vous n'avez pas l'air d'un homme comme les autres !… Comment vous appelez-vous ?

– Álvaro de Oliveira.

– Combien voulez-vous gagner chez moi ?

– Je ne saurais vous répondre. Votre Excellence me donnera ce qu'elle voudra.

– La première année, vous gagnerez cinquante pièces, logé, nourri et blanchi. Cela vous va ?

– Tout me va.

– On dirait une comédie, mon garçon ! Ainsi donc, tout vous va !… Vous voulez être mon commis ou pas ?

– Cette question me semble une moquerie ! Que serais-je donc venu faire ici ?

– Je trouve vos réponses extraordinaires ! Vous ne m'avez pas l'air d'un homme qui a besoin de faire le commis pour vivre !…

– Mais j'en ai besoin, Monsieur le Baron.

– Vous avez eu une déconvenue dans votre vie, Monsieur, vous vous êtes fâché avec votre famille, à mon avis.

– J'ai déjà eu l'honneur de dire à Votre Excellence que je n'ai pas de famille.

– Absolument aucune ?

– Personne, absolument.

– Eh bien, Monsieur, soit… Je vais employer avec vous un système qui n'est pas habituel dans ces contrats. Je ne vous demande pas de caution ni ne redoute que vous exécutiez mal vos obligations. Vous vous installerez chez moi en qualité de deuxième comptable, avec quatre cent quatre-vingt mille réaux l'an. Au début, vous recevrez des instructions de votre collègue, puis, avec le temps, vous apprendrez la marche du commerce. Mon affaire concerne exclusivement des commissions avec l'Angleterre : puisque vous parlez couramment l'anglais, tout le reste sera résolu par la pratique. Vous êtes disposé à vous installer tout de suite chez moi ?

– Tout de suite, si vous le voulez.

– Et vos affaires ?

– Quelles affaires ?

– Vos bagages…

– Mes bagages viendront aujourd'hui même.

– En ce cas, venez avec moi, je veux vous présenter mon premier comptable.

Voilà donc le fils de Dona Ângela de Lima deuxième comptable de monsieur Joaquim dos Reis, que Dieu, au comble de sa colère, avait fait baron pour humilier l'aristocratie de ces royaumes.

XXVII

Le deuxième comptable avait été accueilli avec sympathie par le premier. En peu de leçons, ce dernier lui transmit les théories du commerce, admirant le talent du jeune homme pour les assimiler, quoiqu'il écoutât ses discours distraitement.

Le baron lui-même, homme rude et peu communicatif avec ses familiers, distinguait son commis Álvaro et parlait de lui flatteusement avec ses collègues. La qualité qui l'impressionnait le plus était la permanente réclusion dans laquelle le garçon vivait, à peine avait-il satisfait à ses obligations professionnelles. Il lui avait souvent demandé à quoi il s'occupait dans sa chambre, et Álvaro lui répondait qu'il avait plaisir à être seul. Ce plaisir, pour le baron dos Reis, était une preuve de bon sens, distinction dont il honorait son commis, par rapport à tous les autres qui ne perdaient pas une heure de récréation, toujours ruineuse pour le corps, l'ancien maître de piano n'accordant pas grande importance à ce qui concernait l'âme.

La baronne s'était prise d'affection en peu de temps pour ce commis, que son mari traitait avec une extraordinaire délicatesse. Elle se sentait attirée par ce garçon aux manières, aux paroles et à l'éducation si distinguées. Elle veillait avec un soin maternel sur tout ce qui appartenait à Álvaro. Elle le faisait souvent appeler pour prendre le thé avec elle et s'il ne venait pas, comme c'était presque toujours le cas, la fille de Dom Teótonio de Mascarenhas ne dédaignait pas d'aller le chercher dans sa chambre pour le prier de ne pas se livrer à une mélancolie injustifiée.

Elle devinait que cette tristesse avait des raisons sérieuses, mais son mari lui avait ordonné de ne poser au commis aucune question curieuse sur sa vie, car lui-même lui en avait posé une fois et n'avait obtenu comme réponse que la supplique de ne plus recommencer pour qu'il ne soit pas contraint d'être grossier en lui mentant ou en ne lui répondant pas.

Un soir, le comptable était monté au salon sur insistance du baron qui l'avait vu pleurer. Trois mois s'étaient écoulés depuis que Dom Pedro était au service de la maison et cela en faisait exactement six que la goélette *Alcyone* avait fait naufrage.

— Vous êtes très triste aujourd'hui, Monsieur Álvaro !... dit le baron.

— Très triste...

— Y a-t-il quelque chose qui vous mortifie ?

— Aucune... Je remercie Votre Excellence pour son attention.

— Vous savez que je vous considère plus comme un parent que comme un commis.

— Oui... Je reconnais que vous avez pour moi l'affection d'un père... Je vous dois beaucoup.

— Je regrette seulement, ajouta le baron avec une rude franchise, de ne pas avoir une fille : je vous l'aurais donnée avec toute ma fortune. Auriez-vous épousé une fille à moi ?

— Non, Monsieur.

— Non !... Pourquoi ? Êtes-vous marié ?

— Je ne suis pas marié et je ne le serai jamais... Je ne ferai le bonheur de personne et aucune femme n'aurait pu améliorer les malheureuses conditions qui ont été imposées à ma vie...

— Allons, ne dites pas cela... Il n'y a pas de mal éternel. À ce que je vois, il y a là une passion de l'âme... qui vous a mortifié... Enfin, le temps est le seul médecin pour ces maladies-là... Moi aussi, j'ai été jeune, et j'ai appris ce que sont ces choses, pour mon malheur... J'ai eu une passion pour ma femme... (elle est là, elle peut vous le dire) qui m'a coûté très cher ! Je suis franc, je ne fais pas de cachotteries.

Cette dame était la fille d'un noble, et moi je n'étais que maître de musique au collège où elle était avec une de ses sœurs. Je suis tombé amoureux d'elle sans aucun espoir d'en faire ma femme. Sa mère n'était pas noble, mais à la mort de… (disons la vérité… mon beau-père était un monseigneur de la Patriarcale)… Ce qui est sûr, c'est qu'elle est devenue riche à la mort de l'aristocrate… Alors, aller lui parler de mariage avec un professeur de piano ! Par la suite, ma malheureuse belle-mère est redevenue pauvre… (c'est une longue histoire) et moi, qui ne faisais pas la cour à ma femme pour son argent mais pour ses qualités, je l'ai épousée et ne l'ai jamais regretté… Nous avons vécu très pauvrement, mais avec beaucoup d'honneur, jusqu'à ce jour où nous nous sommes couchés pauvres et réveillés riches… C'est une longue histoire… Mais sachez que notre fortune n'a pas été faite comme celle de beaucoup que je connais… Si je suis riche, c'est parce qu'on nous a rendu ce qui nous appartenait et que moi, avec mon travail, j'ai fait fructifier, sans faire du tort à mon prochain. C'est vrai que nous devons presque tout ce que nous possédons à mon neveu Alberto de Magalhães…

— Alberto de Magalhães ! s'exclama Dom Pedro en changeant de couleur.

— Oui… que se passe-t-il ?… Vous connaissiez Alberto de Magalhães ?…

— Je l'ai connu… Qui était cet homme ?

— Mon neveu, marié à une nièce de ma femme…

— Eugénia…

— Oui, Eugénia… intervint la baronne, étonnée. Alors monsieur Álvaro connaissait ma nièce ?

— Oui… Cela fait aujourd'hui six mois qu'elle est morte…

— C'est vrai… C'est pour eux que je porte le deuil… Alors, vous avez connu ma nièce ? Où l'avez-vous connue ?

— Ici, à Lisbonne… Dites-moi… Eugénia n'était pas la fille de Dona Antónia ?

— Ma sœur…

— Votre sœur… Madame la Baronne !

— Ma sœur !…

— Oh ! Mon Dieu !… murmura Dom Pedro, cherchant à rassembler les pensées tumultueuses qui l'assaillaient.

— Vous avez aussi connu ma belle-sœur ?! demanda le baron.

— Dona Antónia ?… J'ai connu une Dona Antónia, qui était la mère d'Eugénia et qui a vécu en compagnie d'un prêtre…

— C'est justement celle-là… C'est ma belle-sœur… Nous avons appris plus tard qu'elle avait vécu avec ce grand homme… Mais vous avez vraiment connu tous ces gens ?

— Monsieur le Baron… je ne peux répondre à aucune autre question… Il me suffit de vous dire que Dona Antónia a été ma vraie mère…

La baronne poussa un cri, se leva, pâle et tremblante, fixant des yeux stupéfaits sur le visage de Dom Pedro et se figeant dans une stupeur que le baron ne comprenait pas.

— Qu'as-tu, Emília ?!

— Je n'ai rien… Mon ami… tu as autant de raisons que moi de t'étonner…

— De quoi ?

— La personne que nous avons chez nous… ce monsieur ne s'appelle pas Álvaro de Oliveira…

— Non ?…

— Madame la Baronne… murmura Dom Pedro en lui prenant la main, si vous me connaissez… je vous demande de garder une sainte réserve sur mon nom…

— Hormis pour mon mari, qui le connaît aussi bien que moi…

— Qui est-il donc ? demanda le baron, stupéfait.

— Je t'ai parlé il y a un an, tu te souviens, d'une dame qui a vécu avec ma nièce… et avec ma sœur…

— La comtesse de Santa Bárbara…

– Mère de ce monsieur, qui est Dom Pedro da Silva...

Le baron, nous ignorons par quel mécanique instinct, courba légèrement la tête et perdit l'usage de la parole, ce qui chez un tel homme ne pouvait être provoqué que par une raison stupéfiante ! Dom Pedro, troublé par cet impétueux torrent d'émotions, ne fut pas plus éloquent que Joaquim dos Reis. La fille d'Anacleta allait céder à l'impulsion de serrer dans ses bras le fils adoptif de sa sœur, quand Dom Pedro s'avança vers le baron et l'étreignit avec transport, embrassant la sœur d'Antónia dans la même étreinte. Tous trois se mirent à pleurer.

Voici une scène où l'ancien copiste de solfège sort de son domaine ! Il y avait une telle sublimité dans ses larmes, tant d'amour, de respect et de tendresse dans son étreinte avec le fils d'Ângela qu'il eût été fier de lui-même s'il avait pu se voir comme nous l'admirons.

Le lendemain matin, Dom Pedro da Silva poursuivit dans l'exercice de ses fonctions de comptable. Le baron le fit mander au salon et le força à s'asseoir sur le canapé.

– Votre Excellence n'est plus mon commis.

– Vous me congédiez donc...

– Je ne vous congédie pas... Loin de moi une telle pensée... Votre Excellence et ma femme sont toute ma famille... Je vous reçois comme l'envoyé de la Providence chez moi... Je vous veux toujours ici, mais pas comme commis...

– Et moi, je ne peux qu'être commis chez vous... sinon je m'en vais.

– Monsieur !... Ne me contredites pas, je ne mérite pas cela de votre part...

– Monsieur le Baron, je suis toujours Álvaro de Oliveira... Je ne pourrai rester chez vous que sous ce nom... M'acceptez-vous ainsi ?

– Je ne le peux... Vous devez être qui vous êtes... J'ai l'honneur d'avoir en ma compagnie un jeune homme que j'aurais voulu pour fils.

– Vous m'honorez avec ce titre et emplissez mon cœur de gratitude ; mais, si vous voulez poursuivre votre mission de père, laissez-moi être commis et je serai toujours digne du nom que vous me donnez.

– Mais, Monsieur !… Comment pourrais-je consentir que Votre Excellence…

– Si c'est un sacrifice, faites-le pour moi ; si vous ne pouvez pas le faire, placez-moi dans une autre maison de commerce où je pourrai gagner mon indépendance avec mon travail…

– Ça, jamais… Vous la gagnerez chez moi… Dorénavant vous êtes mon associé…

– Je ne peux l'être… Je veux être aujourd'hui ce que j'étais hier… Je ne reçois pas le bonheur de l'argent comme un bonheur… Je veux une chère indépendance, gagnée légitimement avec le travail… Si je quitte un jour le Portugal… J'ai besoin de voir les traces que j'aurai laissées sur le chemin parcouru jusqu'ici…

– Eh bien… Votre Excellence sera chez moi ce qu'elle voudra…

– Devant mes collègues, je ne veux aucune distinction… Je suis Álvaro de Oliveira…

– Vous serez Álvaro de Oliveira, mais, en privé, avec moi, vous serez Dom Pedro da Silva. Ma femme m'a prié de vous emmener à sa chambre. La pauvre Emília est tombée malade avec la surprise que Votre Excellence nous a faite et veut s'entretenir longuement avec Votre Excellence.

– Allons-y, Monsieur le Baron.

XXVIII

Un vieillard portant des habits sacerdotaux descendit de voiture devant le palais de Cliton. Il demanda la duchesse de Cliton et on lui répondit qu'elle n'habitait plus là.

— Depuis combien de temps, insista le prêtre, madame la duchesse est-elle partie d'ici ?

— Il y a cinq mois, dit le chapelain.

— Où est-elle allée ?

— Je ne saurais vous le dire… Personne ne saura.

— Permettriez-vous que je passe la nuit ici ? Il est trop tard pour chercher un hébergement à Angoulême.

— Vous pouvez entrer… Ici, on ne refuse l'hospitalité à personne.

L'étranger entra. Si le chapelain avait observé sa physionomie quand il le fit entrer, il aurait peut-être reconsidéré son hospitalière franchise ! Ce visage déjà cadavérique s'était contracté en une expression qui doit être celle du condamné devant l'échafaud.

— Vous semblez malade, s'enquit le chapelain.

— Très malade, Monsieur… Ce sont les derniers pas de ma carrière…

— Il est inutile de vous demander si vous êtes prêtre…

— Je suis prêtre.

— Dans quel département ?

— Je ne suis pas français.

— Non ?! D'où êtes-vous ?

— Du Portugal.

— Vous venez peut-être rejoindre la mission apostolique ?

— Non, Monsieur… je reviens des missions.

— Et vous êtes portugais ?

— J'ai déjà eu l'honneur de vous le dire.

— Vous appelez-vous Père Dinis Ramalho ?

– Vous connaissez mon nom ?!

– Je le connais des *Annales de la propagation de la foi* et j'ai entendu, il doit y avoir de cela un an, le doyen d'Angoulême parler de vous avec un grand intérêt. Si vous êtes Père Dinis, vous avez été, en Amérique, le compagnon de Père Petit.

– Je l'ai été.

– Et votre compagnon ?

– Il a été martyrisé le jour de mon départ... J'ai assisté à sa mort et je suis parti.

– Les impies vous ont laissé partir ?

– Oui... Je leur ai demandé la vie en leur promettant d'y renoncer ailleurs.

– Et ils vous l'ont accordée ?... Il aurait été plus naturel qu'ils vous fassent mourir auprès de votre compagnon...

– Dieu est seul juge...

– Vous avez raison... Vous cherchez la duchesse de Cliton... La connaissez-vous ?

– Oui.

– D'où ?!

– Du monde...

– Elle a été bien malheureuse, cette dame...

– Oui ?... Je la croyais très heureuse...

– Elle était digne de l'être... Elle n'a vécu qu'une année en paix...

– Une année... 1836 ?

– Oui, Monsieur... Après, elle a connu de nouveaux malheurs...

– De nouveaux malheurs... lesquels ?

– Lesquels... demandez-vous... Je ne sais si je dois vous révéler ce qui est un secret pour beaucoup...

– Vous le pouvez, car je suis un homme mort. Allez... dites – je suis un tombeau qui s'ouvre devant vous pour cacher un secret...

– Excusez-moi... mais je ne dois pas...

– Parlez, Père La Croix...

– Qui vous a dit mon nom ?!

– Je ne m'en souviens même pas… Dites… Quels nouveaux malheurs a subis madame la duchesse un an après ses voyages ?

– Vous voulez que je vous le dise ?… Vous promettez de ne pas trahir ma confidence ?

– Parlez…

– Elle a aimé l'un de vos compatriotes… qui vivait chez le vicomte d'Armagnac et s'appelait Dom Pedro da Silva… Qu'avez-vous ?… Ce sursaut…

– Ce n'est rien… Il s'appelait Dom Pedro da Silva… et après ?

– Ce jeune homme, pour des raisons très particulières que je ne suis jamais parvenu à percer, l'a abandonnée…

– Et elle ?

– Elle l'a poursuivi, je crois, trois mois durant, et, en rentrant, elle était transfigurée… Elle s'est attardée ici vingt-quatre heures avec le vicomte d'Armagnac, puis elle est partie pour ne plus revenir…

– Il y a cinq mois, avez-vous dit ?…

– Il y a cinq mois.

– Le vicomte d'Armagnac doit savoir où elle se trouve.

– Je crois qu'il saura.

– Où vit cet homme ?

– Près d'ici, en haut du coteau face à cette maison.

– Avez-vous quelqu'un pour lui porter un message ?

– Il ne viendra pas… Il est dix heures et la nuit est à l'orage.

– Donnez-moi un papier et faites-moi la grâce d'envoyer un valet là-bas.

Père Dinis écrivit sur un papier, qu'il lui remit ouvert, les paroles suivantes :

« Appelle-moi du fond de ton tombeau et je briserai la pierre pour descendre jusqu'à tes os. »

Le chapelain, curieux, lut ces mots et en resta médusé.

Revenant dans la pièce où il avait laissé le missionnaire, il le trouva à genoux et n'osa pas l'interrompre.

— Avez-vous déjà terminé vos prières ? demanda Père Dinis.

— Oui, Monsieur.

— Moi pas… Excusez-moi et laissez-moi seulement quelques minutes.

— Quand vous aurez terminé, tirez ce cordon de sonnette pour qu'on vous serve à dîner.

Le prêtre se redressa lorsque le chapelain sortit. Il prit le candélabre, ouvrit la porte de la pièce voisine et se trouva devant des portraits. Il rapprocha la lumière de l'un d'eux et sourit amèrement. Au bas de ce portrait on pouvait lire la légende suivante :

Benoît de Montfort, duc de Cliton.

Il quitta cette pièce et traversa une antichambre. Il posa la main sur le verrou de la chambre contiguë et recula, atterré et tremblant. Reprenant du courage, il leva le loquet, en vain : la porte était fermée. Il réfléchit un bref instant. Déplaça un canapé aux coussins défraîchis appuyé contre le mur de la chambre. Il pressa un ressort, ouvrant dans la cloison un espace par où pouvait passer un homme. Il entra et, aussitôt entré, la lumière lui tomba des mains et il se retrouva dans un noir profond. Il tâta autour de lui et trouva un lit : il tressaillit et se pencha sur ce lit dont le matelas conservait encore les miasmes d'un cadavre. Là, dans cette posture, il ne prononça pas un mot, mais ses sanglots étaient de ceux qui portent en eux des lambeaux de vie. Il se releva vivement. Tâta encore et trouva un verre. Ce contact, semblable à la morsure du scorpion, parut l'avoir tué. Père Dinis tomba, rugissant ces mots : « Dieu est implacable ! » Son évanouissement se prolongea. Quand il revint à lui, le missionnaire entendit des pas dans la pièce voisine et vit le reflet d'une lumière.

— C'est diabolique ! dit le chapelain.

— Un tel phénomène ne peut s'expliquer ! ajouta le vicomte d'Armagnac.

– Père Dinis ! appela le chapelain en s'approchant de l'antichambre, où il entra en poussant un cri d'étonnement.

– Regardez cette ouverture dans le mur, Monsieur le Vicomte !

– C'est vrai ! C'est dans cette chambre…

– … qu'est morte la mère de madame la duchesse de Cliton !… Où jamais plus personne n'est entré !

– Donnez-moi cette lumière et laissez-moi… dit le vicomte.

– Maintenant ça y est, je crois qu'il y a des fantômes dans ce château… Je vais quitter cette maison !… murmura le chapelain, atterré, tâtant les murs, redoutant d'être étranglé par une âme en peine.

Le vicomte entra par la fente dans le mur et vit le prêtre, debout, appuyé au lit. Son bras, tenant le candélabre, tremblait.

– Qui êtes-vous, Monsieur ?! demanda-t-il d'une voix incertaine, comme s'il s'attendait à entendre en réponse le silence d'un cadavre ou la voix d'un impossible vivant…

– Je vous ai appelé du fond de mon tombeau et vous êtes venu. Vous avez tenu parole… vous êtes quitte, Vicomte.

– Mais qui êtes-vous ?! Avez-vous connu par hasard…

– Le duc de Cliton ?

– Oui.

– Il est mort il y a trente ans… son cadavre a été enterré dans la chapelle de cette maison.

– Exactement.

– Et, trente ans plus tard, le duc de Cliton apparaît à côté du lit nuptial de sa femme.

– Que dites-vous ?… Je ne vous comprends pas…

– Et pourtant je parle le langage des vivants… Je suis l'homme qu'on appelait duc de Cliton.

– Vous !…

Le vicomte recula, tendant le bras avec la lumière vers le visage du missionnaire.

– Vous !… poursuivit-il, presque évanoui de peur.

Dites-moi si vous êtes venu me jouer une horrible comédie !... Ne jouez pas avec les morts, car ils sont sacrés !

— Laisse-moi te serrer dans mes bras, Vicomte d'Armagnac ! Ne tremble pas... Ces bras sont les mêmes qui te serrèrent contre mon cœur de jeune homme... Tu verras qu'ils ont encore la chaleur de la vie... Tu me fuis, Vicomte ? Tu ne vois en moi rien de l'homme ancien ? Regarde ce bras !... N'y vois-tu pas la marque éternelle que la pointe de ton fleuret y a laissée ?... Est-elle encore vivante, la duchesse de Bouillon, pour les sourires de qui tu as versé mon sang ?

Le vicomte, les yeux figés, la bouche semi-ouverte, le cœur bondissant de terreur, s'avança machinalement vers les bras de Père Dinis qui le cherchaient.

— Tu ne veux pas me reconnaître, Vicomte ?

— Vous... le duc de Cliton !

— Oui... celui que les hommes appellent duc de Cliton.

— Que l'on croit mort depuis trente ans... et enterré dans la chapelle de cette maison... C'est impossible !... Quel âge avez-vous ?

— Soixante et un ans...

— C'est impossible !

— Quoi ?

— Vous n'avez pas cet âge... Vous êtes plus vieux... J'ai connu le duc de Cliton depuis l'enfance... Il est mort il y a trente ans...

— Et il est ressuscité à soixante et un... Laisse dormir en paix, du sommeil éternel, mon fidèle serviteur qui est là-bas, dans le caveau où est inscrit mon nom. Parlons des vivants, Vicomte. Où est ma fille ?

— Votre fille ?!

— Élisa de Montfort.

— Vous me jurez par tout ce que vous avez de plus sacré que vous êtes le duc de Cliton ?

— Je vous ai déjà dit que je suis l'homme à qui l'on a donné ce nom.

– Mon Dieu !... Ceci est un rêve !...

– Alors, réveille-toi, Vicomte !... Tu n'as pas encore perdu ton vice de garçon !... En ce temps-là, tu rêvais toujours !... Te souviens-tu quand tu as rêvé que je me réveillais vieux m'étant couché jeune ?

– Oui... je m'en souviens... Maintenant, je vois que tu ne me mens pas... Tu es le duc de Cliton... ou je suis devenu fou...

– Vas-tu répondre maintenant à ma question ? Où est ma fille ?

– Ta fille... Duc... Avant de te répondre, laisse-moi réfléchir sur cet événement... Il me faut me convaincre qu'il n'y a pas un effroyable sortilège en tout cela...

– Que gagnes-tu à mortifier un pauvre vieillard, Vicomte ?

– Ta fille... est devenue sœur de charité...

Père Dinis fixa le vicomte avec une intensité qui le glaça. C'était une extase suffocante. On n'entendait pas un soupir dans cet espace étriqué. Ils communiquaient leur terreur aux objets. Les reflets de la lumière tremblaient dans les plis de la couverture de damas qui drapait le lit. Sur les murs nus, que l'on n'avait plus touchés depuis trente ans, couraient des ombres d'un fantastique horrible qui peuplait de visions sinistres l'imagination superstitieuse du vicomte.

Père Dinis, après quelques secondes d'immobilité, tendit la main à son interlocuteur.

– Tu as la foi ? demanda-t-il.

– Si j'ai la foi ?

– Tu crois en Dieu ?

– Je crois en Dieu !...

– Agenouille-toi avec moi, Vicomte... Prie le Seigneur pour qu'Il mette fin à mon expiation... Prie le Très-Haut pour qu'il abatte en cet instant, de tout son poids, l'épée de sa terrible vengeance ! Prie-le pour qu'Il me fasse mourir dans ce lit... Non... non, j'ai besoin de vivre... Il prononça ces derniers mots en se relevant soudain et se dirigeant vers la fausse porte par laquelle il était entré. Il passa dans l'anti-chambre. Le vicomte l'y suivit…

Le père chapelain dit plus tard qu'il les avait vus sortir tous deux cette même nuit et que le missionnaire n'était plus jamais revenu.

XXIX

— Vous pouvez entrer, Monsieur. Demandez l'infirmerie des cholériques, vous y trouverez la sœur de charité que vous cherchez.

Cette réponse était faite à Père Dinis par le concierge de l'hôpital de l'Hôtel-Dieu, à Paris. Conduit à l'infirmerie des cholériques, il demanda à l'une des infirmières s'il pouvait parler à Virginie du Saint-Esprit, sœur de charité.

L'infirmière le pria d'attendre dans sa chambre et revint lui dire que Virginie ne viendrait pas sans connaître le nom de la personne qui la demandait. Le missionnaire écrivit son nom et le lui remit.

Quelques moments plus tard, la sœur de charité entrait dans la chambre en s'appuyant au battant de la porte, car elle défaillait.

Père Dinis lui tendit la main, que la duchesse de Cliton accepta, plus par nécessité de s'appuyer à ce bras que par un élan d'amitié et de contentement de retrouver l'homme qu'elle tenait pour l'être mystérieux ayant racheté ses rentes hypothéquées.

Le prêtre, abattu, moins courageux qu'elle, incapable désormais de résister aux émotions extraordinaires, usé, pour ainsi dire, dans le corps et dans l'âme, ne prononça pas un mot qui aurait pu aider la duchesse dans l'embarrassante position où elle se trouvait devant le sauveur d'Alberto de

Magalhães, qui était également le saint homme dont l'écho des vertus déployées dans la mission ne cessait de retentir en France.

— Je n'espérais plus vous revoir… dit la sœur de charité. On vous a dit que je vivais… ou mourais ici. Qui ?!

— Dieu l'a voulu… Me voici, Madame la Duchesse…

— Ne m'appelez pas par ce nom ! coupa-t-elle en lui faisant signe de silence. Parlez à voix basse… Laissez-moi dépenser tout le fiel de mon sacrifice… Si l'on me reconnaît, je m'enfuis d'ici…

— Vous ne vous enfuirez pas… Vous rappelez-vous ce que je vous ai dit à Lisbonne ?

— Je ne sais pas… Ne me rappelez pas Lisbonne…

— Je veux au moins vous rappeler mes paroles… "Vous croirez en Dieu…" Est-ce cela ?

— Je crois, oui, je crois en Dieu…

— Comme votre mère, qui a été plus malheureuse que vous.

— Que moi ?… C'est impossible… D'aussi malheureuse, il n'y en a qu'une… Vous me reparlez de ma mère !… Qu'avez-vous à voir avec elle ou avec moi ?… Au nom de Dieu, ouvrez-moi votre cœur…

— Au nom de Dieu, je vous dis que mon cœur ne s'ouvre pas… Le cadavre n'a pas la force de briser la pierre… Et moi, je n'en ai pas non plus pour briser les sceaux qui ferment l'abîme du cœur… Élisa de Montfort, je suis venu prendre congé de vous… pour toujours…

— Je croyais que vous ne pouviez pleurer ainsi… Vous vous évanouissez !… Asseyez-vous, Monsieur !… Voulez-vous que j'appelle un médecin ? Vous n'avez pas bien fait de venir ici, si près de l'infirmerie des cholériques… Qu'avez-vous ?

— Rien, Duchesse… Je n'ai plus assez de courage… Je comprends, par ma faiblesse, que je suis arrivé au bout de cette longue marche… Il était temps, mon Dieu !… Le sacrifice est consommé... Redoublez mes forces, si vous remplissez de nouveau le calice...

Père Dinis allait s'agenouiller, mais la duchesse le retint.

— Asseyez-vous... Je crois que vous êtes très malade... Vous avez beaucoup changé, ces deux dernières années !... Où allez-vous ?

— À Lisbonne...

— N'y allez pas... restez en France... Je serai là pour vous comme si j'étais votre fille... Voulez-vous que j'accompagne vos dernières années de vie comme votre fille ?

— Comme ma fille !... s'exclama le prêtre. Comme ma fille ! Et vous voulez être ma fille !...

— Comme je suis la fille de tous ceux qui souffrent... J'ai fait alliance avec les malheureux jusqu'à la mort, et vous... Je crois que vous êtes très malheureux, n'est-ce pas ?

— Je l'ai été... Plus maintenant, c'est fini... Les agonies sont douloureuses, mais mon dernier gémissement est précurseur d'une paix éternelle... Je ne peux accepter votre proposition, sœur de charité... J'ai au Portugal une tombe qui m'attend... Je vais rejoindre les os de mes parents... Je vais leur remettre ce qui reste de l'héritage de douleurs qu'ils m'ont légué... Ces os décharnés et cet habit ont été le linceul de mon âme, morte il y a longtemps... Elle est morte quand vous êtes née, Duchesse...

— Quand je suis née !... Que voulez-vous dire ?!

— Je ne veux rien vous dire... Êtes-vous moins malheureuse ici ?

— Je ne sais ce que je suis... J'ai au moins l'espoir d'une mort prochaine... Elle me tarde déjà, mais elle viendra quand elle voudra... Je reçois toutes les angoisses sans résistance... Je les cherche sans savoir s'il y en a au monde de nouvelles, car je les voudrais aussi et alors... j'irais les chercher...

— Vous voyez bien qu'en ce monde il faut aller jusqu'au bout du malheur pour commencer une existence meilleure... Celle de la mort... Oui, celle de la mort ; quelle autre donc, sinon celle-là ? Et qui la salue, qui l'aime, qui s'y dévoue, allant la chercher dans les missions ou dans les hôpitaux ? Nous… Vous et moi, car nous sommes tous deux des malheureux… Et nous devons tant à la Providence ! Ne serait-ce pas un bien cruel caprice de Dieu que celui de nous inspirer la saveur de la vie, maintenant que dans notre cœur tout est froid, que devant nos yeux tout a perdu sa couleur, qu'autour de nous tout est mort !… Que nous vaudraient aujourd'hui les élans du bonheur ? Que ferions-nous d'un tas d'or ? Quels espoirs y a-t-il que nous puissions acheter avec de l'argent ? Rien… aucun… L'or, dans nos mains, serait comme les richesses de l'Arabe assoiffé qui donna toute sa caravane pour une goutte d'eau… Dans cet état, on est heureux…

– Heureux !…

– Non ? Vous ne l'êtes pas, vous qui avez trente ans… mais moi, si vieux, si faible… Je ne peux plus porter la vie sur ces épaules qui ne peuvent supporter que le poids d'un linceul !… Regardez, Duchesse… Je suis ainsi depuis trente ans… Je marche ainsi vers le jour qui est proche… Vous pouvez à peine imaginer le plaisir que me procure cette proximité…

– Je connais ce plaisir… Que suis-je venue faire ici, sinon surprendre la mort, qui me réserve peut-être une vieillesse effrayante…

– Vous cherchez le suicide… Qu'est-ce qui vous a amenée ici ?… À quel moment vous a-t-il paru que la mort était un bénéfice ?…

– Quand je n'ai plus supporté la vie… quand je n'ai pas eu le courage de boire du poison… Je suis allée jusqu'à porter à mes lèvres le verre où ma mère…

– Silence ! s'écria le prêtre en collant sa main sur la bouche de la duchesse.

– D'accord… je me tais… Et pourquoi dois-je me taire, Monsieur ?… Dois-je mourir sans vous connaître ?

– Oui.

— Cela est cruel !... Pourquoi me suivez-vous ? Quel intérêt avez-vous à mon bonheur, Père Dinis ?

— Un intérêt impuissant... Je vous ai rencontrée malheureuse, malheureuse je vous quitterai...

— Je n'ai pas suivi vos conseils...

— Cela aurait été pareil si vous les aviez suivis... L'annonce de Dieu vous avait condamnée à la souffrance, à la honte et à l'opprobre... Ma voix était trop faible. Je ne vous accuse pas ni ne vous absous... Je suis un ver et votre pied m'écrase... Vous êtes le fouet qui me frappe... J'aurais été un impie si j'avais voulu désarmer la main de Dieu... Ma vie était suspendue à un fil... Bénie soit votre main qui l'a coupé...

— Ma main !... En quoi vous ai-je fait souffrir ?... Dites... Ce remords me manquait !... Parlez !

— Ne tentez pas l'impossible !... Respectez ce secret avec des larmes... Que Dieu me tue à l'instant même où ma langue vous dira le premier mot de cette révélation... Vous ne pourrez jamais savoir qui je suis, sinon je devrai ramasser votre corps mort à mes pieds...

— Mon Dieu !

— Parlez-moi la tête haute, vous êtes en droit de le faire !...

— Seigneur !...

— Dites-moi que je n'ai aucune influence sur vos actions, et je reculerai, chassé par votre ordre de me taire !...

— Je n'oserai jamais le faire !...

— Vous l'avez déjà fait, Duchesse. Et moi, je me suis laissé humilier, car je pensais que cela vous exaltait !... Tout a été inutile !... Votre chute était irrémédiable... Vous êtes tombée... avec moi, avec votre mère, avec tous ceux qui m'entouraient, dans le même abîme... Tous y sont tombés... Dom Pedro da Silva y est-il déjà tombé, lui aussi ?

— Pourquoi me parlez-vous de cet homme ?... Vous connaissez déjà le secret de mon dernier malheur !... Vous connaissez cet homme, comme vous avez connu...

— Alberto de Magalhães ?... Je les ai connus après vous

avoir connue, Duchesse !... Je devais les connaître tous deux parce qu'ils devaient faire avec vous une alliance de fléaux contre moi... Assez, Élisa... Je suis venu perturber la tranquillité de votre sacrifice à Dieu... Restez ici, sœur de charité, restez dans cette infirmerie attendant la mort, tandis que moi je demanderai au Seigneur qu'elle ne vous fasse pas trop attendre...

– Demandez... demandez...

– Je le demanderai, comme je l'ai demandé pour moi... Permettez-moi de vous serrer dans mes bras, car je vais vous quitter.

– Non... ne me quittez pas... Soyez mon soutien, parce que je n'ai plus personne qui compatisse à mes sourdes souffrances... Au nom de ma mère... je vous prie de ne pas me quitter...

– Votre mère... Votre mère, Élisa...

Dans le sourire de Père Dinis, il y avait une lueur qui atterra la duchesse. Lui-même ne connaissait peut-être pas la signification de ce sourire, et le lecteur ne pourra la deviner sans qu'on lui explique le secret de ce verre qui fit trembler Père Dinis dans la chambre où était morte la mère de la duchesse de Cliton. Ce qui est certain, c'est que le missionnaire, depuis qu'il avait souri à la supplique de la duchesse, demeurait dans un état de stupeur idiote qui surprit la sœur de charité et lui fit craindre un symptôme de proche folie. Aux questions qu'elle lui posa sur sa destination, il répondit avec des mots incohérents et, souvent, par un triste silence, tandis que les larmes jaillissaient de ses yeux sur ses mains qu'il levait vers le crucifix.

Dans cette conjoncture, entra une infirmière annonçant qu'un monsieur bien mis était descendu d'une voiture et souhaitait parler avec la sœur de charité Virginie du Saint-Esprit. L'infirmière ajouta qu'elle lui avait répondu qu'il ne pouvait parler à cette personne sans dire son nom, mais le directeur de l'hôpital, qui se trouvait présent, était intervenu pour lui dire : « Monsieur le Vicomte peut monter. »

Père Dinis reprit de l'allant en entendant ce message que la duchesse écoutait en tremblant.

Avant qu'elle puisse répondre à l'infirmière, le vicomte d'Armagnac entra.

Le missionnaire alla à sa rencontre et lui murmura presque à l'oreille :

— Pas un mot à mon sujet, Vicomte !

— Nous devons la sauver… répondit le vicomte.

— De quoi ? Quel danger la menace ?

— Ce suicide lent où tu la vois… Rends-lui le bonheur, Duc !…

— Le bonheur !… Tu viens détruire l'œuvre de Dieu !

— Non !… Celle des hommes…

— Essaie d'y parvenir… Sauve-la, si tu peux… Moi, je la quitte…

— Déjà ?

— Déjà.

Père Dinis saisit la main de la duchesse et se figea dans la posture silencieuse d'un adieu, qui nous serre la gorge et nous déchire le cœur. Élisa de Montfort porta cette main à son sein et y recueillit une larme. Le vicomte, spectateur muet de cette poignante scène, avait les cheveux dressés sur la tête par l'exaltation qu'une grande douleur nous communique. Le prêtre, lâchant la main de la duchesse, la prit dans ses bras ; puis, avec un courage feint, il tourna le dos à la sœur de charité, fit un pas, s'arrêta, se retourna soudain vers elle, lui tendit les bras et tomba évanoui dans ceux du vicomte, qui s'était précipité pour suppléer aux forces défaillantes de la duchesse.

Père Dinis savait qu'il ne pouvait redouter de nouveaux fléaux. Les grands malheureux ont la prescience de la mort, ils la reconnaissent quand elle approche, la sentent, l'accueillent dans leur cœur, et lorsqu'elle les serre de son étreinte indissoluble ils sont déjà morts.

Quand le missionnaire reprit connaissance, il se retrouva dans les bras du vicomte et vit la duchesse de Cliton à genoux. Il balbutia des mots qui l'auraient trahi si l'habituelle froideur de son caractère n'avait refroidi à temps les élans de son cœur.

– Je ne peux mourir ici ! dit-il. Aidez-moi à reprendre les forces qui me ramèneront au Portugal… Laissez-moi mourir heureux, car je n'ai déjà plus d'autre récompense en ce monde, sinon la mort que je désire et le tombeau que je veux ouvrir avec mes mains… Ne détruisez pas ce désir… Aidez-moi… Ne me barrez pas le chemin, ne me contraignez pas à des émotions trop lourdes pour moi… Duchesse… Sortez… Je vous le demande avec toute l'insistance de mon âme qui ne sait même plus demander… Allez-vous-en…

– Je vais… j'irai… Père Dinis…

– Soyez bénie, Madame… Accompagnez-la, Vicomte…

– Non… je n'ai pas besoin de votre compagnie, Monsieur le Vicomte… Restez avec lui… Mon voyage est bref…

La duchesse entra dans l'infirmerie des cholériques et Père Dinis, soutenu par le vieil ami de Dom Pedro da Silva, sortit de l'Hôtel-Dieu.

XXX

Dix jours plus tard, Père Dinis descendait d'une voiture, appuyé au bras du cocher, et entra dans la cour du baron dos Reis.

Il fut annoncé au maître de céans et introduit dans une pièce où il attendit que Son Excellence vînt le recevoir avec l'affabilité qu'elle n'aurait sans doute pas montrée si le visiteur était arrivé à pied ou si le baron n'avait pas entendu le roulement de la voiture.

— J'ai l'honneur de saluer Votre Excellence, dit le prêtre en se levant difficilement de sa chaise.

— Veuillez vous asseoir… Vous me semblez indisposé…

— C'est la vieillesse, Monsieur le Baron… Je suis un total inconnu pour Votre Excellence…

— Je ne me souviens pas de vous avoir vu…

— Sans doute pas… La raison pour laquelle j'ai l'honneur de vous rendre visite n'exige pas que Votre Excellence me connaisse.

— En quoi puis-je vous servir ?

— Votre Excellence a acheté le couvent des ex-moines dominicains à Santarém ?

— Oui, Monsieur.

— Je viens solliciter de Votre Excellence la permission d'exhumer du cloître les ossements d'un moine décédé dans cette maison… Puis-je compter sur votre autorisation ?

— Oui, Monsieur. S'il ne vous faut que mon autorisation, vous pouvez vous considérer comme servi.

— J'avais besoin aussi d'une autorisation ecclésiastique… Je l'ai apportée à Votre Excellence pour vérification…

— Ce n'est pas nécessaire… veuillez la ranger. Je vais donner des ordres pour que Votre Seigneurie puisse, quand elle le voudra, trouver porte ouverte au couvent.

— Demain, si Dieu me le permet, je partirai pour Santarém. Si cela ne vous dérange pas, Votre Excellence pourrait me donner maintenant un ordre pour que je le présente à votre administrateur sur place…

— Mon comptable y est en ce moment. Adressez-vous à lui, dans le couvent, et…

— Comment s'appelle-t-il ?

— Álvaro de Oliveira… Veuillez lui dire que vous m'avez parlé à ce sujet, vous n'avez besoin de rien d'autre. Et si je peux vous être utile en quoi que ce soit, n'hésitez pas.

— J'en suis très reconnaissant à Votre Excellence... Veuillez me dire... comment va Madame la Baronne ?

— Vous connaissez donc ma femme ?

— Je l'ai connue enfant... Il y a bien trente ans de cela.

— Si vous voulez que je l'appelle...

— Non, Monsieur... Je ne peux m'attarder... Si cela était possible une autre fois, j'aurais plaisir à la revoir... Monsieur le Baron... permettez-moi de prendre congé...

— Veuillez me dire votre nom pour que ma femme sache qui a demandé de ses nouvelles...

— Ce serait inutile, Monsieur le Baron... Mon nom... qui connaît mon nom ?... Votre épouse ne me connaissait ni par mon nom ni par ma personne...

— Ma maison est devenue fertile en extravagances, dit, songeur, Joaquim dos Reis.

— Je n'ai pas saisi ce que vous avez daigné me dire...

— C'était une réflexion... je ne m'adressais pas à Votre Seigneurie... Je vois que vous voulez vous en aller...

— J'y suis forcé... Je vous suis très reconnaissant de la faveur que vous m'accordez, Monsieur le Baron... Je ne peux pas vous offrir des valeurs que je ne possède pas... Je vous suis obligé de votre bonté et je pense que Votre Excellence comprendra qu'un vieux prêtre qui va s'occuper de squelettes ne possède plus rien pour rétribuer des faveurs...

Le prêtre remonta dans sa voiture et descendit devant le numéro 44 de la Travessa da Junqueira. Les voisins virent avec une sorte de terreur s'ouvrir la porte de cette maison, fermée pendant trois ans sans que personne sache quelle fin avait connue son propriétaire, depuis qu'en était sorti le cadavre d'une dame retirée morte de leur voiture par des cochers.

Père Dinis monta, appuyé au bras du cocher, qui dut par trois fois le soutenir en entrant dans la première pièce. Le vieillard s'assit tandis que le cocher ouvrait toutes les fenêtres, car l'air renfermé qu'on y respirait était insoutenable.

Sur le canapé où le prêtre s'était assis se trouvait une robe de femme, qu'il saisit avidement et porta à ses lèvres, les bras tremblants. C'était la robe qu'on avait enlevée au cadavre d'Ângela de Lima. À terre, on voyait des fragments d'une cape, des morceaux de tissu de lin et des objets de laine mités. C'étaient les restes des vêtements de la comtesse de Santa Bárbara, rongés par les rats.

Le cocher dévisageait son mystérieux maître avec stupeur, voyant dans tout cela une incompréhensible affaire de sorcellerie.

— Tu peux disposer… lui dit le prêtre. Demain nous irons à Santarém.

— Votre Seigneurie reste là toute seule ?

— Oui.

— Vous ne voulez pas que j'aille vous chercher à manger dans une auberge ?

— Non, mon garçon ; tu peux t'en aller tranquille, j'ai quelqu'un qui me donnera à manger.

Ensuite, arriva un notaire, venu lire l'acte de donation de cette maison, avec les objets qui s'y trouvaient, à la Sainte Maison de la Miséricorde, à la condition que le donateur, Père Dinis Ramalho e Sousa, soit reçu dans l'infirmerie des particuliers de l'hôpital de São José et que, après sa mort, soient enterrés avec lui dans le cimetière de la même maison, en sépulture ordinaire, les ossements que l'on trouverait auprès de son lit dans un cercueil plombé.

L'acte signé, Père Dinis resta seul. Il se leva. Regarda autour de lui avec une religieuse frayeur. On aurait dit qu'il invoquait dans leurs tombeaux les dernières personnes qui s'étaient assemblées dans cette maison. Il retomba épuisé sur le canapé et sanglota, le visage caché dans ses mains cadavériques. Demandant, peut-être, des forces à Dieu, il se redressa d'un coup. Il parcourut un long couloir, souleva le loquet d'une porte, fit un pas à l'intérieur de la pièce et recula aussitôt. Cette chambre avait été celle de Dona

Antónia de Mascarenhas. En face, se trouvait celle d'Ângela de Lima. Il tenta d'y pénétrer… et s'agenouilla sur le seuil. Quels mots furent les siens ? Il ne les dit pas et le cœur, plus familiarisé avec les tortures, ne les devine pas non plus. Il poursuivit sa visite tourmentée. On aurait dit qu'il marchait parmi des spectres qui l'assaillaient dans chaque pièce où il pénétrait. Autour de lui, tout n'était que ténèbres, éclairées par la lueur ténue filtrant à travers les fissures des fenêtres, qui augmentait la terreur superstitieuse du vieillard dévoré par la fièvre.

Le dernier lieu qu'il visita fut son bureau. Il ouvrit un grand tiroir, le sortant complètement de son cadre. Il tendit le bras à l'intérieur et en extirpa un petit tiroir caché par un ressort secret.

Il le vida sur une table et quitta le bureau parce qu'il lui fallait respirer l'air pur de la salle d'entrée.

À cet instant, on frappa à la porte. L'homme qui entra affirma avoir été envoyé par le préfet.

— Qu'avez-vous à me dire ? demanda le prêtre.

— Son Excellence vous fait dire que toutes les démarches mises en œuvre depuis quarante-huit heures pour retrouver Dom Pedro da Silva ont été vaines. On a pu confirmer son arrivée à Lisbonne il y a un an, on a appris qu'il a vécu à Campolide sous un nom d'emprunt et qu'il a disparu, il y a huit mois plus ou moins, sans que l'on puisse connaître sa destination. Monsieur le préfet a pu savoir qu'il vivait pauvrement et pense qu'il aurait pu se suicider, étant donné qu'on a trouvé il y a quelques mois, à Dafundo, le cadavre d'une personne bien mise que l'on n'a pu identifier, même si l'on attribue cette mort à une société maçonnique car le corps portait un bâillon.

— En tout cela, il n'y a rien de sûr… coupa le prêtre.

— Absolument rien… Il se peut qu'avec le temps on finisse par le trouver. On recherche un valet qui a servi cet individu à Campolide, mais on ne parvient pas non plus à le retrouver… Nous verrons…

– Veuillez dire à Son Excellence que je la remercie beaucoup de ces nouveaux renseignements...

Vingt-quatre heures plus tard, Père Dinis demandait dans le couvent des ex-dominicains monsieur Álvaro de Oliveira, comptable de monsieur le baron dos Reis.

On lui dit que le comptable, comme à son habitude, dès le crépuscule et jusqu'à minuit, se promenait dans le cloître du couvent et qu'il avait donné l'ordre de ne pas être dérangé.

– J'attendrai... Moi non plus, je ne veux pas qu'on le dérange.

– Alors, vous pouvez l'attendre dans la salle, car, vu l'heure tardive, je suppose que Votre Seigneurie s'arrêtera à Santarém.

– Oui... Vous aussi, vous êtes commis de monsieur le baron ?

– Non, je ne le suis pas. J'accompagne monsieur Álvaro en tant qu'écuyer.

– Ce monsieur Álvaro doit être un comptable très estimé par monsieur le baron !... On lui donne même un écuyer !... Il ne doit pas y en avoir beaucoup comme ça au Portugal...

– C'est que mon patron, s'il avait un fils, ne l'aurait pas aimé davantage qu'il aime monsieur Álvaro ! Il n'est même pas comptable ni rien... Il va où il veut et vit comme s'il était le fils de la maison... Nous sommes ici depuis un mois et madame la baronne est déjà venue lui rendre visite quatre fois... Je crois que monsieur Álvaro a une grande tristesse dans sa vie. Ce qui lui plaît, c'est de se promener dans le cloître, là où se trouvent les sépultures des moines. Il m'est arrivé souvent de le voir pleurer, mais il ne veut pas qu'on lui demande ce qu'il a. Votre Excellence le connaît ?

– Non...

– Si vous le connaissiez, je pourrais aller lui dire que Monsieur est là...

– Non, ne l'interrompez pas… J'attendrai qu'il revienne… À quelle heure a-t-il l'habitude de rentrer ?

– À minuit, parfois plus tard encore… Je vais lui dire qu'on le demande de la part du baron…

– Faites comme vous voulez…

Dom Pedro da Silva apparut sur le seuil. Il jeta un regard indifférent au vieux prêtre qui se trouvait au fond de la pièce, obscurci par l'abat-jour de la lampe.

En le voyant, Père Dinis se mit debout… le fixa… fit un pas pour corriger une erreur qui avait fait refluer tout son sang à son cœur… Il allait en faire un autre, car le premier lui avait enlevé le don de la parole… ne put… tendit ses bras, qui retombèrent aussitôt, épuisés par de violentes convulsions. Dom Pedro répondit à l'appel muet de l'inconnu… le reconnut et, lorsqu'il s'exclama : « Père Dinis ! », cet homme laissa tomber sur son sein sa tête exsangue.

– Je dois beaucoup à Dieu !… balbutia le prêtre. Je lui dois tout et j'ai été si ingrat !… Quel autre homme, sans être guidé par un ange, vous aurait retrouvé ici, fils d'Ângela !… Que de surprises étonnantes dans ma vie !… Que de coups de théâtre… que de désastres… et toujours la Providence dans tous mes plans !… Parlez, Pedro !… Je veux entendre la voix de l'enfant qui a pleuré dans mes bras avant de voir le monde. Parlez-moi… Je vous retrouve très malheureux, n'est-ce pas ?

– Non, Père Dinis… je ne suis pas malheureux…

– Vous n'êtes pas malheureux !… Béni soit le Seigneur !… Vous êtes le premier homme heureux qui s'approche de moi sans subir la contagion de mes infortunes… Qu'est-ce qui vous rend heureux en ce moment ?

– Les malheurs passés…

– Ils ont été nombreux ?…

– Ils ont excédé les forces de la souffrance… J'ai cessé de souffrir quand mes larmes se sont taries et mon cœur est devenu de pierre…

– "La première femme qu'on aime décide de la vie d'un homme."

– Je m'en souviens... C'étaient vos mots... Vous avez vu mon avenir, Père Dinis ! La première femme que j'ai aimée mit fin à mes grandes espérances dans la mort violente de mes dix-neuf ans... J'ai perdu toutes les richesses du cœur... Les sentiments d'honneur et de déshonneur m'indiffèrent... Je n'ai ni désirs, ni nostalgies, ni espérances... Je suis une machine qui produit stupidement un jour après un autre jour...

– Et cependant vous êtes heureux...

– Je crois que oui... Cette atonie ressemble beaucoup à l'insensibilité de la mort... La vie n'est-elle pas le désir plein d'espoir du lendemain ? Vivre, n'est-ce pas espérer ? Et moi, que puis-je espérer ? Des heures de maigre sommeil qui viennent parfaire l'impassibilité de mon néant...

– Et le travail ne vous stimule-t-il pas ?

– Je n'ai aucun travail...

– N'êtes-vous pas comptable dans une maison commerciale ?

– Je ne suis rien... J'ai eu beaucoup de foi dans le travail... J'aurais peut-être travaillé par nécessité, et il se pourrait qu'un jour ma vie se transfigurât et que du malheur naquît le contentement... J'ai été jusqu'à imaginer que je me relèverais de ma chute pour ressentir en moi un courage nouveau... Dieu ne l'a pas voulu... Le baron dos Reis sait qui je suis...

– Comment ?!

– Je ne sais quelles questions et réponses m'ont dénoncé à la baronne... Vous savez qui est la baronne...

– Je sais...

– Le baron m'appelle son fils... Il se sert de son autorité pour m'éloigner du commerce... Il consent à ce que je vive ici et insiste pour que je quitte le Portugal... Cet homme honnête ignore que ma sépulture se trouve n'importe où sur terre... Eh bien, mon cher maître... parlez-moi de vous... Je vous croyais mort... Il y a un an que vous ne m'écrivez plus...

— Je savais que vous n'étiez pas à Paris... J'ai appris à Angoulême que vous aviez quitté la France...

— À Angoulême ?! Vous y avez été ?!

— J'y ai été...

— Avec qui ?

— Dans le palais de Cliton avec le chapelain.

— Le palais de Cliton appartient...

— À la veuve du duc de Cliton.

— Vous connaissez cette femme ?

— Vaguement... et vous ?

— Et moi ?... Ne devinez-vous pas qui a été la femme qui m'a plongé dans le malheur où vous m'avez retrouvé ?

— Je ne l'ai pas deviné, Dom Pedro da Silva... Que vous a-t-elle fait ?

— Elle a trahi vilement mes illusions d'enfant... A raillé mon innocence... Elle s'est présentée comme l'ange de l'honnêteté et de la candeur... M'a fait venir au Portugal demander, les armes à la main, une réparation d'honneur à Alberto de Magalhães... Pour elle, qui s'était vendue pour quatre-vingt mille francs !... Cette infamie ne vous horrifie-t-elle pas ? Vous devez avoir oublié ce qu'est une grande humiliation !... À quoi pensez-vous, Père Dinis ?

— Je vous écoutais, Dom Pedro !... Si vous ne me voyez pas atterré, c'est parce qu'il y a dans mon âme une paralysie que la vôtre n'a pas encore... Ce fut donc la duchesse de Cliton qui vous a tué !... Et vous... ne lui avez pas pardonné...

— Moi ?... J'ai pardonné... et j'ai pardonné après que les forces de ma souffrance se sont fatiguées... J'ai pardonné parce que je n'ai plus la sensibilité de la fierté offensée... J'ai pardonné, laissez-moi vous le dire ainsi, parce qu'il me manque la voix pour la maudire...

— Pardonnez-lui de tout votre cœur...

– Quel intérêt avez-vous dans la générosité de mon cœur envers cette femme ?

– L'intérêt du serviteur du Christ qui a chargé ses apôtres de proclamer le pardon des offenses… Je n'en ai pas d'autre…

– Et vous trouvez qu'elle est digne de pardon ?

– Oui…

– Savez-vous comment elle vit ?

– Je ne sais pas si elle vit… Je l'ai laissée à Paris il y a onze jours faisant la sœur de charité dans l'infirmerie des cholériques de l'Hôtel-Dieu.

– Que dites-vous ?

– De lui pardonner…

– Lui avez-vous parlé ?

– Oui…

– Lui avez-vous dit mon nom ?

– Je lui ai demandé de vos nouvelles.

– Et elle ?

– Elle ne m'a pas répondu… Je crois qu'elle ne se souvient pas de vous… Elle est trop proche de la tombe pour détourner le visage en vous cherchant.

– Parlez-moi d'elle, Père Dinis !…

– Je n'ai plus rien à vous en dire…

– Plus rien ?… Comment l'avez-vous connue ?

– Comme j'ai connu toutes les personnes malheureuses… La sympathie de la souffrance nous a liés l'un à l'autre… Ne parlons plus de la sœur de charité… Maintenant, laissez-moi vous dire pourquoi je suis venu, parce que… vous voyez bien… on dirait qu'en parlant je laisse s'échapper les derniers souffles de vie que Dieu m'accorde pour terminer ma pérégrination… Ne voyez-vous pas comme je suis affaibli, tellement malade ?…

– Vous souffrez beaucoup ?… Avez-vous une maladie incurable ?

– Oui… Regardez ce pouls… ne sentez-vous pas ses pulsations ?… C'est que la mort est déjà passée par là… je l'ai tout près du cœur… Pourrai-je vivre huit jours ? Seul Dieu le sait, mais moi, je crois que non… Vous me donnez un verre d'eau ?… Cette sécheresse m'empêche de parler… Maintenant, Dom Pedro, attendez un peu… Il me faut quelques instants de repos… Allez, si vous avez besoin de sortir, revenez dans un quart d'heure…

Dom Pedro se retira dans sa chambre pour réfléchir aux tumultueux événements qui, à un rythme si rapide, venaient bouleverser les projets qu'il avait mûris. En ce même moment, le prêtre priait, à genoux, tenant son bréviaire, portant souvent la main à son front comme pour écarter les pensées du monde qui s'accrochaient aux extases de son âme si près de l'éternité.

Dom Pedro le retrouva toujours en prière. Un geste lui imposa le silence et le fils d'Ângela attendit, les bras croisés, les larmes aux yeux, à côté de son maître.

Ces larmes lui venaient du cœur, résumant, en un rapide regard de l'âme, les scènes de sa vie, aussi loin qu'il s'en souvenait, à mesure qu'il grandissait dans les bras de cet homme dont la tombe était déjà ouverte.

« Voici le grand homme !…, se disait-il. Ce cœur immense va geler ! Cette victime de tant de sacrifices est enfin arrivée à son autel ! Comment peut-elle être, la conscience de ce juste en ce moment ! Quelle tranquillité d'esprit au pied de la sépulture ! S'adresse-t-il à la mort, ce sourire ?… Il est sans doute en train de revoir en cet instant toutes les scènes où il fut grand !… Il doit voir autour de lui toutes les personnes qui l'ont précédé dans la mort !… Est-il possible d'annihiler cet esprit ? Non, non ! C'est impossible !… Cet homme est un instrument de Dieu trop grand pour une poignée de terre !… »

Père Dinis s'était relevé. Il but deux gorgées d'eau, joignit les mains, y appuya sa barbe et se figea quelques minutes dans l'attitude de celui qui essaie de se souvenir des raisons qui l'ont amené là.

– Dom Pedro da Silva, dit-il, quel avenir sera le vôtre ?

– Je n'en ai aucun…

– On ne vit pas ainsi… Vous avez sans doute des projets… Pensez-vous quitter le Portugal ?

– Qu'aurais-je hors du Portugal que je n'ai pas ici ?

– Ici, vous avez contre vous la solitude dans votre patrie, là où vous avez eu une mère, des amis… Ailleurs, vous aurez la solitude parmi des étrangers, qui est moins douloureuse. Voyagez… Avez-vous de l'argent ?

– Je vous ai déjà dit que j'ai la protection du baron dos Reis…

– Acceptez plutôt la mienne… Je vous donnerai l'argent que je possède… C'est peu… mais quand vous l'aurez dépensé, vous aurez la paix d'esprit nécessaire pour en gagner davantage… Acceptez sans vous vexer, car je ne vous l'offre pas comme une faveur ni ne vous tiens pour mon obligé. Vous me regretterez toujours et je ne veux rien d'autre de vous… Allez à Travessa da Junqueira, entrez dans mon bureau et vous trouverez sous la table je ne sais combien d'argent que j'y ai laissé pour la Maison de la Miséricorde, mon héritière. Voyagez, c'est le conseil que je vous donne. N'allez pas à Paris ni à Londres… Allez très loin. Si la vie militaire ne vous répugne pas, soyez soldat, car je ne connais que deux positions sociales qui conviennent à l'homme distingué : le cloître et la guerre, les émotions du Ciel ou l'ivresse du sang des batailles. Un grand homme a besoin de pleurer dans une cellule ou de verser le sang dans un bivouac… Votre esprit a besoin d'une nourriture puissante… Allez éprouver les grands bouleversements qui peuvent transfigurer d'un instant à l'autre votre existence… Irez-vous ?… Ferez-vous ce plaisir à votre ami ?

– J'irai.

– Mais n'y allez pas avant de m'accompagner à ma sépulture… Assisterez-vous aux derniers jours de ma vie ? Vous ne répondez pas ?!… Pleurez, pleurez, ces larmes ne vous vont pas mal… Moi aussi, je pleure avec vous… Vous êtes le fils de ma chère Ângela... Vous avez été élevé par ma pauvre Antónia... Venez là... Rapprochez-vous de mon cœur... Je suis en train de vous voir tel que vous étiez à cinq, dix, quinze ans. Ils étaient bouclés, ces cheveux... Cette pâleur était alors comme de la pourpre. Ils brillaient bien plus, ces yeux aujourd'hui cernés... Je vous ai rarement vu sourire, mais dans le sourire angélique de vos lèvres il y avait la tristesse prophétique de notre rencontre... Gardez pour mon dernier instant l'un de ces sourires...

— Père Dinis... Vous n'allez pas mourir aussi vite... Faites un effort de volonté pour vivre...

— Aïe ! Mon fils... ne voulez-vous pas que je me repose ?... Regardez-moi mourir avec joie... Remerciez le Seigneur pour cette aumône que je Lui demande depuis trente ans... J'ai vécu tant qu'il a été nécessaire... Nécessaire !... À qui ?... À mon expiation... J'ai voulu être secourable à tous et je ne l'ai été à personne ! Quand je voulais donner la vie aux âmes, les corps mouraient... Cela est consommé !... Maintenant... qu'elles viennent, les miséricordes de Dieu... Que l'on pèse sur la divine balance mes iniquités et mes larmes... Que l'on m'enlève la dernière épine du remords...

— Le remords... Avez-vous des remords, Père Dinis ?

— Je vous répondrai de la tombe.

— De la tombe ?!

— Oui... de la tombe... Je vous léguerai la parole du mort dans un livre écrit par le vivant trente années durant... Vous serez forcé de l'ouvrir tous les jours et je serai à vos côtés tandis que vous lirez... Les larmes qui tomberont sur les pages se confondront avec les miennes, qui y sont tombées... Et les existences qui s'épousent par les larmes sont inséparables... Maintenant, Pedro, voici pourquoi je suis venu... Il est minuit et le clair de lune éclaire bien... Y a-t-il ici un levier ?

— Un levier ?!

— Oui... un fer quelconque...

— Oui, il y en a un... Vous le voulez ?

– Donnez-le-moi…

Dom Pedro alla le chercher.

– Maintenant, accompagnez-moi.

– Voulez-vous emmener des serviteurs avec nous ?

– Non… allons-y seuls.

Ils descendirent au cloître. Les ombres du clair de lune, projetées par les balustres des balcons, s'étendaient comme des voiles sur les tombes. La croix de pierre se dessinait sur les dalles. Sous la faible lumière de la lune, l'herbe, poussée librement entre les fissures des sépultures que l'on n'avait pas touchées depuis quatre ans, ressemblait à des morceaux de linceul arrachés à travers les fentes de la pierre.

Père Dinis alla jusqu'au pied de la croix et réfléchit quelques secondes.

– C'est ici.

– Quoi ?

– Aidez-moi à soulever cette pierre… Seul, je n'y arriverai pas… Essayez de trouver une cale… Bien… Tandis que vous ferez jouer le levier, je mettrai la cale… Comme ça… encore… encore… C'est bien… Maintenant, moi, j'abaisse le levier et vous faites basculer la pierre… Vous n'y arrivez pas ?

– Si, j'y arrive…

– Merci, mon ami… Maintenant, laissez-moi enlever la terre…

– Je vais chercher une bêche…

– On n'en a pas besoin… Ne salissez pas vos mains… Ce travail est le mien…

– Que faites-vous, Père Dinis ?

– Je cherche un trésor… Je ne crois pas qu'on me l'aura volé…

– Vous avez enterré un trésor ici ?!

– Oui…

– Il y a longtemps ?

– Il y a six ans…

— Quand vous êtes venu à Santarém assister à la mort du comte de Santa Bárbara ?

— Vers ce temps-là.

— Ne voulez-vous pas que je vous aide ?

— Non… Mon vœu a été celui-là… Bon… J'ai touché quelque chose de dur… Maintenant, creusons du côté des pieds… Auriez-vous une caisse, un bahut, quelque chose que vous pourriez me donner ?

— Un bahut ? J'en ai un… je vais le chercher.

Tandis que Dom Pedro allait chercher le bahut et revenait avec, Père Dinis déterra les deux poignées d'un cercueil.

— Maintenant, Dom Pedro, si cela ne vous répugne pas, prenez la poignée de fer qui est là et soulevez de votre côté, tandis que moi, je soulève du mien.

Ils sortirent de terre un étroit cercueil de plomb.

— Qu'est-ce que cela ?! demanda Dom Pedro.

— C'est mon trésor, mon bon ami… Soulevez ici… aidez-moi maintenant à sortir la bière, mais en faisant bien attention de ne pas la défaire… Ce n'est pas possible… une planche est déjà tombée… Rapprochez le bahut de mon côté, ouvrez-le…

Père Dinis sortit un crâne auquel étaient collées quelques vertèbres du cou.

— Que faites-vous ?

— C'est mon trésor…

— Une tête de mort !…

— Une tête de mort… oui… Vous ne croyez pas qu'une tête de mort puisse être un trésor ?…

Le fils de Frère Baltasar continua d'extraire des ossements de la sépulture, secouant chaque os, grand ou petit, qu'il sortait, passant sur sa surface la manche de sa soutane et le rangeant dans le bahut. Dom Pedro était devenu livide d'horreur.

— Vous êtes si silencieux, Dom Pedro… Cette exhumation

vous écœure ?… Ayez patience… c'est mon trésor… ce sont les os de mon père…

— Votre père ?!… Votre père est donc mort dans ce couvent ?…

— Oui, mon fils… Maintenant aidez-moi à remettre la pierre sur la sépulture… Il ne faudrait pas que l'on croie qu'un impie a exhumé le cadavre du moine maudit pour l'insulter… Vous trouvez que c'est bien comme ça ?

— Oui… Et cette bière ?

— Cette bière contient les cendres de ma mère.

— Mon Dieu, que de mystères !… Votre mère est morte ici également ?

— Non… ma mère n'est pas morte ici… Nous vous répondrons tous trois depuis le tombeau… Je vous ferai connaître cette intimité avec les morts, qui est de toutes la moins dangereuse… Parvenez-vous à porter cette bière, mon bon ami ?

— Oui.

— Dieu me donnera la force de porter ce bahut jusqu'à ma chambre… Montons… Laissons les morts sans leur compagnon de six ans… avant qu'ils ne nous le demandent, car ils l'ont tant aimé en vie.

Père Dinis s'assit au pied du bahut dans la chambre de Dom Pedro et resta ainsi un long moment, les mains jointes. Le fils de Dona Ângela n'eut aucune réponse aux questions qu'il lui posa. L'horloge de la tour sonna deux heures et le prêtre, comme réveillé d'une douloureuse léthargie, dit à Dom Pedro :

— Allez vous reposer ; moi, je reste là…

— Je ne consentirai pas que vous restiez seul : si vous ne voulez pas un lit, je resterai à vos côtés.

— Et moi, je ne consens pas que vous restiez… Laissez-moi un encrier, car je dois écrire… Ouvrez cette malle et donnez-moi un livre avec une étiquette sur la couverture…

— Celui-là ?… C'est écrit : *Livre noir*.

– C'est celui-là… Maintenant, mon fils, à tout à l'heure…
Je vous réveillerai si vous vous endormez… mais je ne crois
pas que vous dormirez. J'aurais voulu, cependant, que vous
vous reposiez. Rentrerez-vous à Lisbonne avec moi ?

– Oui, j'irai avec vous, Père Dinis, là où vous irez…

– Vous n'irez pas loin, alors… Bonne nuit…

Sebastião de Melo écrivit une heure durant. Puis il se
coucha à même le plancher, le visage contre la bière contenant les cendres de Silvina, et s'endormit en murmurant :

– Laissez-moi jouir de mon premier sommeil au sein de
vos cendres, ma pauvre mère !

XXXI

Six jours plus tard, Père Dinis Ramalho e Sousa
se trouvait dans le lit d'une chambre particulière de l'hôpital
de São José.

À côté de son lit, il y avait un cercueil de plomb et un
bahut fermé, que l'administration de la Sainte Maison,
se pliant aux conditions de l'acte de donation, avait accepté
d'ensevelir avec le cadavre du charitable donateur.

Autour de ce lit, se trouvaient les médecins de la maison,
le comptable Álvaro de Oliveira, le baron dos Reis et sa
femme.

Ils parlaient peu, et ce peu-là sur un ton presque inaudible.
Le malade les dévisageait tous avec un sourire et répondait aux questions insistantes des médecins avec le même
sourire. Il prenait leurs médicaments sans rechigner mais
les priait de le considérer avec plus de philosophie que de
médecine, car leurs nobles efforts étaient inutiles. Dona
Emília Mascarenhas pleurait, et Père Dinis, manquant de
forces pour parler, joignait ses mains pour la supplier de ne

pas le faire. Il se retrouva parfois seul avec le baron, car la fille d'Anacleta et le fils d'Ângela, de temps en temps, s'en allaient pleurer en cachette du prêtre.

L'infirmier vint ce jour-là, les larmes aux yeux, dire à Père Dinis qu'on le retirait du service de sa chambre.

— Pourquoi ?

— Parce qu'un autre infirmier de cette maison a demandé la permission de vous soigner, et on la lui a accordée, car il y a des raisons pour qu'on ne lui refuse rien.

— Quelles raisons ?

— C'est un homme arrivé ici il y a six ans, qui non seulement soigne les malades en tant qu'infirmier mais a fait des dons importants à la Sainte Maison. Personne ne connaît son nom et il ne consent qu'on lui pose la moindre question sur sa vie. Dieu lui pardonne le chagrin qu'il me cause en me faisant quitter votre chambre, Père Dinis…

— Je remercie votre amitié de tout mon cœur…

— Le voilà…

— Qui ?

— L'infirmier…

Effectivement, le nouvel infirmier entrait dans la chambre. Père Dinis ne pouvait le voir, car il y avait peu de lumière. Le mystérieux dévot des hôpitaux s'approcha du lit et fit signe de sortir à l'infirmier congédié.

Ils étaient seuls.

— Tu as un nouveau serviteur, Sebastião de Melo… lui dit-il en se penchant à l'oreille du malade, qui tressaillit.

— Qui m'appelle par ce nom ?

— Ce n'est pas le tien ?

— Il l'a été… Qui êtes-vous ?

— Un homme indigne de t'accompagner en vie, mais que tu ne considéreras pas ainsi aux heures où la mort entame la destruction de l'orgueil humain.

— Qui es-tu ?

— Mourras-tu avec le secret de mon nom ?

– Oui…

– Je suis Azarias Pereira, le juif…

– Azarias Pereira !… Ouvre-moi cette fenêtre…

– Non… car la lumière te dérangerait… Tu ne me crois pas ?… N'y a-t-il plus dans cette voix le timbre de ton vieux compagnon des salons d'Anacleta ?… Qu'en penses-tu, Melo ?… Aurais-je désarmé la colère de ton Dieu et du mien avec une pénitence de six ans ?

– Quelle vie a été la tienne, Azarias ?

– Celle-ci !… Et la tienne ?… Je t'ai cru mort.

– Tu as vu juste…

La baronne dos Reis entra.

– Qui est cette femme ? demanda Azarias.

– C'est la fille d'Anacleta…

– La fille d'Anacleta ! murmura l'israélite en s'appuyant au lit, les yeux rivés sur Emília.

– Vous avez un nouvel infirmier, Père Dinis ?

– Oui, Madame la Baronne…

– On m'a dit que c'était un saint…

– On vous a trompée, Madame… balbutia Azarias.

– Je vous avais déjà vu, reprit-elle, et j'ai reconnu dans votre visage les signes de la mortification… On m'a dit que vous étiez dans cet hôpital par dévotion… Il y a encore des âmes bonnes, en ce monde !…

– Ce sont souvent les plus perverses…

– Ne dites pas cela !… Pourvu qu'un quart des bons aient vos vertus…

– Ne parlons pas de mes vertus, Madame…

– Si avec vos prières vous pouviez redonner la santé au Père Dinis…

– Mes prières sont des blasphèmes… Saint nom de Dieu ! Dieu se sentirait offensé par elles…

– Ne parlez pas ainsi, car vous feignez d'être ce que vous n'êtes pas…

Père Dinis fit signe à la baronne de se taire. Ils se turent tous. À ce moment, entra le confesseur, qui resta seul avec le malade. Azarias Pereira demanda aux médecins, qui attendaient l'occasion de tenter un ultime recours, combien de jours pourrait encore vivre le malade. On lui répondit qu'il pouvait vivre de nombreux jours ou très peu d'heures. « Cette mort (dirent-ils dogmatiquement) est un dépérissement physique et moral. » Après le confesseur, arriva le viatique, accompagné par Dom Pedro da Silva et le baron dos Reis. Azarias se trouvait à côté du lit avec la cruche d'eau et la serviette.

Le sacrement administré, Père Dinis demanda qu'on l'adossât aux oreillers.

Il appela auprès de lui les personnes qui se cachaient dans l'obscurité pour pleurer et leur parla ainsi, avec beaucoup de difficulté :

— Approchez-vous... venez auprès de moi, vous, les représentants de ceux qui sont déjà partis, vous laissant la charge de témoigner de ma mort... Ne t'enfuis pas, pénitent...

— Je vais chercher un bouillon, Père Dinis, dit Azarias Pereira.

— N'y va pas... je te veux ici... Tu dois me pardonner, toi, le seul homme vivant auquel je peux et je dois demander pardon...

— De quoi, Monsieur ?

— Tu m'as tendu une fois ta main, et moi... je l'ai repoussée... Misérable orgueil humain !... Stupide noblesse dans les vertus !... J'ai repoussé ta main, pauvre homme qui as tant souffert... qui as creusé avec tes ongles le tombeau de la malheureuse que tu avais perdue... J'ai repoussé ta main, moi, mon Dieu !... Moi !... Moi, chargé de crimes, dont la main est éclaboussée de sang... Viens là... approche ta main de mes lèvres... je veux la baiser... Ne t'oppose pas au moribond...

— Qui est-ce ? demanda le baron à sa femme.

– Je ne comprends pas… Et vous, Dom Pedro, vous connaissez cet homme ?

– Non, Madame… je ne le connais pas.

– Ne prononcez pas mon nom, Sebastião de Melo ! murmura Azarias à l'oreille du prêtre.

– Non… je ne prononcerai pas ton nom… à quoi servirait à ton âme que je le prononce ?… Meurs ignoré, comme tu as vécu… C'est cela, le grand courage… Meurs comme moi… Lequel de vous pourrait dire mon nom ? Personne…

– Personne !… dit Dom Pedro.

– Personne, jusqu'au moment où ces lèvres, rendues muettes par les chaînes de la mort, ne pourront plus répondre aux louanges ou aux vitupérations du monde… Vous me demandez par votre silence si j'ai été un grand homme ?… Je l'ai été, mes amis… depuis l'instant où j'ai revêtu la soutane que vous allez bientôt me donner pour linceul… Avant cela, j'ai été misérable… le plus petit de tous ceux qui se traînaient à mes pieds… Auprès de ce lit… vous n'êtes pas les seuls à assister, compatissants, à mes paroxysmes… si sereins… si doux… Je vois beaucoup d'images que vous ne voyez pas… Baronne… elle est ici, votre mère… Je la vois, le visage empourpré par les délires de bonheur que l'or lui provoquait… Et voilà qu'elle se défigure… Maintenant, elle est là, mortifiée, recouverte de haillons, agenouillée sous l'auvent de la chapelle… Ne voyez-vous pas là-bas une tombe à ras de terre ?… C'est moi qui l'ai creusée et élevée autour du cadavre de votre mère, Emília de Mascarenhas… Aïe !… À l'heure de la mort je la regrette… Je l'ai portée tant d'années gravée dans mon cœur !… Vous la pleurez, Emília ?… Ce sont, peut-être, vos premières larmes !… Bénies soient-elles !… Je pars content de vous les avoir arrachées en mémoire d'Anacleta… Ne fuis pas, mon ami…

– Permettez-moi de me retirer, Monsieur… dit Azarias, troublé.

– Écoutez jusqu'à la fin mes visions… Voilà votre sœur,

Emília… Ma chère Antónia !… L'ange déchu que j'ai relevé de l'abîme et remis à Dieu… Ne la voyez-vous pas se pencher du Ciel vers la Terre pour accueillir l'âme de sa fille ?… Eugénia ! Si bref a été ton printemps après un long hiver d'amertume !… Vous pleurez, Emília ? Vous n'aviez jamais pleuré ainsi pour votre sœur ?… Et toi, mon disciple chéri, mon héritier, mon confident d'outre-tombe, viens là, Dom Pedro da Silva, car j'ai ici, à mes côtés, ta mère… Viens nous serrer tous deux dans tes bras, nous confondre dans la même étreinte… Écoute… Te souviens-tu quand nous l'avons vue à cette fenêtre à Campolide ?… Elle n'était alors pas aussi radieuse… Cet éclat que tu lui vois est la splendeur du martyre… Ici-bas, ces auréoles n'existent pas… Elle ne pouvait pas continuer d'être la malheureuse qu'elle a été ici, si ses crimes l'avaient précipitée dans les ténèbres… Elle vient du Ciel pour m'accueillir dans la mort… Elle me paie sa dette sacrée pour l'avoir retrouvée dans la mort de la joie, de l'espérance, de l'âme… Tenez, les forces me manquent… Serait-ce la fin ?… Pas encore… Je ne sais quel pressentiment me dit d'attendre… Attendre quoi ?… Ce que j'attends depuis si longtemps… Laissez-moi jeter un nouveau regard sur le monde… Ouvrez cette fenêtre… je voudrais voir la lumière et le ciel… Mon ami, veux-tu ouvrir cette fenêtre pour moi ?

Azarias Pereira ouvrit un demi-battant.

– Toute… toute… balbutia le prêtre, s'efforçant en vain de se relever. Jamais le monde ne m'a paru aussi beau !… Je vois des arbres et des fleurs… Je vous les laisse, mes amis… Cueillez-moi cette rose… Il faut que ce soit toi, mon affectueux infirmier… Cueille-la, veux-tu ?… Va la déposer, avec la rosée de tes larmes, sur la tombe d'Anacleta, veux-tu ?… Tu tressaillis ?… Ne tremble pas… exécute mon legs, comme j'ai exécuté le sien… Et toi, Dom Pedro, tu en cueilleras une autre… Cherche la sépulture de ta mère dans le cimetière de São João… agenouille-toi… offre-la-lui en ton nom et le mien, veux-tu ? Je ne peux… Où vas-tu… tu me quittes ?…

— On m'appelle à la porte… Je reviens tout de suite, répondit Azarias.

Et il alla où réellement on l'appelait. Il y trouva une femme voilée de blanc et au manteau noir qui lui dit en portugais :

— Êtes-vous l'infirmier de Père Dinis ?

— Oui, Madame.

— Puis-je lui parler ?

— Donnez-moi votre nom, j'irai le lui demander.

— Comment va-t-il ?

— Il ne pourra pas vivre longtemps.

— Dites-lui que Virginie, la sœur de charité, demande à le voir.

Azarias revint au pied du lit où Père Dinis était frappé d'une crise dans les bras de Dom Pedro.

— Père Dinis, une sœur de charité appelée Virginie veut vous voir.

Le moribond s'arracha aux bras du fils d'Ângela, qui porta ses mains à la tête, comme si une flèche venait soudain de le frapper. Ceux qui les entouraient remarquèrent leur émotion, tandis que Père Dinis, s'appuyant sur son bras droit, se soulevait à moitié et paraissait vouloir se précipiter au bas du lit.

La sœur de charité n'avait pas attendu la réponse. Elle entra dans la chambre et la première personne qui frappa ses yeux pleins de larmes fut Dom Pedro da Silva. Elle poussa un cri, vacilla quelques instants, les mains levées, et se précipita dans les bras du missionnaire qui la cherchaient.

Le fils d'Ângela, sortant impétueusement de la chambre, tomba évanoui dans les bras d'Azarias, qui avait aperçu dans ses yeux l'éclat de la terreur, de la démence ou de l'apoplexie foudroyante.

Père Dinis accueillit la duchesse de Cliton dans ses bras et retomba dans sa prostration. Les paroles qu'il prononçait étaient sourdes, et une force invincible pesait sur ses paupières, qu'il essayait en vain d'ouvrir.

— Pourquoi êtes-vous venue, Madame ? balbutia-t-il.

— Pour cela... pour rien d'autre... J'ai voulu que votre dernière étreinte fût la mienne... Et elle le sera... car je ne vous quitterai plus jusqu'à votre dernier soupir.

— Vous trouvez qu'elle doit être vôtre... ma dernière étreinte !

— Oui... vous n'avez au monde personne qui vous aime autant...

— Personne... même pas toi, Dom Pedro da Silva ?... Où est-il ?

— Il est allé dans la chambre voisine, répondit Azarias.

— Pourquoi ?

— Il s'est évanoui...

— Comme une femme !... Patience... je ne le reverrai plus... Appelez-le...

— Non, non !... l'interrompit la duchesse de Cliton.

— Pourquoi ?... Pourquoi pas ?... N'êtes-vous pas la sœur de charité et des pardons ?... Où est-il ?...

— Il ne peut pas venir, dit Azarias, il vomit du sang et a perdu connaissance.

— Que la volonté de Dieu soit faite, balbutia presque sans s'en rendre compte le moribond. Dites-lui que mon legs est là, dans ce bahut...

— Il arrive... dit la baronne, qui était allée insister auprès de Dom Pedro pour qu'il vienne dire adieu à son ami.

— À la bonne heure... Dom Pedro, n'oubliez pas que mon livre sera à vous... il est là, dans ce bahut... Viens là... plus... plus près... Je vais partir... et je veux dire à Dieu... que tu as pardonné à cette femme... Pardonne-lui...

— Oui, oui... de tout mon cœur... dit Dom Pedro en baisant la main de l'agonisant.

— Maintenant... Madame... voulez-vous que ma dernière étreinte... soit la vôtre ?...

– Oui...

– Eh bien, soit... reçois la dernière étreinte de...
ton père...

Ce furent les derniers mots de Père Dinis. La duchesse
répéta le mot « père » et s'évanouit, le visage posé sur la
poitrine du cadavre.

Dom Pedro da Silva et les autres restèrent figés dans une
stupeur que l'on ne peut saisir que dans la réalité de cette
scène et qui ne peut se reproduire sur le papier.

Conclusion

Les pages qui suivent furent copiées textuellement des notes de Dom Pedro da Silva :

Je me souviens à peine de cette scène épouvantable ! Le duc de Cliton, Sebastião de Melo, Père Dinis, était mort. Je me souviens que la sœur de charité sanglotait, les lèvres collées à la poitrine du cadavre. La fille d'Anacleta était à genoux au pied du lit. Azarias Pereira croisait les bras à mon côté et me fixait, les yeux embués de larmes. Je n'ai pas d'autres souvenirs ! La surprise et l'affliction avaient engourdi mes sentiments. Je crois que j'ai envisagé ce dénouement angoissant avec la sérénité du dément, absorbé dans une de ses intimes visions d'horreur ! Quelqu'un m'a éloigné de ce tableau. Je ne sais qui… Ce devait être le baron dos Reis.

Je me retrouvai chez lui, me réveillant d'un rêve fiévreux. Je sentis qu'on me prenait le pouls et rafraîchissait mon front. Je vis l'effroi sur le visage d'Emília et la sollicitude dévouée dans les manières affectueuses de l'honnête baron.

Je demandai que l'on me racontât les événements ayant suivi la mort de Père Dinis. On me dit que la femme que l'agonisant avait appelée sa fille fut emmenée de la chambre sans connaissance et revint le lendemain pour assister à l'enterrement. On ne la vit plus par la suite, ni ne sut qui elle était, bien que l'infirmier affirmât que cette dame, à en juger par son accent, devait être française.

On me remit, enfermé dans une boîte laquée, mon héritage. C'était le *Livre noir*. Je le reçus avec respect et l'inondai de larmes avant de l'ouvrir. Je n'eus le courage d'en lire la première page qu'un an après.

Un mois plus tard, on me dit que j'étais convalescent et l'on me conseilla les voyages. Je n'avais nul besoin de l'opinion des médecins. Je devais accomplir la promesse faite à Père Dinis, mon cher maître, l'ange consolateur de ma pauvre mère.

Quand je serrai dans mes bras la sœur de Dona Antónia, je pleurai, car cette étreinte devait être la dernière.

J'avais dans le cœur un pressentiment qui me disait d'attendre une mort prochaine.

Elle tarda beaucoup ; peut-être tarde-t-elle encore ; mais je crois que je sens déjà son baiser froid sur ces lèvres, qui tant de fois l'ont demandée au Seigneur des désemparés.

Je voyageai dix ans en Orient. Je traversai seul le désert ; je vécus dans des solitudes où les ossements dispersés des empires m'habituèrent à la mélancolie concentrée de l'homme lassé de l'existence. Si je voulais dire comment je vécus, je ne le pourrais pas. Je n'ai pas eu de vie. J'ai duré dans une profonde léthargie. Je ne connus pas de sensations qui aient réveillé mon âme ; je n'eus pas un espoir qui m'aurait fait tourner les yeux vers le passé. Ma douleur n'était pas de la nostalgie ni du remords. C'était la mort… C'étaient les ténèbres éternelles du cœur… C'était une sorte d'ivresse morale, qui faisait naître en moi le désir fou de passer de longues heures adossé au tombeau de je ne sais quel heureux ou malheureux que je prenais pour un ami que je n'avais jamais connu.

Je ne sais quel jugement les hommes firent de moi. Je ne me rencontrais jamais avec la société ; je la fuyais, car je la soupçonnais de m'appeler fou. Je ne songeai jamais que mes médiocres moyens étaient presque épuisés, parce que je présageais que ma mort surviendrait à l'instant où l'indigence me dirait : « Demande un morceau de pain… Accepte la faveur d'un étranger ! » Partout, je rencontrai des hommes, dont je ne sus jamais le nom, m'offrant d'importantes sommes d'argent ; je ne les acceptai pas. Je voulus savoir d'où venait cette sollicitude envers le pèlerin, sans un morceau de terre à lui où il pourrait mourir. Aujourd'hui, je sais que le dévouement du baron dos Reis suivait discrètement mes pas.

Je ruinai le peu de forces que j'avais avec l'usage de l'opium. Je touchai l'extrême degré de l'insensibilité… À présent, avec ce narcotique, je ne parviens pas à avoir deux minutes de repos. Je me réserve pour la sépulture. Là, oui… dormirai-je, mon Dieu ?

Au bout de dix ans, je me sentis tomber. On donna ma mort comme inévitable. On m'ordonna l'air de la patrie. Et je rentrai… pourquoi ?… J'eus un intervalle lucide de nostalgie. Mon cœur éprouva un désir. Je vis le Portugal avec les yeux de mon enfance… Cet éclair de lumière momentanée… N'importe… Je suivis cette lueur…

Au Portugal, je m'agenouillai sur la sépulture de Père Dinis. Là, je lus quelques pages de son livre qui m'étaient consacrées et qui avaient le son réel de la voix du vivant, lues sur la sépulture du mort… Je ne sentis pas grand-chose… C'est que la glace de la tombe où je m'étais agenouillé commençait à me refroidir.

Je cherchai la sépulture de ma mère : je ne la trouvai point. Elle s'était fondue dans la fosse commune que le choléra avait remplie, sans inscription ni indice qui me permettrait d'y déposer la fleur que le prêtre moribond m'avait recommandée.

Affligé du silence des morts, je cherchai les vivants. Dona Emília Mascarenhas était morte. Le baron dos Reis vivait dans un lit de paralytique, la sensibilité presque entièrement perdue, priant Dieu de le libérer de cette pénible existence.

À l'heure qu'il est, il a dû être entendu et son âme aura quitté ce monde pour celui de l'oubli éternel.

Je m'enquis du destin d'Azarias Pereira. On me dit qu'il était mort dans une province du nord du Portugal, dans un pauvre village nommé Viduedo, où trente-sept ans auparavant était décédée Anacleta dos Remédios.

Je détestai la patrie. Autour de moi, il me sembla que les vivants insultaient les morts, qui étaient, dans la terre où je suis né, mes seules relations. Je la fuis comme l'assassin le cadavre de sa victime. Je vins ici parce qu'à l'instant où je me sentis poussé hors du Portugal, un navire partait pour le Brésil.

Depuis cinq mois, je poursuis sous un autre ciel la même terne existence.

Mes douleurs physiques me déchirent lentement. Je suis hectique au dernier degré. Je ne cherche pas de remède, mais cette mort si douloureuse m'effraie ! Mourir si lentement épuise mon courage et ne me permet pas de concentrer ma pensée sur ces pages que je lègue à l'homme à qui je dois une affection fraternelle.

Je veux lui montrer que je ne suis pas ingrat. J'en ferai le successeur de l'héritage que je reçus de Père Dinis... Je trouve noble l'indépendance de cet homme ! Jamais il ne me demanda qui j'étais, alors que partout où je suis allé, la première question que l'on me posait était une insulte au secret de mon existence.

Après tout, y a-t-il au monde quelqu'un qui ouvrira son cœur à mes révélations ?... Peut-être !... Élisa de Montfort est-elle toujours vivante ?

Mon cœur la voit encore... C'est donc qu'elle est vivante... Je l'ai cherchée... et je ne l'ai pas trouvée. Que lui voulais-je ? Je ne le sais pas moi-même... Je lui aurais peut-être dit : « Puisque tu m'as rendu malheureux, pleure une larme pour moi ! »

Je demande au noble gentilhomme chez qui je serai inhumé

de transmettre au monde ces paroles pour que cette femme ne meure pas avant de me donner la larme que je lui demande.

Ici se terminent les notes du fils d'Ângela de Lima, mort à Botafogo, dans les faubourgs de Rio de Janeiro, le 28 octobre 1851.

Épilogue

Six mois après la lettre qui avait accompagné la remise des manuscrits, imprimée sous le titre *Avertissement* dans les premières pages de cette compilation d'épisodes douloureux qu'on ne doit peut-être pas appeler roman, je reçus du même ami la lettre suivante :

Six mois se sont écoulés depuis que je t'ai envoyé les manuscrits de mon hôte. J'ai vu que tu as entamé leur publication et cela me fait un plaisir que tu ne peux imaginer, car le cœur me disait que cette malheureuse duchesse de Cliton vivait peut-être encore sur terre, et je voulais être le moteur de la larme que l'infortuné lui a demandée.

Il y a de cela deux mois, sont arrivées ici sept sœurs de charité engagées à Paris par João Vicente Martins, pour assister religieusement les victimes de la fièvre jaune.

Parmi celles qui sont venues, s'en détachait une qui a dû être belle, mais les rides et les cheveux presque blancs lui prêtaient un caractère de douloureux mystère qui en faisait un objet d'étonnement pour les curieux. Elle était de toutes la plus empressée et sans doute celle que les malades appelaient avec le plus de ferveur. Trois de ses compagnes moururent aussitôt : elles expirèrent dans ses bras, l'invitant à les accompagner dans le sein de Dieu. Elles s'en allèrent, balbutiant ces mots dits avec je ne sais quelle sainte joie : « À tout à l'heure, ma sœur ! » J'ai voulu voir cette femme. Je l'ai cherchée à l'hôpital et j'ai été étonné de l'entendre parler en portugais avec une correction admirable. Nous avons parlé du fléau avec lequel Dieu éprouvait ce pays malheureux et, je ne sais comment, notre conversation a dérivé vers mon hôte portugais qui était mort de la fièvre jaune. Quand j'ai prononcé le nom de Dom Pedro da Silva, la sœur de charité a changé de visage, est tombée à genoux et a prié longtemps. Ensuite, mon ami, j'ai voulu la relever parce que je la croyais morte. Elle était tombée face contre terre. Je l'ai prise dans mes bras, inanimée, froide, sans pouls.

Passé quelques minutes, elle a ressuscité de cette mort… mais seulement pour quelques instants !… Je ne m'étais pas trompé !… Elle était bien morte !… Dieu lui avait accordé quelques heures de vie pour pleurer sur la tombe de Dom Pedro da Silva la larme qu'il lui avait demandée. Puis elle est morte.

Je suis parvenu à obtenir que son cadavre soit enterré dans la sépulture voisine. Le monde ignore que ces deux tombes sont le lit nuptial de ces deux malheureux.

Postface

Le professeur américain David Bordwell considère que toutes les stratégies narratives qui s'appliquent aux films modernes se basent sur une certaine idée de vraisemblance (ou évidence narrative).

Grâce à elles, les fictions les plus échevelées sont acceptables, et acceptées. Et cette même vraisemblance, dit-on, répugne tout écart par rapport à une ligne directrice (ce que l'on a coutume d'appeler la flèche conductrice de l'action), avec ses variations d'intensité et ses péripéties mouvementées.

Cette théorie qui s'appuie sur un certain nombre de règles, souvent abusivement attribuées à Aristote, est finalement devenue ce que les puristes se sont empressés de dénommer naïvement « le paradigme de Bordwell » : l'ensemble des stratégies narratives qui partent de la pulsion, de la présomption de vraisemblance.

Ce que l'on appelle « drame moderne » ou « drame bourgeois », ou encore « postulat Ibsen Shaw », a donné naissance à cette superstition. Dans le drame moderne, la structure, la construction domine, au-delà même de l'incohérence poétique et des faits hors de propos qu'elle suppose. L'auteur est un architecte qui construit des abris pour les fictions, les événements divers qui, seulement parce qu'ils sont protégés par une pluie d'invraisemblances, deviennent crédibles et pertinents.

Chacune de ces fictions, de ces structures mobiles, est guidée

*par une flèche narrative. Mais attention, une seule par fiction :
Guillaume Tell est une histoire bien racontée parce qu'une seule
flèche vient couper en deux une seule pomme, mais la bataille
d'Azincourt ne l'est pas parce que la nuée de flèches de Robin des
Bois et des siens ne permet pas de lire l'heure à l'horloge narrative,
voilée par des nuages de flèches guidées chacune par sa petite intrigue
indépendante. « Nuages et non horloges », dirait Karl Popper.*

*La prolifération, dans le drame moderne, de faits tronqués
n'est pas acceptable parce qu'elle nous éloigne de la notion de
causalité inhérente à celle de vraisemblance sans laquelle il n'y
aurait pas d'histoire.*

Fort bien.

*Mais que se passe-t-il si nous appliquons ces sacro-saintes lois
à une adaptation pour le cinéma des novelas qui constituent*
Mystères de Lisbonne ? *De la bonne centaine de personnages
qui se trouvent et se perdent dans la Lisbonne de Castelo Branco,
pas un seul qui soit capable d'expliquer le pourquoi de ses actes.
Des actes presque imperceptibles, aux conséquences impalpables,
au devenir indéchiffrable.*

Me vient justement à l'esprit une parabole islamique.

Ali dit à son épouse :

*— S'il ne pleut pas demain, j'irai travailler aux champs ; s'il
pleut, je resterai à la maison.*

Et sa femme de lui répondre :

— Tu as oublié d'ajouter "Si Dieu le veut".

*— Pour quoi faire ? Dieu seul peut décider qu'il pleuve ou
qu'il ne pleuve pas.*

*Le jour suivant, il ne pleut pas. Ali sort dans les champs, des
bandits l'attrapent. Puis les troupes du sultan arrêtent les bandits et avec eux Ali. On les envoie aux galères. Mais les galères
sont attaquées par des navires chrétiens. Ali est fait prisonnier
et réduit en esclavage. Beaucoup d'autres choses arrivent. Dix
années passent. Ali rentre chez lui. Il frappe à la porte. Sa
femme demande :*

– *Qui est-ce ?*

– *Je suis Ali, ton mari... si Dieu le veut.*

Mais on ne sait jamais ce que veut Dieu, dirait Camilo.

Le Dieu, le fatum *de Castelo Branco, est capricieux, il aime les mystères et les énigmes. Il provoque des péripéties étrangères à toute logique. Les péripéties tombent du ciel, comme des météorites.*

Voyons : Pedro da Silva est orphelin, recueilli et protégé par le Père Dinis. Il se persuade (et nous avec lui) que son statut actuel n'est que transitoire et qu'il est promis à un grand avenir. Et il en sera ainsi (ou presque).

Un jour apparaît sa mère, la comtesse de Santa Bárbara.

Nous apprenons que celle-ci vit prisonnière dans le palais de son terrible époux. Jusque-là, nous sommes au cœur d'un mélodrame feuilletonnesque typique du XIXᵉ siècle. Mais voilà que, bientôt, le méchant mari ne se révèle finalement pas si mauvais (il n'est que presque méchant), reconnaît ses fautes et meurt en bon chrétien, ayant reçu le pardon de ses victimes. Peut-être même, un jour, sera-t-il sanctifié.

Et Pedro renoue avec la solitude : sa mère entre au couvent, en quête de paix. Elle la trouve, d'ailleurs (ou presque).

Voyons encore : le bandit Mange-Couteaux, assassin à ses heures, utilise l'argent que lui remet le Père Dinis en échange de la vie sauve de Pedro nouveau-né pour devenir un riche capitaliste. En aucun cas il ne se repent de ses crimes, pas plus qu'il ne cesse de mal agir. Pourtant le Deus ex machina de Castelo Branco ne le punit pas. La monstrueuse Anacleta, après avoir commis maints méfaits, se transforme en sainte et accomplit des miracles. Le Père Dinis, quant à lui, abandonne brutalement son ministère pour partir en Orient chercher l'illumination. Le marquis de Montezelos lui-même, qui a ordonné la mort de son propre petit-fils – entre autres forfaits –, ne semble pas être inquiété par la justice, ni par sa conscience. On pourrait ainsi multiplier les exemples de cette fiction tentaculaire.

Comme chez leurs illustres prédécesseurs (Les Mystères de Paris, Sans famille, Les Deux Orphelines), *les personnages des* Mystères de Lisbonne *sont les victimes, les parfaits exemples de la vertigineuse mobilité sociale du siècle romantique qui inventa l'esthétique du suicide et les droits d'auteur, le culte des cimetières et des ruines, la révolution de la libre-pensée, le culte du Moyen Âge et l'industrie. Comme chez ceux-là encore, les intrigues des* Mystères de Lisbonne *entrent et sortent du système narratif que propose Camilo, s'enchevêtrent dans leurs propres méandres, relatant des faits invraisemblables dont on finit par douter. La tempête des mésaventures qui constituent les trois volumes n'est jamais suivie d'éclaircie.*

Si nous revêtions l'habit d'un académicien spécialiste de Camilo, nous pourrions avancer que les personnages qui composent le tissu social des Mystères de Lisbonne *passent par trois étapes : éclosion, trahison, rédemption.*

Dom Álvaro de Albuquerque, libertin sans scrupules et cynique, est victime d'une passion irrépressible pour la femme de son ami et allié politique. Il le trahit. Il s'enfuit avec elle et finit par causer involontairement sa mort. Pour racheter cette trahison, il hésite entre le suicide et le couvent. Il choisit le couvent.

Éclosion, trahison, rédemption.

Entendu. Mais cela explique-t-il le jubilatoire fourmillement que provoque l'accumulation d'histoires disparates, tronquées, labyrinthiques et baroques ?

Personne n'échappe à son destin, disaient les anciens Germains. Et les fictions de Camilo le confirment, mais c'est le destin lui-même qui nous échappe. Le fatum.

« Comme du feu follet

Il en va de l'amour :

Tu le fuis et il te poursuit,

Tu le cherches et il s'enfuit[1]. »

Un romancier populaire du nom de Keeler, qui comme Camilo écrivait au kilomètre, eut l'idée il y a presque cent ans d'appliquer les règles ou les lois de la géométrie plane aux fictions grand public. Il en résulta un nombre impressionnant d'histoires où les personnages semblaient suivre des lignes de conduite préétablies, orchestrant des passions sur commande (parce que géométriques).

Camilo, au contraire, justifie les rebondissements de ses histoires en accordant à ses personnages une liberté conditionnelle (comme on dirait dans le jargon judiciaire). Liberté que les personnages utilisent invariablement pour commettre des trahisons.

Le monde de ses fictions me rappelle l'équipage du navire du Manuscrit trouvé dans une bouteille, *la nouvelle d'Edgar Poe. Le bateau coule, englouti dans un remous géant, et les membres de l'équipage, au regard ténébreux et aux mœurs menaçantes, vivent ce dernier et vertigineux voyage avec une mansuétude mélancolique non exempt d'humour et de sarcasmes.*

La « géométrie plane » donnait aux fictions de Keeler la vraisemblance nécessaire pour illusionner le lecteur. À l'inverse, les histoires de Camilo nous entraînent irrésistiblement dans le tourbillon qui avale ses personnages. Elles sont aussi invraisemblables qu'un rêve surréaliste.

Les médecins aliénistes des XVIIIe et XIXe siècles distinguaient deux types de comportements extrêmes chez les fous : enthousiasme et mélancolie. Camilo, lui, les confond, nous invitant à voyager dans un monde de joyeuses infortunes et de triomphes pénibles. C'est-à-dire que son sébastianisme transforme la déroute et les désastres en épiphanie, et la gloire triomphale en un tourment dévastateur, en une fosse commune, et en ruines.

Et c'est ce « paradoxe de la répulsion » (selon les termes de Baltasar Gracian pour désigner les figures de rhétorique du type :

---

1. *La Chanson du feu follet*, in *L'Amour sorcier* (« gitanerie musicale » espagnole).

« La seule chose qui me maintienne en vie est l'espérance de la mort. »), c'est cette ferveur mélancolique qui explique, il me semble, la fascination que font naître chez le lecteur, et surtout chez le cinéaste que je suis, les fictions de Camilo. Elles débordent, dépassent les limites fixées par les événements racontés en réveillant d'autres fictions latentes qui dormaient à l'ombre du fait romanesque. Et le monde de l'« incroyable mais vrai » des péripéties propres aux Mystères de Paris cède la place à celui du « vrai parce que incroyable » des Mystères de Lisbonne.

Cette nouvelle forme d'évidence narrative – ou d'énergie – n'avait été envisagée ni par Bordwell, ni par Keeler, ni par Samuel Goldwyn, ni par George Bush. Et pourtant, de nombreux scientifiques s'appliquent à démontrer que cette théorie est tellement aberrante qu'elle ne peut qu'être vraie (voir Haldane).

« Incroyable mais vrai. » Mais n'oublions pas que Camilo est portugais. Ceux qui, comme moi, aiment le peuple lusitanien ne l'aiment pas parce qu'ils pensent que tout est bon au Portugal, mais bien parce qu'ils préfèrent ses défauts à ses qualités.

Qualités : sens du travail, épargne, discrétion.

Défauts : tristesse (ou tristitia), huitième péché capital (d'après Cassien dans ses Institutions) ; évanescence fataliste.

Ceux qui, comme moi, apprécient les plaisanteries savent qu'elles ne visent pas toutes à faire rire.

Les anglaises provoquent un sentiment d'angoisse face à l'absurde.

Les chinoises suscitent la réflexion philosophique et la perplexité.

Celles de ma terre (Chiloé) font naître la peur panique (du nom du dieu Pan).

Les plaisanteries portugaises appellent les soupirs, elles sont une sorte de sublimation de la tristesse. L'une d'elles raconte que tous les ordinateurs du monde ont une mémoire, sauf les portugais, auxquels il ne reste que de vagues réminiscences.

Récapitulons. Je referme le troisième volume des Mystères

de Lisbonne *et je tente de me rappeler l'un des récits qui se superposent dans les trois tomes et dans le* Livre noir.

Et je ne parviendrai qu'à de vagues réminiscences (l'une des nombreuses définitions du mot saudades *ne renvoie-t-elle pas à la nostalgie de quelque chose qui n'a jamais eu lieu ?).*

Il en va exactement de même lorsque j'essaie de convoquer les personnages et les péripéties des Mystères *dans ma mémoire. Je ne parviens à retrouver que des bribes d'histoires fantômes jamais écrites mais flottant dans l'espace incertain où s'inscrivent, dit-on, les événements jamais racontés, pourtant bien présents dans l'au-delà des mots couchés sur papier, des récits implicites, en somme. Non transcrits, mais presque.*

Récapitulons encore.

Vers la fin des années cinquante, quand j'ai commencé à m'intéresser au théâtre et au cinéma, au Chili, les rares personnes qui aspiraient à devenir dramaturges ou – plus rare encore – cinéastes devaient être rompues à ce qu'on appelait la technique de construction dramatique. En quelques semaines seulement, des formateurs venus du Nord nous transmettaient des techniques simples et efficaces qui permettaient de scénariser des intrigues susceptibles d'intéresser tout le monde. L'histoire commence, nous disaient-ils, quand le personnage auquel on s'attache veut quelque chose et bataille pour l'obtenir (Guillaume Tell voulant fendre la pomme que son fils a sur la tête sans toucher un seul de ses cheveux). Il faut qu'il y ait des risques, des incertitudes, des péripéties soumises à la trajectoire de la flèche que va décocher le héros (qui représente la flèche narrative guidant toute l'intrigue).

Il y a crise, climax et dénouement.

Et après, félicité ou tragédie.

Pour les adolescents que nous étions, pas moyen d'échapper aux diktats du système narratif américain. Plus tard, le théâtre épique de Brecht tenta une critique (d'un dogmatisme un peu nébuleux) de ce qu'on appelle le drame bourgeois, sans grand résultat.

Le théâtre épique s'en fut comme il était venu, sans changer grand-chose. L'avènement du drame américain moderne, en revanche, marqua une rupture définitive. Pour ma part, ni épique ni moderne, je choisis de me réfugier dans la dramaturgie des songes.

Mais, et ce « Monsieur Tout-le-Monde » ? Cet individu lambda, l'homme quelconque, l'obscur contribuable à qui étaient destinées les histoires que nous allions raconter ?

Bien sûr, il y avait les mélodrames mexicains, les telenovelas, la pièce radiodiffusée de l'après-midi, du soir ou d'avant le petit déjeuner.

Que racontaient les histoires des drames populaires ?

Rien en particulier et tout en général (être heureux, trouver le grand amour, accéder à la postérité, etc.).

Eh bien, à ce peuple inculte et avide des drames que provoque la malchance pure, peu importait que Gary Cooper réussît à devenir sénateur ou que Robert Taylor fût gouverneur des Bahamas. Il préférait le hasard, la malchance, l'injustice des humiliations, la surprise des coups de chance, bref, la vie même. Du roman-feuilleton. Pour nos formateurs, le roman-feuilleton appartenait au passé, c'était de l'art de bas étage destiné à un peuple inculte au mauvais goût notoire.

Personne n'en doutait.

Jusqu'à ce que quelqu'un, du fond de quelque taverne, compose un manifeste, une espèce d'« Art poétique » qui revendiquait tristement le mauvais goût comme principe d'un nouvel art.

Le drame anglo-saxon ne tolérait ni avatars ni accidents, il avait la malchance et la loterie en horreur. L'art que promouvait ce manifeste (qui se référait évidemment à Gramsci, Nobody is perfect) accueillait avec enthousiasme les caprices narratifs, les ruptures arbitraires de la narration, l'énigme insoluble, les peines de cœur, voire le fait que les marionnettes ont une âme (car oui, Mesdames et Messieurs, les marionnettes ont une âme, quand Hedda Gabler, saint Ignace de Loyola ou le président du Honduras n'en ont point).

Le manifeste se terminait au cri de : « Mort à Borges, vive Corín Tellado ! »

Les années ont passé.

Et quand Paulo Branco m'a proposé de réaliser les Mystères de Lisbonne, *j'ai compris que j'attendais en fait ce genre de proposition depuis des années (depuis une éternité, diraient Vargas Vila et Nené Cascallar à l'unisson).*

Cette avalanche, cette cataracte d'avanies, de crimes et de désastres inattendus, ce fleuve d'amours douloureuses et d'espérances meurtries qui arrosait la vallée de larmes fertile que peuplaient les personnages de Camilo, je les connaissais depuis toujours.

Je me sentais la force de parcourir ce territoire, d'y naviguer avec la ferveur d'un volontaire sauvant les victimes d'une énième inondation en Inde.

L'époque du drame moderne, où chaque personnage sait ce qu'il veut et pourquoi il le veut, n'est plus. Ce genre est devenu obsolète, hors d'usage, irréel. La logique des effets et des causes à tout prix propre au drame moderne a fait place aux turbulences paranoïaques du monde de la mondialisation. J.H. Lawson nous disait : une histoire commence là où quelqu'un désire quelque chose. Mais qui a le courage de vouloir quelque chose sans en appréhender les conséquences, nécessairement hasardeuses ?

Qui veut des guerres absurdes qui laissent le monde sans trêve ? Qui veut des désastres naturels que provoque le réchauffement de la planète (prévu par Camilo, au cas où vous ne le sauriez pas) ? Qui veut aimer ?

Nous vivons, un point c'est tout, comme le dit la chanson de Los de Aragón :

« Puisque nous sommes vivants,
Il faut vivre. »

Lorsque j'ai lu pour la première fois l'adaptation de Carlos Saboga, qui me parut excellente, je me suis laissé emporter par la narration et c'est tout. À la seconde lecture, mon attention s'est concentrée sur l'espèce de paix, de tranquillité qui enveloppait les douloureux événements que l'histoire suggérait et montrait. C'était comme parcourir un jardin. Joris-Karl Huysmans évoque dans son roman La Cathédrale *un jardin allégorique (mais réel) dans lequel chaque plante, chaque arbre, chaque fleur représente soit des valeurs morales, soit des péchés. C'est ainsi que j'ai imaginé le film qu'il voulait faire. Comme* Le Jardin de fleurs curieuses *d'Antonio de Torquemada, comme le jardin d'Éden que décrivit saint Brendan quand il revint de l'au-delà, comme le jardin de* L'Enfer *de Dante dans lequel chaque fleur, chaque plante est un suicidé châtié.*

Linné, le père de la botanique, croyait que Dieu punissait chaque mauvaise action de châtiments dadaïstes : quelqu'un donne un coup de pied à un chat, et dix ans après il voit sa chère et tendre épouse tomber d'un balcon et mourir sous ses yeux (voir la « Némésis divine »).

Pendant que je tournais les Mystères de Lisbonne, *j'ai souvent pensé à Linné : un jardin est un champ de bataille. Toute fleur est monstrueuse. Au ralenti, tout jardin est shakespearien.*

Si quelqu'un me demandait de résumer ma position par rapport au film Mystères de Lisbonne, *je dirais qu'elle fut celle d'un jardinier.*

« Un jardinier d'amour
Arrose une rose puis s'en va.
Un autre la cueille et en profite.
Auquel des deux appartient-elle[1] ? »

Raúl Ruiz

---

1. *Jardinier d'amour*, Compay Segundo.

Table

Composition et mise en pages
Nord Compo à Villeneuve-d'Ascq

Imprimé en Espagne
Dépôt légal : mai 2018
ISBN : 979-10-224-0281-1
POC 0187